J検

改訂３版

情報システム
完全対策公式テキスト

文部科学省後援／一般財団法人職業教育・キャリア教育財団 監修

日本能率協会マネジメントセンター

本書の内容に関するお問い合わせについて

平素は日本能率協会マネジメントセンターの書籍をご利用いただき、ありがとうございます。

弊社では、皆様からのお問い合わせへ適切に対応させていただくため、以下①～④のようにご案内しております。

①お問い合わせ前のご案内について

現在刊行している書籍において、すでに判明している追加・訂正情報を、弊社の下記Webサイトでご案内しておりますのでご確認ください。

https://www.jmam.co.jp/pub/additional/

②ご質問いただく方法について

①をご覧いただきましても解決しなかった場合には、お手数ですが弊社Webサイトの「お問い合わせフォーム」をご利用ください。ご利用の際はメールアドレスが必要となります。

https://www.jmam.co.jp/inquiry/form.php

なお、インターネットをご利用ではない場合は、郵便にて下記の宛先までお問い合わせください。電話、FAXでのご質問はお受けしておりません。

〈住所〉　〒103-6009　東京都中央区日本橋2-7-1　東京日本橋タワー9F

〈宛先〉　㈱日本能率協会マネジメントセンター　ラーニングパブリッシング本部　出版部

③回答について

回答は、ご質問いただいた方法によってご返事申し上げます。ご質問の内容によっては弊社での検証や、さらに外部へ問い合わせることがございますので、その場合にはお時間をいただきます。

④ご質問の内容について

おそれいりますが、本書の内容に無関係あるいは内容を超えた事柄、お尋ねの際に記述箇所を特定されないもの、読者固有の環境に起因する問題などのご質問にはお答えできません。資格・検定そのものや試験制度等に関する情報は、各運営団体へお問い合わせください。

また、著者・出版社のいずれも、本書のご利用に対して何らかの保証をするものではなく、本書をお使いの結果について責任を負いかねます。予めご了承ください。

刊行にあたって

一般財団法人　職業教育・キャリア教育財団（TCE財団）
情報検定（J検）専門委員長
鳥居高之

一般財団法人職業教育・キャリア教育財団（略称：TCE財団）は、広く社会に対して職業教育・キャリア教育の振興に資する事業を行っており、その中核の一つとして、文部科学省後援情報検定（J検）があります。

J検は、情報化社会を生きるうえで必要な「基礎力」と「思考力」を養成するというコンセプトのもと、30年以上に亘り実施され、累計総出願者数約150万人にものぼる文部科学省後援の検定試験です。これまで時代の変化に対応しつつ幾度かの改訂が行われており、現在は「創る－情報システム試験」、「使う－情報活用試験」、「伝える－情報デザイン試験」という各テーマに即した3つの独立した試験制度で実施しています。

その中でも「情報システム試験」はシステムやプログラムを「創る」能力をはかる試験として位置づけられ、学習の進捗段階やキャリア志向にあわせて受験できるよう「基本スキル」「プログラミングスキル」「システムデザインスキル」の3つの科目にわかれています。これは多岐に亘る技術要素の各専門性を磨くとともに、情報化社会の進展に的確に対応できる「基礎力」を身につけた「息の長い技術者」の養成を目的としているためです。

また、技術的要素に加えて、ストラテジ、マネジメント分野といった「働く」うえで必要な基礎知識も含まれており、「仕事の全体」を学びながら、情報系国家試験（基本情報技術者試験など）へのファーストステップとして取り組める内容となっております。

本書の発刊にあたり「情報システム試験」公式テキストを学習された方々が、J検へのチャレンジを通じて、年々高度化される情報化社会の一翼を担う存在となることを期待しております。

最後に、ご執筆にあたられた皆様に感謝の意を表し、今後も情報教育の現場においてご活躍されることを祈念しております。

はじめに

情報検定（J検）情報システム試験を学習される皆様へ

■J検とは

文部科学省後援の情報検定（J検）は、情報化社会を生きるうえで必要な「基礎力」と「思考力」を養うことをコンセプトに実施してきました。

そのため、出題範囲は情報化社会の根幹となる普遍的知識は勿論、社会変化とともに移り変わる「基礎として網羅すべき部分」にも即応しています。また、文章を読み解き、各知識・技術間の関係性を理解し「考え方の質」を向上させ、一定程度の応用力も修得できる教育コンテンツとして、特に学校情報教育の場において長年大きな役割を果たしてきました。

試験体系は、情報を「使う・創る・伝える」の3つのキーワードにもとづき独立した試験制度となっています。

「使う－情報活用試験」
「創る－情報システム試験」
「伝える－情報デザイン試験」

■情報システム試験の科目合格と技術認定

「創る」をテーマにした情報システム試験は「基本スキル」、「プログラミングスキル」、「システムデザインスキル」の3科目にわかれており、各科目の合格認定（科目合格制）となっています。

また、基本スキルを必須として、もう1科目に合格することで以下のとおり「技術認定」を得られる試験制度となっています。

・基本スキル+プログラミングスキル＝プログラマ認定
・基本スキル+システムデザインスキル＝システムエンジニア認定
（基本スキル+プログラミングスキル+システムデザインスキル⇒上記2種類の技術認定）

※技術認定については出願時の申請の際に注意が必要な場合があります（1年間の科目免除制度あり）。詳細はJ検Webサイト（https://jken.sgec.or.jp/）でご確認ください。

■「息の長い技術者」になるために

本試験は、各科目で設定されているスキルレベルの内容をより深く学習することと併せて、しっかりとした土台（基本スキル）の上に、より専門性の高い技術的要素（プログラミングスキル、システムデザインスキル）を積み上げることで、情報化社会の進展に的確に対応できる「基礎力」を身につけた「息の長い技術者（プログラマ、システムエンジニア）」を養成することを目的としています。

こうした段階的なレベルアップをはかれる本試験は、情報処理技術者の国家試験（特に基本情報技術者試験）を目指す方にとって、合格までの道筋（トライアル、マイルストーン）をつけるために非常に適した内容となっています。

■本書について

前述のとおり、情報システム試験は科目合格制であり、本書における章立ては基本的に出題範囲に沿って、各試験科目の要点を効率よく学習できる構成となっています。

それを踏まえたうえで、本試験の学習を通じ、科目合格のみならず技術認定（プログラマ認定・システムエンジニア認定）取得や、本当の意味での技術習得、知識の定着に繋がるよう、以下の点を考慮しつつ本書を活用していただくことを推奨します。

●「基本」の学習

試験科目に関わらず「基本」を学習することでより深い学びや理解促進に繋がります。

例えば、基礎理論を中心とした「基本スキル」の学習は他の2科目（プログラミングスキル、システムデザインスキル）を受験するうえでも役立ちます。

また、技術者として社会で「働くこと」を想定した場合、組織の活動（戦略、事業計画等）を理解することは非常に重要であるためストラテジ（経営戦略とシステム戦略）・マネジメント（プロジェクトマネジメント）は仕事の基本として、是非学習していただきたい分野です。

●情報技術の変化を見据えた学習

情報技術の進展は目覚ましく、前述の「基本」の範囲や定義も年々変化していく可能性があります。情報システム試験の各科目の出題範囲は、内容やスキルレベル別にそれぞれ設定されていますが、時代に即した出題をするにあたり各科目間で重複している内容やクロスオーバーする部分もあります。本書で要点を学びつつ、過去問題（J検Webサイト・本書では近年の出題分を解説付きで掲載）などで近年の出題傾向を確認しつつ学習を進めてください。

目次

刊行にあたって …… 3
はじめに …… 4
J検情報システム試験の概要 …… 12

第1部 ストラテジ・マネジメント

第1章 企業活動
シ 1-1 企業活動 …… 20

第2章 経営戦略
シ 2-1 経営戦略と経営分析 …… 26

第3章 システム戦略
シ 3-1 システム戦略 …… 32
シ 3-2 システム企画 …… 36

第4章 プロジェクトマネジメント
基 4-1 プロジェクトマネジメントの概要 …… 40
基 4-2 プロジェクトの進捗・コスト管理 …… 42
シ 4-3 システム監査 …… 45
確認問題 …… 46
過去問題 …… 49

第2部 基本スキル

第1章 情報表現
1-1 2進数と基数変換 …… 60

1-2　数値データとその表現 ……62
1-3　浮動小数点データと精度 ……64
1-4　文字データとその表現 ……66
1-5　符号化とデータ圧縮 ……68
確認問題 ……71
過去問題 ……73

第2章　データ構造・集合と論理

2-1　集合と論理演算 ……80
2-2　論理回路 ……82
2-3　データ型とその種類 ……84
確認問題 ……86
過去問題 ……87

第3章　CPUアーキテクチャ・補助記憶装置

3-1　コンピュータの構成 ……90
3-2　中央処理装置（CPU）の機能 ……92
3-3　CPUの命令と割り込み ……96
3-4　メモリの種類と特徴 ……98
3-5　メモリアクセスの高速化 ……100
3-6　補助記憶装置の性能と高信頼化技術 ……102
3-7　入出力制御方式 ……104
3-8　パソコンの周辺装置 ……106
確認問題 ……108
過去問題 ……110

第4章　システム構成・ソフトウェア

4-1　オペレーティングシステムの機能 ……116
4-2　代表的なオペレーティングシステム ……118
4-3　ジョブとタスクの管理 ……120
4-4　仮想記憶の管理 ……122
4-5　ファイルシステムの管理 ……124
4-6　CG（コンピュータグラフィックス）……126

確認問題 …… 127
過去問題 …… 129
第5章　人工知能
5-1　人工知能 …… 136

第3部　プログラミングスキル

第1章　データ構造とアルゴリズム
1-1　配列 …… 142
1-2　リスト …… 144
1-3　木構造 …… 146
1-4　2分木／スタックとキュー …… 148
1-5　アルゴリズムの基本構造（1） …… 152
1-6　アルゴリズムの基本構造（2） …… 154
1-7　集計処理のアルゴリズム …… 156
1-8　最大値・最小値のアルゴリズム …… 158
1-9　探索アルゴリズム …… 160
1-10　ソートアルゴリズム（1） …… 162
1-11　ソートアルゴリズム（2） …… 164
1-12　ファイル処理のアルゴリズム …… 166
1-13　その他のアルゴリズム …… 168
1-14　再帰呼出し …… 170
確認問題 …… 171
過去問題 …… 174
第2章　擬似言語
サンプル・オリジナル・過去問題 …… 186

第4部 システムデザインスキル

第1章 システムの開発

1-1 ソフトウェア開発のモデル …… 208
1-2 ソフトウェア開発の工程 …… 212
1-3 業務プロセスの分析 …… 214
1-4 データフローダイアグラム（DFD） …… 216
1-5 DFDによる業務分析 …… 218
1-6 モジュール分割の技法 …… 220
1-7 モジュールの強度と結合度 …… 222
1-8 プログラム設計の手法 …… 224
1-9 オブジェクト指向設計 …… 226
1-10 オブジェクト指向とUML …… 228
1-11 テスト技法 …… 230
1-12 システムの構成技術 …… 234
1-13 システムの性能 …… 238
1-14 システムの信頼性 …… 240
確認問題 …… 242
過去問題 …… 245

第2章 ネットワーク技術

2-1 伝送方式 …… 248
2-2 同期方式 …… 250
2-3 誤り制御方式 …… 252
2-4 変調方式 …… 254
2-5 OSI基本参照モデルの考え方 …… 256
2-6 TCP/IPプロトコル …… 258
2-7 LANの規格とアクセス制御 …… 260
2-8 LANの接続機器 …… 262
2-9 無線LANとセキュリティ …… 264

2-10　IPアドレスの割り当て …… 266
2-11　インターネット接続 …… 268
2-12　インターネットの主なサービス …… 270
2-13　Webの仕組みとアプリケーション …… 272
2-14　DHCPとDNSのサービス …… 274
2-15　VPNの仕組み …… 276
2-16　VoIPの仕組み …… 278
2-17　TORの仕組み …… 280
確認問題 …… 282
過去問題 …… 286

第3章　データベース技術

3-1　データモデルの考え方 …… 290
3-2　DBMSの種類 …… 292
3-3　集合演算と関係演算 …… 294
3-4　エンティティと属性 …… 296
3-5　正規化の目的と手順 …… 298
3-6　第1・第2・第3正規化 …… 300
3-7　SQLとテーブルの作成 …… 302
3-8　データの抽出（SELECT文） …… 304
3-9　集計関数とグループ化 …… 306
3-10　表の結合と副問合せ …… 308
3-11　データテーブルの更新 …… 310
3-12　集中型DBと分散型DB …… 312
3-13　排他制御（ロック）と機密保護 …… 314
3-14　トランザクション制御 …… 316
3-15　バックアップとリカバリ …… 318
3-16　チェックポイントと回復処理 …… 320
確認問題 …… 322
過去問題 …… 325

第4章　セキュリティと標準化

4-1　情報セキュリティの考え方 …… 330
4-2　暗号化技術 …… 332
4-3　ディジタル署名 …… 334
4-4　認証と認証局 …… 336
4-5　サイバー攻撃 …… 338
4-6　ファイアウォールの仕組み …… 342
4-7　セキュリティプロトコル …… 344
4-8　セキュリティ対策基準と著作権 …… 346
4-9　セキュリティと法制度 …… 348
4-10　セキュリティポリシー …… 350
4-11　情報システムの標準化 …… 352
確認問題 …… 354
過去問題 …… 357
索引 …… 359

別冊：確認問題・過去問題等の解答と解説

J検情報システム試験の概要

■試験概要

情報システム試験には、次の試験科目があります。

試験科目	評価内容
基本スキル	ソフトウェア開発における技法やプロジェクトマネジメント、およびその基盤となる情報の表現、ハードウェア、基本ソフトウェアに関する基礎的知識
プログラミングスキル	想定処理に対して適切なデータ構造とアルゴリズムを適用できる能力と、適切なテストケースを作成し、テスト結果の正当性を評価できる能力
システムデザインスキル	システムの開発と、それに必要なネットワーク技術・データベース技術及び、セキュリティと標準化に関する知識

■試験日と試験時間

●ペーパー方式（全国一斉実施）

前期：９月第２日曜日　全試験科目

後期：２月第２日曜日　全試験科目

＜試験時間および試験科目・合格点／配点＞

科目名	説明時間	試験時間	合格点／配点
プログラミングスキル	10:00～10:10	10:10～11:40（90分）	65／100
基本スキル	13:00～13:10	13:10～14:10（60分）	
システムデザインスキル	14:30～14:40	14:40～16:10（90分）	

●CBT方式（インターネットを利用した試験方式）

実施科目：基本スキル、プログラミングスキル、システムデザインスキル

実施期間：通年（メンテナンス期間除く）

試験時間、合格点／配点：ペーパー方式と同じ

申込期限：団体受験→試験実施日の２週間前

　　　　　個人受験→試験実施日の３週間前

・団体受験（教育機関等で実施　１名から出願可）

　試験日・試験開始時刻：随時　自由設定

・個人受験（指定する試験会場で実施）

　試験日：地域により試験日、試験開始時刻、実施回数等は異なる。

■合格認定・技術認定

本試験は科目合格制。また、基本スキルを必須として2科目を合格することで技術認定を受けられる（Web認証によるデジタル合格証・技術認定証を交付）。

１科目合格：各科目の合格証

２科目合格：各スキルの技術認定証

・基本スキル＋プログラミングスキル：プログラマ認定証

・基本スキル＋システムデザインスキル：システムエンジニア認定証

３科目合格：２種類の技術認定証（プログラマ認定証、システムエンジニア認定証）

・２（又は３）科目合格の場合でも各科目の合格証を交付

・技術認定は出願申請の際に注意（１年間の科目免除制度あり）。詳細はJ検Webサイト（https://jken.sgec.or.jp/）で確認

■J検問合せ先

一般財団法人職業教育・キャリア教育財団

検定試験センター

〒102-0073　東京都千代田区九段北4-2-25　私学会館別館11階

Tel：03-5275-6336　Fax：03-5275-6969

https://jken.sgec.or.jp/

■情報システム試験出題範囲

基本スキル

【受験対象】ソフトウェアの開発を目指す人を対象とする。
【評価内容】ソフトウェア開発における技法やプロジェクトマネジメント、およびその基盤となる情報の表現、ハードウェア、基本ソフトウェアに関する基礎的知識。

プロジェクトマネジメント	●システム開発におけるプロジェクト管理について理解する。 ①プロジェクトマネジメントの概要 プロジェクトマネジメントの5つのプロセス群と10の知識エリア、業務プロセス、ソリューションビジネス、システム活用促進、評価、ステークホルダ、SLA、インシデント管理、RFP ②プロジェクトの進捗、コスト管理 ガントチャート、ファンクションポイント、WBS、PERT、EVM、ベンチマーク、UPS、施設管理
情報表現	●数値及びデータの表現、情報の基礎理論について理解する。 ①数値表現とデータ表現の種類 基数と基数変換、データの表現単位、補助単位 ②数値とデータの表現方法 10進数表現、2進数表現、16進数表現、固定小数点表記、浮動小数点表記、シフト演算 ③演算と精度 数値表現の精度、演算と精度、数値表現と誤差 ④文字の表現 各種文字コード ⑤その他のデータ表現 データの符号化、画像データ、音声データ
データ構造・集合と論理	●データ構造、および情報と論理について理解する。 ①情報と論理 集合と論理、論理演算、ベン図、ド・モルガンの法則 ②基本データ型 基本データ型、基本データ構造、その他のデータ構造
CPUアーキテクチャ・補助記憶装置	●コンピュータの基本構成と各装置の機能、基本ソフトウェアの処理機能についての知識を問う。 ①プロセッサアーキテクチャ CPUの機能、命令実行制御、命令のアドレス形式、演算の仕組み、高速化技術、CISC、RISC ②メモリアーキテクチャ バスの種類、特徴、アクセス方式、キャッシュメモリ、クロック周波数 ③補助記憶 補助記憶装置の種類、特徴、性能計算 ④入出力アーキテクチャ 入出力装置の種類、特徴、性能計算、デバイスドライバ
システム構成・ソフトウェア	●オペレーティングシステムをはじめミドルウェアやファイルシステムについて問う。 ①オペレーティングシステム OSの機能と種類、特徴、ジョブ管理、タスク管理、ミドルウェア ②仮想記憶 仮想記憶の仕組みと特徴 ③ファイル管理 ファイルの構成、特徴、ファイルの記憶容量計算、ファイル編成とアクセス手法

プログラミングスキル

【受験対象】プログラマを目指す人を対象とする。
【評価内容】想定処理に対して適切なデータ構造とアルゴリズムを適用できる能力と、適切なテストケースを作成し、テスト結果の正当性を評価できる能力。

データ構造とアルゴリズム	●問題を解決するために適したデータ構造と、問題を解決するために効率の良いアルゴリズムが想定できるかを問う。 ①データ構造 配列、リスト、スタック、キュー、2分木など ②アルゴリズム 探索、整列、再帰、文字列操作、数値演算 ③ファイル処理 コントロールブレイク、マッチング ④アルゴリズムの評価 状態遷移、計算量 ⑤デシジョンテーブル（決定表）を利用した問題解決

擬似言語を利用したアルゴリズムの実装	●擬似言語を用いてアルゴリズムを適切に処理できるかを問う。 ①アルゴリズム 探索、整列、再帰、文字列操作、数値演算など ②ファイル処理 コントロールブレイク、マッチング

システムデザインスキル

【受験対象】システム開発技術者を目指す人を対象とする。

【評価内容】システムの開発と、それに必要なネットワーク技術、データベース技術及び、セキュリティと標準化に関する知識。

経営戦略とシステム戦略	●経営戦略に関する基本的な考え方を理解し、それに対応したシステム戦略を作成するために必要な基礎的知識について問う。	
	①企業活動	PDCA、BPR、CSF、SOHO、企業形態
	②経営戦略	CRM、POSシステム、ユビキタスコンピューティング、差別化戦略
	③システム戦略	ERP、ベストプラクティス
	④システム監査	
システム開発	●システム開発に関する基本的な知識、手法について問う。	
	①システムの構成技術	クライアントサーバシステム、システムの構成方式、処理形態
	②システムの性能、信頼性	システムの性能計算、システムの信頼性計算
	③開発手法	ソフトウェアの開発モデル、ソフトウェアのライフサイクル、ソフトウェアの再利用
	④モジュール分割技法	STS分割、共通機能分割、トランザクション分割、モジュールの強度、結合度
	⑤テスト技法	結合テスト、システムテスト、その他のテスト、テストの実施計画、テストの作業内容
ネットワーク技術	●ネットワークを構成するプロトコル、伝送制御、LAN、WANの要素技術を、どのように組み合わせて利用していくのかについて、さらにインターネットについて、そのプロトコルとアプリケーションに関する知識を問う。	
	①ネットワークアーキテクチャ	OSI参照モデル、TCP/IP
	②伝送制御	伝送制御手順、符号化、伝送技術、通信回路、伝送方式
	③ネットワークの性能	通信時間の計算、ネットワーク設計と性能評価
	④LAN	伝送媒体、通信機器、トポロジとアクセス制御
	⑤ネットワークの構成	通信機器、ネットワークソフト、電気通信サービス
	⑥インターネット応用	IPルーティング、応用プロトコル、アプリケーション、ネットワークセキュリティ技術
データベース技術	●情報システムにおいて、データ管理を行うデータベースについて、その主な機能、役割、設計、活用について問う。また、データベース言語（SQL）を用いたデータベース操作を問う。	
	①データベースの構築	関係データモデル、スキーマ、データ分析、正規化
	②SQLによるデータベース操作	データ定義言語（SQL-DDL）、データ操作言語（SQL-DML） データ制御言語（SQL-DCL）
	[SQL仕様] JIS X 3010データベース言語SQLによるものとする。ただし、次の仕様は除く。 ・組み込みSQL	
	③データベース管理システムの機能	参照整合性、機密保護、トランザクション制御、排他制御、リカバリ
セキュリティと標準化	●情報システムにおけるさまざまなセキュリティ管理、対策とセキュリティガイドラインや関連法規および情報システム全般にわたる標準化に関する知識を問う。	
	①セキュリティ対策	暗号化方式、機密保護、なりすまし・改ざん防止対策、不正アクセス対策、コンピュータウィルス対策、セキュリティ管理、セキュリティポリシー
	②セキュリティガイドラインと関連法規	ガイドライン、プライバシ保護、関連法規
	③情報システムの標準化	標準の種類、標準化の概要

※2024年9月1日現在の出題範囲です。

最新情報はJ検Webサイト（https://jken.sgec.or.jp/）でご確認ください。

第1部

ストラテジ・マネジメント

第１章　企業活動
第２章　経営戦略
第３章　システム戦略
第４章　プロジェクトマネジメント

第 1 章

企業活動

1-1　企業活動

第1章　企業活動

1-1 企業活動

企業などで実務に携わる社員は、企業活動の目的や意義を十分に理解する必要がある。ここでは、企業活動の目的や経営管理、企業が社会に対して負う責任について学習する。

●企業活動

(1) 企業活動の目的

企業活動の目的は、社会に対して商品やサービスを提供し、利益を得るという活動を継続することである。

代表的な企業形態である株式会社では、株主が出資し、会社は、それらの資本をもとに企業活動を行う。そのため、株式会社では、出資者である株主の価値を最大化するという目的をもつ。

(2) 経営理念

経営理念は、経営者の意思など、企業の存在意義や使命を表した基本的価値観である。経営理念を実現させるために、企業は具体的な経営戦略を考え、企業活動を行う。

●社会の一員としての企業

企業活動を円滑に行うためには、多くのステークホルダと良好な関係を保つことが欠かせない。近年、企業においては、ステークホルダからの多様な要求に応えることの重要性が高まっている。そのためには、次のような仕組みを確立し、考え方を実践していく必要がある。

◀**ステークホルダ(利害関係者)**：株主、社員、顧客、地域社会といった、企業を取り巻く人たちのこと。

(1) コンプライアンス

「法令順守(じゅんしゅ)」のこと。企業には、すべての役員、社員が法律や規範、規則、倫理規程などを遵守し、違反行為があれば速やかに是正できるマネジメントシステムの確立が求められる。

◀**コンプライアンス**
(Compliance)

(2) コーポレートガバナンス

「企業統治」のこと。ステークホルダを保護することを目的とし、企業の経営活動が正しく行われているかを監視し、その活動の健全性を確保、維持するための仕組みを指す。

具体的には、企業運営のルールを作り、それにもとづく社内外による監査を行い、情報を開示するなどの対策を行う。

(3) CSR（企業の社会的責任）

企業は、社会の一員として、「労働環境の改善」「雇用の維持」「人権の尊重」「環境保全」「社会貢献」などの多くの社会的要請に自主的に応える責任があるという考え方である。

(4) ITガバナンス

コーポレートガバナンスから派生した言葉。経営陣（CIO）がステークホルダのニーズにもとづき、経営方針に沿ってIT戦略を策定し、情報システムの導入や運用を組織的に管理する仕組みである。

(5) グリーンIT

IT機器の省電力化やITを活用した省エネ化、省資源、地球温暖化防止などの環境保護に配慮した取り組みのことである。

(6) ディスクロージャー

情報開示または情報公開という意味をもち、企業が投資家や株主、債権者などに対して、経営内容などの情報を開示することである。

(7) SDGs

世界的な貧困を撲滅し、不平等を食い止め、気候変動や環境劣化など世界的に直面する課題を解決するために、2015年9月国連で採択された「持続可能な開発目標」である。

●組織形態

(1) 職能別組織

営業部や経理部など、業務内容によって組織を編成した組織形態。業務内容が各部署に集中するため、業務のムダが生じにくいが、他の部署との連携が弱まりやすい。事業や取扱製品の少ない中小企業に多い組織形態。

この単元のキーワード

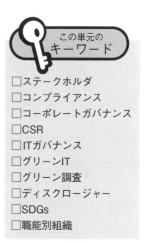

- □ステークホルダ
- □コンプライアンス
- □コーポレートガバナンス
- □CSR
- □ITガバナンス
- □グリーンIT
- □グリーン調査
- □ディスクロージャー
- □SDGs
- □職能別組織

◀**コーポレートガバナンス（Corporate Governance）**

◀**CSR（Corporate Social Responsibility）**：ITガバナンスを実践するさいの規範（ガイドライン）としてCOBIT（Control Objectives for Information and related Technology）がある。

◀**グリーン調達**：製品やサービスを購入する際、環境配慮などに積極的に取り組んでいる企業から優先的に調達することをグリーン調達という。

(2) プロジェクト組織

特定のプロジェクト専門のチームを作り、プロジェクトごとに独立した事業運営を行う組織形態。プロジェクトは目的をもち、期間が限定されている。プロジェクト内のマネジメントはプロジェクトマネジャーが行う。各メンバーはプロジェクトが終了すれば解散する。必要な人材が調達しやすく、目的が明確であるためメンバーに一体感が生まれやすいが、プロジェクト間では蓄積された経験や情報が共有しにくい。

(3) 事業部制組織

組織が事業単位（取扱製品や担当地域など）ごとに編成され、各事業部がすべての職能をもつことで、自律的に活動することができる組織形態。事業部内の構造は職能別組織に近く、事業部内においては、一切の権限を事業部長がもつ。複数の事業を手掛ける大企業に多い組織形態。

●経営者の役割分担

日本においては「代表取締役」が法律で定められた呼称であるのに対して、「社長」は法律で定められていないが、会社を指揮する立場の人を指す（代表取締役社長）。最近では経営者の役割を分担するケースも増えている。

視点	説明
CEO（最高経営責任者）	会社の全体を統括し、最終的な責任を負う役職。
COO（最高執行責任者）	CEOが決定した経営方針に沿って業務を統括する役職。
CFO（最高財務責任者）	企業における財務戦略の立案、執行を行う責任者。
CIO（最高情報責任者）	企業における情報戦略の立案、執行を行う責任者。
CISO（最高情報セキュリティ責任者）	企業における情報セキュリティを統括する責任者。

◀CEO（Chief Executive Officer）

◀COO（Chief Operating Officer）

◀CFO（Chief Financial Officer）

◀CIO（Chief Information Officer）

◀CISO（Chief Information Security Officer）

●経営管理

(1) PDCAサイクル

企業は経営戦略にもとづき、経営資源を使って、企業活動を行う。この企業活動を管理するための仕組み（マネジメントサイクル）として**PDCAサイクル**がある。

PDCAサイクルは、次の各プロセスを繰り返し行うことによって、企業活動を継続的に改善しながら行うことができる。

Plan（計画）	目標を定め、目標を達成するための実行計画を立案する。
Do（実行）	計画プロセスにて策定した実行計画を実施する。
Check（評価）	実行した結果を分析し、評価する。
Action（改善）	評価の結果、問題点・改善点が発見された場合は、改善策を講じる。

[PDCA サイクル]

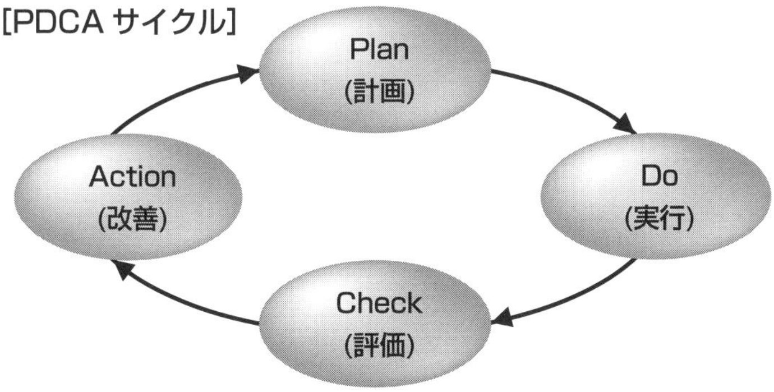

※このサイクルを活用することで課題の克服、作業の効率化などに役立つ。

(2) BCP（事業継続計画）

企業が自然災害やテロなどの緊急事態に遭遇した場合にも、損害を最小限にとどめ、重要な業務が継続または早期復旧できるように、事前に策定しておく計画書。

(3) ダイバーシティマネジメント

ダイバーシティは多様性と呼ばれ、性別、人種、国籍など価値観の異なる多種多様な人材が存在する状態のことである。組織に多様性があると、新しい成果や価値観を生み出すことができる。このような経営手法をダイバーシティマネジメントという。

この単元のキーワード

- □プロジェクト組織
- □事業部制組織
- □CEO
- □COO
- □CFO
- □CIO
- □CISO
- □PDCAサイクル
- □BCP
- □ダイバーシティマネジメント

◀**経営資源**：企業活動を行うために必要となる、「ヒト」、「モノ」、「カネ」、「情報」といった資源のこと。

◀ **BCP**（Business Continuity Plan）

●取引関連法規

この単元のキーワード

- □労働派遣法
- □下請法
- □PL法
- □善管注意義務

(1) 労働派遣法（労働者派遣事業の適正な運営の確保及び派遣労働者の就業条件の整備等に関する法律）

正社員に比べると弱い立場にある派遣労働者の権利を守るために施行された法律。派遣という労働形態は、派遣労働者、派遣元、派遣先の3つから成り立っており、派遣労働者は派遣元と雇用契約を結び、派遣元は派遣先と労働者派遣契約を締結する。

派遣労働者は派遣先の指揮命令の下に働く。「派遣先は派遣者を指定できない」、「雇用期間が30日以内の日雇派遣の原則禁止」、「すべての労働者派遣事業を許可制とする」、いわゆる「同一労働同一賃金」の実現など、数度にわたり派遣労働者の権利を保護するための改正が行われている。

(2) 下請法（下請代金支払遅延等防止法）

親事業者の下請事業者に対する不当な取り扱いを規制する法律であり、親事業者には、一定の事項が記載された書面の交付義務、下請代金の支払期日を定める（物品等を受領した日から起算して、60日以内のできるかぎり短い期間内）義務、遅延利息の支払義務などが課される。親事業者が下請法に違反した場合は、公正取引委員会から違反行為を取り止めるよう勧告され、企業名や違反事実の概要などが公表される。

(3) PL法（製造物責任法）

製造物の欠陥が原因で生命・身体・財産に損害が生じた場合、製造業者等に損害賠償責任を負わせる法律である。ここでいう「製造業者等」には、製造業者および輸入業者、表示製造業者（製造元、輸入者、輸入元などとして氏名などを表示した者）、実質的製造業者（氏名などを表示して製造業者と認識させた者）が含まれる。

損害賠償の請求権には時効があり、損害および賠償義務者を知ってから3年、もしくは製造物を引き渡してから10年で権利が消滅する。

(4) 善管注意義務

「善良な管理者の注意義務」の略であり、業務を委任された人が一般的・客観的に要求される程度の注意をしなければならない注意義務のこと。注意義務を怠ると、場合によっては民法上過失があるとみなされ、損害賠償や契約解除などの対象となる。

第2章

経営戦略

2-1　経営戦略と経営分析

第2章　経営戦略

2-1 経営戦略と経営分析

企業活動は、経営戦略にもとづき行われる。ここでは、経営戦略の定義、および経営戦略を策定するうえで必要なSWOT分析やPPMなどの経営分析手法について学習する。

●経営戦略とは何か

経営戦略とは、外部環境の変化に適応しながら、他企業との競争に勝ち抜いていくための方針を、経営理念やビジョンにもとづき、策定することである。

経営戦略には、成長戦略、競争戦略、撤退戦略がある。

◀**成長戦略**：環境の変化に対応したり、あるいは創造的に働きかけて環境を変えたりするために、自社の事業構造を変革する戦略。

◀**競争戦略**：市場環境下で競争相手とどのように闘うかについて、考えるための戦略。

◀**撤退戦略**：企業全体の業績向上のため、不採算事業などから有利に撤退するための戦略。

●ゲーム理論

経営戦略を考えるさいのフレームワーク（枠組み）として、ゲーム理論が活用できる。

ゲーム理論とは、複数のプレイヤーが存在し、それぞれの行動が影響を及ぼし合う状況を「ゲーム」ととらえ、そのゲームにおいて、各人の利益にもとづいて相手の行動を予測し、意思決定を行う場合の考え方である。ゲーム理論には、次のような考え方が存在する。

(1) マクシマックス原理

選択されうる戦略のそれぞれの場合について、最もうまくいった場合の最大利益を考え、これが最大となる戦略を選択すること。

(2) マクシミン原理

選択されうる戦略のそれぞれの場合について、最悪の場合の利益を考え、これが最大となる戦略を選択すること。

(3) 純粋戦略

各状況の発生確率を同一と考えて期待利益を算出し、これが最大となる戦略を選択すること。

●SWOT分析

SWOT分析は、外部環境の分析により、市場における機会（Opportunities）を探り、自社にとっての脅威（Threats）を見つけ出すとともに、内部環境分析により、自社の強み（Strengths）と弱み（Weaknesses）を把握するさいに用いられる分析手法である。

【SWOT 分析表の例】

	良い要因	悪い要因
内部環境	**強み（Strengths）**	**弱み（Weaknesses）**
外部環境	**機会（Opportunities）**	**脅威（Threats）**

●PPM（プロダクトポートフォリオマネジメント）

PPMは、自社の製品や事業の市場競争力を客観的に評価、分析するための分析手法である。PPMでは、市場成長率と市場占有率の軸で、自社の製品や事業を、「負け犬」、「問題児」、「花形製品」、「金のなる木」の4つに分類する。

① **負け犬**：将来性もなく、資金を生み出す効果もないため、将来的には撤退を考える必要があるもの。

② **問題児**：成長市場であるのに売れていない。大きな投資を行うことによって花形製品になる可能性があるもの。

③ **花形製品**：成長市場であるため、常に新しい投資が必要となり、資金を生み出す効果はそれほど大きくないが、いずれ金のなる木になる可能性があるもの。

④ **金のなる木**：市場成長率が低いので投資は少なくてすみ、高いシェアをもつため、資金を生み出す効果を大きく期待できるもの。

市場成長率（高↑ ↓低）		
高	**問題児**	**花形製品**
低	**負け犬**	**金のなる木**

小 ← **市場占有率** → 大

この単元のキーワード

□経営戦略
□ゲーム理論
□SWOT分析
□PPM
□イノベータ理論

◀**内部環境**：自社の経営資源（人材、設備、資金、技術、情報など）のこと。

◀**外部環境**：企業の外部の環境のこと。消費者環境、業界環境、競争環境など。

◀PPM（Product Portfolio Management）

◀**PPMの基本的な考え方**：「金のなる木」の余剰資金を「問題児」に投入して、「花形製品」に育て、次に「金のなる木」にしていくことが、PPMの基本的な考え方である。

◀**イノベータ理論**：新しい製品が採用されるカテゴリーを5つに分類、採用順に並べると次のようになる。

・**イノベータ**：リスクを考えず最も早く採用する集団。
・**アーリーアダプタ**：2番目に早く採用するオピニオンリーダー的な集団。
・**アーリーマジョリティ**：製品の普及の前半の段階で採用する集団。
・**レイトマジョリティ**：製品普及の後半になってから採用する集団。
・**ラガード**：製品に懐疑的で最も遅く採用する集団。

●バランススコアカード（BSC）

戦略的経営のためのマネジメントシステムであり、企業のビジョンと戦略を明確にし、財務数値に表れる業績だけではなく、様々な視点からバランスのとれた業績評価を行う手法である。「財務」「顧客」という外部の視点（株主や顧客に対する評価項目）と、「業務プロセス」「学習と成長」という内部の視点（社員のモチベーションや業務プロセスの改善などの評価項目）の4つを使い、従業員を含むステークホルダとビジョンを共有し、どこへ向かうのか、どうやってそこへ行くのかの戦略を立てる。

視点	説明
①財務の視点	企業のビジョン達成のために、出資者に対してどのように行動すべきか
②顧客の視点	企業のビジョン達成のために、顧客に対してどのように行動すべきか
③業務プロセスの視点	企業のビジョン達成のために、業務をどのように構築し、改善するべきか
④学習と成長の視点	企業のビジョン達成のために、組織および従業員が、どのように学習・改善して能力を高めていくべきか

●バリューチェーン分析

商品やサービスは企業の様々な活動によって付加価値が付けられる。この付加価値（バリュー）を付けていく一連の活動（チェーン）をバリューチェーンと呼び、それらを分析することで自社の強み・弱みを浮き彫りにして事業戦略の策定や方向性の改善などに役立てようという手法である。

●経営指標

ビジネスでは経営指標として「ROE」「ROA」「ROI」といった用語を見ることがある。会社の経営状況を判断するだけでなく、株式投資をする場合にも有効な指標である。

(1) ROE：株主（自己）資本利益率

株主から出資を受けた自己資本を使ってどれだけ利益を上げたかを見る指標。「利益÷株主資本×100」で計算する。ROEが高いほど、株主から集めたお金を有効に活用している（収益性が高い）と判断される。

この単元のキーワード

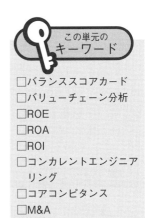

- □バランススコアカード
- □バリューチェーン分析
- □ROE
- □ROA
- □ROI
- □コンカレントエンジニアリング
- □コアコンピタンス
- □M&A
- □MBO

(2) ROA：総資産利益率

会社の資産を使ってどれだけ利益を上げたかを見る指標。「利益÷総資産（株主資本＋負債）×100」で計算する。高いほど、総資産を有効に活用している（収益性が高い）と判断される。株主資本だけでなく、負債総額も考慮した指標である。

(3) ROI：投資利益率

投資額（株主資本＋有利子負債）に対してどれだけ利益を上げたのかを見る指標。「利益÷投資額×100」で計算する。ROIが高いほど、投資効率が高いと判断される。

◀ROE（Return On Equity）
◀ROA（Return On Assets）
◀ROI（Return On Investment）

●コンカレントエンジニアリング

◀concurrent engineering：コンカレントとは同時並行のことである。

製品開発における複数のプロセスを同時並行で進め、各部門間での情報共有や共同作業を行うことで、開発期間の短縮やコストの削減を図る手法である。

●コアコンピタンス

企業活動において中核（コア）となるビジネス上の強みのこと。競合他社が真似ることのできない技術やノウハウなどの獲得を指す。

●M&A

◀ M&A（Mergers and Acquisitions）

資本の移動を伴う企業の合併と買収のこと。狭義的な意味では合併と買収を指すが、広義的な意味では事業の多角化を目的とした資本提携を含む企業の経営戦略を指す。企業合併により他社のコアコンピタンスを取得することができる。

●MBO

経営を安定化するために、経営陣による自社株式を買い取ることをMBO（Management Buyout）という。

●ニッチ戦略

この単元のキーワード
□ニッチ戦略
□ライン生産方式
□セル生産方式
□ロット生産方式
□JIT生産方式

隙間を意味するニッチ（nitch）の言葉どおり、リーダ企業やチャレンジャ企業がターゲットとしていない市場の隙間をねらった戦略で、中小企業が採用することが多い。特定の顧客やニーズに対して製品やサービスを提供することで、他社との競合を避けた領域に資源を集中する戦略である。

●生産方式

製造業における生産方式は、製造形態や作業形態などにより様々な方式がある。

生産方式を生産時期で分けると、受注してから生産を開始する受注生産方式と、消費量を推測して生産を行う見込み生産がある。また、生産する製品の量で区別すると、多品種少量生産で顧客の個別の要望に合わせた生産を行う個別生産方式と、ラインなどを使用して少品種大量生産を行う連続生産方式がある。

(1) ライン生産方式

1つの製品を各担当者が流れ作業によって完成させる方式である。ラインに配置された人員が決まった工程のみ行うため、教育コストが抑えられる。少品種大量生産に向いている。

(2) セル生産方式

一人または少人数で複数の工程を受け持って作業を行う。ラインをU字やL字型に配置し、ラインを止めることなく、多品種少量生産が可能になる。

(3) ロット生産方式

ロット単位（たとえば製品100個を1ロットとするなど）で同じ製品をまとめて生産し、生産工程を管理する。

(4) JIT生産方式

◀ JIT（Just In Time）

後工程が前工程へ製品・部品を取りに行く（必要な物を、必要な時に、必要なだけ）。前工程では引き取られた品物を引き取られた分だけ製造することになる。在庫の圧縮など、徹底的なムダの排除によるコストの低減を目指した方式である。

第 3 章

システム戦略

3－1　システム戦略
3－2　システム企画

第3章　システム戦略

3-1 システム戦略

ここでは、情報システム戦略の基本、および情報システムを自社で構築するのではなく、外部調達して利用することが増えてきているソリューションビジネスについて、学習する。

●情報システム戦略

情報システム戦略では、経営戦略を実現するために、どの業務をどのようにシステム化すべきなのか、そもそもシステム化する必要性があるのかなどの検討が行われる。情報システム戦略の立案では、全体最適化の視点からビジネスプロセス（業務プロセス）を再設計し、それを実現するための情報システムを構築することが重要となる。

●ビジネスプロセス

ビジネスプロセス（業務プロセス）は、企業活動における業務やモノの流れのことである。

情報システム戦略を立案するさい、基本的な考え方として、現状の姿（As Isモデル）を明確にし、将来のあるべき理想の姿（To Beモデル）とのギャップを認識することで、業務改善や問題解決の方針を検討するやり方がある。たとえば、次のようなものである。

(1) BPR

◀**BPR**：Business Process Re-engineering

情報技術を活用して、ビジネスルールやビジネスプロセスを再設計し、既存の組織やビジネスプロセスを根本から見直すことによって、企業体質や構造を抜本的に変革すること。

(2) BPM

◀**BPM**（Business Process Management）

業務プロセスを、日常的なPDCAサイクルの中で継続的に改善していく業務改善手法のことをいう。

(3) ERP

基幹業務に関する処理で利用するデータを連携させて一元管理し、企業のもつ経営資源を統合的に管理することによって、経営の効率化を目指す考え方。または、それを実現するためのシステムのことをいう。

この単元のキーワード

- □情報システム戦略
- □ビジネスプロセス
- □BPR
- □BPM
- □ERP
- □ITサービスマネジメント
- □サービスサポート
- □インシデント管理
- □問題管理
- □構成管理
- □変更管理
- □リリース管理
- □ソリューションビジネス

◀**ERP**：Enterprise Resource Planning

◀ ITIL（Information Technology Infrastructure Library）

(4) ITサービスマネジメント

ITサービスの安定的な提供と、継続的な改善を管理するための仕組みのことである。成功事例をまとめた書籍群としてITILがあり、ITサービスの教科書のような存在として知られている。ITILを構成するプロセスの1つにサービスサポートがあり、以下のようなプロセスで構成されている。これらは、ユーザからの問い合わせやシステム障害など、日々発生する問題に素早く対処していくことを目指している。

インシデント管理	利用者に対するサービスの障害となる事象に対応し、サービスレベルを維持するためのプロセスである。
問題管理	インシデントや障害の原因究明とその対策、さらに再発防止策の策定を目的としたプロセスである。
構成管理	組織が持つIT資産を正確に把握するためのプロセスである。
変更管理	変更を確実かつ効率よく処理するためのプロセスである。
リリース管理	変更管理で承認された内容を本番環境に正しく反映させるためのプロセスである。

●ソリューションビジネス

◀**ソリューション**：企業のかかえる経営課題や業務上の問題点を解決すること。

顧客に対してソリューションを提供するビジネスのことをソリューションビジネスという。代表的なソリューションビジネスには、システムインテグレーションサービスやアウトソーシングなどがある。

(1) システムインテグレーションサービス（SIサービス）

SIサービスは、顧客にとって最適な製品の組み合わせ（マルチベンダ環境）で、情報システムの立案から設計、構築、運用・保守までのすべての業務を一括して請け負うサービスである。

(2) アウトソーシングサービス

企業内の組織が担当していた業務の一部または全部の機能を、外部の専門業者に委託することをいう。アウトソーシングサービスには次のようなものがある。

ハウジングサービス	顧客企業が用意したサーバやネットワーク機器などを、サービス事業者に預けて運用・保守管理をしてもらうサービス
ホスティングサービス	サービス事業者が用意したサーバやネットワーク機器を貸し出すサービス
ASP	情報システムの機能やアプリケーションソフトウェアを、インターネットを介して利用できるサービスシングルテナント方式が特徴。
MSP	顧客企業が所有しているサーバやネットワーク機器などの運用管理を、インターネットを介して行うサービス

◀**ASP**：アプリケーションサービスプロバイダ

◀**シングルテナント方式**：企業ごとにソフトウェアを用意し提供する方式。

◀**MSP**：マネージドサービスプロバイダ

(3) SaaS（Software as a Service）

ソフトウェアの各機能を独立したサービスとして部品化することによって、顧客が必要な機能を自由に選択できるようにしたソフトウェア、またはそのようなソフトウェア提供形態のことである。マルチテナント方式が特徴である。

◀**マルチテナント方式**：1つのソフトウェアを複数の企業で共有する方式。

(4) PaaS（Platform as a Service）

アプリケーションソフトの開発や稼動に必要なハードウェアやOS、ミドルウェアなどのプラットフォーム一式を、インターネット上のサービスとして提供する形態のことである。

(5) IaaS（Infrastructure as a Service）

情報システムに必要なサーバやネットワークなどのインフラを、インターネット上のサービスとして提供する形態のことである。アプリケーション開発に多く用いられている。

【サービス提供業者が管理する範囲】

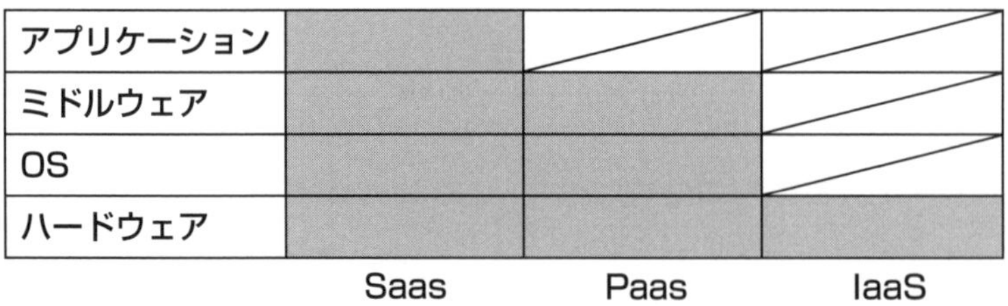

アプリケーション
ミドルウェア
OS
ハードウェア
Saas
Paas
IaaS

(6) SOA（サービス指向アーキテクチャ）

システム全体をビジネスプロセスごとに分割し、それぞれを独立したサービスとして部品化したソフトウェアをあらかじめ用意しておき、顧客企業はその中から必要な部分を自由に組み合わせて、システム構築を行うという考え方。

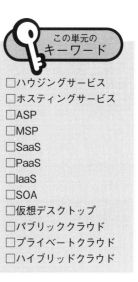

この単元のキーワード
- □ハウジングサービス
- □ホスティングサービス
- □ASP
- □MSP
- □SaaS
- □PaaS
- □IaaS
- □SOA
- □仮想デスクトップ
- □パブリッククラウド
- □プライベートクラウド
- □ハイブリッドクラウド

◀SOA（Service Oriented Architecture）

(7) 仮想デスクトップ

デスクトップ画面を仮想化して利用する技術である。クラウド上や自社サーバ上で仮想デスクトップ環境を構築し、作成された画面イメージを従業員に転送する。従業員がシンクライアントのようなスペックが低い端末を使用していてもクラウドや自社サーバ上の高い機能を利用することができるようになる。データを個人が管理しないのでデータの機密性を高めることができ、テレワークなどの導入費用も削減できる。仮想デスクトップをクラウド上に構築するDaaS（Desktop as a Service）と自社サーバ内に構築するVDI（Virtual Desktop Infrastructure）がある。

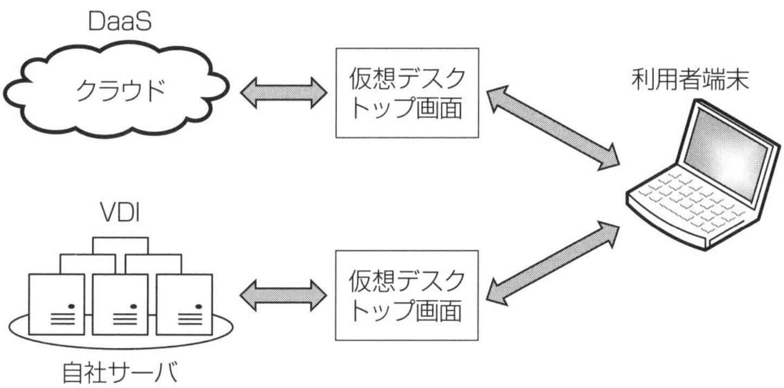

(8) パブリッククラウド、プライベートクラウド、ハイブリッドクラウド

パブリッククラウドは一般の利用者がクラウドサービスを共有する形態である。代表的なものにSaaSなどがある。それに対し、プライベートクラウドは企業や団体などが独自システムを構築し、占有して使用する環境である。ハイブリッドクラウドはパブリッククラウドとプライベートクラウドを組み合わせて利用する形態である。

3-2 システム企画

システムを構築するさいには、経営戦略、情報システム戦略にもとづいてシステム化計画が立案される。ここでは、システム化計画、要件定義、および外部調達の基本事項について、学習する。

●ソフトウェアライフサイクル（SLC）

◀SLC（Software Lifecycle）

ソフトウェア開発における企画から運用・保守までの一連のプロセスのことをソフトウェアライフサイクルプロセス（SLCP）という。標準的なソフトウェアライフサイクルプロセスを規定したものに、共通フレーム2013がある。

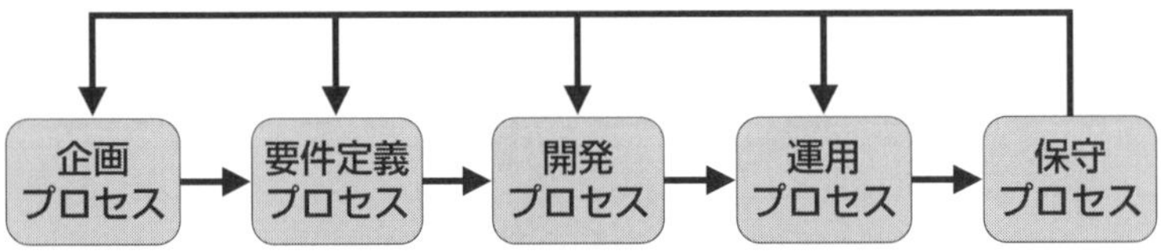

●システム化計画

システム化計画は、ソフトウェアライフサイクルの企画プロセスで行われる。システム化計画では、情報システム戦略にもとづいて、システム化構想およびシステム化基本方針を立案し、全体開発スケジュール、開発プロジェクト体制、概算のコスト、費用対効果などを検討するとともに、システム導入したさいに発生が予想されるリスク分析なども行う。こうして、システム化の全体像が明らかにされる。

●要件定義

要件定義プロセスでは、システム化計画にもとづき、ユーザニーズの調査、要求分析、現行業務の分析などを行い、システムに求める機能や要件を定義する。

システムに求める機能には、ビジネスプロセスを処理するために必要な機能に関する要件（機能要件）と、性能、セキュリティ、信頼性、保守性などのシステム機能面以外の要件（非機能要件）がある。

●調達計画

調達とは、システム開発に必要な各種資源を組織の外部から入手することである。調達計画を立案するさいには、システム開発に必要な資源を洗い出し、内部で調達するもの、組織外部から調達するものに切り分ける。外部調達するものについては、具体的にどのように調達すべきか検討が行われる。

●調達の流れ

一般に次のような流れで行われる。

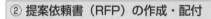

① 情報提供依頼書（RFI）の作成・配付

↓

② 提案依頼書（RFP）の作成・配付

↓

③ 選定基準の作成

ベンダ企業から入手する提案書や見積書を検討するさいに、何に重点をおいて発注先の選考を行うか、その項目と基準をあらかじめ決める。

↓

④ ベンダ企業からの提案書および見積書の入手

ベンダ企業はRFPに記載された情報をもとに、システム構成や開発手法などを検討し提案書、見積書を作成する。

↓

⑤ 提案内容の比較評価

提案されている内容が適切であるか、RFPに対して過不足なく提案が含まれているか、見積金額が妥当かなどが比較評価される。

↓

⑥ 調達先の選定

選定基準にもとづいて、調達先の選定が行われる。

↓

⑦ 契約締結

この単元の
キーワード

- □ソフトウェアライフサイクル
- □要件定義
- □機能要件
- □非機能要件
- □調達
- □RFI
- □RFP

◀**情報提供依頼書（RFI）**：ベンダ企業に対し、システム化の目的や業務の概要を提示して、システム化にあたって採用可能な開発方法や技術動向などの情報提供を依頼するもの。

◀**提案依頼書（RFP）**：ベンダ企業に対し、導入を計画しているシステムの基本方式、概要、提案を求める事項、調達条件などを提示して、システム開発の提案書を依頼するもの。

◀**ベンダ企業**：製品の製造者や販売者のこと。

第4章

プロジェクトマネジメント

4-1　プロジェクトマネジメントの概要
4-2　プロジェクトの進捗・コスト管理
4-3　システム監査

第4章　プロジェクトマネジメント

4-1 プロジェクトマネジメントの概要

プロジェクトとは何かを理解したうえで、プロジェクトのステークホルダやプロジェクトマネジメントの概要について学習する。

●プロジェクトの定義

プロジェクトとは、「ある期間の中で、独自の製品やサービスを作り出すために実施される業務」のことである。プロジェクトは、「始めと終りがあり、期間が決まっている（有期性）」と「過去に同じものが存在しない（独自性）」という2つの特徴をもつ。プロジェクトの対義語に定常業務がある。

◀**定常業務**：プロジェクトとは反対の特徴をもつ業務活動。日常の販売業務など、期日の終わりがなく、同じ作業を繰り返し行うため、有期性と独自性がない。

●プロジェクトのステークホルダ

プロジェクトにおけるステークホルダ（利害関係者）とは、プロジェクトに当事者としてかかわっているか、プロジェクトから利害の影響を受ける人や組織のことである。主要なステークホルダとして次のものがある。

分類	説明
プロジェクトマネジャー	プロジェクトを目標通り達成する責任をもつ、第一の利害関係者である。
顧客・ユーザ	プロジェクトの目標設定のカギになる組織・人であり、多くは成果物を受け入れた後に所定の金額を支払う立場にある。
母体組織	プロジェクト遂行の母体となる組織。通常はプロジェクト・チームが所属している組織である。
プロジェクトメンバ	プロジェクトの実施者で、プロジェクトマネジャーの指揮下で作業を行う。
プロジェクトスポンサ	母体組織の中や外部の個人、組織で、プロジェクトに対して資金や資源を提供する組織・人。
その他	関係者の家族、地域住民や行政機関、PMOなどプロジェクトの性質によってさまざまなステークホルダが存在する。

◀**PMO**：プロジェクトマネジメント・オフィス。個々のプロジェクトが円滑に実施されるように支援することを目的に設置される専門部署。

●PMBOK（Project Management Body of Knowledge：第7版）

PMBOK7はプロジェクトマネジメントを体系的にまとめた管理手法である。12のプロジェクト・マネジメント・プリンシプル（原理原則）で問題解決のガイドラインを示し、8つのパフォーマンス・ドメイン（活動領域）でどのように活動するかを定義している。

(1) 12のプロジェクト・マネジメント・プリンシプル（原理原則）：行動指針

スチュワードシップ	勤勉で、敬意を払い、面倒見の良いスチュワードであること
チーム	協力的なプロジェクトチーム環境を構築する
ステークホルダ	ステークホルダと効果的に連携する
価値	価値に焦点をあてる
システム思考	システムの相互作用を認識し、評価し、対応する
リーダーシップ	リーダーシップを発揮する
テーラリング	状況に応じてテーラリング（対応）すること
品質	プロセスと成果物に品質を組み込む
複雑さ	複雑さに適応する
リスク	リスク対応を最適化すること
適応性と回復力	適応力と回復力を持つこと
変化	未来の状態を達成するために変化できるようにすること

(2) 8つのパフォーマンス・ドメイン（活動領域）

・ステークホルダ
・チーム
・開発アプローチとライフサイクル
・計画
・プロジェクトワーク
・デリバリー
・測定
・不確実性

この単元の
キーワード

□有期性
□独自性
□ステークホルダ
□PMBOK
□プロジェクト・マネジメント・プリンシプル
□スチュワード
□パフォーマンス・ドメイン

◀**PMBOK（Project Management Body of Knowledge）**：ピンボックと発音する。

◀**ディファクトスタンダード**：P.258参照

◀**スチュワード**：PMBOKで使用されているスチュワードシップは、誠実で信頼のできる振る舞いと責任のある行動ができる人という意味である。

4-2 プロジェクトの進捗・コスト管理

プロジェクトが計画通り行われているかチェックする観点として、進捗とコストがある。ここでは、プロジェクトで行われるタイム・マネジメントとコスト・マネジメントについて学習する。

●ソフトウェア規模の見積り

ソフトウェア開発にどのくらいのコスト（開発要員や開発期間）がかかるのか、計画段階から正確に把握することが重要である。従来は開発者の経験則から予想する方法がとられていたが、利用者側に見える外部仕様（入出力画面や帳票など）を基準に見積りを行うのがファンクションポイント法である。

ファンクションポイント法では、ソフトウェア仕様から次の5項目の分類で機能数を洗い出し、機能ごとの特性から重みづけを行い、点数化（ファンクションポイント化）してソフトウェア規模の見積りを行う。

◀**ファンクションポイント法（Function Point法）**：FP法とも呼ぶ。

① 外部入力（入力画面等）
② 外部出力（出力画面、帳票等）
③ 外部参照（照会画面等）
④ 内部論理ファイル（システム内部で使用するファイル）
⑤ 外部インタフェースファイル（外部システムの連携に使用するファイル）

【計算例】

表のような機能と特性をもったソフトウェアのファンクションポイント値は次のように求める。なお、ここでの複雑さの補正係数は0.8とする。

ユーザファンクションタイプ	個数	重みづけ係数
外部入力	8	5
外部出力	12	6
外部参照	5	10
内部論理ファイル	6	4
外部インタフェースファイル	3	8

未調整ファンクションポイント＝Σ（個数×重みづけ係数）
＝8×5＋12×6＋5×10＋6×4＋3×8＝210
ソフトウェアのFP値＝
未調整ファンクションポイント×補正係数＝210×0.8＝168

●プロジェクト・タイム・マネジメント

(1) 進捗管理・日程管理手法

プロジェクトの作業日程の進捗状況は、マイルストーンチャートやガントチャートを用いて管理される。

また、作業の関連性や日程管理は、アローダイアグラムを用いて管理が行われるPERTという手法を用いる。PERTを利用することで、プロジェクトが効率よく実行できるように作業順序や時間配分を計画したり、プロジェクトの進行状況を管理したりできる。

(2) PERTによる日程管理

① 最早結合点時刻

各ノードにおいて、最も早く次の作業に着手できる時刻。最初のノードから順に各作業の所要時間（所要工数）を加算して算出する。

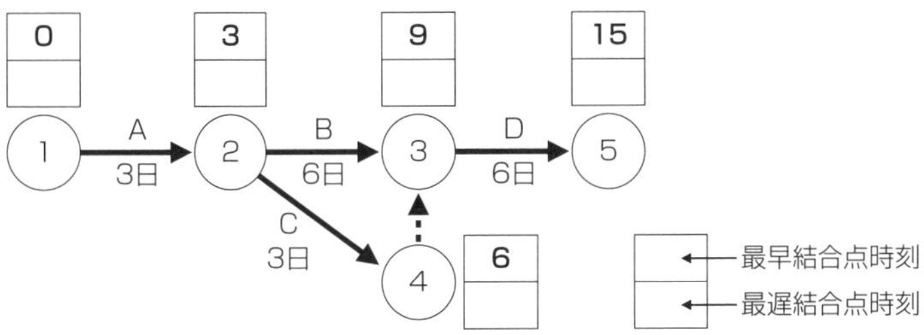

② 最遅結合点時刻

プロジェクトを予定通り完了させるために、遅くともこの時刻までには作業を完了させなければいけないという時刻。最後のノードから順に、各作業の所要時間（所要工数）を減算して算出する。

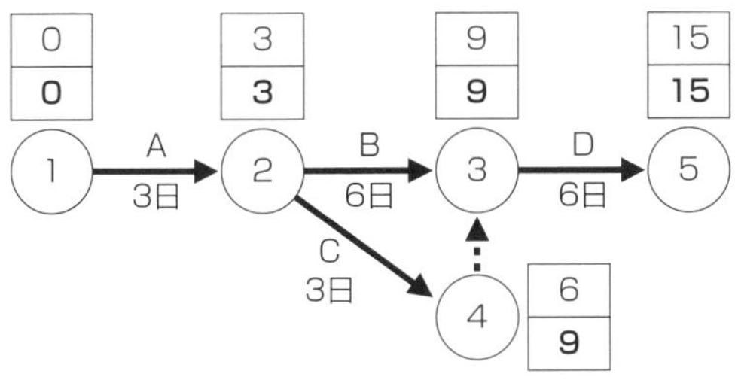

この単元のキーワード

- □ファンクションポイント法
- □プロジェクト・タイム・マネジメント
- □進捗管理
- □ガントチャート
- □日程管理
- □PERT
- □アローダイアグラム
- □最早結合点時刻
- □最遅結合点時刻

◀**マイルストーンチャート**：工程管理図上に工程管理上の重要ポイント（マイルストーン）を書き込んだ表記法。

◀**ガントチャート**：作業計画およびスケジュールを横型棒グラフで示した工程管理図のこと。

◀**PERT（Program Evalution and Review Technique）**：パートと読む。

◀**アローダイアグラム**：PERT図とも呼ばれる。

◀**ノード**：作業の結合点を示す。

③　クリティカルパス

余裕日数（最遅結合点時刻－最早結合点時刻）が0の結合点を結んだ経路のこと。クリティカルパスはまったく余裕がない経路であるため、クリティカルパス上の作業が遅れると、プロジェクト全体の日程が遅れる。そのため、プロジェクトの日程管理を行うさいには、クリティカルパスを重点的に管理する必要がある。

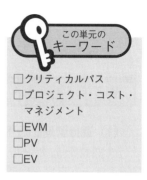

この単元のキーワード
- □クリティカルパス
- □プロジェクト・コスト・マネジメント
- □EVM
- □PV
- □EV

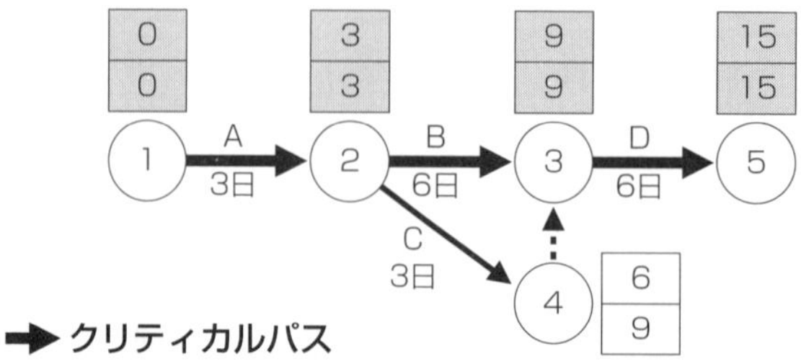

●プロジェクト・コスト・マネジメント

プロジェクトの進捗とコストの両面で計画（予定）と実績を管理する手法として、アーンド・バリュー・マネジメント（EVM）がある。

EVMでは、計画段階でスケジュールに対応させた計画価値（PV：プランド・バリュー）を作成し、測定時点でどれだけの価値を作り上げることができているかという達成価値（EV：アーンド・バリュー）と比較することで、プロジェクトの実績を把握する。EVMでは価値を表す尺度として通常は金額を用いる。

◀EVM（Earned Value Management）
◀PV（Planned Value）
◀EV（Earned Value）

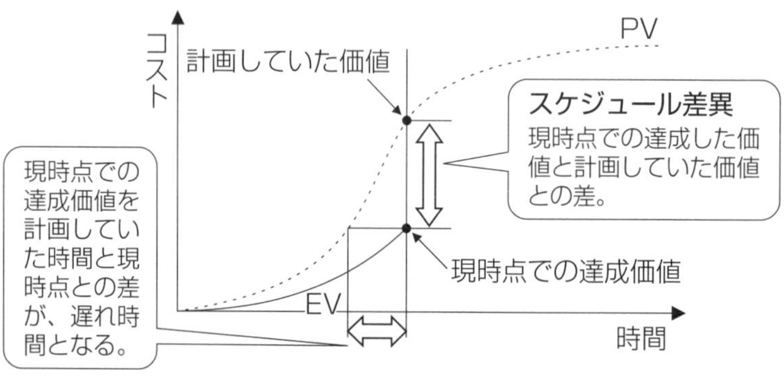

4-3 システム監査

企業内で情報システムが適正に運用されているかどうかを第三者がチェックし評価・改善勧告する、システム監査を学習する。

●システム監査と内部統制

この単元のキーワード
- □システム監査
- □リスクアセスメント
- □監査モジュール法
- □内部統制

各業務において、リスクアセスメント（リスクの特定、分析、評価）が適切に行われ、リスクコントロールが効果的に運用されているかを専門的立場で調査、評価するのがシステム監査である。

(1) システム監査人の要件

システム監査を行う監査人は被監査部門から独立していなければならない。外部の専門機関への依頼が適切だが、内部で監査人を調達する場合は監査人を経営者の直属にするなど、被監査部門から精神的にも独立性を保てるようにする。システム監査人は経営者から監査依頼を受け、経営者に監査結果を報告する。

(2) システム監査の手順

システム監査の手順は、予備調査、本調査、報告（評価・結論）である。予備調査では被監査部門にアンケートやインタビューを行い、本調査を行う対象業務の現状を把握する。本調査ではリスクコントロールが効果的に運用されているかどうか、現地調査やシステム監査技法（監査モジュール法など）を用いて確認する。監査報告は監査依頼者（通常は経営者）に行う。

◀**監査モジュール法**：情報システムの動作を観測するために組み込まれたモジュール（プログラム）で、監査用のデータを集めることができる。

改善が必要な場合は経営者から被監査部門に改善命令を行い、改善は被監査部門で行う。システム監査人は改善の助言は行うが、改善活動はあくまで被監査部門が行う。

(3) 内部統制

システム監査が外部からの視点で行うのに対し、内部統制は組織内部の視点で組織内の全員で活動を監視し改善することである。これを行うことによって、財務の健全性やコンプライアンスの順守性が高められ、外部の評価が高くなる。

確認問題

▶解答と解説は別冊２ページ～

●第１章　企業活動

◆問1-1-1　次の説明文に最も関連がある字句を解答群から選べ。

「計画を立ててそれを実行に移す。その結果を検討し、もし期待された成果が得られていなければ、原因を追究して改善策を考え、次の仕事にこれを生かす。」

【解答群】

ア．PPM　　イ．PDCA　　ウ．SWOT　　エ．ブレーンストーミング

◆問1-1-2　次の説明文に最も関連がある字句を解答群から選べ。

「企業倫理に基づき、ルール、マニュアル、チェックシステムなどを整備し、法令や社会規範を順守すること。」

【解答群】

ア．CSR　　イ．コアコンピタンス　　ウ．コンプライアンス　　エ．内部統制

◆問1-1-3　CSRに関する説明のうち、最も適切なものはどれか。

ア．企業が製品やサービスを販売する場合は、環境負荷ができるだけ小さいものにする。
イ．企業が法律、規則などのルールに従って活動する。
ウ．企業は自ら業務の適正さを確保するための体制を構築していく。
エ．企業は組織の決定や活動が社会や環境に及ぼす影響に責任を持つ。

◆問1-1-4　グリーンITに関する説明のうち、適切でないものはどれか。

ア．LEDの青色光による目の疲労を軽減するよう配慮したディスプレイを使用する。
イ．システムを利用し、ペーパーレス化を図る。
ウ．LEDなどを利用して消費電力を抑える。
エ．有害な化学物質を低減した材料を使用したIT機器を開発する。

●第2章　経営戦略

◆問1-2-1　次の将来の景気動向に関する設問に答えよ。

将来の景気動向と、それぞれの投資を選んだときに得られる利益が、次のような予想利益表として表され、その起こる可能性の確率分布はまったく分からない場合を考える。

表　予想利益表

予想利益（万円）		景気動向		
		好転	横ばい	悪化
投資計画	積極的投資	45	12	−18
	継続的投資	20	10	15
	消極的投資	12	6	30

マクシミン原理を用いた場合、投資計画のうち［ 1 ］が選択される。
マクシマックス原理を用いた場合、投資計画のうち［ 2 ］が選択される。
純粋戦略を用いた場合、投資計画のうち［ 3 ］が選択される。

【1～3解答群】
ア．積極的投資　　イ．継続的投資　　ウ．消極的投資

1:	2:	3:

●第3章　システム戦略

◆問1-3-1　次のソリューションビジネスに関する説明文に該当する適切な字句を解答群から選べ。

(1) 情報システムの機能やアプリケーションソフトウェアを、インターネットを介して利用できるシングルテナント方式のサービス
(2) 顧客企業が所有しているサーバやネットワーク機器などの運用管理を、インターネットを介して行うサービス
(3) 情報システムの立案から運用・保守までのすべての業務を一括して請け負うサービス
(4) 顧客企業が用意したサーバやネットワーク機器などをサービス事業者に預けて運用・保守管理をしてもらうサービス

【解答群】
ア．システムインテグレーションサービス　　イ．SaaS
ウ．ホスティングサービス　　エ．ASP
オ．ハウジングサービス　　カ．SOA
キ．インターネットサービスプロバイダ　　ク．MSP

1:	2:	3:	4:

◆問1-3-2　次に示すソフトウェアライフサイクルの各プロセスを、正しい順序に並べたものを解答群から選べ。

①開発プロセス
②企画プロセス
③要件定義プロセス
④運用プロセス

【解答群】
ア．③→②→①→④　　イ．②→①→③→④
ウ．②→③→①→④　　エ．④→②→③→①

●第4章　プロジェクトマネジメント

◆問1-4-1　プロジェクトの特徴として関連のある字句を解答群から２つ選べ。

【解答群】
ア．一貫性　　イ．有期性　　ウ．効率性　　エ．信頼性
オ．独自性　　カ．完全性

◆問1-4-2　次のPERTによる日程管理に関する記述を読み、問に答えよ。

図のアローダイアグラムでシステム開発プロジェクトの日程計画を作成した。このアローダイアグラムにおいて作業Eの最遅結合点時刻は何日目か、解答群から選べ。なお、プロジェクトの開始日を0とする。

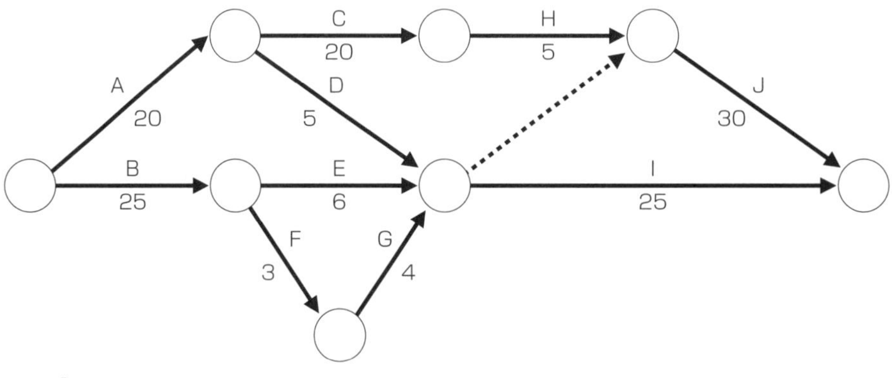

【解答群】
ア．26　　イ．38　　ウ．39　　エ．45

◆問1-4-3　次の開発工数の計算に関する記述を読み、問に答えよ。

あるシステムの開発において、全体の見積工数は88人月であった。作業開始から5ヶ月間は作業員12名を投入したが、5ヶ月経過した時点で48人月分の作業しか完了していない。残り2ヶ月で全ての作業を終えるには、最低何名の作業員を追加する必要があるか。ここで、追加される作業員の作業効率は現在作業している作業員と同じものとする。

【解答群】
ア．10人　　イ．11人　　ウ．12人　　エ．13人

[　　　　　]

過去問題

★☆問1-1　次のソフトウェア開発に関する記述を読み、各設問に答えよ。

ソフトウェア開発のモデルには従来から広く利用されてきたものがある。最近では、環境の変化により要求される内容も変わり、それに対応した新しい開発モデルも登場してきた。

＜設問1＞　次のソフトウェア開発モデルに関する記述中の[　　　]に入れるべき適切な字句を解答群から選べ。

[　1　]モデルは、従来から広く利用されてきたモデルであり、開発工程を複数の段階に分割し、決められた手順にしたがって開発が進められる。初期工程の要求分析でユーザの要望はまとめられ、全工程の完了後に利用可能となるため、ユーザの要望が上手く伝えられなかった場合など、ユーザの望むものとは異なるものが開発されるという問題点もあった。一方[　2　]モデルは、ユーザインタフェースを中心に試作品を作成し、ユーザに使ってもらった意見を取り入れてユーザの望む形のものを開発するモデルである。

近年ビジネスの変化が速く、ソフトウェアに対する要求の変化も激しいため、それに対応可能なアジャイル開発モデルが登場した。これは、部分的な機能単位で要求定義からテスト・リリースまでの作業を短期間で繰り返しながらシステムを完成させるものである。

【1、2の解答群】
ア．ウォータフォール　　イ．スパイラル　　ウ．プロトタイプ

[1:　　　　] [2:　　　　]

＜設問2＞　次のアジャイル開発モデルに関する記述中の[　　　]に入れるべき適切な字句を解答群から選べ。

アジャイル開発モデルには、スクラムやXP（エクストリームプログラミング）など様々な手法や方法論があり、それぞれ開発プロセスも多様である。

スクラムでは、全体で開発すべき機能リストを[3]と呼び、開発する機能を分割して要求定義からテスト・リリースまでを決められた期間で繰り返す。期間は1～4週間であることが多く、この反復期間をスプリントと呼ぶ。[3]の中で対象スプリント中に完了する作業を[4]と呼ぶ。自分たちの判断で開発した結果が数週間後にはフィードバックされる環境で作業を進めることができ、チームの経験としてスキルアップに直接つながり、自ずと技術向上が効率的に行われる。

XPとは、短期間でシステム開発工程を一通り行って部分的に機能を完成させる作業を反復し、開発の精度を高めていく手法である。全工程をある程度進めることで見えてくる問題や、追加したい機能などを見つけることができ、それを次の反復の要件定義で検討するといった柔軟な開発が行える。また、最初から最後までユーザが関わるため、ユーザと開発側の認識のずれを少なくすることができる。XPのプラクティスとして、[5]、[6]、[7]などがある。

[5]は、プログラミングを行うより先に、テストコードを作成することで求められる機能が明確化されシンプルな設計が可能である。

[6]は、二人一組でチームを組みプログラムコードの記述とチェックを交互に行う手法である。最初からバグが少なく、書き直しが少ない良いコードが完成すれば、結果的に開発スピードが上がることになる。

[7]は、完成したプログラムを整理して書き換えることである。メンテナンス性の向上やバグの発生頻度の低下が期待できる。

【3、4の解答群】

ア．イテレーション　　　　　イ．スプリントバックログ

ウ．スプリントプランニング　エ．プロダクトバックログ

3:	4:

【5～7の解答群】

ア．インスペクション　　イ．構造化

ウ．テスト駆動開発　　　エ．プロトタイプモデル

オ．ペアプログラミング　カ．リファクタリング

5:	6:	7:

（令和5年度後期　基本スキル　問題1）

★☆問1-2　次の企業会計に関する記述を読み、各設問に答えよ。

企業会計において報告される経営成績や財政状態をもとに、様々な分析を行うことができる。例えば損益計算書は、一定期間における収益と費用の関係を明らかにし、その期間における企業の経営成績を表す。損益分岐点分析では、売上高の増減に応じて費用や利益がどのように変化するかを分析し、どの程度の売上高があれば利益を生み出せるのかを検討できる。

＜設問１＞　次の損益計算書に関する記述中の［　　］に入れるべき適切な字句を解答群から選べ。なお、※印は各利益と金額を表し、問題の都合上表示していない。

表の損益計算書から求められる売上総利益は［ 1 ］百万円、営業利益は［ 2 ］百万円、経常利益は［ 3 ］百万円となる。

表　損益計算書

単位　百万円

売上高	1,000
売上原価	700
※	※
販売費及び一般管理費	100
※	※
営業外収益	240
営業外費用	130
※	※
特別利益	20
特別損失	10

【1～3の解答群】

ア．80　　イ．90　　ウ．100　　エ．200

オ．300　　カ．310　　キ．320　　ク．400

1:	2:	3:

＜設問２＞　次の損益分岐点売上高の求め方に関する記述中の［　　］に入れるべき適切な字句を解答群から選べ。

製品には、売上高とは関係なく発生する固定費と、製品の売上高に応じて増減する変動費がある。固定費と変動費を加算したものが総費用である。

損益分岐点売上高とは、売上高と総費用が同額になる売上高であり、次の式で求めることができる。ただし、変動費率とは、売上高に対する変動費の割合であり、［ 4 ］で求める。

損益分岐点売上高 ＝ 固定費 ÷ （1－変動費率）

　　　　　　　　 ＝ 固定費 ÷ 限界利益率

ここで、製品を製造販売するときの固定費を500万円、売上高が2,000万円の時の変動費が400万円の場合、損益分岐点売上高は［ 5 ］万円となる。

また、同一製品を製造販売し、利益を300万円得るためには［ 6 ］万円の売上高が必要となる。なお、目標利益を得るための売上高は、次の式で求めることができる。

目標利益を得るための売上高＝（目標利益＋固定費）÷（1－変動費率）

損益分岐点売上高を下げることにより、少ない売上で多くの利益を上げることができるが、損益分岐点売上高を下げるためには、限界利益率を［ 7 ］、もしくは固定費を［ 8 ］などの方法がある。

【4の解答群】

ア．売上高 － 変動費　　イ．変動費 × 売上高

ウ．変動費 ＋ 売上高　　エ．変動費 ÷ 売上高

4:

【5、6の解答群】

ア．150　イ．300　ウ．533　エ．600

オ．625　カ．1,000　キ．1,600　ク．2,500

5:　6:

【7の解答群】

ア．上げる　イ．下げる

7:

【8の解答群】

ア．増やす　イ．減らす

8:

（令和5年度後期　システムデザインスキル　問題1）

★☆問1-3　次の企業活動に関する記述を読み、各設問に答えよ。

企業では規模の大きさや扱う事業の種類によって組織形態が異なる。それぞれの組織の中で、従業員は企業活動の目的を十分理解しコミュニケーションをとりながら業務を進めている。

＜設問1＞　次の企業組織に関する記述と最も関係の深い組織形態を解答群から選べ。

［ 1 ］企業の規模が大きく、扱うサービスや製品が多い企業で用いられる組織構造で、取り扱う商品や担当地域ごとに独立採算制をとる。組織ごとに意思決定の権限が与えられるが同時に利益に関する責任も発生する。

［ 2 ］企業内で、ある目的のために期間を限定してメンバーを集め活動する組織である。メンバーは専門性が高いことが多く、目的を達成したときや期限に達した際は活動を終了し、元の部署に帰属する。

［ 3 ］企業規模が中小の企業に多く用いられ、営業部、製造部、経理部などそれぞれの業務内容によって組織を編成する。業務内容に特化した人員が配置され業務の無駄が発生しにくいが、他の部署との連携が弱まりやすい。

【1～3の解答群】

ア．事業部制組織　　　　イ．職能別組織
ウ．ネットワーク型組織　エ．プロジェクト組織

1:	2:	3:

＜設問2＞　次の企業活動に関する記述中の□に入れるべき適切な字句を解答群から選べ。

経営理念は、企業の存在意義や使命を表した基本的な価値観である。経営理念を実現させるために具体的な経営戦略を考える。

企業を取り巻く人には株主、従業員、顧客、地域住民などがおり、このような利害関係を持つ人たちを［ 4 ］と呼ぶ。経営戦略はこの［ 4 ］と良好な関係を築くために策定され実践される。

経営戦略を策定するさいには企業活動の健全性を確保し維持する必要がある。このような取組みや仕組みを［ 5 ］と呼ぶ。［ 5 ］の中には次のようなものが含まれる。

［ 6 ］：利益だけを求めるのではなく、地域や社会に対して貢献する姿勢。
［ 7 ］：投資家や株主などに対して経営内容を公開すること。
［ 8 ］：法令を順守し、社内規則に順ずる姿勢。

【4～8の解答群】

ア．コンプライアンス　イ．コーポレートガバナンス
ウ．グリーンIT　　　　エ．グリーン調達
オ．ステークホルダ　　カ．ディスクロージャー
キ．CSR　　　　　　　ク．TQC

4:	5:	6:
7:	8:	

＜設問3＞　企業の社会活動に関する次の記述に、最も関係の深い用語を解答群から選べ。

世界で持続可能な経済成長及び働きがいのある人間らしい雇用を促進するなど、17の目標が2015年9月の国連サミットで採択された。これは「持続可能な開発のためのアジェンダ（実施すべき計画）」としてまとめられた国際目標である。

【9の解答群】

ア．BSC　イ．ROI
ウ．SDGs　エ．SWOT

9:

（令和4年度後期　システムデザインスキル　問題1）

★☆**問1-4**　次の経営戦略と経営分析手法に関する記述を読み、各設問に答えよ。

経営戦略とは、外部環境の変化に適応しながら、他企業との競争に勝ち抜いていくための方針を、経営理念やビジョンにもとづき策定することである。さらに、経営戦略を立案するためには、外部環境や業界での自社のポジショニングなどを分析する必要がある。

＜設問１＞　次の経営戦略に関する記述中の［　　］に入れるべき適切な字句を解答群から選べ。

経営戦略の一つに、企業活動において中核となるビジネス上の強みに経営資源を集中させることで競争力を高める［　1　］経営がある。しかし、ビジネス上の強みである他社にない企業独自のノウハウや技術などを構築するためには時間がかかるため、既に事業を確立している他社に対して、連携をとるアライアンスや［　2　］がある。これにより、新規事業を短期間で実現することができる。

なお、製品開発における複数のプロセスを同時並行で進め、各部門間での情報共有や共同作業を行うことで、開発期間の短縮やコストの削減を図る手法を［　3　］という。

また、生産量を増やすなどして事業規模を拡大することでコストを削減するスケールメリットの追求や技術の開発などにより低コスト体質を実現し、市場占有率と収益性の両面において競合他社よりも優位に立つ［　4　］戦略や顧客のニーズが満たされていない市場のすきまを狙って事業を展開し、競合他社に対して優位に立つ［　5　］戦略などがある。

【1～3の解答群】

ア．M&A　　イ．MBO

ウ．オフショアアウトソーシング　　エ．コアコンピタンス

オ．コンカレントエンジニアリング　　カ．ファブレス

1:	2:	3:

【4～5の解答群】

ア．カニバリゼーション　　イ．コストリーダーシップ

ウ．差別化　　エ．ニッチ

4:	5:

＜設問２＞　次の経営分析手法に関する記述に関係の深い字句を解答群から選べ。

［　6　］財務・顧客という外部の視点（株主や顧客）と、業務プロセス・成長と学習という内部の視点（社員のモチベーションや業務プロセスの改善点）などから評価を行う。
それにより、企業の将来、現在、過去の活動が適正かどうかを判断し、ステークホルダとビジョンを共有し、方向性や手段などの戦略を立てる。

［　7　］自社製品の占有率と市場の成長性の観点から各事業の位置づけ（花形・金のなる木・問題児・負け犬）を分析し、維持・育成・収穫・撤退などの戦略的意思決定を行う。

［　8　］内部環境における強みと弱み、外部環境における機会と脅威の4つのカテゴリで分析し、事業戦略を考えるためのフレームワークである。

［　9　］自社の内部分析（収益性・技術力・組織力・人的資源など）と市場（環境）分析・競合分析などを行い、自社・顧客・競合の3要素間の相互関係を考え戦略を決定する。

【6～9の解答群】
ア．BPM（Business Process Management）
イ．BSC（Balanced Scorecard）
ウ．PPM（Product Portfolio Management）
エ．SWOT（Strength, Weakness, Opportunity, Threat）
オ．3C分析（Customer, Competitor, Company）
カ．5F分析（Five Forces Analysis）

6:	7:	8:	9:

（令和4年度前期　システムデザインスキル　問題1）

第2部

基本スキル

第１章　情報表現
第２章　データ構造・集合と論理
第３章　CPU アーキテクチャ・補助記憶装置
第４章　システム構成・ソフトウェア

第 1 章

情報表現

1-1　2進数と基数変換
1-2　数値データとその表現
1-3　浮動小数点データと精度
1-4　文字データとその表現
1-5　符号化とデータ圧縮

第1章　情報表現

1-1 2進数と基数変換

コンピュータ内部では、情報はすべて電気の＋／－のように２種類の値で扱う。この２値を０と１に対応させた２進数と、２進数を10進数などに変換する方法を学ぶ。

●２進数とは

①　情報の単位

コンピュータの電子素子は、電気的な2の値（例えば5Vと0V）で記憶や処理を行う。この情報の最小単位を**ビット**と呼び、「0」と「1」で表す。また、一般に8ビットをまとめて**バイト**と呼び、データの記憶単位として番地（アドレス）がふられる。

◀**ビット**：bit (Binary Digit)
◀**バイト**：byte
◀**記憶容量の単位**
T（テラ）：
10^{12}＝1,000,000,000,000
G（ギガ）：
10^{9}＝1,000,000,000
M（メガ）：
10^{6}＝1,000,000
k（キロ）：
10^{3}＝1,000
たとえば、
1Mバイト=**1×10^6**バイト
=**1×10^6×8**ビット
の関係になる。

②　2進数

コンピュータが取り扱う数値は、1ビットを1桁とする2進数が用いられる。2進数は「0」と「1」による数値表現で、「1＋1」で1桁繰り上がって「10」になる。

【例】

・10進数　0 → 1 → 2 → 3 → 4 → 5
・２進数　0 → 1 → 10 → 11 → 100 → 101

●2進数と10進数の変換

①　10進数の基数と重み

10進数は各桁とも10の大きさを基準に位取りをする。
位取りの基準になる数値を基数、各桁の位を重みという。10進数は基数が10、重みは…100、10、1、1/10、1/100･･･である。

②　2進数から10進数への変換

2進数は基数が2、重みは･･･4、2、1、1/2、1/4･･･である。

次の式は、2進数「101.01」を10進数で表したものである。

4の位 ← 2の位 ← 1の位 ← 1/2の位 ← 1/4の位

$$101.01 = 1\times2\times2 + 0\times2 + 1\times1 + 0\times\frac{1}{2} + 1\times\frac{1}{2}\times\frac{1}{2}$$
$$= 1\times2^2 + 0\times2^1 + 1\times2^0 + 0\times2^{-1} + 1\times2^{-2}$$
$$= 5.25$$

2進数など10進数以外の場合は、次のように表記する。

・2進数：$(1010)_2$または$1010_{(2)}$　8進数：$(175)_8$または$175_{(8)}$

③　10進数から2進数への変換

整数部の変換は、値を2で割って余りを求める計算を繰り返し、求めた余りを下位桁から順に並べる。

【例】10進数の「19」を2進数に変換する。

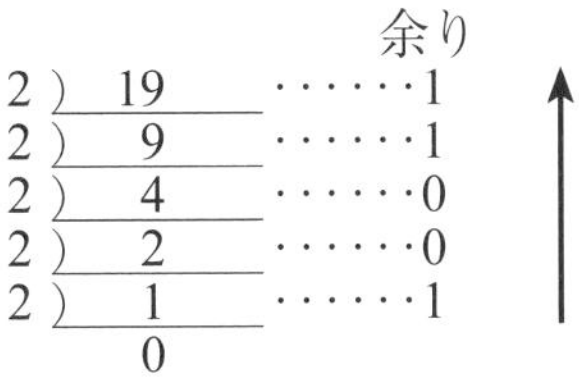

2進数で表すと（10011）2になる。

小数部の変換は、値を2倍して、整数に桁上りした値を求める。計算を繰り返し、桁上りした値を上位桁から順に並べる。

【例】10進数の「0.625」を2進数に変換する。

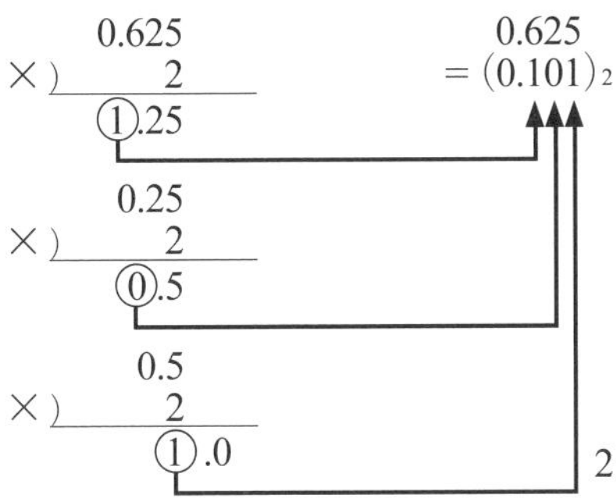

2進数で表すと、(0.101)2になる。

この単元のキーワード
- □2進数
- □ビット
- □バイト
- □10進数
- □8進数
- □16進数

●2進数、8進数、16進数の関係

◀16進数では後にHを付けた、2F5CH等の表記もよく使う。(Hexadecimal)

◀例えば、1F5A(16)を2進数で表し、3桁ごとに分けると、8進数17532(8)になる。

10進数では小さな数値でも、2進数では大きな桁数になるため、3桁まとめた8進数や4桁まとめた16進数が多く利用される。

【例】101111.010111(2)を3桁ごとに8進数に変換する。

　｜5｜7｜2｜7｜　（8進数）

【例】00101111.01011100　を4桁ごとに16進数に変換する。

　｜2｜F｜5｜C｜　（16進数）

10進数	2進数	8進数	16進数
0	0000	0	0
1	0001	1	1
2	0010	2	2
3	0011	3	3
4	0100	4	4
5	0101	5	5
6	0110	6	6
7	0111	7	7

10進数	2進数	8進数	16進数
8	1000	10	8
9	1001	11	9
10	1010	12	A
11	1011	13	B
12	1100	14	C
13	1101	15	D
14	1110	16	E
15	1111	17	F

◀**時間の単位**

m（ミリ）：

10^{-3}＝1／1,000

μ（マイクロ）：

10^{-6}＝1／1,000,000

n（ナノ）：

10^{-9}＝1／1,000,000,000

p（ピコ）：

10^{-12}＝1／1,000,000,000,000

第1章　情報表現

1-2 数値データとその表現

コンピュータで扱う数値には、整数と実数の２種類がある。ここでは、小数部をもたない整数の表現方法を学ぶ。負の数の表現に「2の補数」を用いているのが特徴である。

●補数とは

たとえば、8桁の2進数Xに、ある数Yを加えたら、桁上がりをして8桁すべてが0（8+1桁の最小数）になる（1 0000 0000）のような数値Yを、Xの「2の補数」と呼ぶ。

また、8桁の2進数Xにある数Zを加えたら、8桁すべてが1（8桁の最大数）になる（1111 1111）ような数値Zを、Xの「1の補数」と呼ぶ。

N進数にも、同様の考え方で、Nの補数とN-1の補数がある。

◀補数を扱うときは、桁数を任意の一定桁数に定める。

◆2進数の補数の求め方

1の補数	すべての桁の値を反転（0→1,1→0）する。
2の補数	1の補数に1を足す。

2進数「0101 0011」(=53 (16)）の2の補数を求める。

```
0101 0011                     1010 1100（1の補数）
↓↓↓↓ ↓↓↓↓                   ＋0000 0001
1010 1100（1の補数）          1010 1101（2の補数）
```

◀4桁の10進数3245の９の補数は3245＋6754＝9999、より(6754)である。また、10の補数は3245＋6755＝10000より(6755)である。ここで、9999は10進数4ケタの最大数。10000は10進数5ケタの最小数である。

●整数の正負の表現

①　負数の表現

固定小数点数（整数）では、数値Nの負数（－N）を正の数Nの「2の補数」で表現する。8ビットの2進数の場合、最上位ビット（左端の8ビット目）が1なら負数、0なら非負の数を表すことになる。【例】8ビットの2進数の場合

数値	2進数表現
+2	0000 0010
+1	0000 0001
0	0000 0000
−1	1111 1111（+1の2の補数）
−2	1111 1110（+2の2の補数）

負の数を2の補数で表現することによって、減算を簡単に加算に置き換えることができるので、ハードウェアの加算回路を使って減算を行うことが可能になる。

【例】2進数 0101 1111 － 0101 0011（＝5F(16) －53(16)）の計算

＜元の数の引き算＞	＜補数による足し算＞	
0101 1111	0101 1111	
－0101 0011	＋1010 1101	（53(16) の2の補数）
0000 1100	0000 1100	（桁上がりは無視）

この単元のキーワード

- □補数
- □負数
- □BCD
- □ゾーン10進数表現
- □パック10進数表現

② 表現できる数値の範囲

8ビットの2進数で表現できる数値の範囲は、符号なしの場合 0 から2^8-1（255）まで、符号つきの場合は-2^7（－128）から2^7-1（127）までとなる。一般に、nビットの2進数で表現できる符号つき整数の範囲は、$-2^n/2$から$2^n/2-1$までとなる。

◀加算回路は簡単な回路だが減算回路は複雑なため演算処理が遅くなるので、表現できる数値の範囲は限られる。

●10進数を基準とした表現

① BCD

2進数4桁で10進数1桁を表す方法で、2進化10進数とも呼ぶ。

◀**BCD**：Binary Coded Decimal

◀10進数の各桁を、2進数4桁を用いて表現する。

【例】710 → 7 ＝ 0111，1 ＝ 0001，0 ＝ 0000

710 ＝ 0111 | 0001 | 0000

② ゾーン10進数表現

8ビットで10進数1桁を表現する方法で、8ビットの上位4ビットは、符号やゾーンと呼ばれる一定のコードが入る。

【例】ゾーンを0011、符号は正：1100、負：1101とする。

	ゾーン	7	ゾーン	1	符号	0
－710 →	0011	0111	0011	0001	1101	0000

◀符号やゾーンの2進数4桁の値は、別の値を用いる場合もある。

③ パック10進数表現

8ビットで10進数2桁を表現する方法である。最下位の4ビットは符号コードが入り、桁数が偶数の場合、最上位に0000が入る。

【例】符号は正：1100、負：1101とする。

	7	1	0	符号＋
710 →	0111	0001	0000	1100
	0	7	1	符号－
－71 →	0000	0111	0001	1101

◀符号を含めて4桁（ビット）の偶数倍になるようにしている。

1-3 浮動小数点データと精度

3.14など小数点のついている数や、1兆や1兆分の1などの非常に大きな数や小さな数をコンピュータで表現するために、浮動小数点表現が用いられる。

●固定小数点数

全体の桁数の中で、小数点の位置をあらかじめ固定しておく方法である。この方法は、現在ではほとんど用いられていない。

【例】

符号	←──	──	整数部	──→	←──	小数部	──→
0	0	1	0	1	0	1	1

値は5.375

・8ビットを整数部と小数部に割り振った例（符号は1：負　0：正）
・表現できる範囲は、＋15.875～－15.875である。

●浮動小数点数

①　表現方法

浮動小数点数は実数を扱う場合に用いられる表現方法で、符号、基数、指数、仮数を用いて、実数を次のように表現する。

仮数×基数$^{(指数)}$

◀たとえば、10進数「12.345」は 0.12345×10^2（仮数は10進数、基数は10）と表現し、2進数「101.011」は 0.101011×2^3（仮数は2進数、基数は2）と表現する。

【例】コンピュータ内部での表現

符号	←──	指数部	──→	←──	──	仮数部	──→
0	0	1	0	▲1	1	0	1

・符号部1ビット、指数部3ビット、仮数部4ビットの表現例を示す。2進数による表現なので、基数は2である。
・仮数部は小数点以下を表現するので、仮数部は「0.1101」、指数部は「010」で10進数の「2」なので、$0.1101 \times 2^2 = 11.01$となり、10進数「3.25」を表していることになる。

②　正規化

浮動小数点数の精度を高くするには、仮数部で表現できる桁数（有効桁）をできるだけ多くする必要がある。このために、正規化を行う。正規化を行うには、小数点以下の1桁目に0でない数値がくるように指数部を調整する。なお、次に説明するIEEE754では、工夫した正規化が行われる。

【例】2進数「0.0011×2^3」をそのまま表現すると、次のようになる。

0	0	1	1	0	0	1	1
符号	←	指数	→	←	仮数		→

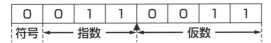

仮数部を左に2ビットシフトさせて正規化する。指数部は、3－2＝1になる。

0	0	0	1	1	1	0	0
	←	指数	→	←	仮数		→

③ 浮動小数点数の誤差

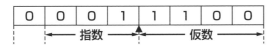

・**情報落ち**：大きく異なる2つの数の和や差では、小さい数が無視される。

123456.0 ＋ 0.123456＝123456.0（有効桁6桁では、小数点以下は表現できない）

・**桁落ち**：絶対値がほぼ等しい2つの数で絶対値の差を求めると、有効桁数が減少する。

$345.678 - 345.676 = 0.002 \rightarrow 0.2 \times 10^{-2}$（有効桁は6桁から1桁）

この単元のキーワード

- □固定小数点数
- □浮動小数点数
- □仮数
- □指数
- □正規化
- □誤差
- □IEEE方式

◀**丸め誤差**：無限小数などを有限桁で表すときに生じる誤差で、有限桁以降を四捨五入、切り上げ、切り捨てなどの処理を行い、近似値を求めることによって生じる誤差である。

●IEEE方式（IEEE754）

32ビット表現（単精度）と64ビット表現（倍精度）とがある。

・単精度：符号部1ビット・指数部8ビット・仮数部23ビット

・倍精度：符号部1ビット・指数部11ビット・仮数部52ビット

・符号部は0を正、1を負とする。

・指数部は2を基数とし、単精度では**あらかじめ127を加えた値**で表す。

・仮数部は2進数表現で「1.XXXX」になるよう調整する。すなわち、小数点の左に、必ず1が立つように正規化する。

そして、先頭の1は（必ずあるので）省略して、有効桁数を増やす。

$101.1101 \rightarrow 1.011101 \times 2^2$

↑先頭の1が立つように　↑正規化する。

・IEEE754形式の単精度で表現する値は、次のようになる。

$$(-1)^{符号部} \times 2^{指数部-127} \times (1+仮数部)$$

【例】22.8125（$10110.1101_{(2)}$）を単精度の浮動小数点で表現する。

・正規化する。

$10110.1101 \rightarrow 1.01101101 \times 2^4$

↑1を省略 ↑小数部分だけを記録

・指数部に127を加える。

$4 + 127 = 131 = 10000011_{(2)}$

符号	指数部	仮数部
0	10000011	01101101000000000000000

◀**IEEE754**：浮動小数点表現の世界標準として、多くのコンピュータ（CPU）で採用されている。

◀バイアス127と呼ぶ。倍精度でのバイアスは1023である。

元の指数	127を足す	バイアス127
13→	13+127→	140
−27→	−27+127→	100

◀指数部の値が90なら、元の指数は90−127=−37、150なら元の指数は23。

第1章　情報表現

1-4 文字データとその表現

コンピュータ内部では、アルファベットや数字などの「文字」を8ビットのビットパターンで表現する。漢字を含む日本語は、1文字に2バイトが当てられる。多くの文字コード、体系が使用されている。

●ASCIIコードによる文字の表現

ANSI（米国標準規格協会）で制定された7ビットの文字コード体系で、8ビット目はエラーチェック用のパリティビットとして使われる。英字（ラテン文字）や数字、句点などの約物（やくもの）、改行などの制御文字が含まれており、コンピュータや通信機器で最も多く使われている。世界標準的な1バイトコード体系である。

◀**ASCII**：American Standard Code for Information Interchange

◀**パリティビット**：252ページ参照

b7	b6	b5	b4	b3	b2	b1	列／行	0	1	2	3	4	5	6	7
→ b7								0	0	0	0	1	1	1	1
	→ b6							0	0	1	1	0	0	1	1
		→ b5						0	1	0	1	0	1	0	1
			0	0	0	0	0	NUL	DLE	(SP)	0	@	P	`	p
			0	0	0	1	1	SOH	DC1	!	1	A	Q	a	q
			0	0	1	0	2	STX	DC2	″	2	B	R	b	r
			0	0	1	1	3	ETX	DC3	#	3	C	S	c	s
			0	1	0	0	4	EOT	DC4	$	4	D	T	d	t
			0	1	0	1	5	ENQ	NAK	%	5	E	U	e	u
			0	1	1	0	6	ACK	SYN	&	6	F	V	f	v
			0	1	1	1	7	BEL(¥a)	ETB	'	7	G	W	g	w
			1	0	0	0	8	BS(¥b)	CAN	(	8	H	X	h	x
			1	0	0	1	9	HT(¥t)	EM	)	9	I	Y	i	y
			1	0	1	0	10	LF(¥n)	SUB	*	:	J	Z	j	z
			1	0	1	1	11	VT(¥v)	ESC	+	;	K	[	k	{
			1	1	0	0	12	FF(¥f)	FS	,	<	L	\	l	¦
			1	1	0	1	13	CR(¥r)	GS	−	=	M	]	m	}
			1	1	1	0	14	SO	RS	.	>	N	^	n	~
			1	1	1	1	15	SI	US	/	?	O	_	o	DEL

◀4列1行目は文字A、2行目は文字Bである。

◀0、1列目はLF、CR、ESCなどの制御文字である。

◀4列14（E）行目は文字N、3列15（F）行目は文字？である。

ASCIIコード表は8列×16行で構成され、上位3ビット（b7～b5）を列で、下位4ビット（b4～b1）を行で表示している。

【例】文字A：$41_{(16)}$、文字N：$4E_{(16)}$、文字1：$31_{(16)}$、文字?：$3F_{(16)}$
「1」を文字として扱う場合はASCIIコードで$31_{(16)}$であるが、数値として扱う場合は$01_{(16)}$になる（符号なし整数として8ビットで表した場合）。

●代表的な文字コード

① EBCDIC（エビシディック）

IBM社が自社製品用に開発した8ビットの文字コード体系で、汎用コンピュータを中心に普及している。

② JIS X 0201（ANKコード）

JISが制定した古い文字コード規格で、俗称はANKコード。ASCIIとほぼ同一の7ビット、8ビットにして、増えた128字分にカタカナ（俗称：半角カナ）を追加したものなど4種類ある。

③ ISO-2022-JP（JISコード）

日本語の文字集合を定めた規格（JIS X 0208、俗称はJIS第1第2水準文字）に対する文字コード。俗称はJISコード。

ASCII文字や漢字などが7ビット×2（94文字×94セット）に含まれ、エスケープシーケンスと呼ぶ制御コードを先頭に2バイトで指定する。

④ Shift JISコード（シフトJISコード）

現在、WindowsやMacOSなど多くのパソコン上で、日本語を表す標準文字コードである。

2バイトコードで、1バイト目を見ると漢字かASCIIなどの1バイト文字かがわかるようになっている。

⑤ EUC-JP

日本語UNIXシステム諮問委員会の提案にもとづきAT&T社が定めた複数バイトの文字コード化方式。日本語以外の文字集合に対しても文字コードがあるため、EUC-JPや日本語EUCと呼ばれる。

⑥ UNICODE

米国の情報関連企業が中心となって提唱して、ISO 10646の一部（UCS-2）として標準化された文字コード体系。複数バイトですべての文字を表現し、2バイトの文字コードで世界の主要な言語のほとんどの文字を収録している。

UNICODEの文字符号化方式には、8ビット符号単位で符号化されるUTF-8や16ビットの符号単位が1つまたは2つで符号化されるUTF-16などがある。

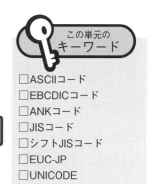

この単元のキーワード
- □ASCIIコード
- □EBCDICコード
- □ANKコード
- □JISコード
- □シフトJISコード
- □EUC-JP
- □UNICODE

◀**EBCDIC**：Extended Binary Coded Decimal Interchange Code

◀**JIS**：日本産業規格

◀**ANK**：Alphabet, Numerical digit, Katakana

◀**ISO**：国際標準化機構

◀**JIS X 0208**では、非漢字（524字）、第一水準漢字（2,965字）、第二水準漢字（3,390字）の計6,879字が規定されている。

1-5 符号化とデータ圧縮

静止画や動画などのマルチメディアコンテンツは、そのままでは大容量のファイルになるため、圧縮して記録を行い、再生時に伸張する方式が一般的である。

●符号化

連続したアナログデータを、有限個のディジタルデータに変換することを符号化と呼ぶ。

代表的な符号化方式である**PCM方式**により、アナログ信号をディジタルデータに変換する3つの過程を以下に示す。

① 標本化（Sampling）

一定間隔でそのときのアナログ信号の値を取り出す。

② 量子化（Quantizing）

取り出した値をデータビット数に応じた近似値に変更する。

③ 符号化（Coding）

量子化により近似値化されたデータを2進数で表す。

下図のように標本値が0～8の範囲でビット数が4ビットのときは、$8/2^4 = 0.5$ ごとの近似値に変更する。

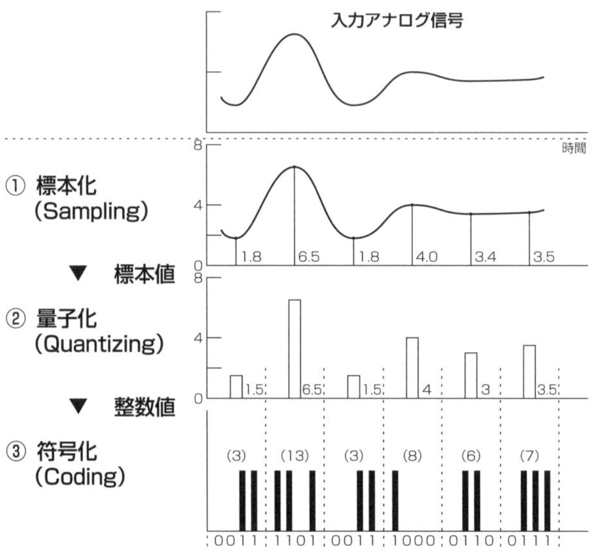

注意!!

電話の音声を符号化する場合、**1**秒間に**8,000**回のサンプリングを行い、符号化は**8**ビットが採用されている。したがって、**8,000×8＝64,000bps＝64kbps**の通信速度が必要になる。

◀**PCM**：Pulse Code Modulation

◀**ADPCM（Adaptive Differential PCM）**：予測符号化技術とも呼ばれ、過去の信号から送信／受信側双方で予測した現在の信号に対して、予測との差だけを送信する方法。

◀**標本化、量子化、符号化の関係**

連続的に変化して入力されるアナログ信号の振幅を、一定の時間間隔で読み取って数値化する。

1111　7.5
⋮
0011　1.5
0010　1.0
0001　0.5
0000　0

実際の値（標本値）をこの値に変更するのが量子化

4ビット

量子化された値に対して2進数にするのが符号化

◀標本化からの一連の技術全体を指して符号化という場合もある。

●データ圧縮

画像や動画の場合などは、符号化したデータをそのまま記録するとファイルが巨大な大きさとなるため、記録方式を工夫したりデータを間引いたりしている。完全に元に戻る**可逆圧縮**と、元には戻らない**非可逆圧縮**がある。

この単元のキーワード

□PCM
□標本化
□量子化
□符号化
□データ圧縮
□JPEG
□MPEG

① ランレングス符号化（可逆圧縮）

同一データが連続（run）している長さ（length）に着目してデータをまとめる方法で、「データ＋連続する個数」で表す。

【例】

元のデータ　　　：ＡＡＡＡＡＢＢＣＤＤＤＤＤＥＥＥ 16データ
ランレングス符号：Ａ５Ｂ２Ｃ１Ｄ５Ｅ３ 10データ

② ハフマン符号化（可逆圧縮）

データの出現する頻度に応じて、よく出るデータには短い符号を、頻度の低いデータには長い符号を割り当てる方法である。

【例】

	晴65%	曇20%	雨10%	雪5%
ある都市の3月の気候データ：	1	01	000	001

単純に、4種類に00、01、10、11を割り当てるより、多く出る「晴」を1ビットにすれば、少ないデータで記録できる。晴以外の他のデータは2bit以上の長さになる。

③ 非可逆圧縮（JPEG）

ディジタル写真で用いられるJPEGでは可逆圧縮方式も選べるが、一般的には微細な部分を省き、画像をぼかしてデータを削減する非可逆圧縮方式が用いられる。

ぼかすために利用する離散コサイン変換に加え、上記2方式の考え方も応用されている。

④ 動画の圧縮（MPEG）

MPEGは映像・音声信号の圧縮技術の1つであり、MPEG-1、MPEG-2、MPEG-4などがある。

1）MPEG-1

1.5Mbps程度の圧縮方式であり、CDに最大1時間程度の動画と音声を記録することを目的に設計された。

2）MPEG-2

数M～数十Mbpsという広い範囲の圧縮方式であり、HDTVを含む衛星ディジタル放送、DVD-Video等にも利用されている。

◀**HDTV（High Definition Television）**：高精細度テレビジョン

3）MPEG-4

ワンセグ放送からディジタルハイビジョンTVまで、幅広く利用される圧縮符号化方式。1回ごとの差分情報の量を小さくするなどの改良を行うことで、MPEG-2と比較して2倍以上の圧縮効率を実現している。

YouTube等の動画共有サービスなど様々な場面で使用されている。

この単元の
キーワード

□MP3
□ZIP
□GIF
□MIDI

4）MP3

MPEG方式の音声データの圧縮技術であり、人間の耳に聴こえる範囲では音質を保ったままに圧縮できることから、ディジタルオーディオプレーヤーにも広く普及している。

◀**MP3**：MPEG-1 Audio Layer-3

⑤ZIP

複数のファイルをまとめて1つのファイルとして圧縮して取り扱うアーカイブ形式である。

⑥GIF

最大8ビット（256色）までの色を扱うことのできる可逆圧縮形式である。

◀**GIF**：Graphics Interchange Format

⑦MIDI

音をディジタル化する方法の1つで、音程、音の長さ、音の強弱、音色などを情報として規定しているものである。

◀**MIDI**：Musical Instrument Digital Interface

確認問題 ▶解答と解説は別冊９ページ～

第１章　情報表現

◆問2-1-1　2進数の1011.01を10進数で表現すると次のどれか。

ア．10.75　　イ．11.25　　ウ．11.75　　エ．13.5

◆問2-1-2　10進数の0.6875を2進数で表現すると次のどれか。

ア．0.1010　　イ．0.1011　　ウ．0.1101　　エ．0.1110

◆問2-1-3　2進数の0.1011と16進数の0.9を加算した結果を10進数で表現すると次のどれか。

ア．1.0125　　イ．1.1250　　ウ．1.2500　　エ．1.3750

◆問2-1-4　オーサリングソフトに関する説明のうち、最も適切なものはどれか。

ア．グループでの共同作業の効率を高めることを目的としたツール
イ．プレゼンテーション資料を作成するツールで、音声や動画を取り込めるものもある。
ウ．マルチメディアを利用した双方向コミュニケーションツールである。
エ．文字や画像などを効率よく編集し、印刷原稿を作成するツールである。

◆問2-1-5　音声の符号化に関する次の記述のa～gに該当する語句を、下の解答群から選べ。

符号化とは［a］を［b］に変換する技術で、［c］、［d］、［e］の順番に行われる。最初の［c］は［a］の［f］を一定時間間隔で読み取って数値化する。次に［c］で読み取った数値を［g］する。これを［d］という。そして最後に［b］に置き換えて［e］が終了する。

【解答群】
ア．圧縮　　イ．アナログ信号　　ウ．振幅　　エ．整数化　　オ．ディジタル信号
カ．波長　　キ．標本化　　ク．符号化　　ケ．量子化

a:	b:	c:	d:
e:	f:	g:	

◆問2-1-6　16進数の1A.Cを10進数で表現した結果はどれか。

ア．1.1012　　イ．26.12　　ウ．26.75　　エ．110.75

◆問2-1-7　負の整数を表現する方法として、次の3種類がある。

a：2の補数による表現

b：1の補数による表現

c：絶対値に符号をつけた表現（先頭ビット＝0ならば正、1ならば負）

ビット列‘1110’をa～cの方法で表現した場合、その値が最も小さくなる方法はどれか。

ア．a　　イ．b　　ウ．c　　エ．不明

◆問2-1-8　以下に示す単精度浮動小数点表示法によって、10進数 3.75 を表示したとき、指数部を符号なし8ビットのビット列で表した結果はどれか。

・実数を以下の形式で表現する。

$(-1)^{S} \times 2^{E-127} \times (1+F)$

S ＝ 実数の符号（0：正、1：負）

E ＝ げたばき（バイアス付き）指数

F は純小数

たとえば、2進数 $(0.11)_2 = (1.1 \times 2^{-1})$ は、$(-1)^0 \times 2^{126-127} \times (1+0.1)$ なので、S ＝ 0、E ＝ 126、F ＝ 0.1となる。

ア．01111111　　イ．10000000　　ウ．10000001　　エ．00000001

◆問2-1-9　けた落ちに関する説明として正しいものはどれか。

ア．計算結果の切上げ、切捨て等によって、指定けた数に収まらない下位のけたを削除することで発生する誤差

イ．絶対値の非常に大きな数値と小さな数値同士の加算を行った際に、小さい数値が計算結果のけたに収まりきらないために発生する誤差

ウ．絶対値のほぼ等しい2つの数値同士の差を求めた際に生じる誤差

エ．浮動小数点数値の計算処理を有限回数で打ち切ったために生じる誤差

◆問2-1-10　全世界の各種言語の文字を、2バイトで表現することを想定して発案された文字コードはどれか。

ア．EUC　　イ．Shift-JIS　　ウ．Unicode　　エ．JIS

過去問題

★☆問1-1 次のPCMに関する記述を読み、各設問に答えよ。

PCM（Pulse Code Modulation）とは、アナログの音声信号をデジタル信号に変換する方法の一つである。CDやMP3形式の音声などの基本的な部分で使われている。また、方式の違いにより様々なPCMが存在する。基本的なものはリニアPCMと呼ばれるものがあり、リニアPCMを改良したものに差分データを利用することでデータの圧縮を図るADPCMやDPCMなどがある。なお、この問題で使用する補助単位は1k＝1000、1M＝1000kとする。

＜設問１＞ 次のアナログの音声データをデジタルデータに変換する手順に関する記述中の[　　]に入れるべき適切な字句を解答群から選べ。

アナログ音声データをPCMで変換するには、次の手順で行う。

1．[1]（以下、サンプリング）

アナログ信号を一定の時間間隔で区切ってデータを取得する。1秒間にサンプリングする回数をサンプリング周波数と呼び、単位をHzで表す。例えば、1秒間のサンプリング回数が1回であれば1Hzとなる。CDのサンプリング周波数は44.1kHzなので、1秒間に44,100回のサンプリングが行われる。

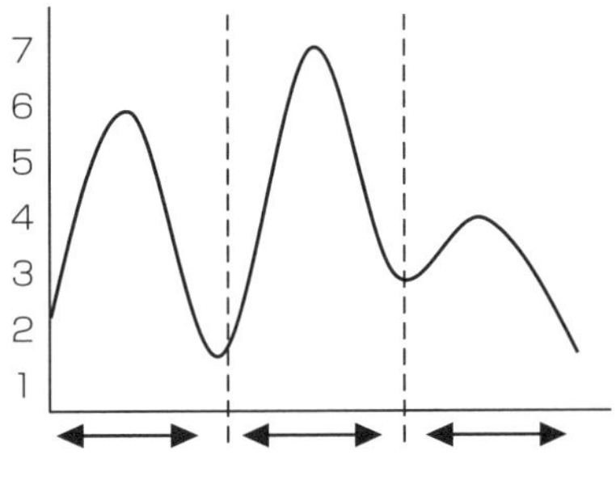

図1　一定の間隔でサンプリング

2．[2]

サンプリングにより取得したデータを数値化する。決められたレベルの範囲でどの段階に当てはまるかを決定する。この時のレベルの範囲を決定するために用いるビット数を[2]ビット数と呼ぶ。

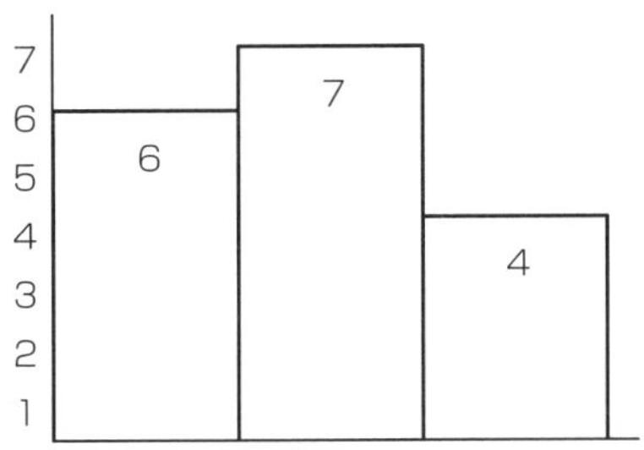

図2　データの数値化

3. [3]

[2] で得られた値を2進数で表現する。

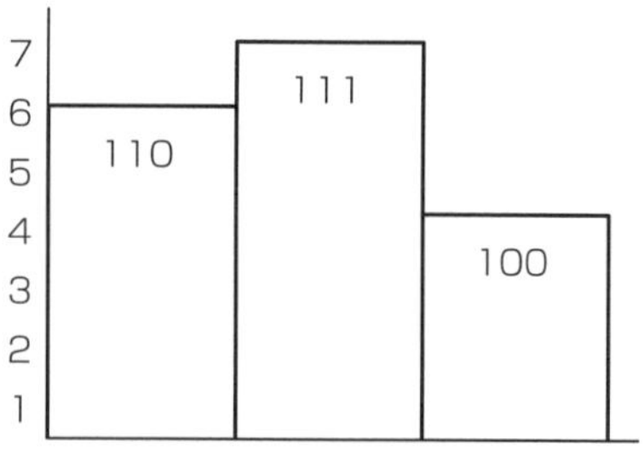

図3　2進数で表現

【1、3の解答群】

ア．A/D変換　　イ．音声変換　　ウ．コンバータ

エ．標本化　　オ．符号化　　カ．量子化

[1:] [2:] [3:]

＜設問２＞　次のデータ容量に関する記述中の[ ]に入れるべき適切な字句を解答群から選べ。なお、空欄[2]については設問1と同じ字句が入る。

＜条件＞

・録音時間　　3分20秒
・サンプリング周波数　　48kHz
・[2]ビット数　　16ビット
・音声形式　　ステレオ（2チャンネル）

PCM形式でアナログの音声データのみを記録するために必要な容量を条件の内容から考える。

・1秒間のサンプリング回数は[4]回である。
・1回のサンプリングで取得したデータをデジタル化するためには[5]バイト必要である。
・1秒間の音声データをデジタル化するために必要な容量は[6]バイトである。
・全体で必要な容量は[7]Mバイトとなる。

【4の解答群】

ア．480　　イ．4,800　　ウ．48,000　　エ．480,000

[4:]

【5の解答群】

ア．4　　イ．6　　ウ．8　　エ．12

[5:]

【6の解答群】

ア．192　　イ．1,920　　ウ．19,200　　エ．192,000

[6:]

【7の解答群】

ア．16.4　　イ．19.2　　ウ．24.8　　エ．38.4

7:

＜設問３＞　次のサンプリング間隔に関する記述中の[　　]に入れるべき適切な字句を解答群から選べ。なお、空欄[2]については設問1と同じ字句が入る。

モノラルのアナログの音声信号をPCM方式によってサンプリングして、[2]ビット数を8ビットとしたとき、1秒あたりの容量が20,000バイトであった。このことからサンプリング周波数は[8]kHzであり、サンプリング間隔は[9]マイクロ秒になる。

【8の解答群】

ア．20　　イ．80　　ウ．160　　エ．320

8:

【9の解答群】

ア．0.05　　イ．0.5　　ウ．50　　エ．500

9:

（令和5年度後期　基本スキル　問題2）

★☆問1-2　次の数値表現に関する記述を読み、各設問に答えよ。

コンピュータで扱う数値には、小数点以下の値を持たない整数型や小数点以下を扱える実数型がある。整数型を扱う場合に使用するのが固定小数点数であり、実数型を扱う場合に使用するのが浮動小数点数である。

＜設問１＞　次の固定小数点数に関する記述中の［　　　］に入れるべき適切な値を解答群から選べ。

固定小数点数とは、小数点を決められた場所に固定して表現するものである。整数型として扱う場合、最右端ビットの右側に小数点位置がある。

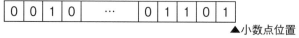

0	0	1	0	…	0	1	1	0	1

▲小数点位置

図1　固定小数点数

例えば、8ビットの固定小数点数で正数のみを扱うとすれば、その最小値は2進数で00000000であり、最大値は11111111である。それぞれ10進数では0と［　1　］である。

負数を扱う場合は、先頭ビットを符号ビットとした2の補数表現を使う。

[2の補数を求める手順]

① 絶対値を2進数に変換する。

② 各ビットの0と1を反対にする（1の補数）。

③ 1を加える（2の補数）。

例えば、10進数の－28を8ビットの2進数で表現する場合、絶対値の＋28 は00011100であり、2の補数で表現された－28は、［　2　］である。

このように負数を2の補数で表現する場合、8ビットで扱える最小値は2進数で［　3　］であり、最大値は［　4　］である。

【1の解答群】

ア．127　　イ．128　　ウ．255　　エ．256

［1:　　　　］

【2の解答群】

ア．11100000　　イ．11100011　　ウ．11100100　　エ．11100111

［2:　　　　］

【3、4の解答群】

ア．00000000　　イ．01111111　　ウ．10000000　　エ．11111111

［3:　　　　］［4:　　　　］

<設問2>　次の算術シフトに関する記述中の［　　］に入れるべき適切な値を解答群から選べ。

算術シフトは符号ビットを除いてシフト（桁移動）され、左にシフトした場合に空いた右側のビットには0が、右にシフトした場合に空いた左側のビットには符号ビットと同じビットが格納される。

なお、算術シフトは、nビット左にシフトすると2^n倍、nビット右にシフトすると$1/2^n$倍になる。例えば、2ビット左にシフトすると4倍、2ビット右にシフトすると1/4倍になる。

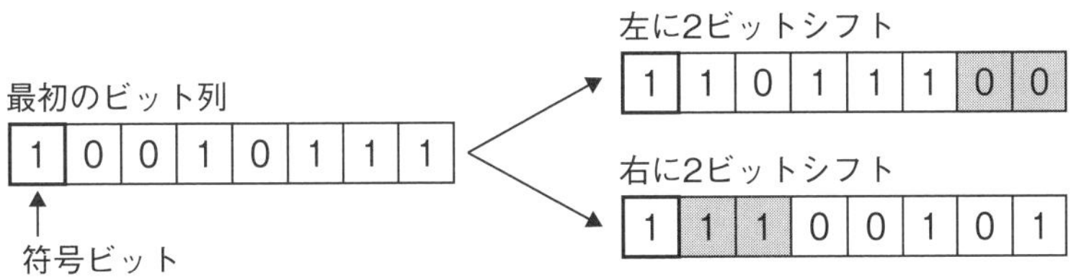

注）網掛け部分がシフトにより空いたビット位置

図2　算術シフトの例

ここで、2進数で11110000（10進数で－16）を、左に2ビットシフトすると［ 5 ］（10 進数で－64）であり、右に2ビットシフトすると［ 6 ］（10進数で－4）である。

【5、6の解答群】

ア．00110000　　イ．00111100　　ウ．11000000　　エ．11111100

5:	6:

<設問3>　次の浮動小数点数に関する記述中の［　　］に入れるべき適切な字句を解答群から選べ。

浮動小数点数とは、数値を $(-1)^{符号}\times$仮数$\times$基数^{指数}として表現するものである。ここでは32ビット（単精度）のIEEE754形式で説明する。

符号部 1ビット	指数部 8 ビット	仮数部 23 ビット

図3　IEEE754単精度浮動小数点数形式

・符号部は仮数部の符号を表し、非負の場合は0、負の場合は1とする。
・指数部は2を基数とし、実際の値に127を加えたバイアス値とする。
・仮数部は10進数で1以上2未満になるように調整することで、2進数で表現すると「1.XXX…」となり、そこから1を引いた値とする。この操作を正規化と呼ぶ。

例えば、2進数の10111は、1.0111×2^4と調整し、符号部は0、指数部は4+127=131（2進数で10000011）、仮数部は1.0111から1を引いた0.01110…0（小数部分は全部で23ビット）となる（図4）。

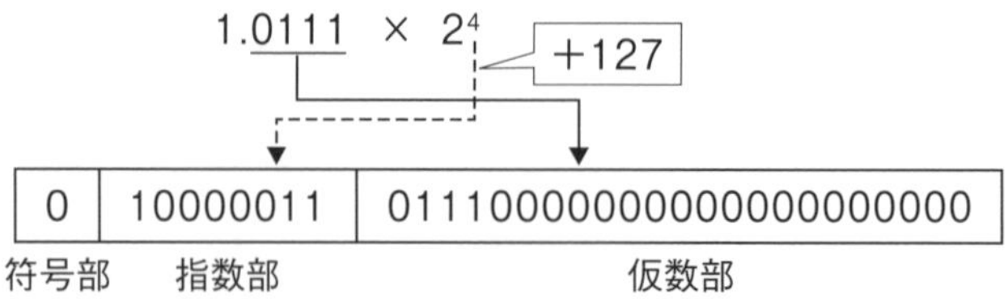

図4　IEEE754形式で2進数の10111を表現した結果

同様に、10進数の0.625をIEEE754形式で表現すると、各部の値は2進数表現で次のようになる。

0	01111110	7

また、IEEE754形式で次のように表現された浮動小数点数は、10進数で表現すると 8 である。

0	10000001	10100000000000000000000

次に、A、B、Cの三つの値に対する演算を考える。浮動小数点数は、演算する値の指数を大きい方に揃えて仮数の演算を行った後で正規化する。

A…$1.010010000111 \times 2^{24}$

B…$1.0100100001 \times 2^{24}$

C…1.1×2^{-1}

A－Bの演算では、指数が同じであるから仮数をそのまま減算する。

$1.010010000111 - 1.0100100001 = 0.000000000011$となり、正規化すると$1.1 \times 2^{13}$である。このように仮数部の有効桁数が減少し精度が落ちることを 9 と呼ぶ。

A＋Cの演算では、指数を大きい方に揃えるため、Cを$(0.0000000000000000000000011) \times 2^{24}$に調整して加算するが、右端の11が表現できずに0を加算することになる。このように加算にCの値が反映されないことを 10 と呼ぶ。

【7の解答群】

ア．0100000000000000000000　　イ．0101000000000000000000

ウ．1010000000000000000000　　エ．1100000000000000000000

7:

【8の解答群】

ア．2.5　　イ．5.0　　ウ．6.5　　エ．13.0

8:

【9、10の解答群】

ア．切り上げ　　イ．切り捨て　　ウ．桁落ち　　エ．情報落ち

9:　10:

（令和元年度後期　基本スキル　問題2）

第 2 章

データ構造・集合と論理

2-1　集合と論理演算
2-2　論理回路
2-3　データ型とその種類

第2章　データ構造・集合と論理

2-1 集合と論理演算

コンピュータにおけるデータ処理は、四則演算と論理演算（論理積、論理和、否定、排他的論理和）によって実現される。ここでは、論理演算の基本的な仕組みを学習する。

●命題

論理学では、真偽の判定の対象となる文章を命題と呼ぶ。
【例】 J君家族

命題 A私は会社員である／B私は男性である

	A	B
父	真	真
母	偽	偽
姉	真	偽
J	偽	真

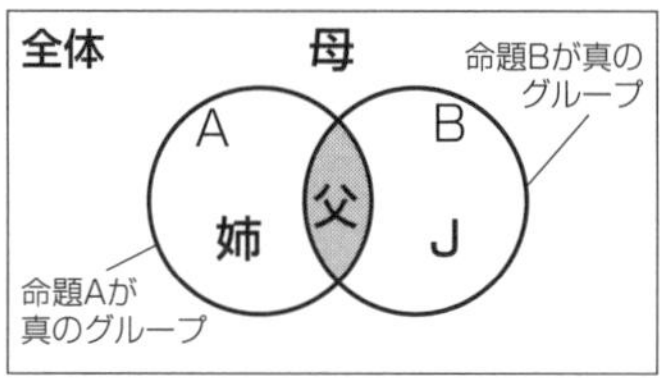

●論理演算

コンピュータの中央処理装置におけるデータ処理は、すべて論理演算の回路によって実現される。論理演算の入力と出力の関係およびその**ベン図**を、次に示す。

すべての論理演算は、**論理積（AND）**、**論理和（OR）**、**否定（NOT）**の3つの組み合わせで実現できる。また、この3つに加えて、**排他的論理和（XOR）**も代表的な論理演算である。

◀**ベン図**：命題の集合関係と求める部分を視覚的に図式化したもの。

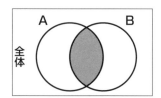

論理積(AND)

入力1(A)	入力2(B)	出力
0	0	0
0	1	0
1	0	0
1	1	1

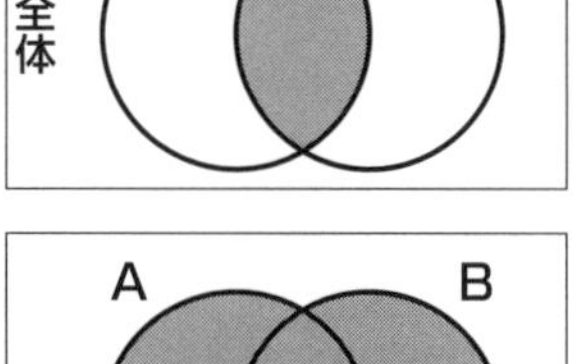

◀ベン図のアミカケ部分が出力**1**に対応する。

論理和(OR)

入力1(A)	入力2(B)	出力
0	0	0
0	1	1
1	0	1
1	1	1

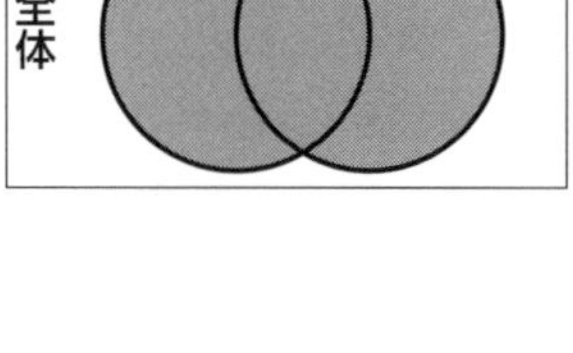

◀**A**や**B**の○の中は、それぞれの**1**に対応する。

◀**A**や**B**の○の外が、それぞれ**0**に対応する。

否定(NOT)

入力(A)	出力
0	1
1	0

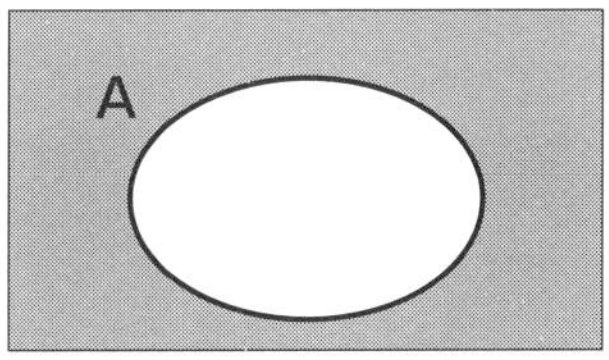

排他的論理和(XOR)

入力1(A)	入力2(B)	出力
0	0	0
1	0	1
0	1	1
1	1	0

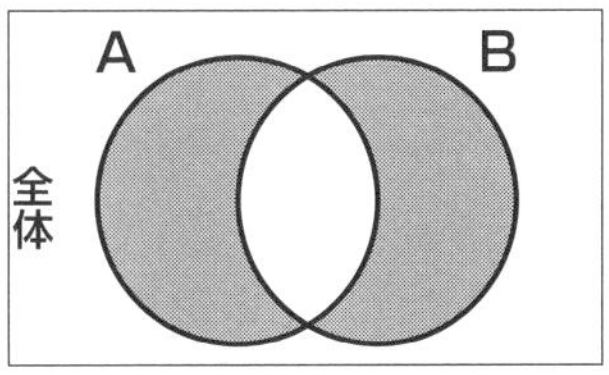

この単元の
キーワード

- □命題
- □論理積(AND)
- □論理和(OR)
- □否定(NOT)
- □排他的論理和(XOR)
- □ド・モルガンの法則
- □順序回路

●論理演算子

論理演算を式で表現する場合に、論理演算子が使われる。論理演算子の例を示すと、次のとおり。

論理演算	演算子	例
論理積	・または∩	A・B , A∩B
論理和	＋または∪	A+B , A∪B
否定	‾	$\overline{A}$
排他的論理和	⊕	A⊕B

論理演算には、**ド・モルガンの法則**がよく使われる。ド・モルガンの法則とは、「論理否定の積は論理和の否定に等しい」というもので、論理式で表現すると、次の式が成立することを意味する。

$\overline{A+B}=\overline{A}\cdot\overline{B}$

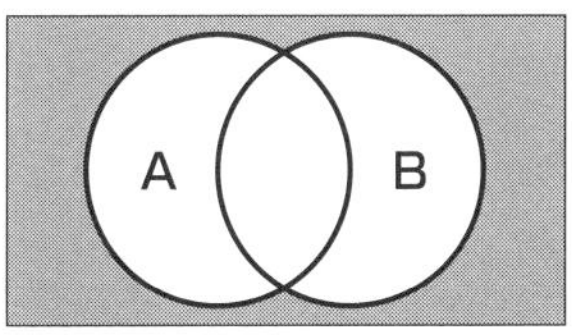

$\overline{A\cdot B}=\overline{A}+\overline{B}$

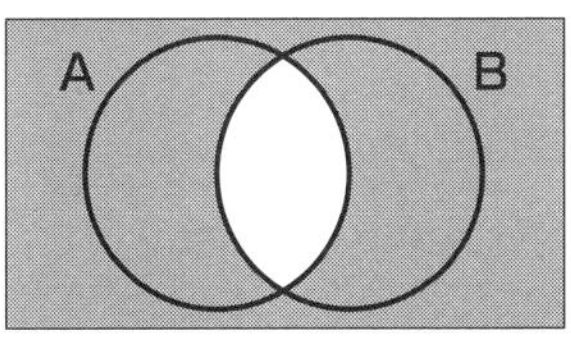

【ド・モルガンの法則の使用例】
次の論理式を簡単化する。

$\overline{\overline{(A\cdot\overline{(A\cdot B)})}\cdot\overline{(B\cdot\overline{(A\cdot B)})}}$

$=\overline{\overline{(A\cdot\overline{(A\cdot B)})}}+\overline{\overline{(B\cdot\overline{(A\cdot B)})}}$

$=(\overline{\overline{A}}\cdot\overline{(A\cdot B)})+(\overline{\overline{B}}\cdot\overline{(A\cdot B)})$

$=(A\cdot(\overline{A}+\overline{B}))+(B\cdot(\overline{A}+\overline{B}))$

$=A\cdot\overline{B}+B\cdot\overline{A}$

●順序回路

論理回路は現在の入力値から出力値を決めるが、過去の入力データの順序関係から値を決める回路もある。これを順序回路と呼び、フリップフロップ、シフトレジスタ、カウンタがその代表である。タイミングを決めるクロック信号により動作する。

◀順序回路は記憶作用があることから、CPUのさまざまな処理を可能にしている。

◀**フリップフロップ**：特に指示を出さないかぎり、**0**か**1**かの出力内容が変化することはなく、その状態を保ち続ける論理回路である。この記憶機能がコンピュータ内で多く使われている。

◀**シフトレジスタ**：レジスタはフリップフロップをいくつか組み合わせて作られている。記憶するだけでなく、レジスタ内の情報を右や左に移動(シフト)できるものをシフトレジスタという。

◀**カウンタ**：カウンタもレジスタの一種であるが、**1**ずつ加算または減算する機能をもつ論理回路である。

2-2 論理回路

CPU内部での演算は、論理回路の組み合わせにより実現される。論理回路を表すにはMIL記号が用いられ、演算の結果を表したものを真理値表という。ここでは、２進数の加算を行う加算回路についても学習する。

●論理回路と真理値表

①　基本回路のMIL記号と真理値表

真理値表では、回路の入力A、Bと各出力を0/1で示す。

〈MIL記号〉

論理和回路(OR)	論理積回路(AND)	否定回路(NOT)
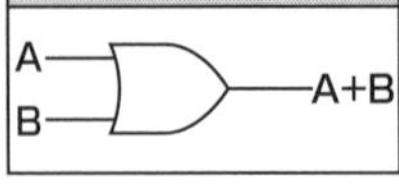	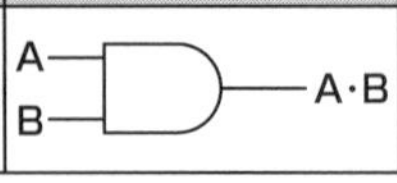	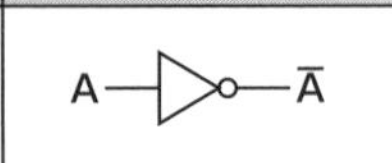

〈真理値表〉

A	B	A+B
0	0	0
0	1	1
1	0	1
1	1	1

A	B	A·B
0	0	0
0	1	0
1	0	0
1	1	1

A	$\overline{A}$
0	1
1	0

②　排他的論理和回路

〈MIL記号〉

排他的論理和回路	基本回路による排他的論理和回路
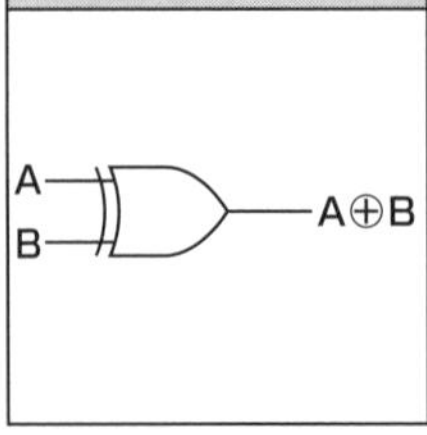	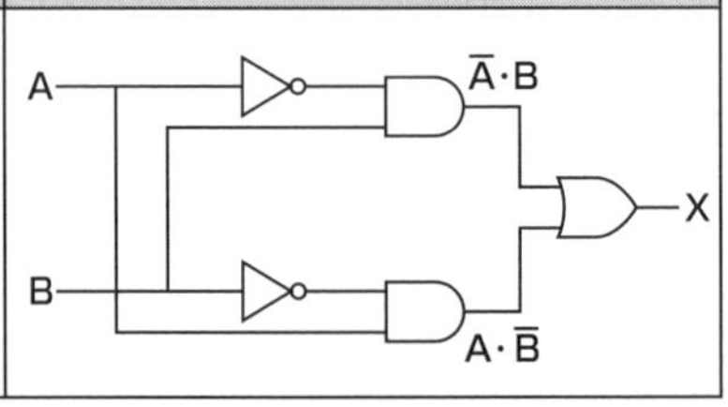

〈真理値表〉

A	B	A⊕B
0	0	0
0	1	1
1	0	1
1	1	0

A	B	$\overline{A}$·B	A·$\overline{B}$	X=($\overline{A}$·B)+(A·$\overline{B}$)
0	0	0	0	0
0	1	1	0	1
1	0	0	1	1
1	1	0	0	0

③　NOR回路とNAND回路

電子素子により容易に実現できるため、これらが汎用される。

〈MIL記号〉

NOR回路	NAND回路
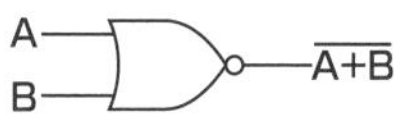	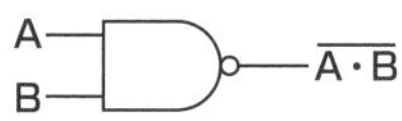

〈真理値表〉

A	B	$\overline{A+B}$
0	0	1
0	1	0
1	0	0
1	1	0

A	B	$\overline{A \cdot B}$
0	0	1
0	1	1
1	0	1
1	1	0

この単元の
キーワード

□MIL記号
□真理値表
□NOR回路
□NAND回路
□半加算器
□全加算器
□桁上がり

◀**NOR**：Not+OR 否定論理和

◀**NAND**：Not+AND 否定論理積

●半加算器と全加算器

論理回路の組み合わせによる2進数1桁の加算器を示す。

①　半加算器

入力A、Bに対する自桁の加算結果Sと上位桁への桁上がりCを出力する。次の真理値表から、Sは排他的論理和、Cは論理積である。

A	B	S	C
0	0	0	0
0	1	1	0
1	0	1	0
1	1	0	1

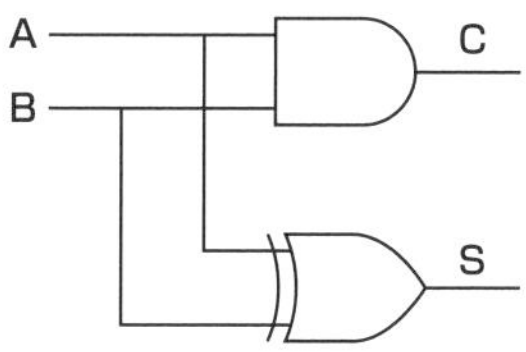

②　全加算器

入力A、Bおよび下位桁からの桁上がりC_Lに対する自桁の加算結果Sと、次桁への桁上がりCを出力する。半加算器と論理和で実現する。

A	B	C_L	S	C
0	0	0	0	0
0	0	1	1	0
0	1	0	1	0
0	1	1	0	1
1	0	0	1	0
1	0	1	0	1
1	1	0	0	1
1	1	1	1	1

2-3 データ型とその種類

データ型の意味を具体的に学習したうえで、基本データ型を分類し、代表的なデータ型を説明していく。

●データ型とは

コンピュータは入力されたデータを一定のアルゴリズム（処理手順）によって処理し、その結果を出力する機械である。

すなわち、その働きはデータとアルゴリズムによって決まるのである。料理にたとえていえば、料理の素材が入力データであり、調理法（レシピ）がアルゴリズム、できあがった料理が出力データということになる。

料理の素材と調理法を切り離して考えることができないように、コンピュータでもデータとその操作方法を切り離して考えることはできない。たとえば、‘整数’のデータには、加減乗除の操作を行うことが暗黙のうちに前提として考えられているのである。

このように、データの値と操作をセットにして考えたものをデータ型と呼んでいる。

●データ型の種類

代表的なデータ型を分類すると、次のようになる。

- データ型
  - 基本データ型
    - 数値型…整数型、実数型
    - 列挙型…文字型、論理型
    - ラベル型…ポインタ型
  - 構造データ型…レコード型、配列型

基本データ型は整数の加減乗除の四則演算のように、要素間の演算によって定義される。また、構造データ型は人の身長や体重といった要素の性質を表すものである。それぞれのデータ型の特徴は、次のようになっている。

① **整数型**：非常によく利用されるデータ型で、数学の整数と同じ操作が定義される。具体的には次の4つの操作である。

＋	加算
−	減算
＊	乗算
／	除算

② **実数型**：数学における実数と同じ操作が定義される集合で、基本操作は整数型と同様の4つの操作である。ただし、コンピュータでは表現できる数字の桁数に限界があるため、厳密には数学の実数と同じではない。

たとえば、$\sqrt{2}=1.4142135\cdots\cdots$のような無限に続く小数は、数学では存在するがコンピュータでは一定の桁数を超えた部分は丸められてしまうのである。そのため、'精度'ということが常に問題になる。

③ **文字型**：文字を要素とする集合で、具体的にはASCIIコードなどで定義された文字のこと。現在では、世界各国で使用されている文字を表現できるUnicodeが広く用いられている。

④ **論理型**：論理演算の定義された2要素、true（真）、false（偽）から成り立つ集合である。基本操作には次の3つがある。

and	論理積
or	論理和
not	論理否定

⑤ **ポインタ型**：ほかの基本データ型とは異なり、データの値そのものではなく、データの所在情報（アドレス）の集合である。アセンブラやC言語では、このポインタ型を使用して、アドレスを操作するプログラムを記述できる。

⑥ **レコード型**：構造体とも呼ばれ、1つまたは複数の異なるデータ型を要素とする集合である。たとえば、会社の従業員の性質を表すレコードには、次のような異なるデータ型が集合の要素になる。

文字型	氏名，住所
整数型	従業員番号，生年月日，入社年月日

⑦ **配列型**：配列については「第3部　プログラミングスキル」の「1-1」で詳しく解説する。

この単元のキーワード

- □データ型
- □基本データ型
- □構造データ型
- □整数型
- □実数型
- □文字型
- □論理型
- □ポインタ型
- □レコード型
- □配列型

◀整数型・実数型の特徴には、このほか、最大値・最小値が存在すること、順序があることなどがある。

確認問題

►解答と解説は別冊13ページ～

第2章　データ構造・集合と論理

◆問2-2-1　ベン図の網掛け部分　　　に対応する論理式として正しいものはどれか。
ここで“・”は論理積、“+”は論理和、$\overline{X}$はXの否定を表す。

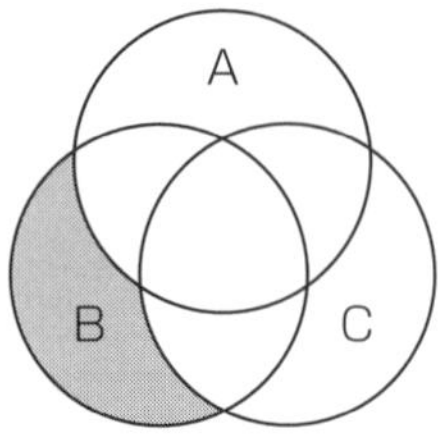

ア．A・B+B・C　　イ．(A+B)・$\overline{C}$　　ウ．$\overline{B}$・(A+C)　　エ．B・($\overline{A+C}$)

◆問2-2-2　論理関数に関する次の記述中のa～eに該当する適切な語句を解答群から選べ。

次のベン図の①に当たる論理式は［ a ］であり、②の部分は［ b ］となる。そして、③の部分は［ c ］となる。
⑤の部分の論理式を考える場合には、初めに、④の論理式［ d ］を決定する。そして、④以外の部分が⑤の論理式であるから、⑤の部分は［ e ］となる。
ここで“・”は論理積、“+”は論理和、$\overline{A}$はAの否定を表す。

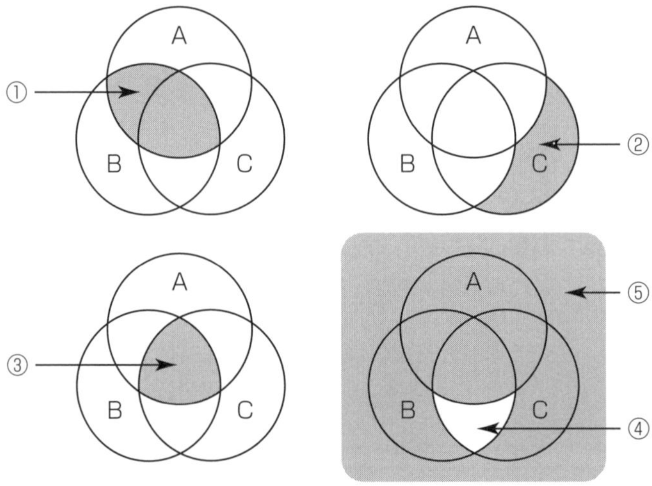

【解答群】
ア．A+B　　イ．$\overline{A}$+$\overline{B}$　　ウ．A・B　　エ．A+B+C　　オ．$\overline{A}$+B+C
カ．A+$\overline{B}$+$\overline{C}$　　キ．A・B・C　　ク．A・$\overline{B}$・$\overline{C}$　　ケ．$\overline{A}$・B・C　　コ．$\overline{A}$・$\overline{B}$・C

a:	b:	c:	d:	e:

過去問題

★☆問2-1　次の論理演算に関する記述を読み、各設問に答えよ。

コンピュータの演算は、論理回路の組み合わせで行っている。論理回路を表すにはMIL記号が用いられ、論理演算の結果を表したものを真理値表という。

＜設問１＞　次のMIL記号と真理値表に関する記述中の[　　　]に入れるべき適切な字句を解答群から選べ。

論理回路で使用するMIL記号を表1に示す。

表１　MIL記号

論理回路	AND（論理積）	OR（論理和）	NOT（否定）	NAND（否定論理積）	NOR（否定論理和）	XOR（排他的論理和）
MIL記号		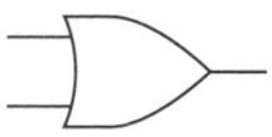	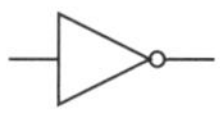		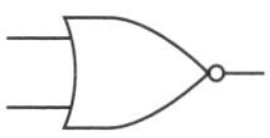	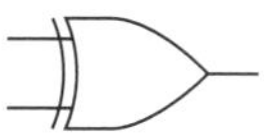

例えば、図1の回路で入力に0/1のすべての組合せを入力させた時の出力は表2のようになる。

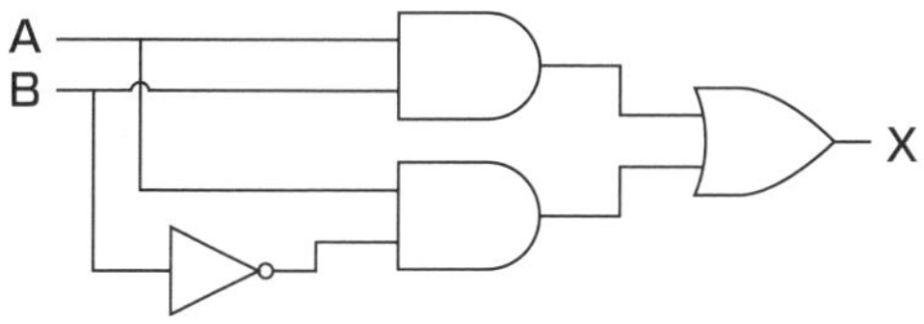

図１　回路図

表２　真理値表

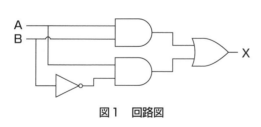

入力		出力
A	B	X
0	0	0
0	1	0
1	0	1
1	1	1

真理値表から次の手順により論理式を求めることができる。なお、論理和を“＋”、論理積を“・”、Aの否定を$\overline{A}$で表す。

手順１：出力が“1”の行に注目し、入力が“1”の項はそのまま、入力が“0”の項は否定をとり、その論理積をとる。表2で出力が“1”である「A＝1、B＝0」の行の論理式は[　1　]になり、「A＝1、B＝1」の行の論理式は[　2　]になる。

手順２：手順1で作った[　1　]、[　2　]の論理和をとり、論理法則を利用して簡素化する。

[　1　] ＋ [　2　] $= A \cdot (\overline{B} + B) = A$

となり、表2の真理値表はAを表していることがわかる。

表3　主な論理法則

論理法則	簡素化の例
同一の法則	A+A=A、A・A=A
恒等の法則	A・0=0、A+0=A、A・1=A、A+1=1
補元の法則	$A \cdot \overline{A}=0$、$A+\overline{A}=1$
分配の法則	A・(B+C)=A・B+A・C、A+B・C=(A+B)・(A+C)
吸収の法則	A+A・B=A、A・(A+B)=A
ド・モルガンの法則	$\overline{A \cdot B}=\overline{A}+\overline{B}$、$\overline{A+B}=\overline{A} \cdot \overline{B}$

【1、2の解答群】

ア. $A \cdot B$　　イ. $\overline{A} \cdot B$　　ウ. $A \cdot \overline{B}$　　エ. $\overline{A} \cdot \overline{B}$

1:　　2:

＜設問２＞　次の論理回路から得られる論理式を解答群から選べ。

3

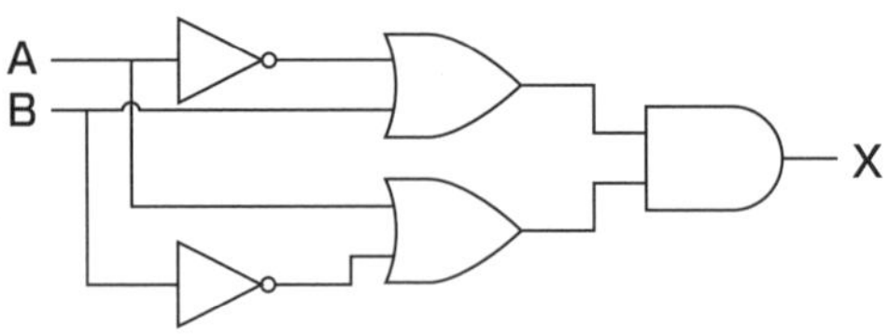

4

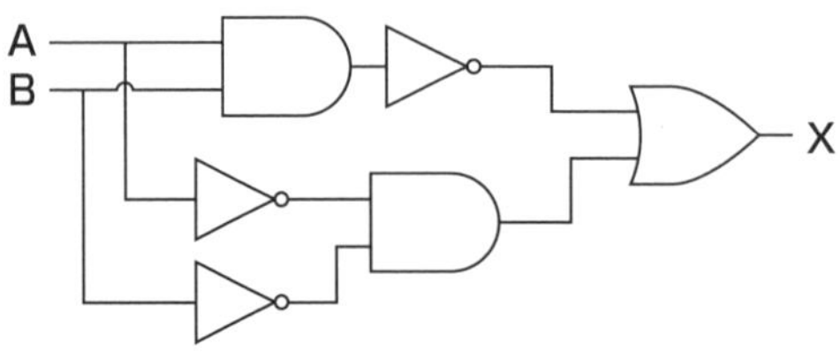

【3、4の解答群】

ア. $A+B$　　イ. $\overline{A}+B$　　ウ. $\overline{A}+\overline{B}$

エ. $\overline{A} \cdot B$　　オ. $A \cdot B+\overline{A} \cdot \overline{B}$　　カ. $\overline{A} \cdot B+A \cdot \overline{B}$

3:　　4:

＜設問３＞　次の論理式と等価な式を解答群から選べ。

5 $A \cdot \overline{B}+\overline{A} \cdot B+\overline{A \cdot B}$　　6 $\overline{A \cdot (B+C)}$

【5、6の解答群】

ア. $\overline{A}+B$　　イ. $\overline{A}+\overline{B}$　　ウ. $A+B+C$

エ. $A+B \cdot C$　　オ. $\overline{A}+\overline{B} \cdot \overline{C}$　　カ. $A \cdot B+\overline{C}$

5:　　6:

（令和5年度後期　基本スキル　問題3）

第 3 章

CPU アーキテクチャ・補助記憶装置

3-1　コンピュータの構成
3-2　中央処理装置（CPU）の機能
3-3　CPU の命令と割り込み
3-4　メモリの種類と特徴
3-5　メモリアクセスの高速化
3-6　補助記憶装置の性能と高信頼化技術
3-7　入出力制御方式
3-8　パソコンの周辺装置

3-1 コンピュータの構成

コンピュータは5つの大きなハードウェア要素（制御装置・演算装置・記憶装置・入力装置・出力装置）から構成され、その命令の実行は6つの過程を踏む。

●コンピュータの基本構成

コンピュータは、次のハードウェア要素から構成されている。このうち、特に**「制御装置」「演算装置」「記憶装置」「入力装置」「出力装置」**を5大要素と呼ぶことが多い。また、制御装置と演算装置を合わせて**CPU（中央処理装置）**と呼ぶ。

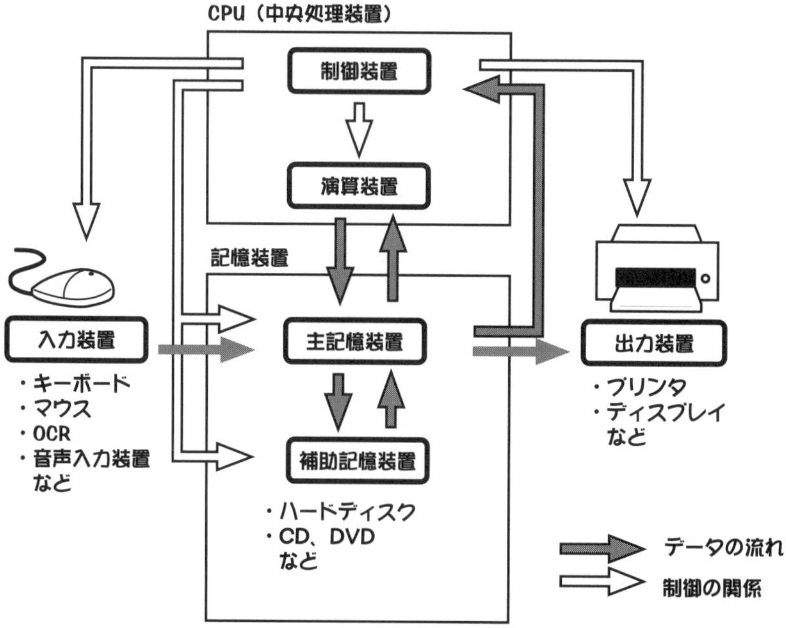

装置名	役　割
制御装置	主記憶装置から命令語を1つずつ取り出して解読し、制御信号で各装置に動作指示をする。
演算装置	制御信号に従って、算術演算、論理演算などの処理を実行する。

◀**演算装置**：ALU（Arithmetic and Logic Unit）とも呼ばれる。

主記憶装置	実行中のプログラム、実行中のプログラムの処理データ、処理結果を格納する。
補助記憶装置	主記憶装置の記憶容量を補ったり、実行していないプログラムやデータを保存する。
入力装置	コンピュータの外部から、データやプログラムを内部に取り込む。
出力装置	コンピュータの内部から、データを外部に取り出す。

この単元のキーワード
- □制御装置
- □演算装置
- □記憶装置
- □入力装置
- □出力装置
- □CPU
- □クロック

●命令の制御とクロック

コンピュータで1つの命令が実行されるまでには、詳細に見ると次の6つの過程を踏む。それぞれの過程を**ステージ**とも呼ぶ。

ステージ	命令の実行過程
1	命令の取り出し(命令フェッチ)
2	命令の解読(デコード)
3	オペランドのアドレス計算
4	オペランドの取り出し(オペランドフェッチ)
5	命令の実行
6	演算結果の格納

◀ここで、オペランドとは命令の操作対象のことである。

1つの命令の実行が終了するまでには、このような6つのステージを必ず通ることになる。そして、1つのステージにかかる時間を**マシンサイクル**という。命令の実行過程はマシンサイクルを基準に制御されるが、このマシンサイクルを作るのが**クロック**と呼ばれる**パルス信号**である。

◀**パルス信号**：信号の振幅が定常状態から短時間に別の値に遷移し、一定時間続いてからまた元に戻るような信号。

クロックは水晶発信子などで発信され、必要な周波数に合わせて分周したもので、コンピュータ内部ではこのクロックを使って各装置の同期をとって処理している。CPUによって、マシンサイクルのクロック数は異なる。1マシンサイクルが2クロックとすれば、次のような関係になる。

◀CPUは、組合せ論理回路と順序回路で構成されている。クロックは、主に順序回路で利用されている。

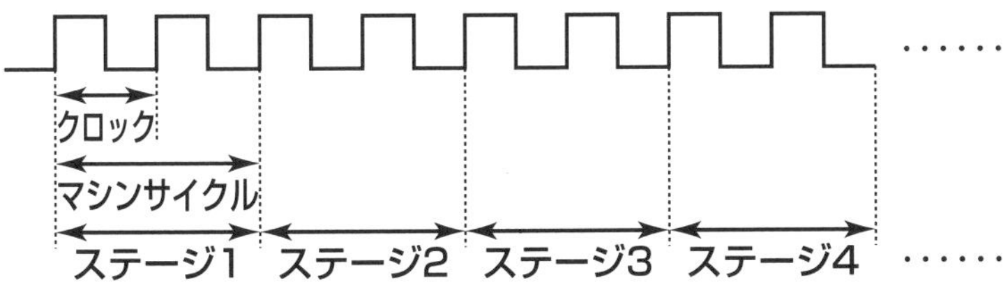

3-2 中央処理装置(CPU)の機能

ここでは、中央処理装置（CPU）における命令実行の流れを、CPUを構成する各要素の働きとともに詳しく学習する。

●命令実行の流れ

CPUを構成する制御装置内には、**命令アドレスレジスタ、命令レジスタ、アドレスレジスタ、命令デコーダ（解読器）**といったレジスタや回路がある。これらのレジスタや回路が連携して、どのようにメモリ上の命令を実行するかの過程について、前ページの6つのステージにもとづいて詳しく解説する。

◀**命令アドレスレジスタ**：命令カウンタ、プログラムカウンタ、逐次（ちくじ）制御カウンタなどとも呼ばれる。

◀**レジスタ**：**CPU**の内部で一時的にデータを記憶させておくための小容量のメモリ。

中央処理装置（CPU）

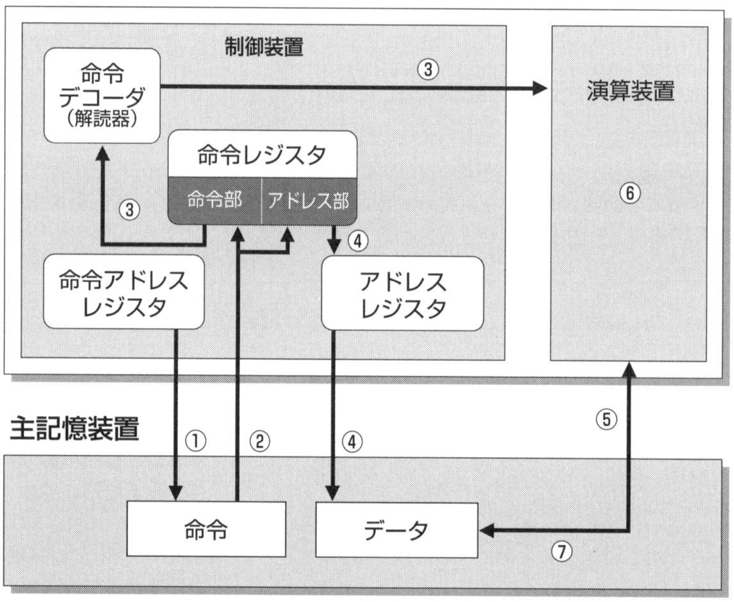

◀**命令部**：演算部、命令コード部とも呼ばれる。

◀**アドレス部**：番地部、オペランド部とも呼ばれる。

① 命令アドレスレジスタは、これから実行する命令が主記憶装置のどこに記憶されているかを示すアドレスを記憶するためのレジスタである。

② 命令アドレスレジスタが示すアドレスの命令が、命令レジスタに記憶される（**ステージ1**）。この情報は**命令部**と**アドレ**

ス部からできている。命令アドレスレジスタには加算回路が付いていて、命令を取り出すと次の命令が記憶されているアドレスが計算されて、そのアドレスがセットされる。

③　命令部の情報は命令デコーダで解読され、使用すべき算術論理回路が演算装置に指示される（**ステージ2**）。

④　命令レジスタのアドレス部の情報はアドレスレジスタに送られ、操作する対象データであるオペランドが記憶されているアドレスが計算される（**ステージ3**）。

⑤　オペランドのデータが取り出され、演算装置に送られる（**ステージ4**）。

⑥　演算装置で命令が実行される（**ステージ5**）。

⑦　実行された演算結果が主記憶装置に記憶される（**ステージ6**）。

この単元の
キーワード

□命令アドレスレジスタ
□命令レジスタ
□アドレスレジスタ
□命令デコーダ

●クロック周波数

プロセッサの命令実行のタイミングを合わせる信号をクロックといい、クロック周波数とは、クロックが1秒間あたりに何回発生するかという数値であり、Hz（ヘルツ）という単位を用いる。このクロックと呼ばれる一定の周波数信号を発生させる装置がクロックジェネレータであり、クロック周波数が大きいほどプロセッサの処理速度は速くなる。

●プロセッサの性能

①　MIPSは、プロセッサの性能指標の1つであり、1秒間に何百万回の命令が実行できるかを表す。また、GIPSは、1秒間に何10億回の命令を処理できるかを表し、MIPSの1000倍に相当する単位である。

②　FLOPS
1秒間に浮動小数点演算を何回実行できるかを表す性能の単位である。

◀**MIPS**：Million Instructions Per Second
◀**GIPS**：Giga Instructions Per Second

◀**FLOPS**：FLoating point Operations Per Second

●プロセッサの処理方式

1）SISD ………単一の命令で、単一のデータに対し処理を行う方式
2）SIMD ………単一の命令で、複数のデータに対し処理を行う方式
3）MISD ………並列コンピューティングアーキテクチャの一種で、同一のデータに対して異なる操作を同時に行う方式
4）MIMD ……コンピューティングにおいて並列性を向上するために、独立して機能する複数のプロセッサをもつ方式

この単元の
キーワード

□パイプライン
□メモリインターリーブ
□パイプラインハザード

◀**SISD**：Single Instruction/ Single Data
◀**SIMD**：Single Instruction/ Multiple Data
◀**MISD**：Multiple Instruction stream, Single Datastream
◀**MIMD**：Multiple Instructionstream, Multiple Datastream

●パイプライン

あらゆる命令の実行が6つのステージで行われることを利用して、CPUの処理を高速化させる技術がパイプラインである。パイプラインは、複数の命令を1ステージずつずらしながら同時に実行することで、処理を高速化する。

パイプライン方式の場合とそうでない場合を比較すると、次のようになる。

命令1	1	2	3	4	5	6		
命令2		1	2	3	4	5	6	
命令3			1	2	3	4	5	6

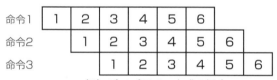

（1）パイプライン方式の場合

命令1						命令2						
1	2	3	4	5	6	1	2	3	4	5	6	…

（2）パイプライン方式でない場合

パイプラインが効果的に機能するためには、各命令の長さが同じで、個々のステージがすべて一定時間で終了し、さらに各ステージの独立性が保たれている必要がある。ところが、**パイプラインハザード**という乱れが発生することがある。パイプラインハザードは、次の原因で発生する。

① ジャンプ命令の発生で実行途中の命令が中断されたとき
② バスに対する要求が同時に発生し、競合したとき
③ 前後の命令で同一データを使用するため、前の実行結果が格納されるまで次のオペランドのアドレス計算ができないなどのとき

注意!!

主記憶装置を効率よく利用することで、処理の高速化を図る方法が、**メモリインターリーブ**である。

主記憶装置をいくつかのバンク（区画）に分けて並列処理をさせることで、データ読み書きの高速化が可能になる。

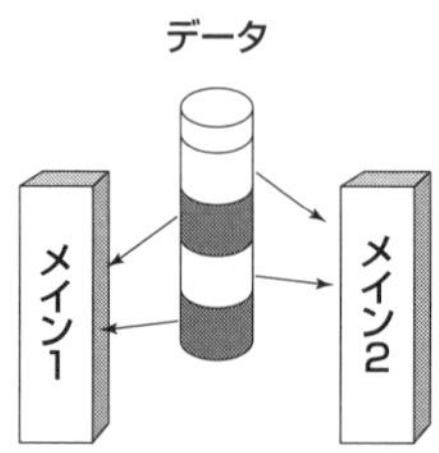

データを振り分ける
（RAID0と同じ考え方）

上図では、データを2バンクに振り分けることで、各メインメモリ（バンク）は半分のデータを扱うだけですむ。CPUは、メモリの動作速度の2倍のデータを扱うことが可能になる。

3-3 CPUの命令と割り込み

CPUには何種類もの命令が用意されている。ここでは、CISCとRISCの特徴、命令を操作するデータのアドレスを指定する方式について学習する。

●CISCとRISC

① CISC（シスク）

複雑で高度な命令セットをもった従来型CPUのアーキテクチャ（基本設計概念）である。RISCの対義語として名付けられた。

◀**CISC**：Complex Instruction Set Computer

② RISC（リスク）

制御命令の数を減らし、加減算などの単純な処理の組み合わせによって回路を単純化し、演算速度の向上を図ろうとする。

◀**RISC**：Reduced Instruction Set Computer（縮小命令セットコンピュータ）

◀現在は、内部はRISC構造で、実行時にCISC命令を内部のRISC命令に変換する実装方式が主流。

比較項目	CISC	RISC
命令語長	可変長	固定長
アドレス指定方式	豊富な種類	単純で少数
演算クロック数	多種類の複数クロック	1クロック
主な実行制御	マイクロプログラム	ワイアードロジック
スタック操作	ハードウェアでスタック実装	スタック無（ソフトウェアで実現）

◀**マイクロプログラム**：直接ハードウェアを制御するマイクロ命令の組み合わせ。

●アドレス指定方式（アドレッシングモード）

CPUの命令が操作するデータのメモリアドレスを**有効（実効）アドレス**と呼ぶ。有効アドレスを指定する方式を以下に示す。

① 即値アドレス指定

命令語のアドレス部にデータ（オペランド）を直接格納する。

	命令部	アドレス部
命令レジスタ	XXXXXX	データ値

命令レジスタのアドレス部の値から、データ値が（メモリ参照せずに）わかる。

◀命令部に入るビットパターンを命令コードと呼ぶ。

◀1命令のアドレス部の個数がNのとき、Nアドレス命令と呼ぶ。

② 直接アドレス指定（絶対アドレス指定）

アドレス部の値で、有効アドレスを直接指定する。

	命令部	アドレス部
命令レジスタ	XXXXXX	101

メインメモリ（主記憶装置）	
100番地	XX
101番地	データ値

（アドレス部の101 → 101番地）

③ **相対アドレス指定**

アドレス部の値と命令アドレスレジスタ（プログラムカウンタ）の値の和で、有効アドレスを指定する。

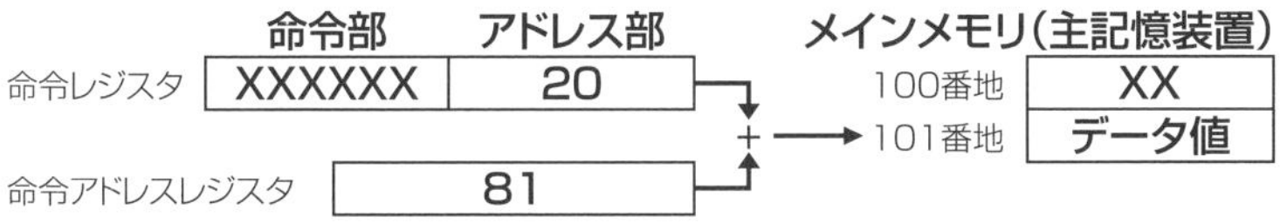

④ **指標アドレス指定（インデックスアドレス指定）**

アドレス部の値と指標（インデックス）レジスタの値の和で、有効アドレスを指定する。

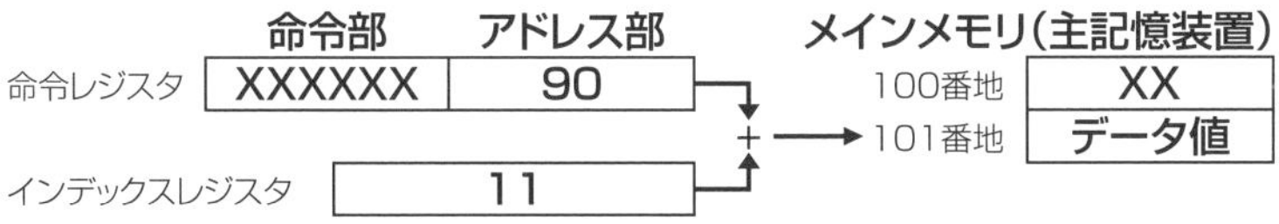

⑤ **ベースアドレス指定（基底アドレス指定）**

アドレス部の値とベース（基底）レジスタの値の和で、有効アドレスを指定する。

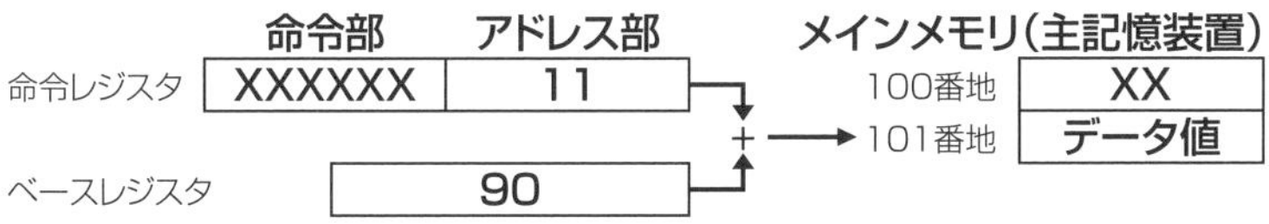

⑥ **間接アドレス指定**

アドレス部の値で指定したアドレスのデータで、有効アドレスを指定する。

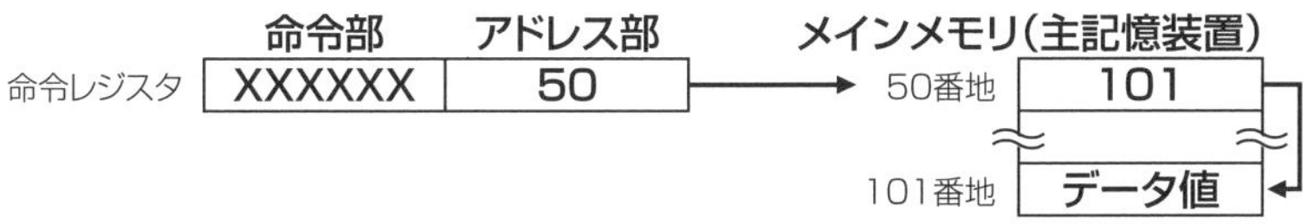

この単元のキーワード

□CPU
□CISC
□RISC
□アドレス指定方式
□有効アドレス
□割り込み

◀アドレス部の値は、プログラムカウンタからのオフセットを示している。

◀インデックスレジスタの値は、アドレス部の値への増分値を示す。配列の要素指定などに用いる。

◀ベースレジスタの値を基準値として、アドレス部の値で有効アドレスを指定する。基準値を変更するだけで、メモリ上の別の場所へプログラムを配置できる（再配置可能）。

◀50番地のデータが101なので、101番地が有効アドレス。

●割り込み

実行中の処理を中断して実行環境を待避させ、割り込んだ処理を終了後に、再び待避させた実行環境に戻し処理を再開する。

① **内部割り込み**

プログラム割り込み	ゼロで除算、オーバーフロー、記憶保護例外、不正な命令、ページエラー
SVC割り込み	プログラムからOSの機能を利用するためスーパーバイザに通知する割り込み

② **外部割り込み**

入出力割り込み	入出力動作の完了や誤動作の通知
タイマー割り込み	タイマの時間切れの通知
コンソール割り込み	オペレータによる割り込み要求
機械チェック割り込み	ハードウェアの誤動作、電源など外部装置の異常

◀**内部割り込み**：実行中のプログラムによって生じる割り込み。

◀**SVC**：スーパーバイザコール、システムコールとも呼ぶ。

◀**外部割り込み**：実行中のプログラムに無関係に起こる割り込み。

3-4 メモリの種類と特徴

コンピュータには利用形態によって各種の半導体メモリが使われ、生産方法によってバイポーラメモリとMOSメモリに分類される。

●半導体メモリの利用形態による種類と特徴

利用形態によって分類すると、**RAM**と**ROM**に分類できる。

RAMは読み書き両方が可能なメモリで、電源が切れると記憶していた情報が消えてしまう。RAMには、**スタティックRAM**（SRAM）と**ダイナミックRAM**（DRAM）がある。

ROMは読み出しのみ可能なメモリで、電源が切れても記憶していた情報は消えない。ROMには、工場出荷後に利用者が書き込めない**マスクROM**（MROM）と、利用者が書き込める**PROM**、**EPROM**がある。

- **半導体メモリ**
  - **RAM**
    - **DRAM**
      そのままにしておくと電荷が減少し情報が失われるため、定期的に情報を再生し書き直す**リフレッシュ**が必要になる。高密度で消費電力が少ないことから、大容量のメモリに使われる。
    - **SRAM**
      動作速度は速いが、消費電力が大きい。しかし、動作原理が簡単でリフレッシュも不要であることから、小容量の記憶素子として利用される。
  - **ROM**
    - **MROM**
      工場生産時に書き込まれ、後からの消去・変更はできない。
    - **PROM**
      ユーザによる書き込みができる。
    - **EPROM**
      記憶情報の消去や再書き込みができる。
    - **UV-EPROM**
      紫外線を照射することで記憶内容の消去や再書込みができる。

◀**RAM**：Random Access Memory

◀**SRAM**：Static RAM

◀**DRAM**：Dynamic RAM

◀**ROM**：Read Only Memory

◀**MROM**：Mask ROM

◀**PROM**：Programmable ROM

◀**EPROM**：Erasable PROM

◀**VRAM（Video RAM）**：画面に表示する内容を保持するためのグラフィック専用のメモリである。主記憶の一部を使用する場合と専用メモリを使用する場合がある。

◀アドレスを指定して自由に読み書きできるRAMに対して、順番にしか読み書きできないメモリをSAMと呼ぶ。

◀読み書き可能なメモリをROMに対しRWMと呼ぶ。

◀**UV-EPROM**：Ultra-Violet EPROM

●半導体メモリの生産方法による種類と特徴

ほとんどの半導体メモリの記憶素子にはシリコンが使われているが、生産方法によって、バイポーラメモリとMOSメモリに分類される。それぞれの特徴を表にまとめると、次のようになる。

	バイポーラメモリ	MOSメモリ
動作速度	速い	遅い
発熱量・消費電力	大きい	小さい
集積度	低い	高い
用途	レジスタ キャッシュメモリ	主記憶装置 拡張記憶装置

この単元のキーワード

- □RAM
- □ROM
- □スタティックRAM
- □ダイナミックRAM
- □マスクROM
- □PROM
- □EPROM
- □VRAM
- □UV-EPROM
- □バイポーラメモリ
- □MOSメモリ
- □キャッシュメモリ

◀**MOSメモリ**：Metal Oxide Semiconductor Memory

●メモリの階層構造

メモリの階層構造は、次に示す図のような構造になっている。

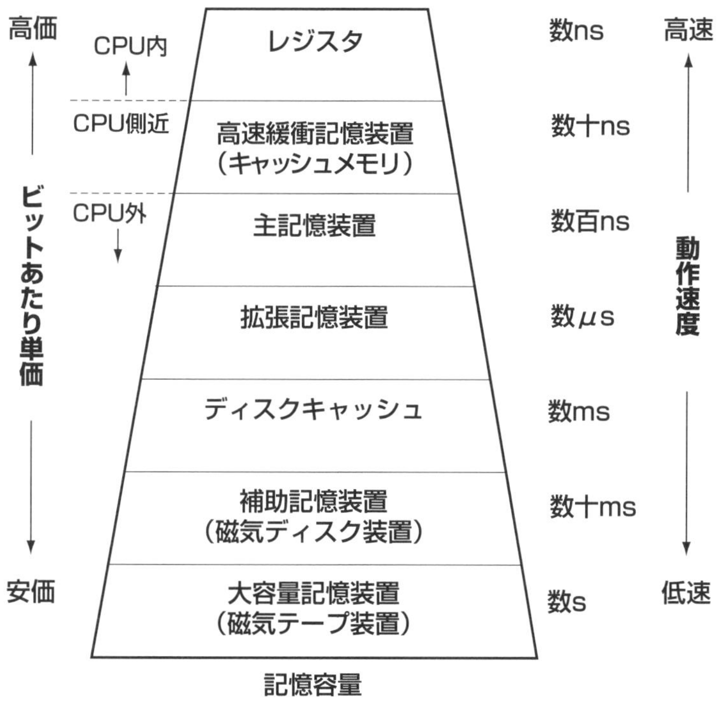

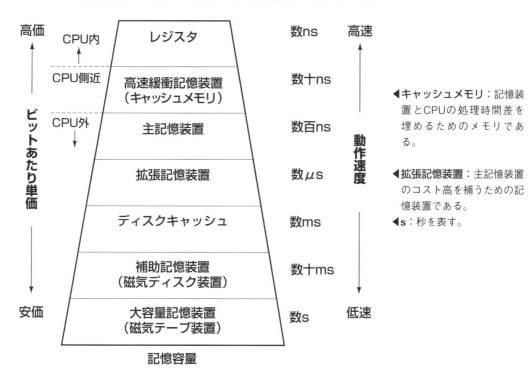

◀**キャッシュメモリ**：記憶装置とCPUの処理時間差を埋めるためのメモリである。

◀**拡張記憶装置**：主記憶装置のコスト高を補うための記憶装置である。

◀**s**：秒を表す。

3-5 メモリアクセスの高速化

メインメモリ（主記憶装置）のデータを読み書きする時間を見かけ上短縮する代表的な技術について学習する。実行中のプログラムが短時間にアクセスする主記憶の範囲が局所的であることを利用している。

●メモリインターリーブ

メインメモリモジュール（メモリ素子）に処理対象アドレスを与えてから、そのアドレスに対するデータの読み出しや書き込みを完了するまでの時間（アクセス時間）は、CPUの内部動作時間と比較すると非常に長時間になる。

このアクセス時間を短縮するために、複数個のメモリ素子を使用して、同時に連続したアドレスを与えれば、メモリ素子の個数分のデータ読み書きがほぼ同時に完了する。

命令が順番に記述されており、ジャンプ命令などがない場合は、たとえばメモリ素子を3個使用すると、同時に3データが得られるので、アクセス時間が見かけ上1/3になったことになる。

◀ジャンプ命令などでアクセスする番地が飛べば、アドレスを指定し直すためムダになる。

なお、各メモリ素子は複数個の場合もあるので、**バンク**と呼ぶ。

データの読み出し例（3バンク）

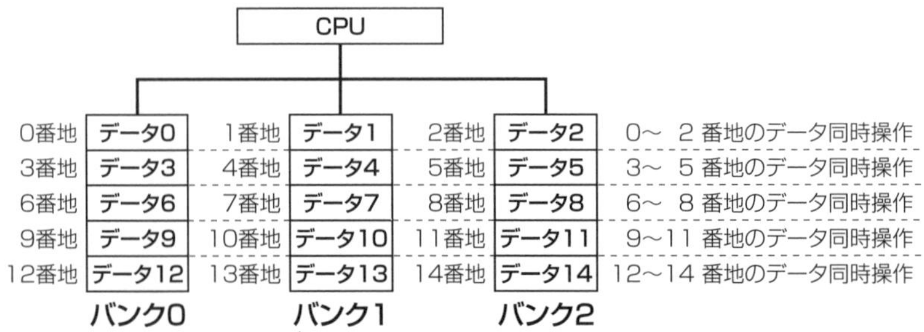

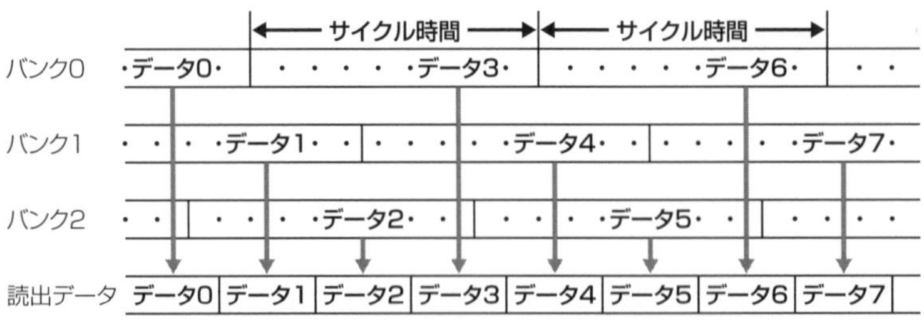

◀サイクル時間＝アクセス時間＋リフレッシュ時間

◀サイクル時間の後半で不確定だったデータが確定し、その後リフレッシュのため再び不確定になる。

●キャッシュメモリ

一般に、メモリ素子は、アクセス時間が短いほど、また大容量ほど高額になる。そこで、小容量・高速メモリと大容量・低速メモリを使い分けて、見かけ上のアクセス時間（平均アクセス時間）を短くする。

現在実行中のメモリアドレスを中心に、狭い範囲のアドレスがアクセスされる確率が高いことを前提にして、一度アクセスされたアドレスのデータを保持しておき、再びアクセスされたときにはキャッシュメモリから高速に読み出す。

この単元のキーワード
- □メモリインターリーブ
- □バンク
- □キャッシュメモリ
- □ヒット率
- □NFP

①　1次キャッシュと2次キャッシュ

CPUの内部動作速度とメインメモリのアクセス時間には大きな隔たりがあるので、これを埋め合わせるために、1次キャッシュと呼ぶ極小容量・超高速メモリと小容量・高速な2次キャッシュとの2段階の一時記憶装置を設ける。

②　ライトスルー方式

メモリへの書き込み時は、メインメモリとキャッシュメモリへ同時に行うため、常に同じデータを保持できる。

③　ライトバック方式

メモリへの書き込み時は、キャッシュメモリだけに書き込み、メインメモリへはアドレスブロックの入れ替え時に行う方式のため、内容の同一性は保てず、制御も難しい欠点がある。

④　平均アクセス時間

アクセスするデータがキャッシュメモリに保持されている確率を**ヒット率**と呼び、保持されていない（メインメモリをアクセスする）確率を**NFP**と呼ぶ。ヒット率90%以上が望ましい。

【計算例】

・NFP：0.1

・キャッシュメモリのアクセス時間：10n秒

・メインメモリのアクセス時間：60n秒

・平均アクセス時間

60n秒×NFP＋10n秒×（1－NFP）＝6n秒＋9n秒＝15n秒

以上のように、メインメモリのアクセス時間に比べ、平均アクセス時間は4倍高速化されている。

◀**NFP**：Not Found Probability

◀**システムバス**：現在のコンピュータでは、CPUから出るバスをシステムバスと呼び、一般にノースブリッジと呼ぶLSIに接続される。ノースブリッジには、メモリやビデオカードのほかサウスブリッジと呼ぶ比較的低速な入出力装置を制御するLSIが接続されている。数GB/秒以上の高速広帯域性が要求される。

◀**メモリバス**：一般的にノースブリッジとメモリを接続するバスのことで、システムバス同様に高速広帯域性が重要視される。以前は、I/Oやメモリは共通のバスで結ばれていた。

◀**入出力(I/O) バス**：I/O装置を制御するバス。現在では、高速なI/Oはノースブリッジと、低速なI/Oはサウスブリッジと接続されている。

●メモリの制御

メモリには、データを格納するメモリ内の場所を指定するアドレスバス、データを送り受けするデータバス、メモリを制御する制御線の3種類が接続されており、メモリバスと総称される。

3-6 補助記憶装置の性能と高信頼化技術

補助記憶装置は記憶容量・データ読み書き時間・信頼性などが重要な要素となる。

●補助記憶装置の性能値

表中の**データ転送速度**は、代表値を示す。

名称	記憶容量	データ転送速度
ハードディスク	500GB～8TB	80MB/秒～160MB/秒
SSD	120GB～2TB	500MB/秒～7GB/秒
USBメモリ	8GB～1TB	60MB/秒～5GB/秒
SDカード	標準SD　2GB（最大）	6MB/秒～624MB/秒
	SDHC　4GB～32GB	
	SDXC　64GB～2TB	

◀**1TB**（テラバイト）：テラは1兆を示す。

◀**SSD（Solid State Drive（Disk））**：フラッシュメモリを利用した記憶装置で、可動部をもたないため小型軽量で耐衝撃性も良く、低消費電力であるが、書き換え可能回数に上限があり、記憶容量あたりの単価が**HDD**と比較して高いなどの欠点がある。ノートパソコンやサーバー機で**HDD**の代わりに採用されつつある。

◀**SD**規格は上限**2GB**であるが、上位互換に**SDHC**や SDXC規格がある。

●RAIDと高信頼化技法

磁気ディスク装置を多重化させることにより、信頼性や転送速度を向上させるRAIDと呼ぶ技法がある。主なものを以下に記す。

◀**RAID**（レイド）：Redundant Arrays of Inexpensive Disks

(1) RAID0（ストライピング）

複数のディスクにデータを分割して同時に読み書きすることで、アクセス速度を向上させる。原理的にはディスクの台数倍に近いアクセス速度が得られる。

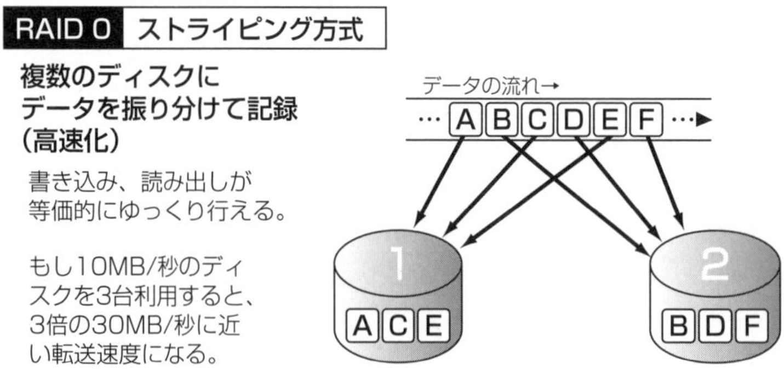

RAID 0　ストライピング方式
複数のディスクにデータを振り分けて記録（高速化）
書き込み、読み出しが等価的にゆっくり行える。
もし10MB/秒のディスクを3台利用すると、3倍の30MB/秒に近い転送速度になる。
データの流れ→
…A B C D E F…
1
A C E
2
B D F

(2) RAID1（ミラーリング）

同じ記録容量のディスク2台に同一内容を同時に書き込み、片側をバックアップとすることで信頼性を向上させる。一方のディスクが故障しても読み書きを継続できる。本来は、1つのドライブのみにアクセスし、もう片方は完全なバックアップドライブである。

RAID 1　ミラーリング

すべてのデータを同時に2台のディスクに記録（高信頼化）

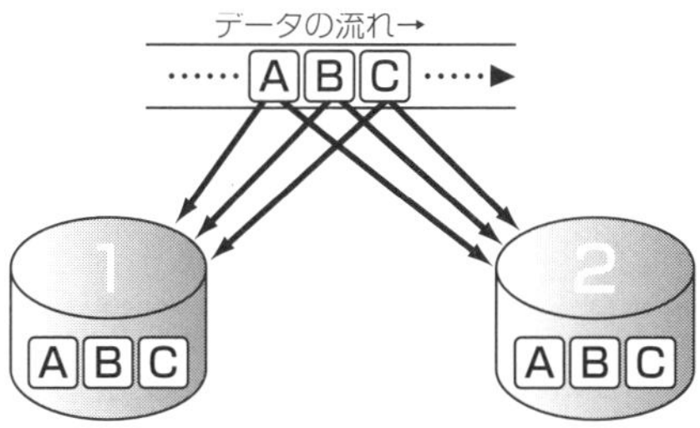

この単元のキーワード

- □データ転送速度
- □RAID
- □高信頼化技法
- □パリティ
- □ストライピング
- □ミラーリング

(3) RAID01・RAID10（ストライピング＋ミラーリング）

RAID0とRAID1を組み合わせた構成を特にRAID10/RAID01と呼ぶ。高速化を目指したRAID0と高信頼性を求めたRAID1を組み合わせることで、速度と耐障害性が向上するが、最低4ドライブ必要になる。

◀ドライブ故障への耐性は**RAID10**のほうが優れている。

◀**RAID0**と**RAID1**、どちらを先に行うかにより名前が変わる。
・**RAID01**：ストライプされた領域をミラー
・**RAID10**：ミラーセットをストライプ

(4) RAID5

パリティデータを含めて、各ディスクに分割して保存することで信頼性を向上させる。パリティディスクの負荷をなくしつつアクセス速度と信頼性を向上させる。

◀**パリティ(Parity)**：パリティビット(⇨252ページ参照)の別名。

RAID 5

水平パリティを含めてすべてのディスクに分散させて記録

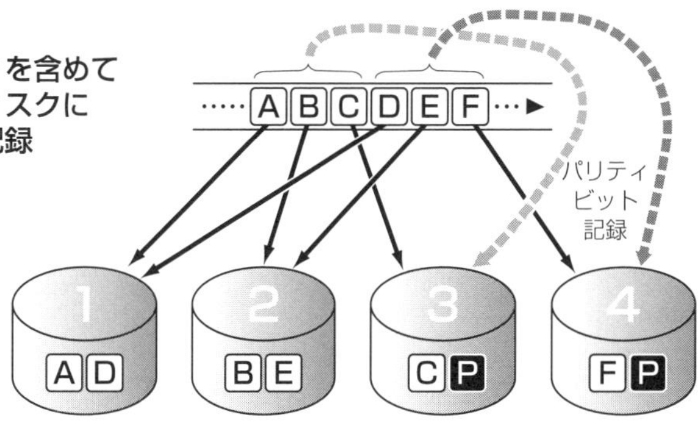

◀データ保存はセクタ単位で振り分ける。

(5) RAID6

RAID5にさらに別のパリティ符号を付加して記録させることで2台のディスクの故障時でも元のデータが復元できる。

RAID 6

- **RAID5にさらに別のパリティを記録するディスクを付加したもの**
- **2台故障しても元のデータを保障できる（再生できる）**

3-7 入出力制御方式

コンピュータにはさまざまな周辺装置が接続される。これらの装置と主記憶装置との間でデータを転送する技術を入出力制御という。周辺装置とのインタフェースについても学習する。

●入出力制御方式

①　直接制御方式

CPUがメモリと周辺装置とのデータのやりとりを制御する方式である。CPUが介在するため、一般的にデータ転送が遅くなる。

②　DMA方式

CPUは関与せずにDMAコントローラ（DMAC）により周辺装置と主記憶装置間で直接データをやりとりする方式である。直接制御方式に比べ、データ転送が高速に行える。

◀DMA：Direct Memory Access

◀多くのパソコンやワークステーションでは、DMA方式を採用している。

③　入出力チャネル方式

入出力チャネルと呼ぶ専用プロセッサが周辺機器の複雑で高度な制御まで独立して行い、処理終了をCPUに割り込みで通知する方式である。CPUはチャネルプログラムを作成してチャネルに渡した後は、さまざまな入出力制御から解放され、別の処理を行える。

◀チャネルは入出力操作リストであるチャネルプログラムに従って動作する。

◀入出力チャネル方式は大型コンピュータを中心に採用されている。

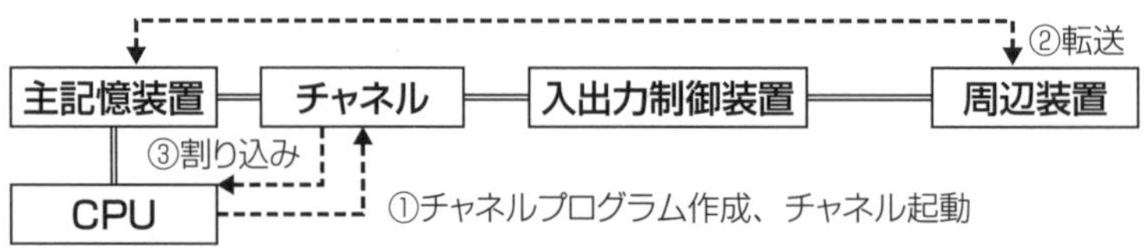

●入出力インタフェース

コンピュータと周辺装置を接続するためのコネクタや端子、データ受け渡し規格をインタフェースと呼ぶ。

① シリアルインタフェース

データを1ビットずつ転送するインタフェースである。

1）RS-232C ……モデムなどとコンピュータ間のデータ転送に用いる。一般にシリアルポートと呼ばれている。

2）USB …………最大127個までのカスケード接続ができ、USBバスパワーでは周辺機器に電力を供給できる。規格にはUSB3.0やUSB3.1があるが、新規格としてUSB4が発表され、コネクタの形状はすべてType-cになった。Type-cのコネクタは上下の形状が同じであるため差し込むときに、上下を区別する必要はない。また、電源が入ったままの状態でコネクタの抜き差しが行えるホットプラグインができる。

3）IEEE1394 ……同時に63台の機器を接続でき、通信速度は100Mbps、200Mbps、400Mbps、800Mbpsのほか3.2Gbsまで拡張された。

4）IrDA …………赤外線を使用した通信規格で、通信速度は115.2kbps、1.152Mbps、4Mbps、16Mbpsがある。

5）シリアルATA（SATA）…次世代ATAインタフェースとして規格化され、転送速度は、1.5Gbps～6.0Gbpsがある。

6）NFC …………NFCは近距離無線通信を意味する企画で、その転送速度は最大424kbpsである。非接触ICチップを使って、かざすだけで通信できる。通信エリアが狭いことが特徴で、スマートフォンの少額決済機能や、Suica、PASMOなどの交通系ICカードに使われている技術である。

② パラレルインタフェース

データを複数同時に転送するインタフェースである。

1）IEEE1284 ……一般にパラレルポートと呼ばれ、主にプリンタ用のインタフェースである。

2）ATA/ATAPI …内蔵型ハードディスク用の規格であったIDEインタフェースをANSIで標準化した規格（ATA）。後に、CD-ROMなどを接続するためのATAPI規格も加えられ、現在はATA/ATAPI規格と統一された。

この単元の キーワード

□シリアルインタフェース
□パラレルインタフェース

◀**bps**：bits per second

◀**bus**：コンピュータの内外でデータ交換するための共通伝送路。

◀**USB**：Universal Serial Bus

◀**IEEE**：米国電気電子技術者協会

◀**IEEE1394**：**Mac**（**Apple**社）の**Fire Wire**規格がもと。

◀**IrDA**：Infrared Data Association

◀**NFC**：Near Field Communication

◀**MB/秒（バイト単位）**
Gbit/秒（ビット単位）
150MB/秒=150×8bitMbps
=1200Mbps=1.2Gbps

◀**ATA**：AT Attachment Packet Interface

◀**AT**：DOS/V互換機のもとになったIBM社のパソコン。IBM PC/AT

◀**IEEE1284**は、セントロニクス社のプリンタ用インタフェースがもとになって規格化された。

◀**Bluetooth**：PC、携帯電話など携帯端末間の無線通信規約で、2.4GHzの周波数帯を用い、数十mの範囲で最大24Mbpsで通信できる。

3-8 パソコンの周辺装置

パソコンの周辺装置として、補助記憶装置、入力装置、出力装置について理解する。

●補助記憶装置

代表的な補助記憶装置には、次のものがある。

(1) 磁気ディスク装置（ハードディスク装置）

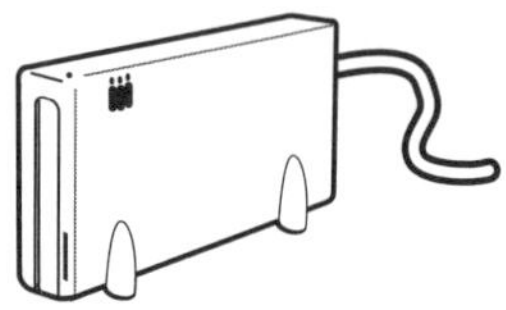

磁器ディスク装置
（ハードディスク装置）

磁性材を塗布した円盤（ディスク）を複数枚重ね、これを高速回転させながらアーム先端の磁気ヘッドにより、表裏面を微細に磁化させることで、情報を読み書きする。

静止したヘッドにより書き込む１周分をトラック、各ディスク面上の同一半径のトラック群をシリンダと呼ぶ。

代表的な記録方式に、バリアブル方式とセクタ方式がある。

バリアブル方式では、トラックにブロックをIBGで区切って記録する。ブロック化係数が不適切だとトラック上に使用しない領域が発生する。

セクタ方式では、トラックを一定の長さに分割したセクタ単位にブロックを記録する。１セクタには１ブロックしか記録できない。ブロック化係数が不適切だと、トラックに使用しないセクタが発生したり、セクタ内で使用しない領域が大きくなる。

◀**ブロック**：いくつかのレコードをアクセス単位にまとめたもの
◀**IBG**：区切りのためのブロック間の隔たり（ギャップ）
◀**ブロック化係数（因数）**：１ブロックにまとめるレコード数

(2) CD-ROM装置

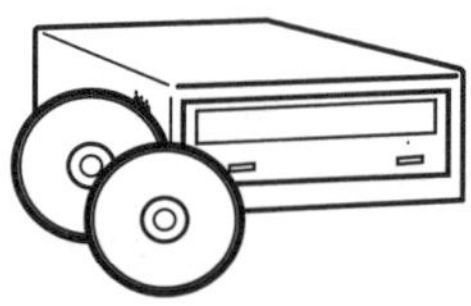

CD-ROMディスク装置

直径12cmの光ディスクを用いる読み取り専用のもので、約640MBの容量がある。データ転送速度は音楽用CDの転送速度（150KB/秒）を基準としてN倍速と表現する。

また規格の違いで、データを１度だけ記録できる追記型のCD-RやCD+Rと、データの書き換え可能なCD-RWやCD+RWがある。

〈CD-RやCD-RWの書き込み方法〉

ディスクアットワンス：ディスク単位で書き込む。追記不可。
トラックアットワンス：トラック単位で書き込む。追記可能。
パケットライティング：パケットと呼ぶ小さな単位で書き込む。CD-RWでよく使われる。

この単元の
キーワード

□ハードディスク装置
□CD-ROM装置
□DVD
□Blu-rayディスク装置
□USBメモリ
□ポインティングデバイス
□TFT型

(3) DVD

片面4.7GB、両面9.4GBが標準的で、読み込み専用のDVD-ROM、読み書き可能なDVD-RAMとDVD-RW、追記可能なDVD-R、公式な規格以外だが普及しているDVD+RやDVD+RWがある。

◀**DVD**：Digital Versatile Disc

(4) Blu-rayディスク装置

等速は4.5MB/s。読み出し専用のBD-ROMや追記型ディスクであるBD-Rや書換え型のBD-REがある。1層25GB、多層構造化で数百GBまで提案されている。

(5) USBメモリ

USBポートに差し込んで使うEEPROMを用いた補助記憶装置である。

◀**USB**メモリの他に、**SD**ポートに差し込んで用いる**SD**メモリも普及している。

(6) SDメモリカード

SDメモリカードは、フラッシュメモリーに属するメモリカードであり、スマートフォン、ディジタルカメラ、パソコンなどに使用されている。SDカードには、「SD」「SDHC」「SDXC」の3種類の規格があり、それぞれ2GB、32GB、2TBが最大容量となっている。

◀**SDメモリカード**：Secure Digital memory card

◀**SDHC**：SD High Capacity
◀**SDXC**：SD eXtended Capacity

●入力装置

キーボード、ポインティングデバイス、画像取り込み用途のイメージスキャナやディジタルカメラなどがある。

◀入力装置には、マウス、トラックボール、ライトペン、タッチパネル、ジョイスティックなどもある。

●出力装置

ディスプレイ、プリンタ、プロッタなどがある。CRTディスプレイに代わり、明るく、視野角が広いTFT型液晶ディスプレイが普及している。このほかにプラズマや有機ELディスプレイ（有機ELD）などがある。

◀**有機ELD**：Electro Luminescence Display

インパクトプリンタではドットインパクトやラインプリンタ、ノンインパクトプリンタではレーザ、サーマル、インクジェットプリンタが普及している。

確認問題

▶解答と解説は別冊14ページ～

●第３章　CPUアーキテクチャ・補助記憶装置

◆問2-3-1　コンピュータで1つの命令を実行する過程として、正しいものは次のうちどれか。

ア．オペランドのアドレス計算 → オペランドフェッチ → デコード → 命令フェッチ→ 命令の実行 → 実行結果の格納
イ．オペランドのアドレス計算 → デコード → 命令フェッチ → オペランドフェッチ→ 命令の実行 → 実行結果の格納
ウ．命令フェッチ → デコード → オペランドのアドレス計算 → オペランドフェッチ→ 命令の実行 → 実行結果の格納
エ．命令フェッチ → デコード → オペランドフェッチ → オペランドのアドレス計算→ 命令の実行 → 実行結果の格納

◆問2-3-2　パソコンの記憶装置に関する記述として、正しいものはどれか。

ア．キャッシュメモリには、DRAMが使われる。
イ．キャッシュメモリは、CPUと主記憶装置の動作速度の差を補うために使われる。
ウ．キャッシュメモリは、主記憶装置と同じ容量が必要である。
エ．キャッシュメモリは、主記憶装置より安価なため広く利用されている。

◆問2-3-3　次の入力装置のうち、位置情報の入力を行うのに最も適しているものはどれか。

ア．イメージスキャナ　　イ．キーボード　　ウ．バーコードリーダ　　エ．マウス

◆問2-3-4　CPUアーキテクチャがCISCのコンピュータと比較した場合の、RISCのコンピュータの特色は何か。

ア．高機能で複雑な命令が多い。
イ．命令の語長が固定されている。
ウ．マイクロプログラム制御方式を採用している。
エ．レジスタ数が少ない。

◆問2-3-5　キャッシュメモリの特徴についての説明として、適切なものはどれか。

ア．主記憶を、同時に並行してアクセス可能な複数のアクセス単位に分割し、主記憶の平均アクセス時間を短縮するために用いられる。
イ．ディスク装置と主記憶装置とのアクセス時間の差を埋めるために用いられる。
ウ．CPUと主記憶装置とのアクセス時間の差を埋めるために用いられる。
エ．CPU中でデータを取り扱うために用いられる小規模な記憶装置である。

◆問2-3-6　メモリインタリーブについての説明として、適切なものはどれか。

ア．CPUと主記憶装置とのアクセス時間の差を埋めるために用いられる。
イ．並行してアクセス可能な「バンク」と呼ばれる単位に主記憶装置を分割し、主記憶装置の平均アクセス時間を短縮するために用いられる。
ウ．入出力装置とCPUとのデータのやりとりを代行する装置である。
エ．主記憶装置を固定長の領域に分割して管理する方法のことである。

◆問2-3-7　システムの信頼性向上を目的とした磁気ディスク装置の障害対策として、適切なものはどれか。

ア．ディスクキャッシュ　イ．パラレル入出力　ウ．ファイル圧縮　エ．ミラーリング

過去問題

★☆問3-1　次のコンピュータの性能に関する各設問に答えよ。

コンピュータの性能は、様々な要素によって決定される。その要素の一部として、CPUの処理速度や高速化技術、メモリなどがある。

<設問1>　次のRAMに関する記述中の［　　］に入れるべき適切な字句を解答群から選べ。

パソコンやスマートフォン、タブレットなどに利用されているRAM（Random Access Memory）には［ 1 ］という特性があり、大きく分けて2つに分類できる。

主記憶装置にも利用されている［ 2 ］は時間がたつと電荷が減少し情報が失われてしまう。そのため、定期的に情報を書き直す動作が必要となる。この一定時間ごとに同じ内容を記録し直す動作を［ 3 ］という。

これに対しキャッシュメモリにも利用されている［ 4 ］は［ 5 ］を使用しているため、記録し直す動作は不要で、動作速度は速いが、集積度を上げにくい。

【1の解答群】

ア．電源が切れると記憶していた情報が消えてしまう
イ．電源が切れても記憶していた情報は消えない

1:

【2、4の解答群】

ア．CISC　　イ．DRAM
ウ．RISC　　エ．SRAM

2:　4:

【3の解答群】

ア．リカバリ　　イ．リストア
ウ．リピート　　エ．リフレッシュ

3:

【5の解答群】

ア．クラスタ　　イ．トークン
ウ．パイプライン　　エ．フリップフロップ回路

5:

＜設問２＞　次のコンピュータの処理能力に関する記述中の[　　]に入れるべき適切な字句を解答群から選べ。

コンピュータの処理能力を高めるために、CPUと主記憶装置の間にキャッシュメモリを用いて実効アクセス時間を短くしている。キャッシュメモリを用いた場合、アクセスするデータがキャッシュメモリ上に存在する確率をヒット率という。

例えば、CPUからのアクセス時間が80ナノ秒の主記憶装置と、CPUからのアクセス時間が10ナノ秒のキャッシュメモリがあるとき、キャッシュメモリを用いなかったときと比べて実効アクセス時間を25%以下にするためにはヒット率が最低[6]以上である必要がある。

また、CPUが主記憶装置へデータを書き込む際に、キャッシュメモリだけに書き込みを行う[7]を用いることで動作の高速化が期待できる。主記憶装置へ書き込むタイミングはデータがキャッシュメモリから追い出される時にのみ実行される。これに対しCPUが主記憶装置へデータを書き込む際に、主記憶装置とキャッシュメモリへ同時に書き込む[8]もある。

【6の解答群】

ア．0.84　　イ．0.86　　ウ．0.88　　エ．0.90

[6:　　　　]

【7、8の解答群】

ア．トラックアットワンス方式　　イ．パケットライティング方式

ウ．ライトスルー方式　　エ．ライトバック方式

[7:　　　　] [8:　　　　]

（令和5年度後期　基本スキル　問題4）

★☆問3-2　次のCPUの機能と高速化技法に関する各設問に答えよ。

＜設問１＞　次のCPUの機能に関する記述中の［　　］に入れるべき適切な字句を解答群から選べ。

コンピュータで1つの演算が実行されるまでには、次の6つのステージを実行する。

表　ステージ一覧

ステージ	命令実行過程
1	命令の取り出し（命令フェッチ）
2	［ 1 ］
3	［ 2 ］
4	［ 3 ］
5	演算の実行
6	演算結果の格納

また、これらの命令を実行するために、CPUを構成する制御装置内にレジスタや回路がある。例えば、次に実行するべき命令が格納されている主記憶上のアドレスを保持する［ 4 ］や、命令の解読を行うために、メモリから読み出した命令を保持する［ 5 ］がある。

【1～3の解答群】
ア．オペランドのアドレス計算
イ．オペランドの取り出し（オペランドフェッチ）
ウ．命令の解読（デコード）

1:	2:	3:

【4、5の解答群】
ア．アドレスレジスタ　　イ．命令アドレスレジスタ（プログラムカウンタ）
ウ．演算装置　　エ．命令レジスタ

4:	5:

＜設問２＞　次のCPUの高速化技法に関する記述中の［　　］に入れるべき適切な字句を解答群から選べ。

CPUが命令を処理する場合の方式として、逐次制御方式とパイプライン方式がある。
下記の図1と図2は、1命令を6つのステージで行う場合のイメージ図である。

逐次制御方式は1つずつ各ステージを実行し、命令が1つ終わると次の命令の実行を開始していくため、演算装置や制御装置が動作しない時間が生じる。

図1　逐次制御方式のイメージ

パイプライン方式は複数の命令を1ステージずつずらしながら並行して同時に実行することにより処理を高速化している。

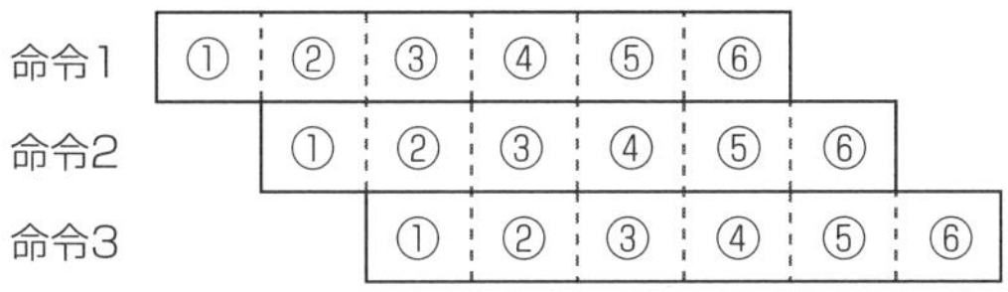

図2　パイプライン方式のイメージ

ここで逐次制御方式とパイプライン方式を比較してみる。

［前提条件］

・1命令は6ステージからなる
・各ステージの処理時間はすべて10ナノ秒とする
・各命令、各ステージは必ず順番に処理される
・ステージの数だけ、パイプラインが用意されている
・並列状態でも1ステージの処理時間は10ナノ秒となる

上記の前提条件をもとに、100命令実行したとき、パイプライン方式を採用したときの実行時間は［ 6 ］マイクロ秒となる。この時、パイプライン方式は逐次制御方式の実行時間と比べると約［ 7 ］倍速く実行できることになる。

パイプライン方式は複数の命令を並行して実行しているが、前後に並んだ一連の命令が常に整然とパイプラインで実行できるとは限らない。例えば、前後の命令で同一データを使用する場合、前の処理結果を待たなければならない状況や、分岐の発生により実行途中の命令が中断されることもある。これらが原因で［ 8 ］が発生することがある。

【6の解答群】

ア．1.05　　イ．10.5　　ウ．105　　エ．1050

6:

【7の解答群】

ア．4.7　　イ．5.7　　ウ．6.7　　エ．7.7

7:

【8の解答群】

ア．アンダフロー　　イ．オーバフロー

ウ．デッドロック　　エ．パイプラインハザード

8:

（令和3年度前期　基本スキル　問題4）

第 4 章

システム構成・ソフトウェア

4-1　オペレーティングシステムの機能

4-2　代表的なオペレーティングシステム

4-3　ジョブとタスクの管理

4-4　仮想記憶の管理

4-5　ファイルシステムの管理

4-6　CG（コンピュータグラフィックス）

4-1 オペレーティングシステムの機能

OSはハードウェアを効率よく動作させることを目的に作られており、その5つの目的とジョブ管理・タスク管理・データ管理などの機能を押さえておく。

●OSの目的

OSは、ハードウェアを効率よく動作させることを目的に作られている。その目的を詳しく分類すると、次の5つに集約できる。

◀OS：Operating System

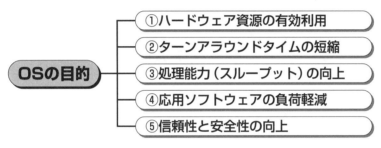

OSの目的
- ①ハードウェア資源の有効利用
- ②ターンアラウンドタイムの短縮
- ③処理能力（スループット）の向上
- ④応用ソフトウェアの負荷軽減
- ⑤信頼性と安全性の向上

(1) ハードウェア資源の有効利用

主記憶装置、入出力装置、補助記憶装置などのハードウェアをコンピュータシステム全体として最も効率よく利用する。

(2) ターンアラウンドタイムの短縮

ジョブを投入してから結果が得られるまでの時間をターンアラウンドタイムという。OSはムダのない連続処理と操作性の向上、さまざまな処理形態への対応などによって、ターンアラウンドタイムの短縮を実現する。

◀OSは、多重プログラミングや、あるジョブの終了から次のジョブの開始までに待ち時間がないようなジョブの連続実行の自動化などで、短縮を実現している。

(3) 処理能力（スループット）の向上

コンピュータが単位時間あたりに処理できる仕事量をスループットという。CPUやメモリなどを効率的に使うことによって、スループットを向上させる。

◀仮想記憶方式は、プログラム設計において主記憶装置の記憶容量を意識する必要をなくしたことにより、大きな成果をあげている。

(4) 応用ソフトウェアの負荷軽減

仮想記憶管理やファイルシステムによる入出力処理の効率化

（データとプログラムの分離）によって、応用ソフトウェアの作成と処理の負荷を軽減する。

(5) 信頼性と安全性の向上

RASまたは**RASIS**と呼ばれる尺度で、システムの信頼性・安全性を評価し向上させる。RASISとは次の内容を指す。

R：Reliability（信頼性）
故障が少なく、安定して稼動する。
A：Availability（可用性）
必要なときに、いつでも利用することができる。
S：Serviceability（保守性）
故障原因の発見や修理が容易にできる。
I：Integrity（保全性）
システム内の情報を常に正しい状態に保つ。
S：Security（機密性）
正規の権限をもつ者のみが情報を利用できる。

この単元のキーワード
□ターンアラウンドタイム
□スループット
□仮想記憶管理
□ファイルシステム
□RASIS
□制御プログラム

◀**RAS（Reliability Availability Serviceability）**：ラスという。または、**RASIS（Reliability Availability Serviceability Integrity Security）**、ラシスと呼ぶ。

●OSの機能

OSの**制御プログラム**の部分（狭義のOS）の機能は、次のように分類できる。

制御プログラム

- **ジョブ管理**
  ジョブの投入から結果出力までの過程を、マスタスケジューラとジョブスケジューラで管理する。
- **タスク管理**
  コンピュータ内部での処理単位であるタスクに、CPUを効率よく使うための割り当てを行う。
- **データ管理／ファイル管理**
  ファイルシステムとも呼ばれ、データ操作を単純化する。ファイル編成方式とアクセス方式などが提供される。
- **記憶管理**
  主記憶装置を効率よく利用するための機能で、実記憶管理と仮想記憶管理がある。
- **その他**
  障害管理、入出力管理、通信管理、セキュリティ管理、運用管理などがある。

4-2 代表的なオペレーティングシステム

現在、広く利用されている代表的なオペレーティングシステムについて、その歴史と特徴を学習する。ワークステーション系ではUNIX、パソコンではWindowsとLinuxを取り上げる。

コンピュータの進展に伴って、さまざまなオペレーティングシステムが登場し、利用されてきた。この世で初の本格的なオペレーティングシステムは、1964年にIBM社が開発した「OS/360」である。当時の大型汎用コンピュータ「システム/360」のOSとして開発されたもので、「360」という名称は「360度あらゆる業務に対応できる」の意味が込められている。その後、OS/360の後継として1970年に発表された「**MVS**」で、本格的な仮想記憶システムが登場する。このように、大型コンピュータの時代に築かれたオペレーティングシステムの技術は、パソコンやワークステーションに確実に受け継がれ、今日に至っている。

◀**MVS**：Multi Virtual Storage System

●UNIX

UNIXは、もともとはミニコンピュータ用OSとしてAT&T社のベル研究所が開発したものである。

①　C言語で記述

UNIXはOS自体がC言語で記述されているため、当然、C言語との相性がよく、C言語とともに普及した。また、C言語であるため手を加えやすく、改良を繰り返すことができる。

◀**C言語**：**OS**などの制御プログラムを記述するのに適したプログラミング言語の1つ。

②　ファイルシステム

UNIXのファイルシステムは、ファイルをレコードの集まりと見る従来の方式から文字の集まりと見る方式に変えることで、デバイスの独立性やファイルの汎用性を大幅に向上させた。パソコンやワークステーションのファイルシステムの標準となっている。

③　シェル機能

端末から入力された文字列やファイル化された文字列を、コマンドとして解釈し、実行する機能のことである。シェル機能によって、UNIXは多様な処理に柔軟に対応できる。

●Linux

この単元のキーワード
□UNIX
□Linux
□Windows

Linux（リナックス）は、ヘルシンキ大学のLinus B.Torvaldsによって作られたUNIX互換のパソコン用OSである。機能や使い方はUNIXとほぼ同じで、パソコン上でUNIXを動かすことができる。Linuxの特徴は、フリーソフトとして流通しているので無料で入手できること、ソースプログラムが公開されており機能追加や修正が可能なこと、があげられる。

●Windows

Microsoft Windowsは、GUI（Graphical User Interface）をベースにしたパソコン用OSである。従来、コンピュータを操作するにはジョブ制御言語（大型コンピュータ）やコマンド（UNIX）といった専門知識が必要であった。Windowsはディスプレー画面によるビジュアルな情報表示とマウスの採用によって、操作性が大幅に向上している。

①サーバパソコンのOS

パソコンは、その名前が示すように個人で利用するものであった。しかし、1993年にマイクロソフトが発表した「Windows NT」によってパソコンでサーバの機能が実現できるようになった。WindowsNTパソコンをネットワークで相互接続することで、従来は大型コンピュータでしか実現できなかったような、大規模なネットワークシステムの構築が可能になった。

このころから、コンピュータの主役が大型コンピュータからパソコンやワークステーションに移る「ダウンサイジング」が本格化する。

WindowsNTは、順次バージョンアップが行われ、2000年に「Windows2000Server」、2003年には「WindowsServer2003」となり、2024年に「Windows2025Server」が発表されている。

②個人利用パソコンのOS

MicrosoftWindowsの歴史は1985年に始まり、「Windows3.1」というOSがしばらく使われてきた。そして1995年に「Windows95」が発表される。これは、個人利用パソコンとしてのユーザインタフェースを大幅に改良し、使いやすさを追求したものである。Windows95の登場によってパソコンは誰もが使える家電製品の仲間入りをしたことになり、その後2000年に「Windows2000 Professional」、2001年に「WindowsXP」、2006年に「WindowsVista」、2009年に「Windows7」、2012年に「Windows8」、2013年に「Windows8.1」、2015年に「Windows 10」、2021年には「Windows 11」が発表された。

4-3 ジョブとタスクの管理

オペレーティングシステム（OS）から見た仕事の単位をタスクという。OSは複数のタスクに順にCPUを割り当てて、仕事を実行させる。タスクの状態とスケジューリングについて学習する。

●ジョブとタスク

利用者から見た仕事の単位をジョブ（Job）という。Windows系のオペレーティングシステム（OS）では、アイコンのクリックなどマウスの操作で、簡単にジョブを起動できる。

一方、OSから見た仕事の単位をタスク（Task）またはプロセス（Process）という。個人利用のパソコンで動作する、文書編集や表計算ソフトは、ジョブ＝タスクと考えてよい。しかし、サーバ系のコンピュータで動作するデータベースやトランザクション処理のソフトは、1つのジョブが複数のタスクで構成される。タスクは、CPUを割り当てることで独自に処理を実行する単位でもある。現在のOSは、CPUを時分割に割り当てながら複数のタスクを同時並行的に実行させる**マルチタスク機能**を備えている。たとえば、銀行のホストコンピュータは、ATM端末からの取引要求をタスク（または**スレッド**）に割り当てて、全国から寄せられる膨大な数の取引を同時並行で処理している。

◀**スレッド（Thread）**：タスクの中をさらに独立した処理に分割し、CPUを割り当てて独自に処理を実行する単位をスレッドという。スレッドはタスクよりも簡単に生成できる（OSのオーバヘッドが非常に少ない）ので、現在ではスレッドによる並行処理が中心になっている。

●タスクの状態遷移（せんい）

マルチタスク環境で、複数のタスクの同時並行動作を実現するために、OSは各タスクを次の3つの状態で管理している。

①　実行状態（Run）

タスクにCPUが割り当てられて、CPUを使って命令を実行している状態。

②　実行可能状態（Ready）

タスクが命令を実行する条件は整っているが、他のタスクがCPUを使っているので、CPUが割り当てられていない状態。

③　待ち状態（Wait）

タスクが入出力動作中などで、CPUを必要としない状態。この状態のタスクは、入出力動作の完了などのイベントの発生を待っているので、待ち状態と呼ばれる。

各タスクは、次の図に示すように、その状態を変化させながら処理を進めていく。これをタスクの状態遷移という。実行状態でCPUを使用しているタスクが、入出力動作を開始すると待ち状態に移行する。その後、入出力動作が完了すると実行可能状態に移行し、CPUが割り当てられると実行状態に戻る。

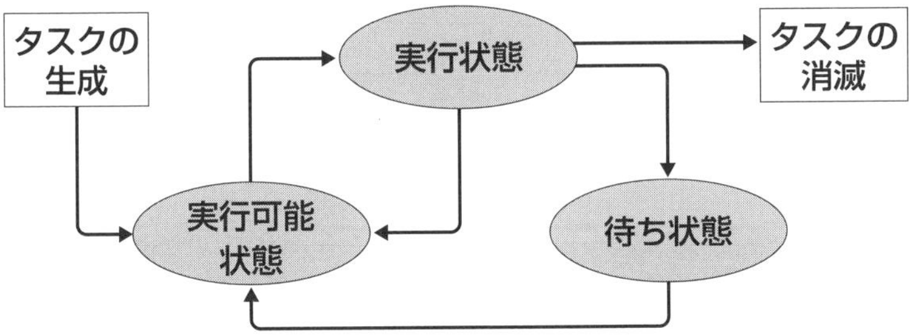

●タスクのスケジューリング

OSは、実行可能状態のタスクの中からある基準に従って、1つのタスクを選び、CPUを割り当てる。これをタスクのスケジューリングという。

① ラウンドロビンスケジューリング

すべてのタスクに、できるかぎり公平にCPUを割り当てる場合に、ラウンドロビンスケジューリングが用いられる。タイムスライスと呼ばれる時間を決めておき、タスクがこの時間だけCPUを使用すると、その時点で次のタスクにCPUを割り当てる。タイムスライスが5のラウンドロビンスケジューリングを図に示す。

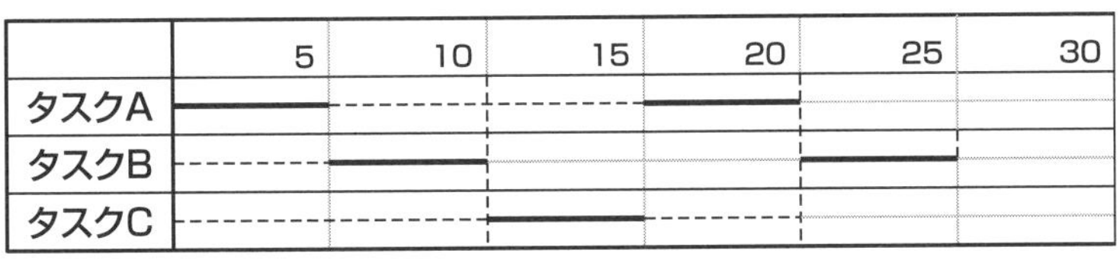

② 優先度順スケジューリング

特定のタスクの処理を優先させたい場合には、優先度順スケジューリングが用いられる。各タスクにあらかじめ優先度を設定しておいて、優先度の高いタスクがCPUを要求したら、直ちに優先度の高いタスクにCPUを割り当てる。このような制御を「**プリエンプティブ**」(pre-emptive；横取り)と呼ぶ。

この単元のキーワード

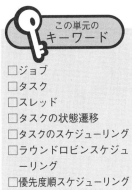

- □ジョブ
- □タスク
- □スレッド
- □タスクの状態遷移
- □タスクのスケジューリング
- □ラウンドロビンスケジューリング
- □優先度順スケジューリング

◀**実行可能状態から実行状態へ移行**：実行可能状態にあるタスクの中から優先度の高いタスクを選び、実行状態に移す。これをディスパッチという。

◀**実行状態から待ち状態への移行**：実行状態で入出力要求があるとOSのスーパバイザを呼び出すSVC(スーパバイザコール)が発生し、待ち状態へ移行する。

◀**待ち状態から実行可能状態へ移行**：入出力が終了すると、入出力割込みが発生し、実行可能状態へ移行する。

4-4 仮想記憶の管理

仮想記憶システムにより、主記憶容量よりも大きなプログラムの実行が可能になった。ページング方式の基本的な仕組み、仮想アドレスを実アドレスに変換する方法について学習する。

●仮想記憶の仕組み

仮想記憶システムでは、プログラム全体を仮想記憶（実体はハードディスク装置）に配置し、実行に必要になった部分のみを主記憶装置に配置するという仕組みが採用されている。この仕組みによって、主記憶容量よりも大きなプログラムの実行が可能になる。なお、主記憶装置のことを実際の記憶装置という意味で実記憶と呼ぶ。

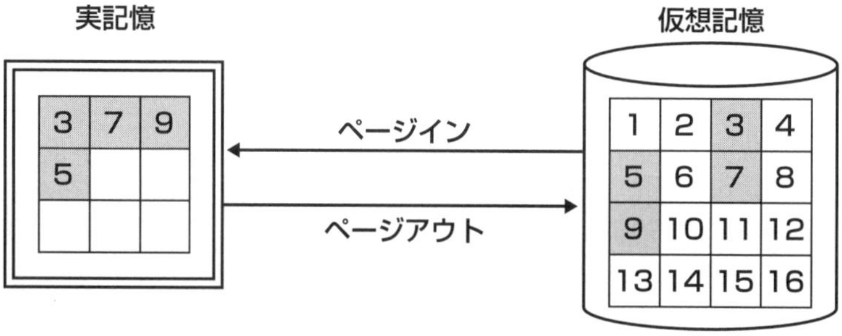

ページング方式の仮想記憶システムでは、プログラム全体を**ページ（Page）**と呼ばれる単位に分割する。ページの大きさは4KBが標準である。実記憶と仮想記憶の間でのプログラムの転送は、このページを単位にして行われる。

実行に必要なページを仮想記憶から実記憶に転送することを「**ページイン**」という。不要になった実記憶上のページを仮想記憶に書き戻すことを「**ページアウト**」という。

実行しようとするページが実記憶に存在しないと、「**ページフォルト**」と呼ばれる割り込みが発生する。この割り込みを契機に、必要なページのページインが行われる。ここで、実記憶に空きのページ枠が存在しない場合は、不要なページをページアウトして空きのページ枠を作り、そこに必要なページを読み込むことになる。

◀**スラッシング**：仮想記憶システムでは、ページイン／ページアウトの発生は避けられない。しかし、短時間の間に大量のページフォルトが発生すると、ページイン／ページアウトの処理が追いつかず、事実上プログラムの実行が停止してしまう。このような現象をスラッシングという。

◀**オーバーレイ方式**：プログラムを分割し、処理に必要なメインルーチンとサブルーチンのみ主記憶に置いて実行する。実行中に必要に応じて、サブルーチンを入れ替えながら処理する方式である。

●仮想アドレスと実アドレス

仮想記憶システムでは、仮想記憶上のプログラムにつけられたアドレスを仮想アドレスという。一方、CPUが命令を実行するときは実記憶のアドレスを使用する必要があり、これを実アドレスという。仮想記憶システムでは、命令を実行するたびに、補助記憶装置上の仮想アドレスから主記憶装置上の実アドレスへの変換が行われる。この仕組みを動的アドレス変換（DAT）という。

次の図は、P0からP7までの8ページのプログラムが実行中で、現在はP0、P3、P4の3ページが実記憶上にあることを示している。このとき、仮想アドレス「0173」(16)番地は、実アドレス「02D173」(16)番地に変換される。

この単元のキーワード

- □記憶管理
- □仮想記憶
- □実記憶
- □ページング方式
- □スラッシング
- □仮想アドレス
- □実アドレス
- □ページテーブル
- □FIFO
- □LRU

仮想アドレス

0000	P0
	P1
2000	P2
	P3
4000	P4
	P5
6000	P6
	P7

ページテーブル

0	02D000	*
1		–
2		–
3	02C000	*
4	02E000	*
5		–
6		–
7		–

実アドレス

–	
02A000	
–	
02C000	P3
–	P0
02E000	P4
–	
030000	

◀**DAT**：Dynamic Address Translation

◀**ページテーブル**：プログラムの全ページに対応して、どのページが実記憶の何番地に配置されているかを示すテーブル。プログラムの進行に伴って、内容は動的に変化する。

●ページ追い出しの方法

実記憶上に空きのページ枠を作るために、ある基準に従って仮想記憶に追い出すページを決定する。仮想記憶に追い出すページは、今後使われる可能性が少ないページを選ぶ必要がある。

◀ページ追い出しの方法をページリプレースメントアルゴリズムという。

① FIFO

最も古くから主記憶上に存在するページを追い出す。古くから存在するページは、今後使われる可能性は低いとの判断にもとづく。

◀**FIFO**：First In First Out

② LRU

最も長い間使用されなかったページを追い出す。最近使われていないページは、今後も使われる可能性は少ないとの判断にもとづく。次の図は、5ページのプログラムを4つのページ枠で実行している様子を示している。4つのページ枠が使用中の状態でページ5が参照されると、FIFOではページ1が追い出され、LRUではページ4が追い出される。

◀**LRU**：Least Recently Used

参照ページ		1	2	3	4	1	2	3	5
主記憶	a	①	1	1	1	①	1	1	
	b		②	2	2	2	②	2	
	c			③	3	3	3	③	
	d				④	4	4	4	

4-5 ファイルシステムの管理

ディスク装置の中で多くのディレクトリやファイルを効率よく管理できるように、ファイルシステムが用意されている。階層構造型のファイルシステムとファイル領域の割り当てについて学習する。

●ファイルとアクセス法

ファイルは論理的に意味のある情報の集まりを、ハードディスクなどの外部記憶装置に保存したものである。大型コンピュータでは、ファイルの構造によって、順編成ファイル、直接編成ファイルなど、さまざまな編成のファイルが存在する。一方、パソコンやワークステーションでは、ファイルは単なる文字列（またはバイナリーデータ）の集まりとして管理される。ここでは、パソコンやワークステーションのファイルを取り上げる。

次に、2桁の出席番号と8桁の名前からなるクラス名簿ファイルの例を示す。このファイルは10桁で一人の学生を表しているが、オペレーティングシステム（OS）から見ると、単なる文字の集まりにすぎない。

01AOKI△△△△02INOUE△△△03UEDA△△△△‥‥

OSはファイルのアクセス法として、順次アクセスと直接アクセスを提供する。

① **順次アクセス**

ファイルの先頭から順に読み書きを行う。読み書きする長さは、その都度アプリケーションプログラムで指定する。

② **直接アクセス**

ファイルの任意の位置から、直接読み書きを行う。読み書きを行う位置（ファイルアドレス）と読み書きの長さは、アプリケーションプログラムで指定する。

◀**NTFSとFAT**：Windows系のOSでは、標準のファイルシステムとしてNTFS（NT File System）が用いられる。フロッピディスク装置には、FAT（File Allocation Table）と呼ばれるファイルシステムが使われる。

●階層構造型ファイルシステム

ファイルシステムは、ハードディスクなど複雑な機構の中に存在するファイルを、利用者やプログラムが簡単に操作できるようなインタフェースを提供する。パソコンやワークステーションでは、階層構造型のファイルシステムが採用されている。

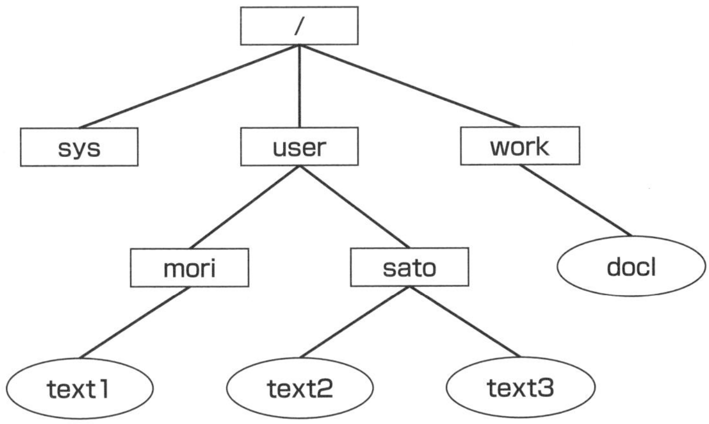

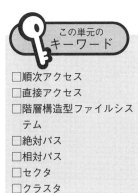

この例では、ディレクトリを□で、ファイルを○で表している。

階層構造型のファイルシステムでは、ディレクトリやファイルを特定するために、絶対パスと相対パスが用いられる。

① **絶対パス**

ルートディレクトリを基点に、目的地までの経路を指定する。ファイル「text1」への絶対パスは「/user/mori/text1」になる。

② **相対パス**

現在作業をしているディレクトリ（**カレントディレクトリ**という）を基点に目的地までの経路を指定する。カレントディレクトリ「user」からファイル「text3」への相対パスは、「sato/text3」になる。

●ファイル領域の割り当て

パソコンやワークステーションでは、セクタ方式のディスク装置が用いられる。**セクタ**（Sector）はOSがディスク装置との間でデータを転送する最小単位で、1セクタ＝512バイトが標準である。一方、ディスク上にファイル領域を割り当てるときは、クラスタ（Cluster）が単位になる。**クラスタ**は、物理的に連続する複数のセクタで構成され、Windows系のOSでは1クラスタ＝4Kバイト（8セクタ）が標準である。あるファイルに700バイトのデータを書き出して保存すると、ディスク上では次のように記録される。

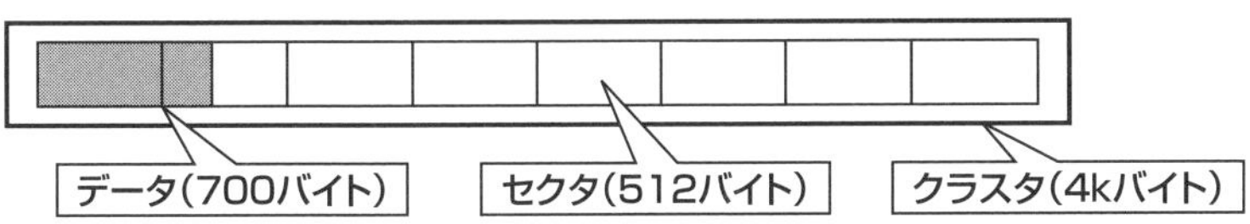

この単元の
キーワード

□順次アクセス
□直接アクセス
□階層構造型ファイルシステム
□絶対パス
□相対パス
□セクタ
□クラスタ

◀**ルートディレクトリ**：階層構造の最上位にあるディレクトリを「ルートディレクトリ」と呼び、記号「／」で表記する。ルートディレクトリの下に、サブディレクトリやファイルを配置することができる。

◀**親ディレクトリの指定**：相対パスで、自分の上位のディレクトリ（親ディレクトリ）を指定するには、記号「..」を用いる。カレントディレクトリ「mori」からファイル「text3」への相対パスは、「.. /sato/text3」になる。

◀**フラグメンテーション**：ファイルの大きさが4Kバイトを超えると、複数のクラスタが割り当てられる。この場合、クラスタは物理的に連続していなくてもよいが、物理的に不連続なクラスタが多くなると、ファイルのアクセス効率が悪くなる。この現象をフラグメンテーションという。

第4章　システム構成・ソフトウェア

4-6 CG（コンピュータグラフィックス）

コンピュータによって、図形や画像を作成する技術をCG（コンピュータグラフィックス）という。ゲーム制作や医療のCTスキャナなど多くの分野に応用されている。その基礎となる技術を学習する。

●VRとAR

コンピュータで仮想の世界を作り出し、現実の世界のように体験できる技術をVRといい、狭義ではコンピュータで作成したものだけを指すことが多い。現実世界とVRで作成したものを組み合わせ、融合したものをARという。

◀VR（Virtual Reality：仮想現実）
◀AR（Augmented Reality：拡張現実）

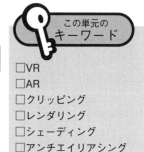

この単元のキーワード
- □VR
- □AR
- □クリッピング
- □レンダリング
- □シェーディング
- □アンチエイリアシング
- □モーフィング
- □ポリゴン
- □ブレンディング

●CG技術

① **クリッピング**

画像の一部を切り抜くこと。

② **レンダリング**

視点から見える部分だけを描く隠線消去や陰面消去などにより、描画データから具体的な画像を生成すること。

③ **シェーディング**

レンダリングの一種で、3DCGでは光源や物体の位置から物体に陰影をつけたり、表面に立体感を与える技法である。レイトレーシングなどがある。

④ **アンチエイリアシング**

画像は画素（ピクセル）を縦横に並べて表現しているので斜めや曲がった部分はギザギザ（ジャギー）が発生する。それを目立たなくする技法である。

⑤ **モーフィング**

ある状態から別の状態へ変化する様子を、中間的な画像を生成しながらなめらかに変化していくように見せる技法である。例えば、椅子に座っている状態と立っている状態の中間の状態を生成し、立つ動作をなめらかに表現する。

◀**ポリゴン**：3次元CGで立体図形を表すときに用いられる小さな多角形のこと。
◀**ブレンディング**：複数の透明度の違う画像を重ね合わせ、半透明の画像を表現する技術である。

確認問題

▶解答と解説は別冊18ページ～

●第４章　システム構成・ソフトウェア

◆問2-4-1　OSのタスク管理に含まれる機能はどれか。

ア．CPU割り当て　　イ．スプール制御　　ウ．入出力の実行　　エ．ファイル保護

[　　　　]

◆問2-4-2　オペレーティングシステムに関する次の記述中のa～eに該当する適切な語句を下の解答群から選べ。

オペレーティングシステムの代表的な機能には、ジョブ管理、タスク管理、データ管理などがある。

ジョブ管理は、利用者から処理依頼されたジョブを効率よく実行するために[a]の割り当てを行う機能である。ジョブ実行に必要な[a]とは、[b]、主記憶、ファイル、入出力装置等であり、これらを明確に定義するために[c]が用いられる。

ジョブ管理によってジョブに与えられる[a]は、実行中に動的に変化する。これを管理するのがタスク管理である。仮想記憶方式の場合の主記憶の動的割り当て、マルチプログラミングにおける[b]の割り当て、[d]などがこれに該当する。

データ管理は磁気ディスク上でのファイルの位置やディレクトリの管理等を行う機能である。また、順次[e]、直接[e]等の各種[e]法を提供する。

【解答群】

ア．CPU　　イ．アクセス　　ウ．課金情報　　エ．コンパイラ言語　　オ．資源

カ．ジョブ制御言語　　キ．割り込み処理

a:	b:	c:
d:	e:	

◆問2-4-3　仮想記憶管理におけるページングアルゴリズムとして、LRUを採用している。主記憶のページ枠が4ページ分で、プログラムが参照・更新するページ番号が3→1→5→3→2→4という順であるとき、最初にページアウトされるページの番号はどれか。

ア．1　　イ．2　　ウ．3　　エ．5

[　　　　]

◆問2-4-4　図はオペレーティングシステムにおけるタスクの状態遷移を表している。この図のa,b,cの各状態にあてはまる組み合わせとして、正しいものはどれか。

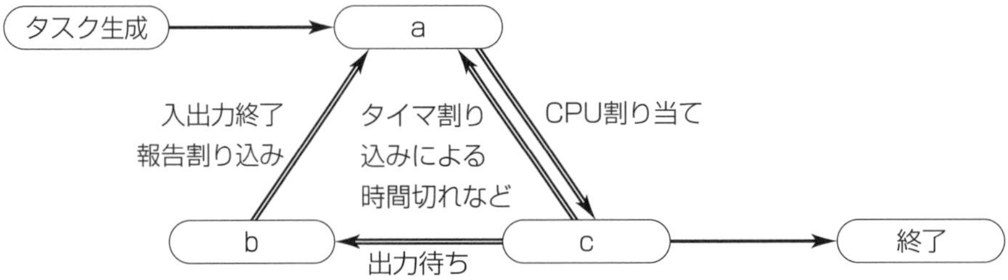

	a	b	c
ア	実行可能状態	待ち状態	待ち状態
イ	実行可能状態	待ち状態	実行状態
ウ	実行状態	実行可能状態	待ち状態
エ	実行状態	待ち状態	実行可能状態

◆問2-4-5　アンケートを入力する画面を作る場合、いくつかの項目から1つだけを選択させるときに利用するGUI部品として、適切なものはどれか。

ア．チェックボックス　　イ．テキストボックス　　ウ．メニューバー　　エ．ラジオボタン

◆問2-4-6　DAM（直接編成ファイル）に関する記述のうち、適切でないものはどれか。

ア．記憶媒体上の格納位置を直接計算してアクセスする。
イ．キー項目によって特定のレコードを直接呼び出せる。
ウ．シノニムが多発するとアクセス効率が低下する。
エ．データを格納するには、基本域以外に索引域が必要になる。

過去問題

★☆問4-1　次の仮想記憶に関する記述を読み、各設問に答えよ。

仮想記憶方式では、補助記憶装置上に主記憶装置の容量よりも大きな仮想記憶空間を設定し、実行時に必要な部分を主記憶装置に読み込んで実行する。こうすることで見かけ上の主記憶の容量が増え、大きなプログラムも実行可能となる。このとき、主記憶上のメモリを実記憶、補助記憶上のメモリ空間を仮想記憶と呼ぶ。

＜設問１＞　次のページング方式に関する記述中の[　　]に入れるべき適切な字句を解答群から選べ。

ページング方式は、プログラムをページと呼ばれる一定の単位に分割し、このページ単位で転送する方式である。この方式では、実行するページが実記憶のページ枠に存在していない場合、[1]と呼ばれる割込みが発生し、不要なページを実記憶から仮想記憶空間へ追い出す[2]や、逆に補助記憶から実記憶に必要なページを読み込む[3]が行われる。なお、[1]が多発すると処理効率が低下する場合があり、これを[4]という。

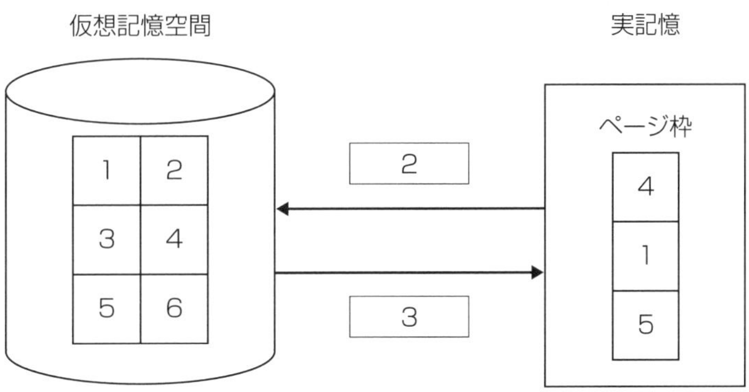

図1　ページング方式

【1～4の解答群】

ア．オーバレイ　　　イ．スプーリング
ウ．スラッシング　　エ．セグメント
オ．ページアウト　　カ．ページイン
キ．ページテーブル　ク．ページフォルト

1:	2:	3:	4:

＜設問２＞　次のアドレス変換に関する記述中の[　　　]に入れるべき適切な字句を解答群から選べ。

仮想記憶方式では、プログラムは仮想記憶空間に格納されているので、プログラムを実行するために仮想記憶上の番地（仮想アドレス）を主記憶装置上の番地（実アドレス）に変換する必要がある。このアドレス変換はオペレーティングシステムによって管理される。

図2にページング方式で利用する仮想アドレスの形式を示す。

ページ番号	ページ内変位

図2　仮想アドレスの形式

ページ番号は仮想記憶空間上のページ単位に付けられた番号で、ページ番号に4ビットを割り当てると仮想記憶空間は16ページ分となり、ページ番号は0～15である。ページ内変位は各ページの先頭からの相対アドレスであり、1バイトごとにアドレスが付与される。ここで、1ページの大きさを4kバイトとするとページ内変位は最低[　5　]ビットで表される。

仮想アドレスから実アドレスへの変換は、図3のようなページテーブルを参照して行われる。存在ビットはそのページが実記憶装置に格納されている場合に1、実記憶装置には格納されていない場合に0とする。物理アドレスは実記憶装置に用意されたページ枠の各ページの先頭アドレスを示し、ここでは10進数で表記する。

ページ番号	存在ビット	物理アドレス
0	0	－
1	0	－
2	1	10000
3	0	－
4	1	6000
⋮	⋮	⋮
15	1	14000

図3　ページテーブルの形式

ページテーブルの内容が図3の場合で、実記憶装置の状態が図4の場合について考える。また、実記憶装置の実アドレスは1バイトごとに付与されており10進数で表記してある。実記憶装置にはページ枠として3ページ分が用意されており、現在は仮想アドレスのページ番号で4、2、15が格納されている。

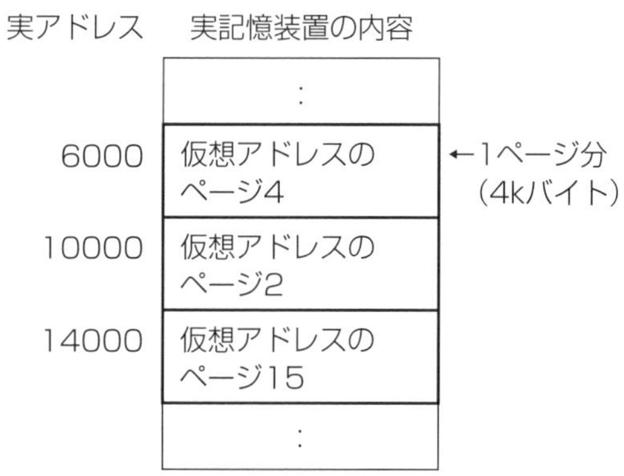

図4　現在の実記憶装置の内容

［仮想アドレスと実アドレスの変換］

①　仮想アドレスのページ番号を添字としてページテーブルを参照する。

②-1参照した行の存在ページが1ならば、ページテーブルの物理アドレスに仮想アドレスのページ内変位を加えた値が実アドレスである。

②-2参照した行の存在ページが0ならば、実記憶装置と仮想記憶装置との間でページの入れ替えを行い、ページテーブルの参照行および実記憶装置から追い出されたページの行に対して、存在ビットと物理アドレスの更新を行った後で②-1を実行する。

図3および図4の状態で、プログラムからアクセス対象となる仮想アドレスのページ番号が4、ページ内変位が10進数で500のとき、主記憶装置の実アドレスは［ 6 ］である。同様に、アクセス対象となる仮想アドレスのページ番号が1、ページ内変位が10進数で200のとき、ページテーブルの存在ビットが0であるから、ページの入れ替えが行われる。ここでページ番号15のページを追い出し、そのページ枠にページ番号1を格納するとき、図3のページテーブルの2行目（添字1の行）の値は［ 7 ］に、ページテーブルの最後の行（添字15の行）の存在ビットが0に書き換えられる。

【5の解答群】

ア．8　　イ．10　　ウ．12　　エ．16

5:［　　　　］

【6の解答群】

ア．500　　イ．6000　　ウ．6500　　エ．10500

6:［　　　　］

【7の解答群】

ア．	0	6000
イ．	0	14000
ウ．	1	6000
エ．	1	14000

7:［　　　　］

<設問3>　次のページリプレースメントアルゴリズムに関する記述中の[　　]に入れるべき適切な字句を解答群から選べ。

ページリプレースメントアルゴリズムは、実記憶から追い出すページを決定するためのアルゴリズムであり、次のものがある。

・[8]方式…最後に参照されてからの経過時間が最も長いページを選定。
・[9]方式…実記憶に読み込まれてからの経過時間が最も長いページを選定。

【8、9の解答群】

ア．FIFO　　イ．LFU　　ウ．LIFO　　エ．LRU

8:	9:

（令和4年度前期　基本スキル　問題5）

★☆問4-2　次のタスク管理に関する記述を読み、各設問に答えよ。

オペレーティングシステム（OS）から見た仕事の単位をタスクという。OSは複数のタスクに対して順にCPUを割り当て、仕事を実行させる。

＜設問１＞　次のタスクの状態遷移に関する記述中の［　　］に入れるべき適切な字句を解答群から選べ。

OSは、CPUを時分割に割り当てながら複数のタスクを同時並行的に実行させるマルチタスク機能を備えている。マルチタスク環境で複数のタスクの同時並行動作を実現するために、OSはタスクの生成から消滅までを、実行可能状態、実行状態、待ち状態の三つの状態で管理している。

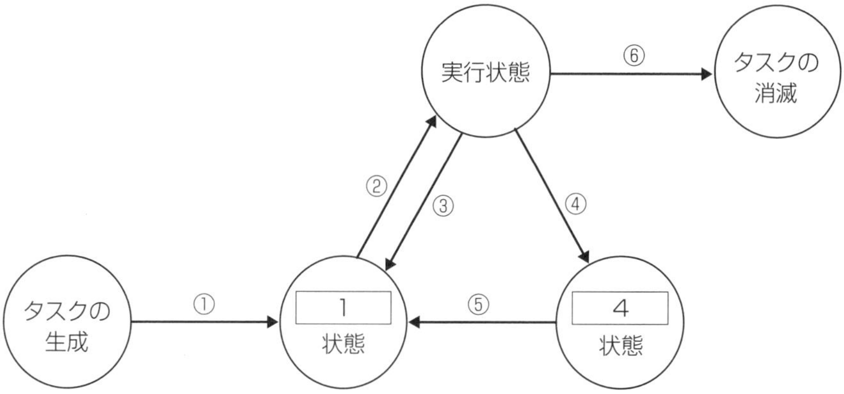

図　タスクの状態遷移

① 生成されたタスクは、使用する入出力装置が使用可能になると［ 1 ］状態になる。
② ［ 1 ］状態のタスクの中から実行するタスクを選択し、そのタスクにCPUの使用権が割り当てられ実行状態となる。このCPUの割り当てを［ 2 ］と呼ぶ。
③ 実行中のタスクは、タイマ割込みなどによって［ 1 ］状態へ遷移し、他のタスクがCPUを利用できるようになる。このようにCPUの使用を一定時間とし、全てのタスクにできるだけ公平にCPUを割り当てるタスクスケジューリングを［ 3 ］方式と呼ぶ。
④ 実行状態中に、入出力要求が発生すると、タスクは［ 4 ］状態へ遷移する。このように入出力などOSの機能を利用するため、スーパバイザに依頼するのがSVC割込みである。
⑤ タスクは入出力終了によって、待ち状態から［ 1 ］状態へ遷移する。このとき発生するのが入出力割込みである。
⑥ CPUの割り当てを繰り返し、処理を終了したタスクは消滅する。

【1～4の解答群】

ア．実行可能　　イ．ディスパッチ　　ウ．プリエンプション
エ．待ち　　オ．優先度順　　カ．ラウンドロビン

1:	2:	3:	4:

＜設問２＞　次のマルチプログラミングに関する記述中の［　　］に入れるべき適切な字句を解答群から選べ。

三つのタスクA、B、Cがあり、各タスクを単独で実行した場合の資源使用状況と使用時間を表に示す。CPUは1個であり、1個のCPUは1コアで構成される。またI/Oは競合せず、OSのオーバヘッドは考慮しないものとする。タスクスケジューリングは優先度順方式でタスクA、B、Cの順とするが、CPU使用中に割り込むことはない。なお、三つのタスクは同時に投入されるものとする。

表　各タスク単独実行時の資源使用状況

タスクA	CPU（30）	I/O（40）	CPU（10）
タスクB	CPU（20）	I/O（40）	CPU（10）
タスクC	CPU（10）	I/O（40）	CPU（10）

（）内は使用時間で単位はナノ秒

各タスクが到着してから終了するまでの時間（ターンアラウンドタイム）は、タスクAが［　5　］ナノ秒、タスクBが［　6　］ナノ秒、タスクCが［　7　］ナノ秒である。タスクの到着からすべてのタスクの実行が終了するまでの、CPUの遊休時間は［　8　］ナノ秒である。

【5～8の解答群】

ア．20　　イ．30　　ウ．50　　エ．60

オ．80　　カ．100　　キ．110　　ク．120

5:	6:	7:	8:

（令和5年度前期　基本スキル　問題5）

第 5 章

人工知能

5-1　人工知能

5-1 人工知能

技術の進歩が著しく様々な分野で導入されはじめている人工知能について、その概要を学習する。

人工知能（AI：Artificial Intelligence）は人間の考える力をプログラミングし、コンピュータで再現するというように理解されている。第4次産業革命といわれるほど急速に発展したAIは様々な分野で応用されつつある。単なるエキスパートシステムではなく、これまでの人間の考えでは導き出せなかった結果を出力するAIも登場してきている。

●機械学習

機械学習とは、大量のデータから法則性を導き出す統計的な手法である。機械学習には様々な方法があり、訓練データの性質によって「教師あり学習」「教師なし学習」「強化学習」の3つのモデルに大別される。脳の神経細胞の動きを模倣したニューラルネットワークも機械学習の1つであり、ディープラーニングはニューラルネットワークを多層化し、物を認識するなどの知能を実現する方法である。

ニューラルネットワークのイメージ図

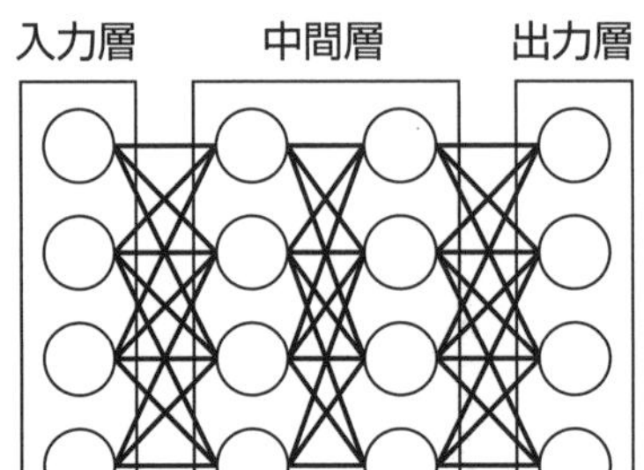

●教師あり学習

正解のデータを提示したり、データが誤りであることを指摘したりして、未知のデータに対して正誤を得ることを助ける。

●教師なし学習

正解のデータを提示せずに、統計的性質や、ある種の条件によって入力パターンを判定したり、グループ化したりする。

●強化学習

個々の行動に対しての善し悪しを得点として与えることによって、得点が最も多く得られるような方策を学習する。

●ファジー理論

人工知能の元になる理論で人間の感性のように曖昧さを表す理論である。コンピュータで扱う0と1のように2者択一ではなく、0と1の間の任意の数で表わされる理論であり、機械制御などに応用される。

この単元のキーワード

- □人工知能
- □機械学習
- □教師あり学習
- □教師なし学習
- □強化学習
- □ファジー理論
- □RPA
- □自動運転
- □生成AI

●人工知能と自動化

◀**RPA**：Robotic Process Automation

① RPA

RPAは、業務システムなどのデータ入力、照合のような標準化された定型作業を、事務職員の代わりに行うもので、ルールエンジンや認知技術などを活用することによって、複数のアプリケーションを連携して行う作業も代行できるソフトウェアロボットである。人手不足の解消などを目標とした業務革新を進めるために活用する。

② 自動運転

車両の状態や周囲の環境を認識し、利用者が行き先を指定するだけで自律的な走行を可能とする仕組み。レーダ、GPS、カメラなどの機器を統合して利用する。

③ 生成AI

膨大なデータを学習し、ディープラーニングによって新しいコンテンツ（画像、動画、音声、テキストなど）を生成する技術である。利用者からの要求に応え、創造的なコンテンツを提供する。

第3部

プログラミングスキル

第１章　データ構造とアルゴリズム
第２章　擬似言語

第 1 章

データ構造とアルゴリズム

1-1　配列
1-2　リスト
1-3　木構造
1-4　2分木／スタックとキュー
1-5　アルゴリズムの基本構造（1）
1-6　アルゴリズムの基本構造（2）
1-7　集計処理のアルゴリズム
1-8　最大値・最小値のアルゴリズム
1-9　探索アルゴリズム
1-10 ソートアルゴリズム（1）
1-11 ソートアルゴリズム（2）
1-12 ファイル処理のアルゴリズム
1-13 その他のアルゴリズム
1-14 再帰呼出し

第1章　データ構造とアルゴリズム

1-1 配列

配列は同じ型のデータの並びであり、ここでは配列の要素を指定する添字、2次元以上の配列での添字の用い方について学習する。

●配列と添字

配列とは同じデータ型を要素にする列の集合のことで、別の言い方をすれば同じ型のデータの並びのことである。

たとえば、学校で英語のテストを行ったとする。学生一人ひとりの得点のデータ型は、すべて整数型である。そこで、得点を並べて配列とする。この配列には、'TOKUTEN' という名前を付けることにする。

配列（TOKUTEN）

65
50
92
47
:
70

添字がない場合

配列（TOKUTEN）

65	TOKUTEN（0）
50	TOKUTEN（1）
92	TOKUTEN（2）
47	TOKUTEN（3）
:	:
70	TOKUTEN（n）

添字を使った場合

ところが、このままだと配列の中の個々のデータを参照するときに、どのデータを指定しているかがわからない。そのため、任意のデータを指定するために**添字**（そえじ）が使われる。添字はその配列の中の何番目のデータかを指定するために使うもので、配列の名前の後にそのデータの順番をカッコで指定する。添字は配列の先頭データをゼロとして、0, 1, 2, 3, …というようにデータの並び順のとおりに付けられる。

この例で添字を使うと、たとえば 'TOKUTEN (2)' と指定すれば '92' のデータを直接参照することができるのである。

●添字の利用

配列はコンピュータ処理で非常によく使われる構造データ型である。その理由の1つは、この添字の便利さによるものである。すでに解説したように、配列の要素は添字によって指定できる。添字は整数型でなければならないが、ここで重要なことは添字には変数や式を使ってもよいことである。

整数型の変数または結果が整数になる式なら添字として指定できるため、たとえば前出のTOKUTENの例を使うと次のような使い方ができる。

TOKUTEN（N）：整数型の変数‘N’の値が添字として使われる
TOKUTEN（N＋1）：TOKUTEN（N）の次の要素を指定する

ここで変数‘N’の値が‘1’の場合には、TOKUTEN（N）は‘50’、TOKUTEN（N＋1）は‘92’を示していることになる。

この単元のキーワード
□配列
□添字
□1次元配列
□2次元配列

◀**変数**：データの記憶場所を示すもので、人がわかりやすい名前を付けることができる。変数名が示す場所にあるデータ値は、プログラムによって自由に変えることができる。

●1次元配列と2次元配列

先ほどの配列‘TOKUTEN’の例は、英語の得点だけを一列に並べたものであった。このように、列が1つだけの配列を**1次元配列**という。

ところが、英語のテストだけでなく、数学と国語のテストも同時に行ったとする。このような場合、1次元配列では3科目の得点を統一的に管理することができなくなってしまう。そこで、このような場合に**2次元配列**が利用される。

2次元配列では、添字が2つ使われる。たとえば、左側の添字が科目を英語、数学、国語の順に表し右側の添字が先頭からの番号を表すというように、あらかじめ添字の使い方を決めておく。

すると、次のような2次元配列ができる。

	英語 TOKUTEN(0,J)	数学 TOKUTEN(1,J)	国語 TOKUTEN(2,J)
TOKUTEN(K,0)	65	80	60
TOKUTEN(K,1)	50	36	45
TOKUTEN(K,2)	92	88	95
TOKUTEN(K,3)	47	65	56
:	:	:	:
TOKUTEN(K,n)	70	90	82

◀J、Kは整数型の変数。

ここで、TOKUTEN（1,3）と指定すると、左側の添字が'1'であることから数学の列を、右側の添字が‘3’であることから先頭から4番目の得点であることがわかる。その結果、TOKUTEN（1,3）は太枠で囲った‘65’のデータを指定していることになるのである。

さらに、添字を3つ、4つ…と増やせば、3次元配列、4次元配列…というように**多次元配列**を作ることができるが、あまり多次元にすると逆に難解なものになってしまう。

1-2 リスト

リストとは、データ要素をポインタによって論理的に並べたものである。ここではリストの種類と操作方法について学習する。

●リストとは

リストとはデータ要素を並べたもので、そのデータ要素間の前後関係が物理的な並び順ではなく、**ポインタ**によって論理的に示されるデータ構造のことである。すなわち、物理的なデータの並び順と論理的な並び順は、一致している必要がない。

配列ではデータ要素を順番に並べ、添字の大小関係でデータ要素間の前後関係が示されていた。つまり、物理的順序関係と論理的順序関係が一致しているのである。そのため、配列でデータ要素を追加または削除するときには、そのデータ要素から後のデータをすべて1つずつ移動するなどの操作が必要になる。

前出の配列（TOKUTEN）の3番目のデータ要素として、‘80’を追加しようとする場合、次のような操作が必要になる。

TOKUTEN	65	50	92	47	…	70	
↓ 追加する場所を空けるため、右側のデータを移動する。							
TOKUTEN	65	50		92	47	…	70
↓ 空けた場所にデータ‘80’を追加する。							
TOKUTEN	65	50	80	92	47	…	70

これに対して、リストでは、データ要素の追加や削除をその前後のデータ要素のポインタを書き換えるだけで実現できるなどの利点がある。

●リストの種類

リストはその性質によって、次の種類に分類される。

①　単方向リスト

データ要素の並びを先頭から末尾へたどることはできるが、逆方向はできないリストのことである。リストの参照は、先頭の要素（**ヘッド**という）からだけ行うことができる。各データ要素には、次のデータの所在を示すポインタが付けられている。しかし、末尾のデータ要素（**テイル**という）のポインタには空の値がセットされていて、空ポインタが出てきたらそこが末尾であることを示す。

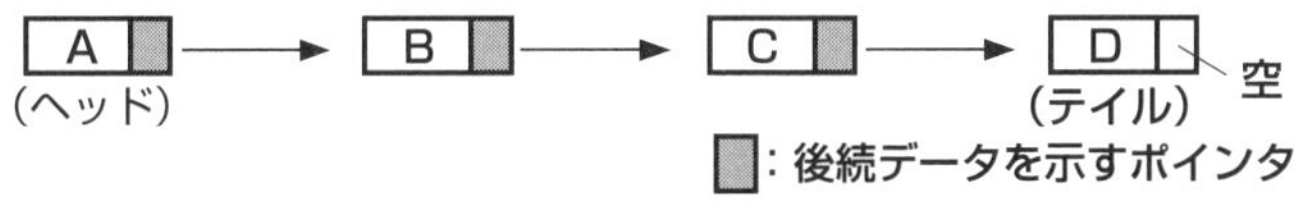

② **双方向リスト**

データ要素の並びを先頭からも末尾からもたどられるリストを双方向リストという。双方向リストでは、後続データを示すポインタと先行データを示すポインタの2種類のポインタが必要になる。ヘッドの先行データへのポインタは空であり、テイルの後続データへのポインタも空である。データ要素への参照は、ヘッドからもテイルからも行うことができる。

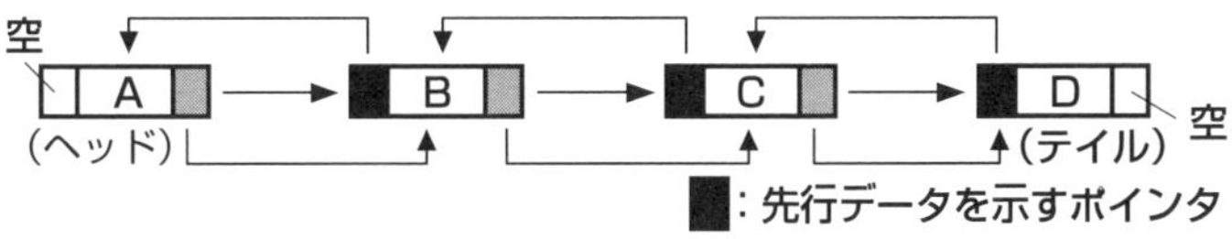

③ **環状リスト**

テイルの後続データへのポインタがヘッドを指すものを環状リストという。環状リストにも単方向リストと双リストの両方がある。

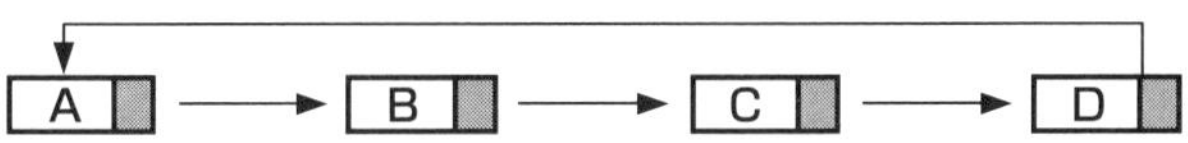

●リストの操作

リストの操作には、次の4種類がある。

① 注視点のデータ要素を参照する。
② 注視点を先行または後続要素に移動する。
③ 注視点の要素を削除する。単方向リストであれば、先行データのポインタを削除したいデータ要素の次の要素を示すようにすればよい。

データ要素 'B' を削除する。

④ 注視点にデータ要素を追加する。単方向リストであれば、先行データのポインタを追加したいデータ要素を示すようにし、追加するデータ要素のポインタを、後続のデータを示すようにする。

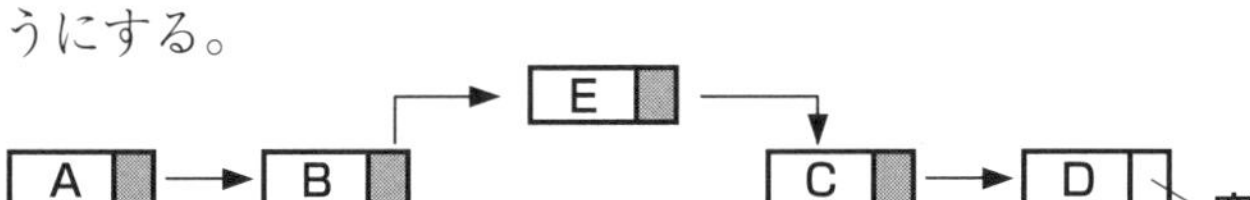

'B' と 'C' の間に 'E' を追加する。

この単元のキーワード

□リスト
□単方向リスト
□双方向リスト
□環状リスト
□ポインタ
□ヘッド
□テイル

◀環状リストの双方向リストの場合、さらにヘッドの先行データへのポインタをテイルにセットする必要がある。

◀**注視点**：リスト上で現在参照している場所（要素）のこと。

第1章　データ構造とアルゴリズム

1-3 木構造

ものごとの階層関係を表す木構造の意味と各部の名称、そして操作方法について学習していく。

●木構造とは

◀**木構造**：ツリー構造とも呼ばれる。

木構造とは、ものごとの階層関係（親子関係）を表すためのデータ構造である。現実の事象では、階層関係で表したほうがわかりやすいことが非常に多い。たとえば、会社の組織図なども典型的な木構造である。

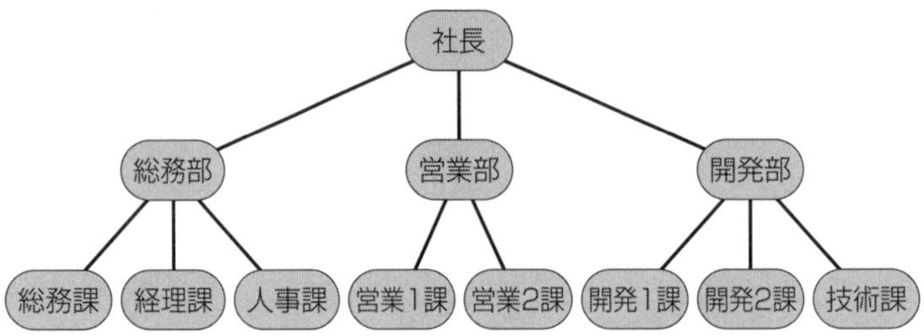

この組織図では、社長を頂点に上下関係で枝分かれしている。この図を上下逆さにすると社長を根として枝が分かれ、ちょうど木の形に見えることから、このような図で表現できるデータ構造を木構造と呼んでいるのである。

●木構造の各部の名称

典型的な木構造を次に示す。このような木構造の各部の名称は、次のとおりである。

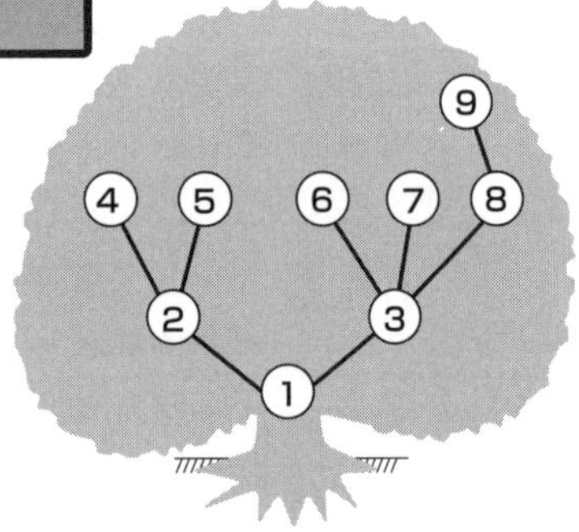

◀枝のことを辺（edge）と呼ぶこともある。

1）**ノード（node、節）**……①～⑨で表された部分を節またはノードと呼び、データ要素に対応する。

2）**枝（branch）**……ノード間を結ぶ線のことで、この枝によって上下関係を明示することができる。

3）**根（root）**……一番上位にあるノードを木の根に見立てて‘根’と呼ぶ。この例では①のノードが根である。

4）**親（parent）と子（child）**……枝で結ばれている2つのノードには、上が親で下が子という親子関係が存在する。ただし、親は必ず1つである。2つ以上の親をもつノードが存在する場合には、それは木構造ではない。

5）**葉（leaf）**……子をもたないノードのことを‘葉’と呼ぶ。葉は木構造の最下位のノードである。この例では④、⑤、⑥、⑦、⑨が葉である。

6）**兄弟（sibling）**……同じノードの子を兄弟と呼ぶ。この例では、④と⑤は兄弟であり、⑥と⑦、⑧も兄弟である。

7）**部分木（subtree）**……木に属する任意の1つのノードと、そのノードから先のすべてのノードと枝を合わせて部分木と呼ぶ。

8）**深さ（depth）**……根からそのノードに至る経路の枝の数を‘深さ’という。

たとえば、⑥のノードの深さは2である。また、根の深さはゼロと定義されている。

9）**高さ（height）**……木に属するノードの深さの最大値のことを‘高さ’という。

この例の木の高さは3である。

10）**多分木**……兄弟の数がn以下と限定できる場合には、その木を多分木または**n進木**と呼ぶ。多分木のうち、n＝2のとき、それを特に**2分木**と呼んでいる。

11）**バランス木**……どの葉についてもその深さがほぼ等しい木をバランス木（平衡木）と呼ぶ。通常の木はノードの削除や挿入が起こると、バランスが崩れてしまう（葉によって深さが大きく違う状態になる）。ところが、バランス木は崩れたバランスを自動的に補正する処理を伴う構造である。深さが同じであれば、ほぼ同じ時間でどの葉でも参照できることになる。そのため、バランス木はファイルの索引などによく利用されている。

この単元のキーワード

□木構造
□ノード
□節
□枝
□根
□親と子
□葉
□兄弟
□部分木
□深さ
□高さ
□多分木
□2分木
□バランス木

◀深さのことをレベル（level）と呼ぶこともある。

●木の操作

木には、次の4つの操作がある。

① 注視点の要素を参照する。
② 注視点を移動する。
③ 注視点の要素を削除する。
④ 注視点へ要素を挿入する。

1-4 2分木／スタックとキュー

前節で学んだ木構造のうち、2分木について詳しく学習する。また、配列やリストへのデータの挿入と削除の操作に関するスタックとキューについて、それぞれの操作方法を学ぶ。

●2分木

すべてのノードの子の数が2以下の木は、2分木と呼ばれている。2分木は単純で扱いやすい木構造であることから、非常によく利用される。

2分木では各ノードの子は2つまでであることから、左の子と右の子が明確に区別される。そのため、2分木では特に左の子を根とする部分木を左部分木、右の子を根とする部分木を右部分木と呼んでいる。

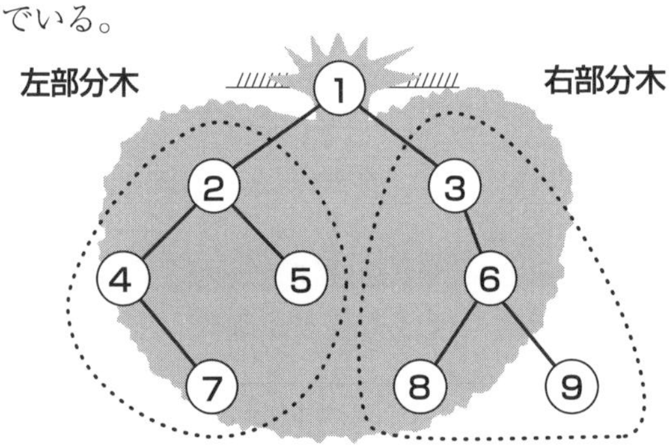

木構造はコンピュータ処理においては、ポインタをもつリスト構造として扱われる。ポインタが枝の役割を果たすのである。2分木をポインタで表現すると、次のようになる。各ノードには、左の子を示すポインタと右の子を示すポインタの2つのポインタが必要になる。

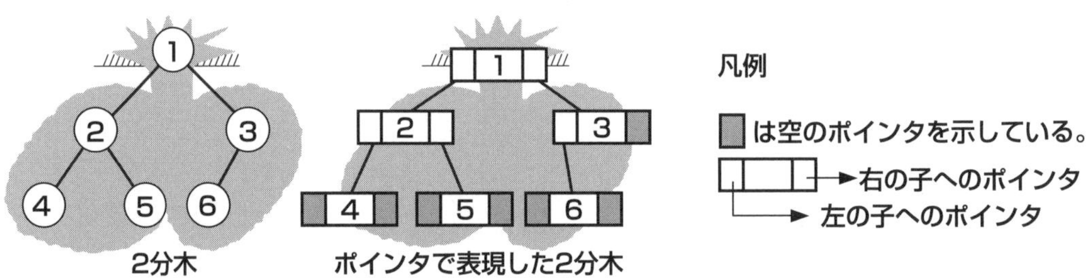

●木の巡回法

2分木を走査する考え方に、幅優先探索と深さ優先探索がある。

① 幅優先探索は、ノードの深さが同じレベルを左から右に走査する。

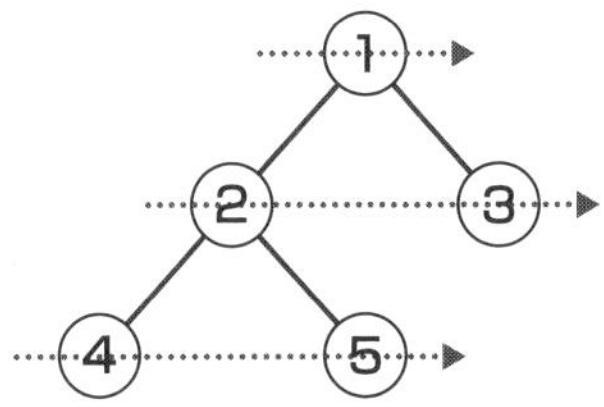

幅優先探索

② 深さ優先探索は、左部分木から右部分木まで外周をたどりながら、ノードを縦方向（深さ）に走査する。操作する順序により、次の3つに分けられる。

・先行順（行きがけのなぞり）は、ノード → 左部分木 → 右部分木の順に走査する。

・中間順（通りがけのなぞり）は、左部分木 → ノード → 右部分木の順に走査する。

・後行順（帰りがけのなぞり）は、左部分木 → 右部分木 → ノードの順に走査する。

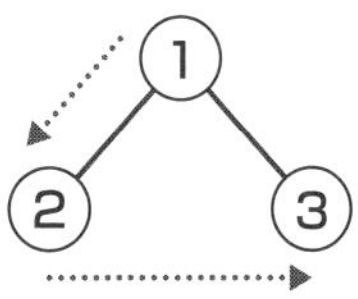

先行順

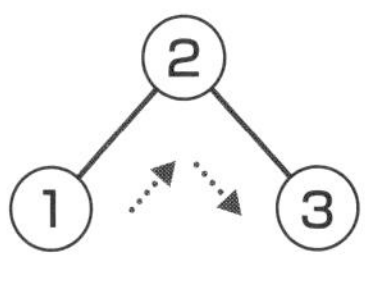

中間順

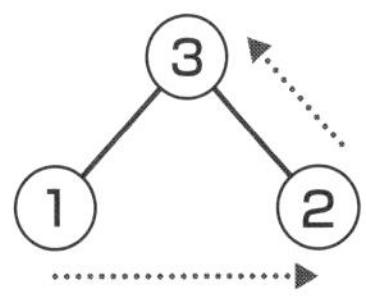

後行順

●逆ポーランド記法（後置記法）

数式を表現する方法の1つで、「AB＋」のように2つの演算数の後に演算記号を記述する方式を逆ポーランド記法と呼ぶ。普段使用している「A＋B」のような式は、演算数の間に演算記号がある中置記法と呼ばれる。中置記法で表した式を2分木で表現し、深さ優先探索（後行順）でノードを走査すると逆ポーランド記法に変換できる。

たとえば、中置記法の式「(A－B)×C」の場合、式に演算の優先順位がある場合は、最も低い優先順位の演算子を中心に2分木で表現する。子ノードに演算子が含まれる場合は、そのノードをさらに2分木で表現する。逆ポーランド記法では式中の優先度を表すカッコは省略できる。

この単元のキーワード

□2分木
□左部分木
□右部分木
□逆ポーランド記法

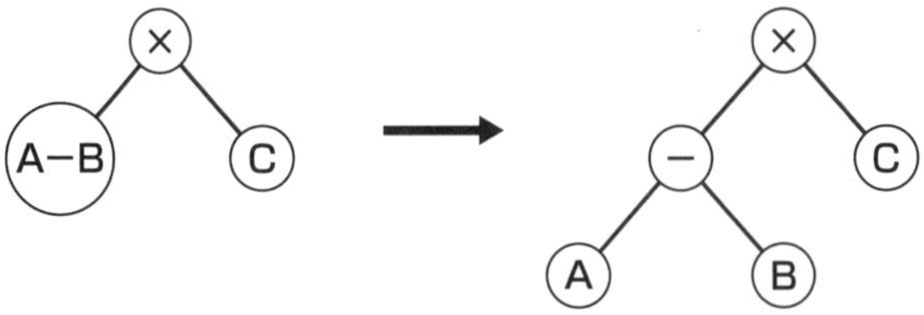

2分木から逆ポーランド記法へ変換するには、末端のノードから行う。最初に変換するのは「AB－」であり、これを1つのノードとする。そして、2つの子ノードが「AB－」と「C」であるものとして走査し「AB－C×」となる。

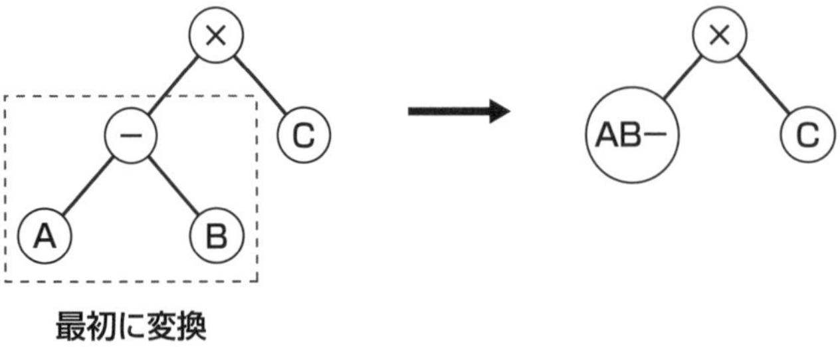

●ヒープ構造

ノードの値はそのノードのどの子よりも小さい、または、大きい2分木をヒープと呼ぶ。なお、ヒープでは、葉は左詰めにし、子要素どうしの大小関係は問わない。また、全ノードの最小値、または、最大値が根になるため、根のデータを順次取り出すことでデータの整列をすることができる。これをヒープソートと呼ぶ。

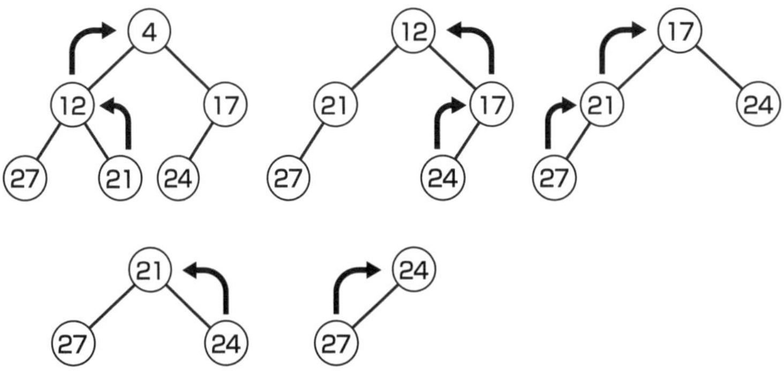

昇順にデータを取り出した例

4	12	17	21	24	27

●スタック

配列やリストへのデータの挿入と削除の両方の操作が、配列やリストの一方の端だけで行われる場合に、そのデータ構造をスタックと呼ぶ。スタックの操作は、次の2つである。

① **プッシュ（pushまたはpush down）**
…データを挿入または格納すること

② **ポップ（popまたはpop up）**
…データを削除または取り出すこと

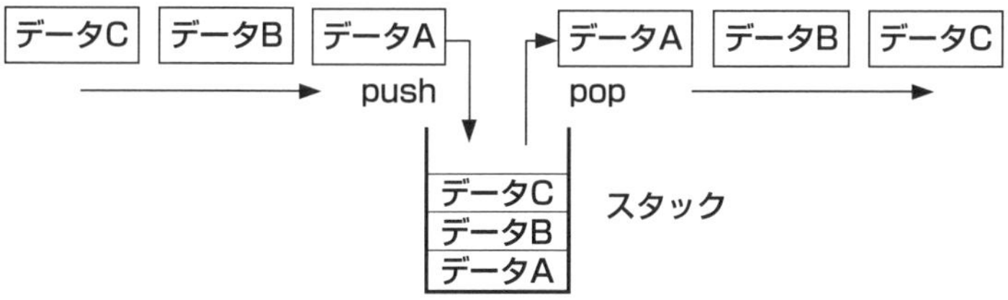

たとえば、図のようにA,B,Cの3つのデータを続けてプッシュしてスタックに格納する。それを後から続けてポップすると、最後に格納したCから、C,B,Aの順に取り出すことになる。このように、スタックでは後から格納したデータから先に取り出すのであるが、このような方法を**後入れ先出し法**（LIFO）という。

●キュー

配列やリストへのデータの挿入と削除の操作が、それぞれ別の端で行われる場合に、そのデータ構造をキューと呼ぶ。キューの操作は、次の2つである。

① **エンキュー（enqueue）**
…キューにデータを挿入すること

② **デキュー（dequeue）**
…キューからデータを取り出すこと

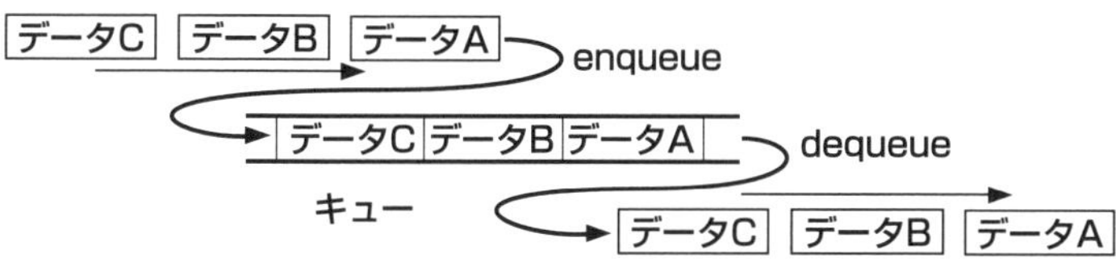

たとえば、図のようにA,B,Cの3つのデータを片方の端から挿入し、他方の端からそのデータを取り出す構造になる。このとき、データは先に入れたものから先に取り出す形になるので、このような方法を**先入れ先出し法**（FIFO）という。キューは待っている順番に処理されることから、**待ち行列**と呼ばれることもある。

この単元のキーワード
- □ヒープ構造
- □スタック
- □後入れ先出し法
- □LIFO
- □キュー
- □先入れ先出し法
- □FIFO
- □待ち行列

◀スタックは、プログラムからサブルーチンや関数の呼び出し、環境の保全などコンピュータの内部処理に頻繁に利用されている。

◀**LIFO**：Last-In First-Out
‘ライフォー’と読む。

◀キューは要求順、到着順に処理を行うロジックであることから、OSなどの機能によく使われている。

◀**FIFO**：First-In First-Out
‘ファイフォー’と読む。

1-5 アルゴリズムの基本構造(1)

コンピュータの処理手順であるアルゴリズムの意味、代表的な表記方法であるフローチャートの記号を学習する。また、アルゴリズムの基本構造のうち、順次構造・IF-THEN-ELSE構造を理解する。

●アルゴリズムとは

アルゴリズムとは「作業や処理の手順を記述したもの」のことである。たとえば、工場の部品組み立て手順やファーストフード店の接客マニュアルも、アルゴリズムの1つといえる。

コンピュータ処理においては、アルゴリズムをコンピュータが理解できる命令に置き換えたものを**プログラム**と呼んでいる。別の見方をすれば、アルゴリズムは実際に使用するプログラム言語の種類に関係なく、処理手順を一般的な形式で書き表したものということができる。

●フローチャート

アルゴリズム（処理手順）を書き表す方法には、さまざまなものがある。中でもフローチャートは、古くから使われている代表的な表記法の1つである。フローチャートで使用する記号は、JISで定められている。特にアルゴリズムを表記するためによく使われる記号は、次の5種類である。

名称	記号	意味
処理	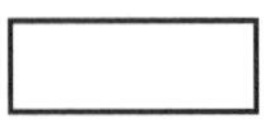	処理の内容を記述する
端子	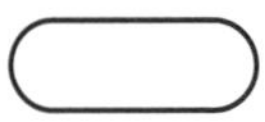	処理の開始と終了を表す
判断	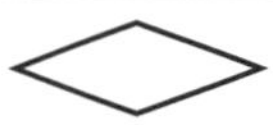	条件により分岐して処理の流れを変える
線		処理の流れを表す (方向を明示したいときは矢印を使う)
ループ端	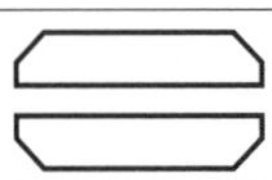	ループ(処理の繰り返し)の開始と終了を示す

◀アルゴリズムの記述は本文中に示した5つの記号だけで十分表記できるが、ほかにも多数のフローチャート記号がある。コンピュータシステムや業務のフローを表記するときによく使われる記号には、次のものがある。

順次アクセス記憶（磁気テープなど）

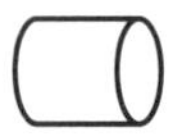
直接アクセス記憶（磁気ディスクなど）

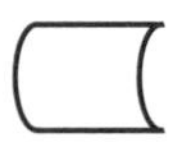
記憶データ

帳票・書類

手操作入力（キーボードなど）

表示（ディスプレイなど）

●アルゴリズムの基本構造

どのようなアルゴリズムも、次の3つの構造を組み合わせることで記述することができるとされている。

① 順次構造
② IF-THEN-ELSE 構造
③ ループ構造

この単元のキーワード
□アルゴリズム
□フローチャート
□順次構造
□IF-THEN-ELSE構造
□ループ構造

アルゴリズムを理解するためには、これらの構造を理解しておくことが前提になる。以下にこれらの構造を解説する。

●順次構造

フローチャートの処理は、途中に分岐やループがないかぎり、上から下に向かって1つひとつ順番に実行される。これを順次構造という。

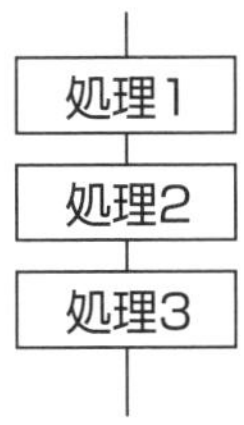

（順次構造の形式）

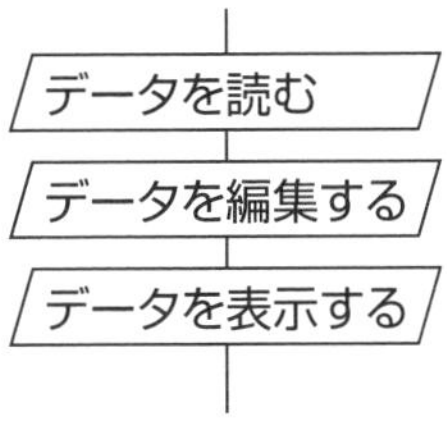

（順次構造の例）

●IF-THEN-ELSE構造

◀IF-THEN-ELSEのTHENは条件分岐の成立側、ELSEは不成立側を意味している。

条件によって分岐する構造である。その一般形式と、例として「データを読んでゼロでないとき編集して表示する。ゼロのとき何もしない。」というフローチャートを示す。

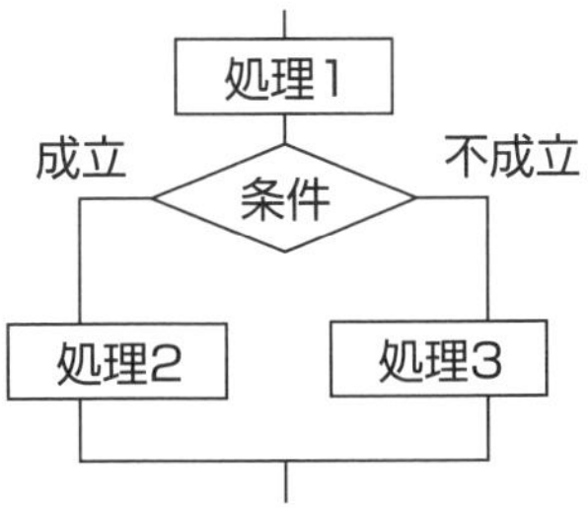

（IF-THEN-ELSE構造の形式）

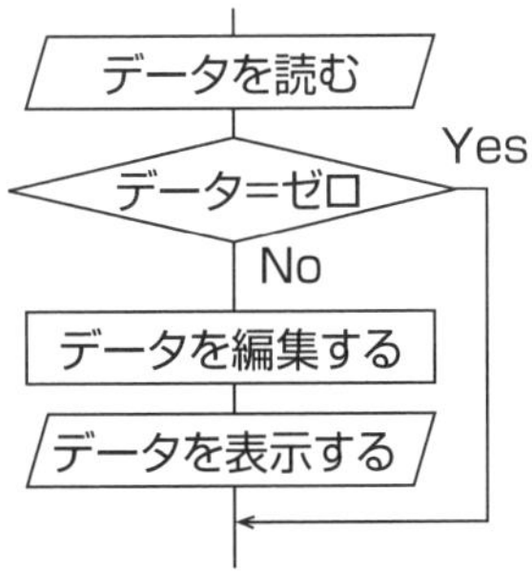

（IF-THEN-ELSE構造の例）

1-6 アルゴリズムの基本構造（2）

アルゴリズムの3つの基本構造のうち、ここではループ構造について学習し、その3つのバリエーション（DO-WHILE型・REPEAT-UNTIL型・FOR型）について理解する。

●ループ構造

同じ処理を何度も繰り返し行うことをフローチャートで表現したのが、ループ構造である。ループ処理を記述する場合には、必ずループから抜け出す条件を明示しなければならない。もしこの条件が不適切なものであると、ループが永遠に終了することのない無限ループが発生してしまう。無限ループが発生してしまうのは、そのアルゴリズムの重大な誤り（バグ）である。

ループ構造は、そのループの終了を判断するタイミングの違いなどによって、次の3種類のバリエーションがある。

① DO-WHILE 型
② REPEAT-UNTIL 型
③ FOR 型

(1) DO-WHILE型

「条件が成り立っている間は処理を繰り返す」というループ構造で、処理を行う前に、繰り返し処理を終了するかどうかの判断を行うことに特徴がある。つまり、一度も繰り返しの処理が行われない場合もある。

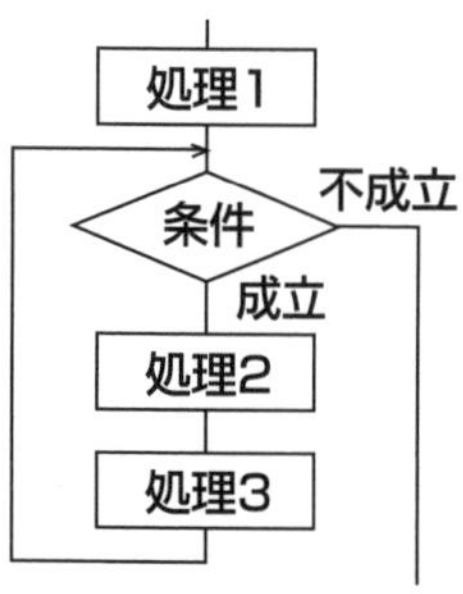

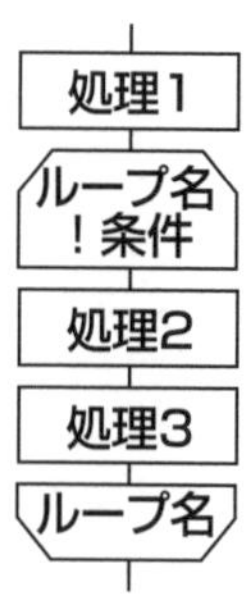

2つのループ記号ではさまれている処理を繰り返す。ループ名はどちらも同じ名前を付ける。条件はループ始端記号に書く。

ループ構造をフローチャートで表現するには、判断記号で記述する場合とループ端記号で記述する場合がある。DO-WHILE型のループ構造をこの2つの方法で記述してみる。どちらも内容的にはまったく同じアルゴリズムである。

この単元のキーワード

- □ループ構造
- □DO-WHILE型
- □REPEAT-UNTIL型
- □FOR型
- □カウンタ

(2) REPEAT-UNTIL型

「条件が成立するまでは処理を繰り返す」というループ構造で、繰り返しの処理を行った後でもう一度繰り返すかどうかの判断をするところに特徴がある。つまり、どんな場合にでも一度は処理を行うことになる。

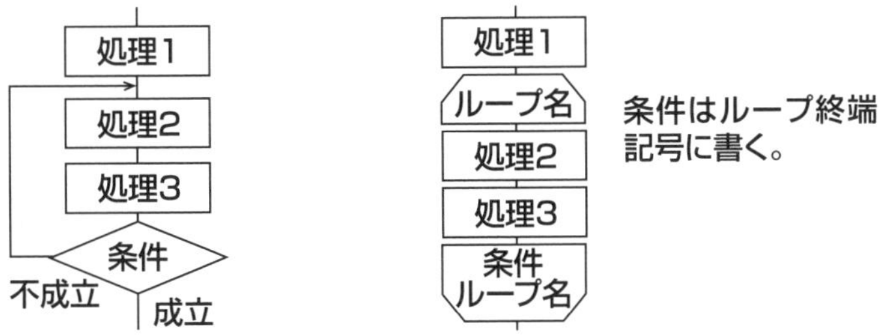

(3) FOR型

「n回繰り返したら終了する」というように、繰り返しの回数がわかっているときの繰り返し処理である。FOR型のループ構造をフローチャートで記述するには、ループ内で繰り返した回数を数えて終了を判断する方法と、ループ記号で簡略化して書く方法がある。実際に繰り返した回数を数えるには、回数を数えるための変数を用意する。この変数は特に**カウンタ**と呼ばれることがある。たとえば、CNTという名前のカウンタを使って'処理1'を10回繰り返すフローチャートは、次のようになる。

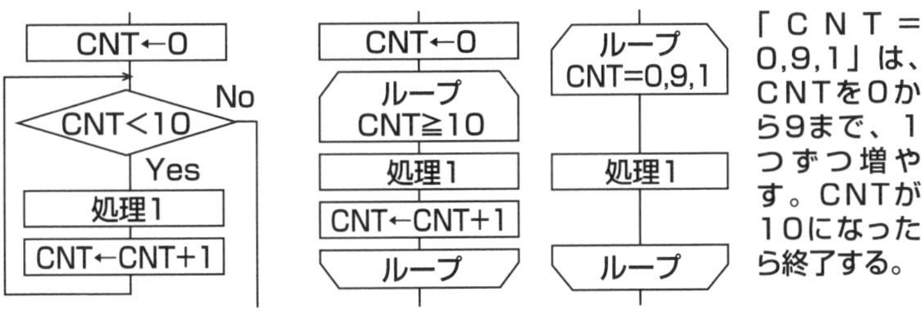

◀この3つのフローチャートは、まったく同じアルゴリズムを記述している。変数CNTに最初に数値0を入れておく。ループ処理を開始する前に終了するかを判断する。CNTが10になっていたら、10回繰り返したことになるから終了する。CNTが10になっていなければ、繰り返し処理(処理1)を実行してCNTに1を加える。3つのフローチャートはまったく同じアルゴリズムであるにもかかわらず、表現方法はいろいろある。これはフローチャートの長所でもあり短所でもある。

フローチャート中にある「CNT←CNT+1」が繰り返した回数を数える処理である。この処理は右辺で変数'CNT'の値に1を加えたものを左辺の変数'CNT'に上書きするというもので、この処理を実行するたびに変数CNTに1が加算される。繰り返しのたびにこの処理を一度実行することから、結果的にCNTの値は繰り返した回数と一致する。カウンタの名前は任意のものでよく、I,J,K,Lなどもよくカウンタとして使われる名前である。

1-7 集計処理のアルゴリズム

アルゴリズムの集計処理について、整数の合計を求める、配列を使って合計を求めるという2つの具体例をとおして理解していく。

●1から10までの整数の合計を求める

1から10までの合計、「1+2+3+4+5+6+7+8+9+10」を求める。このアルゴリズムは「たす数を1から順番に1ずつ増やして行き、10まで繰り返す」と考えられる。これを判断記号によるフローチャート（左）とループ端記号によるフローチャート（右）でそれぞれ表現すると、次のようになる。

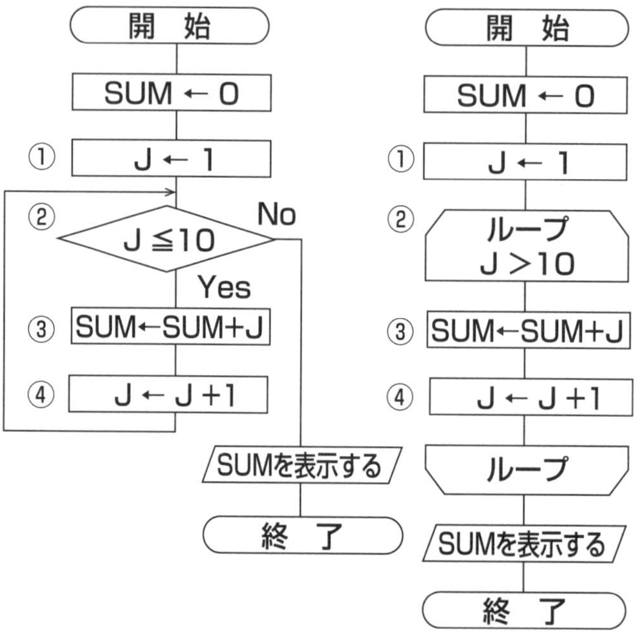

◀フローチャートの開始位置と終了位置には、端子記号で必ずそれを明記しなければならない。

① Jはたす数を記憶する変数で、1からたすために**初期値**を1にしている。

② Jが10を超えたら繰り返しを終了する。

③ SUMは合計（累計）を記憶するための変数で、それまでの累計（SUM）に記憶されている値にたす数（J）を加え、その

結果を左辺のSUMに上書きする。これによって累計を求めることができる。

④「J←J＋1」は前出のカウンタである。繰り返すごとにJの値が1ずつ増えることを利用している。

この単元のキーワード
□初期値
□カウンタ

●配列を使って合計を求める

Nという名前の配列に数値が入っているものとする。数値は配列の先頭から連続してセットされ、最後にゼロがセットされているものとする。すなわち、配列の先頭から数値を見ていき、ゼロが出てきたらそこでデータの終了とみなす。このような配列の数値の合計を求めるには、次のようなアルゴリズムが必要になる。

N(0)	50
N(1)	60
N(2)	40
N(3)	90
N(4)	80
N(5)	70
N(6)	0

配列の例

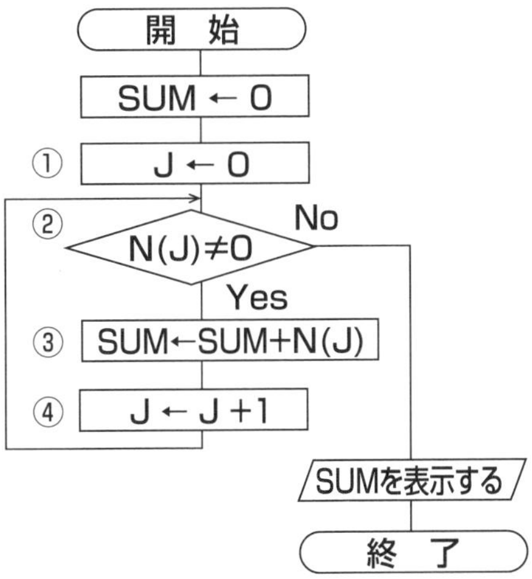

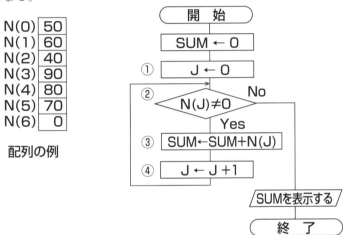

配列は添字を変えることで、任意の要素を参照できる。ここでは添字に変数Jを使っている。

① 添字はゼロから始まるため、Jに初期値ゼロをセットしている。

② 添字Jで参照される値がゼロなら、繰り返しを終了する。

③ SUMは累計を記憶するための変数で、N（J）の値を加算していく。

④ Jは**カウンタ**であるため、繰り返されるごとに1ずつ値を増やす。その結果、N（J）は繰り返すごとに次の要素を参照することになる。

ここでたとえば、平均値を合計の代わりに表示したいとする。このときには、最後の「SUMを表示する」を「**SUM／J**を表示する」に変えればよい。Jの値はデータの数と一致しているため、合計をデータ数であるJで割り算すれば平均が得られるのである。

◀**SUM／J**：割り算は÷ではなく／（スラッシュ）で示す。

第1章　データ構造とアルゴリズム

1-8 最大値・最小値のアルゴリズム

最小値を求めるアルゴリズム、最大値・最小値を同時に求めるアルゴリズムについて、具体例をとおして理解していく。

●最大値を求める

学校で100点満点のテストをした結果、生徒一人ひとりの得点を配列Nの先頭から続けてセットした。データの最後には‘－1’が入っている。このとき、最高得点を求めるアルゴリズムは、次のようになる。

◀この例の場合、データの最後に‘－1’を入れておき、これを終了条件にしている。このような終了条件は、アルゴリズムの設計者が自分で決めなければならない。この例では必ずしも‘－1’である必要はないが、もし‘0’がデータの最後だと決めてしまうと、途中にたまたま0点の人がいたら、そこで処理が終わってしまうのである。これは重大な設計ミスになってしまう。ループの終了条件を決めるには、細心の注意が必要である。

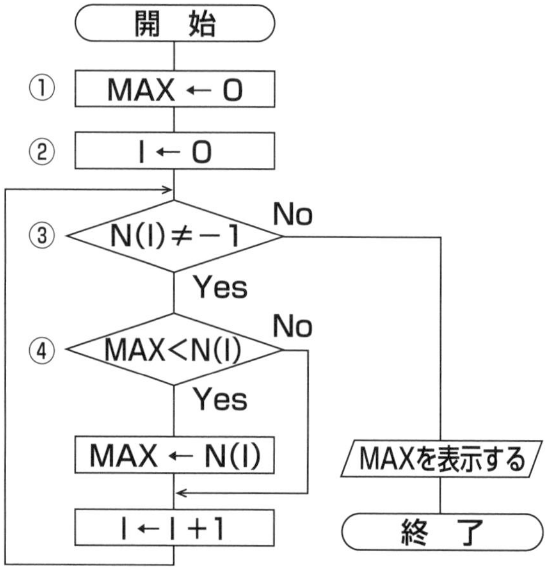

① MAXは最大値を記憶しておくための変数である。初期値には考えられる最小の値をセットしておく（この場合、得点のデータであるためゼロでよい）。

② Iは配列の要素を順番に参照するための添字に使うカウンタである。先頭の要素から参照するため、初期値はゼロにセットしている。

③ ‘－1’が出てきたら終了する。

④ 配列要素の数値（N（I））がMAXに現在記憶されている数

値より大きい場合、その要素の数値がこれまでの最大値ということになるため、MAXにその数値を上書きする。

それぞれの変数の内容の変化の様子を、次の配列を例として示す。

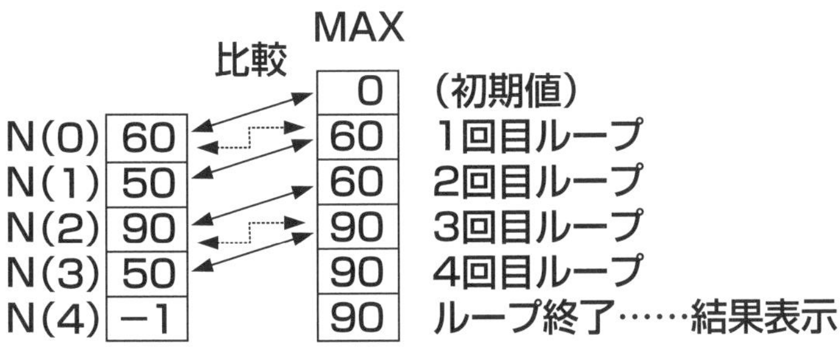

この単元のキーワード

□最大値（MAX）
□最小値（MIN）

●最大値・最小値を同時に求める

最大値・最小値を同時に求めるアルゴリズムは、次のようになる。

ここで、最小値を記憶する変数（MIN）には、考えられる最大の値を初期値としてセットすることに留意する必要がある。こうすることで、1回目のループで配列の最初の値がMAXにもMINにもセットされ、その後のループで正しい大小比較ができるようになる。最大値・最小値のアルゴリズムでは、初期値が非常に重要な意味をもつのである。

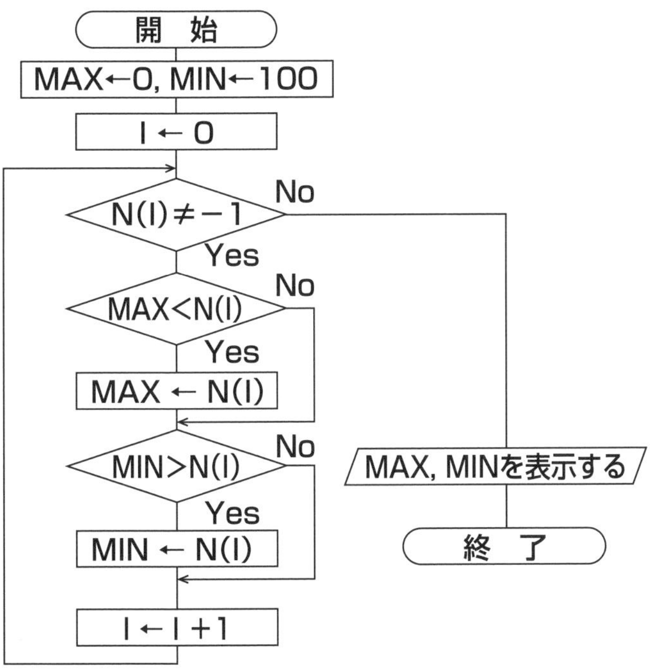

第1章　データ構造とアルゴリズム

1-9 探索アルゴリズム

特定のデータを探索するアルゴリズムのうち、線形探索法と二分探索法について、具体例をとおして理解していく。

●線形探索法

配列やファイルなどから特定のデータを見つけることを**探索**という。探索のアルゴリズムのうち、特定のデータと一致しているかどうかを端から順に調べていく方法を線形探索法または**順次探索法**と呼んでいる。

たとえば、次のような氏名の配列があるとき、'関根' という名前が何番目にあるかを調べるとする。要素の数が10で添字を1から使うとすると、1番目の要素から1つずつ順に一致しているかどうかを調べて一致したときの添字を表示すればよい。そのアルゴリズムを示す。

添字	氏名
1	末森
2	越前谷
3	小野
4	増田
5	近藤
6	関根
7	安田
8	三浦
9	佐々木
10	北村

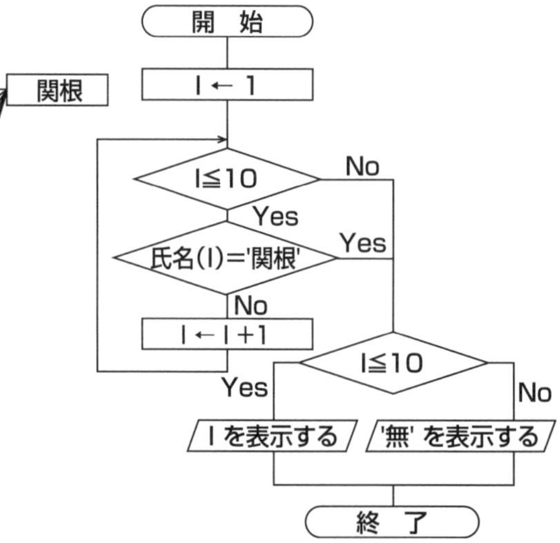

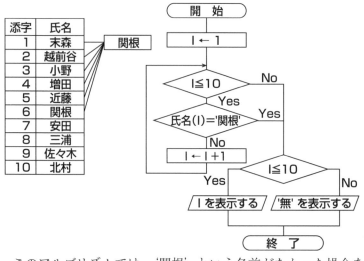

◀この例では 'I=6' が結果として表示される。

このアルゴリズムでは、'関根' という名前がなかった場合を考慮して、なかった場合には '無' と表示することにしている。データがN個で必ずその中からデータが見つかるとすれば、最大N回、平均N／2回の比較処理が必要になる。

●二分探索法

線形探索法ではデータの数が2倍になると、比較処理の回数も2倍になってしまう。そのため、データの数によって処理効率が大きく影響されてしまうという特徴がある。そこで、データの数による影響をあまり受けない二分探索法がよく利用されるのである。

二分探索法はデータが昇順（または降順）に並んでいることを前提とし、見つけたいデータが中央のデータの右にあるか左にあるかを調べて高速に検索範囲を絞り込んでいく方法である。

手順は次のとおりである。ただし、配列T（I）には数値が昇順にn個入っているものとする（添字は1から使うことにする）。

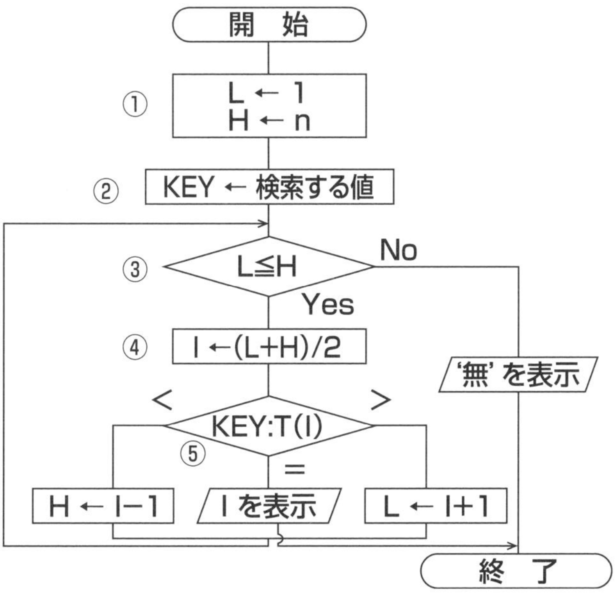

① Lに最初の要素の番号（1）を、Hに最後の要素の番号（n）をセットする。
② 探したい値を変数‘KEY’に入れる。
③ 値が見つからなかった場合には、LとHの大小関係が逆転する。そこで、‘L≦H’の間だけ処理を繰り返す。
④ LとHのちょうど中央のデータの添字をIに入れる。「(L＋H)／2」が小数になったときは、小数点以下を切り上げて整数にする。
⑤ 探したい値がLとHの真ん中のデータ（I番目のデータ）より大きいか小さいかで、範囲を絞り込んでいく。等しければ、見つかったときの処理（Iを表示）をする。

この単元のキーワード
□線形探索法
□順次探索法
□二分探索法

◀**二分探索法**：binary search

◀**データ探索の比較回数**：探索アルゴリズムのデータ比較回数は処理時間に影響する。n個のデータの中からハッシュ探索、線形探索、二分探索のそれぞれのアルゴリズムで探索した場合のデータ比較回数は下記のとおりである。ただし、ハッシュ探索ではレコードのキーから格納場所を決定するものであり、異なるデータが同じ格納場所に変換されることはないものとする（シノニムは発生しない）。

	最大比較回数	平均比較回数
ハッシュ探索	1	1
線形探索	n	n/2
二分探索	$\log_2 n + 1$	$\log_2 n$

◀たとえば、配列Tの内容が

T(1)			・・・・・・				T(8)
2	5	6	9	10	15	17	18

だとすると、L=1、H=8が①でセットされる。②でKEYに6が入ったとする。④でI=5（4.5の小数を切り上げ）になる。⑤でKEY=6、T（5）＝10だから、H←I−1が実行されてH=4になる。この段階で探索範囲はT（1）～T（4）に狭められたことになる。二分探索法では、この操作を繰り返して探索範囲を効率よく絞り込んでいく。

1-10 ソートアルゴリズム(1)

ある一定の規則に従ってデータを並べ替えるソートアルゴリズムのうち、ここでは選択法による処理手順を学ぶ。

●ソートとは

ソートは**整列**とも呼ばれ、ある一定の規則に従ってデータを並び替える処理のことである。'ある一定の規則' とは、普通は昇順または降順のことである。**昇順**とはデータの値を小さなものから大きなものへ順番に並べることで、**降順**とはその反対に大きなものから小さなものへと並べることである。

ソートにはさまざまなアルゴリズムが存在するが、ここでは最も代表的な選択法と交換法を解説する。

●選択法

ソートしたいデータの集合から、最も小さいデータを取り出す。そして、残ったデータの集合から、最も小さいデータを再び取り出す。この操作を繰り返して、取り出したデータを取り出した順番に並べておけば、データを昇順に並べ替えることができる。これが選択法の考え方である。

具体的なデータを使って、選択法を詳しく解説すると、次のような処理の流れになる。ただし、データは配列上に並んでいるものとする。配列を有効に使うために、取り出したデータを配列の先頭から順に並べている。

【選択法の処理手順】

①　次のデータを左から昇順にソートするものとする。

4	8	5	1	7

②　データの中から最も小さいものを探す（この場合は1が最も小さい）。

4	8	5	1	7

③　1を取り出して、一番左のデータ（この場合は4）と入れ替える。

1	8	5	4	7

④　残りのデータの中で最も小さいものを探す（この場合は4）。

1	8	5	4	7

⑤　4を取り出して、残りのデータの一番左（この場合は8）と入れ替える。

1	4	5	8	7

⑥　以下、同じ手順を繰り返すことで、次の結果が得られる。

1	4	5	7	8

この単元のキーワード
- □ソート
- □整列
- □昇順
- □降順
- □選択法

●選択法のフローチャート

選択法のこのアルゴリズムをそのままフローチャートで記述すると、次のようになる。ただし、データは配列Aに入っていて、添字は1から始まるものとする。

◀選択法のフローチャートには、いくつかのバリエーションがある。前述のアルゴリズムを実現するものであればよい。

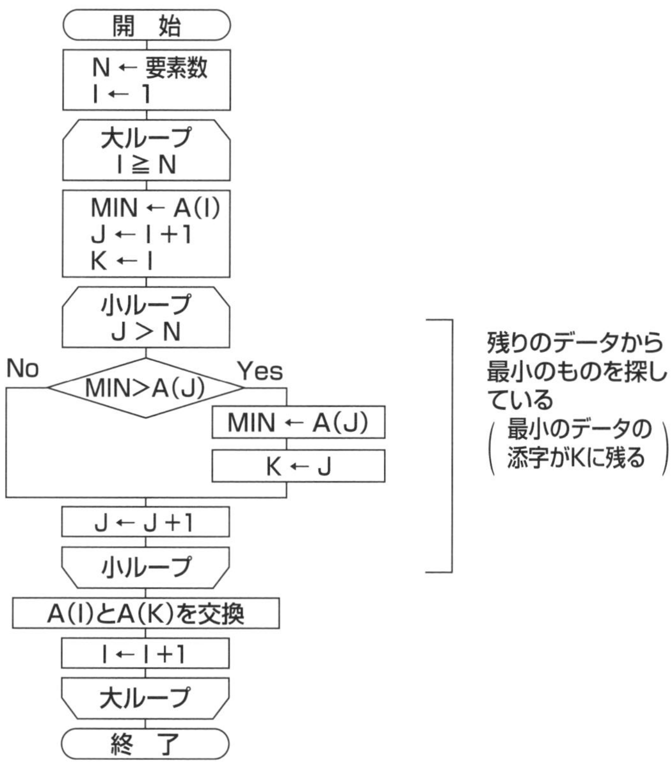

1-11 ソートアルゴリズム(2)

前節で説明したソートアルゴリズムのうち、ここでは交換法による処理手順を学ぶ。

●交換法

配列の末尾から先頭に向かって隣り合うデータの値を比較して、並びが逆順であれば交換する。配列の先頭まで来たら、また末尾に戻る。これを交換する必要がなくなるまで繰り返し、交換の必要がなくなったらソートが終了したとみなす。このような整列の考え方を交換法または**バブルソート**という。

具体的なデータを使って、交換法を詳しく解説すると、次のような処理の流れになる。

【交換法の処理手順】

① 次のデータを左から昇順にソートするものとする。

4	8	5	1	7

② 末尾から先頭に向かって隣り合うデータの大小関係を比較し、並び順が逆なら交換する。

4	8	5	1	7	… 1と7は交換不要
4	8	1	5	7	… 5と1を交換する
4	1	8	5	7	… 8と1を交換する
1	4	8	5	7	… 4と1を交換する

このとき小さい値が、ちょうど泡が水面に浮いてくるように配列の先頭に運ばれてくることから、バブル（泡）ソートとも呼ばれているのである。

末尾から先頭まで一度比較交換が終了すると、配列の先頭には必ず一番小さい値が来ていることになる。したがって、次の比較交換は2番目のデータまで行えばよい。

③ 再び末尾から先頭に向かって隣り合うデータの大小関係を比較し、並び順が逆なら交換する。ただし、今回は先頭から2

番目までのデータを調べればよい。

1	4	8	5	7	… 5と7は交換不要
1	4	⑤	8	7	… 8と5を交換する
1	4	5	8	7	… 4と5は交換不要

この単元のキーワード
□交換法
□バブルソート

④　さらに、末尾から先頭に向かって隣り合うデータの大小関係を比較し、並び順が逆なら交換する。ただし、今回は3番目までのデータを調べればよい。

1	4	5	⑦	8	… 8と7を交換する
1	4	5	7	8	… 5と7は交換不要

⑤　最後に、7と8を比較するが、交換不要のためソートは終了する。

1	4	5	7	8	… 7と8は交換不要

●交換法のフローチャート

◀交換法のフローチャートには、いくつかのバリエーションがある。前述のアルゴリズムを実現するものであればよい。

交換法のこのアルゴリズムをそのままフローチャートで記述すると、次のようになる。ただし、データは配列Aに入っていて、添字は1から始まるものとする。

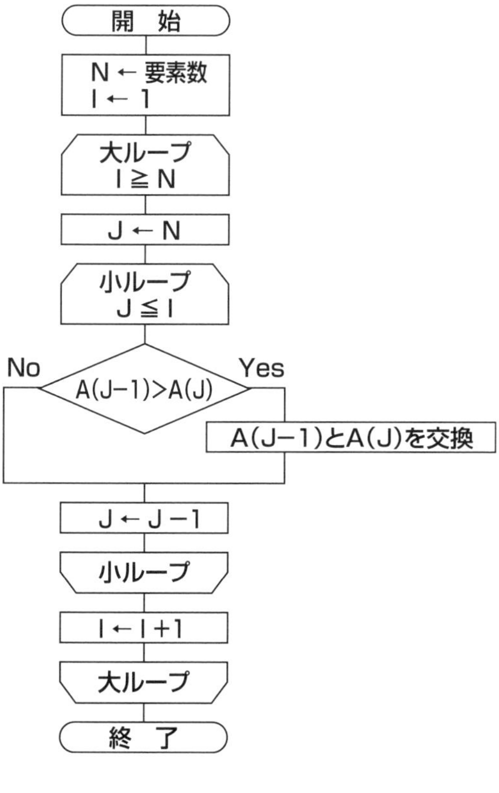

◀2つの変数（A, B）の値を交換することを次のように表すことがある。

D←A
A←B
B←D

いきなりA←Bとすると、Aの値にBの値が上書きされて消えてしまうため、Aの値をダミーの変数‘D’にいったん退避しておくのである。

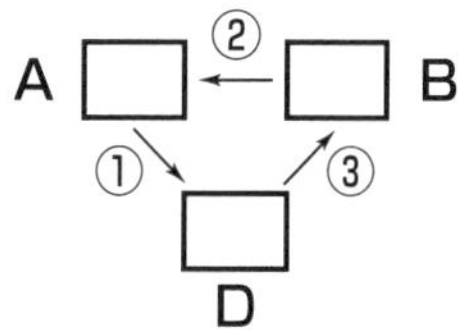

1-12 ファイル処理のアルゴリズム

ファイルに記録されたレコードの集計を行うグループ集計処理と、マスタファイルの内容を更新するマッチング処理のアルゴリズムについて学習する。

●グループ集計処理

ファイルに記録された大量のレコードを処理するために、ファイル処理のアルゴリズムが用いられる。今日ではデータベースの利用が進んでおり、SQLを用いれば、手軽に処理を実現することができる。一方で、データベースを使わずに、大量のレコードを順編成ファイルに記録する伝統的な方法も、依然として用いられている。ここで学習するアルゴリズムは、順編成ファイルに記録されたレコードに各種の処理を行うためのものである。

①　商品別売上合計を求める

「グループ集計処理」は、同一グループに属するレコードの値を集計するアルゴリズムである。たとえば、次のような売上レコードを考える。

商品番号	売上金額
003	300
003	200
019	1,700
027	150
027	200
027	250

ここでのグループは「商品番号」であり、グループ集計処理によって商品別の売上合計を求めることができる。なお、売上レコードは、商品番号をキーとして昇順にソートしておく必要がある。

②　コントロールブレイク

処理手順は、売上レコードを順に読み込んで売上金額を加算していく。グループ（商品番号の値）が変わった時点で、今までの商品の売上合計を表示する。これを「コントロールブレイク」という。この例では、3行目のレコードを読んだ時点で最初のコントロールブレイクが発生し、商品番号003の売上合計を表示する。

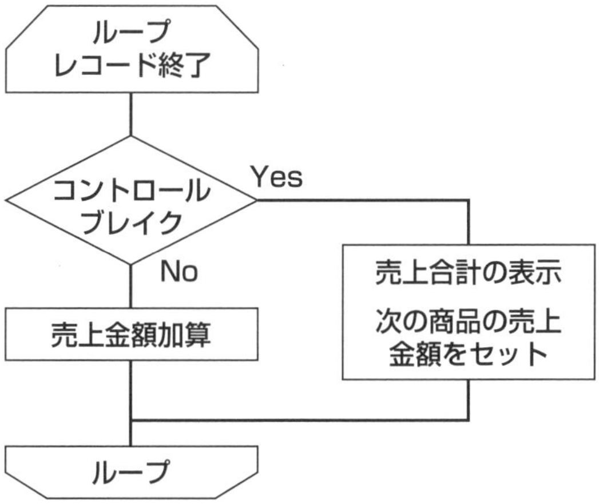

この単元の
キーワード
□グループ集計処理
□コントロールブレイク
□マッチング処理
□商品マスタファイル
□トランザクションファイル

●マッチング処理

複数のファイルを特定の項目どうしで比較して行う処理を「マッチング」という。ここでは、商品マスタファイルのレコードをトランザクションファイルで更新する処理を取り上げる。

●商品マスタファイル●

商品コード	商品名	単価
003	A	100
019	B	500
027	C	50

●トランザクションファイル●

商品コード	処理区分	商品名	単価
019	変更	B	550
023	追加	D	1200

この処理では、商品コード019の商品の単価が550円に変更され、商品コード023の新しい商品が商品マスタファイルに追加される。新しい商品マスタファイルは、右図のようになる。

●新商品マスタファイル●

商品コード	商品名	単価
003	A	100
019	B	550
023	D	1200
027	C	50

処理に先立って、商品マスタファイルとトランザクションファイルは、商品コードをキーにして昇順にソートをしておく必要がある。

新商品マスタファイルは、旧商品マスタファイルにトランザクションファイルの情報を反映して、新たに作成することになる。処理手順は次のようになる。

① トランザクションファイルのレコードを読んで、商品コードを記憶する（T-Code）。

② 商品マスタファイルのレコードを読んで、商品コードを記憶する（M-Code）。

③ M-Code＜T-Code のときは、マスタファイルのレコードをそのまま新商品マスタファイルに書き出し、②へ戻る。

④ M-Code＝T-Code のときは、トランザクションファイルの変更内容を反映して新マスタファイルに書き出し、①へ戻る。

◀④の処理区分が「追加」のときは①へ戻り、②のマスタファイルの読み込みはスキップする。

1-13 その他のアルゴリズム

最大公約数を求める「ユークリッドの互除法」と素数を求めるエラトステネスのふるい」について学習する。

●ユークリッドの互除法

二つの整数a、bの最大公約数を求めるアルゴリズムである。その手順を示す。なお、MOD（x, y）はxをyで割ったときの余りを求める関数である。

【ユークリッドの互除法の手順】

① a÷bの商をq、余りをrとする。
② r＝0ならばbが最大公約数となり手順を終了する。
　r≠0ならばbをaに、rをbにして①へ戻る。

フローチャートは次のようになる。

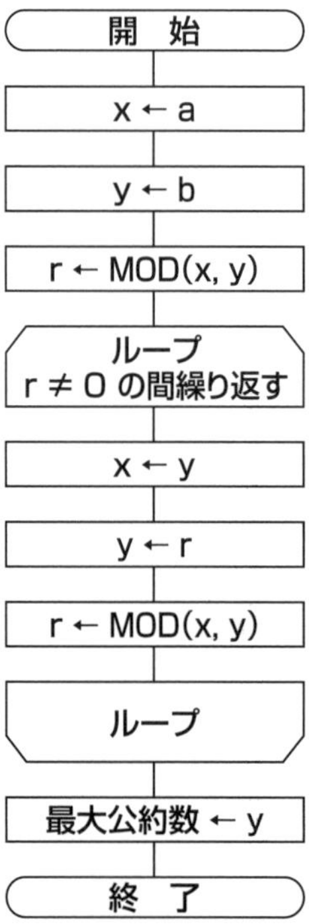

●エラトステネスのふるい

この単元のキーワード
□ユークリッドの互除法
□エラトステネスのふるい

素数を求めるアルゴリズムである。整数nまでの素数を次のように求める。

【エラトステネスのふるいの手順】

① 2からnまでの整数を配列Data(0)～Data(n−2) に格納する。
② 小さい方から順に0でない要素を選び、その倍数をすべて0にする。
③ 2の操作を要素が$\sqrt{n}$より小さい間繰り返す。
④ 最後に配列Dataの中で0でない要素が、素数である。

次に、フローチャートを示す。添え字は0から始まる。

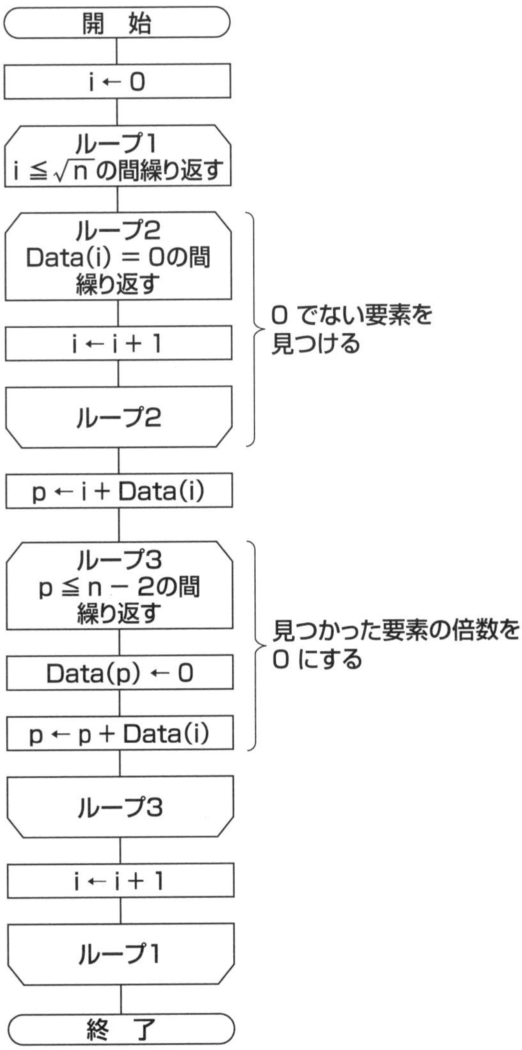

第1章　データ構造とアルゴリズム

1-14 再帰呼出し

プログラム（モジュール）の中から自分自身を呼び出す再帰呼出しについて学ぶ。再帰呼出しを用いると複雑な処理を単純な形で表現することができる。

この単元のキーワード
□再帰
□再帰呼出し

●再帰呼出しの例

nの階乗（n!＝n×(n−1)×(n−2)×…×2×1。ただし、0!＝1）を、再帰呼出しを用いて求める。

【nの階乗を求める擬似言語プログラム】

```
○Fact（整数型：n）
/* 階乗の計算をする */
▲ n＝0 or n＝1
│ ・return 1
├──────────────
│ ・return n × Fact（n-1）
▼
```

2 × 1

[例] n = 4 を求める場合

① 主プログラムからFactに4が渡される。
② Factでは渡された引数から1を引いたものをFact（自分自身）に次々と渡していく。
③ 1が渡されたFactでは、戻り値として1を返す。
④ 2が渡されたFactでは、2×1＝2を返す。
⑤ 3が渡されたFactでは、3×2＝6を返す。
⑥ 4が渡されたFactでは、4×6＝24を返す。
⑦ 主プログラムには24が返される。

・主プログラム

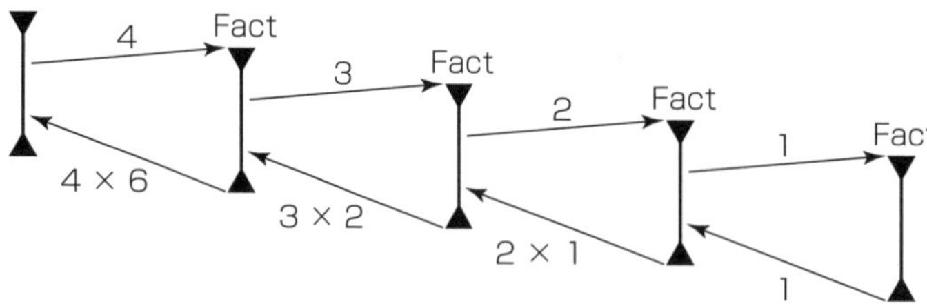

確認問題

▶解答と解説は別冊20ページ〜

●第１章　データ構造とアルゴリズム

◆問3-1-1　その手続きの中から自分自身を呼び出す再帰的な手続きを実行するとき、必要なデータを記憶しておくのに最も適切なデータ構造はどれか。

ア．木　　イ．キュー　　ウ．グラフ　　エ．スタック

◆問3-1-2　すべての葉を持つ完全2分木がある。この完全2分木で成り立つ関係式はどれか。ここで、nは節点（ノード）の個数、k（k≧1）は根から葉までの階層数を表す。

例の階層数は3である。

例

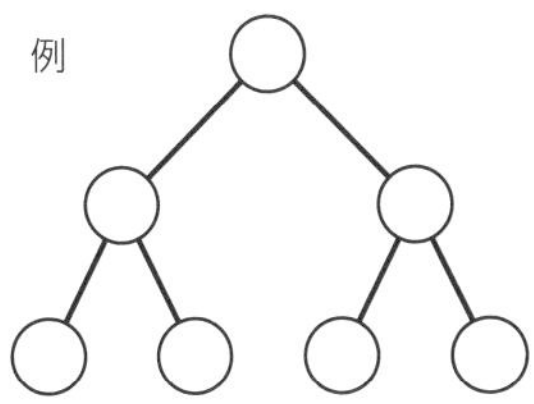

ア．$n=k(k-1)+1$　　イ．$n=k(k-2)+3$　　ウ．$n=2^k-1$　　エ．$n=2^k+1$

◆問3-1-3　次のような構造を持った線形リストについて、正しい記述はどれか。

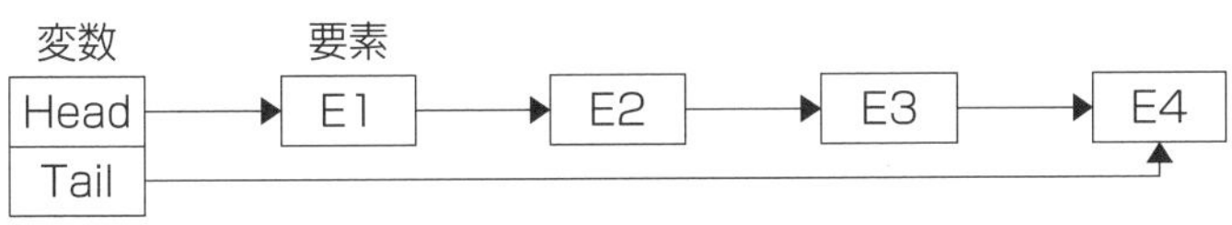

ア．要素の削除に要する処理量は、先頭と最後尾とでほぼ同じである。

イ．要素の追加と取り出し（読み出し後削除）を最後尾で行うスタックとしての利用に適している。

ウ．要素の追加に要する処理量は、先頭と最後尾とでほぼ同じである。

エ．要素の追加は先頭に、取り出し（読み出し後削除）は最後尾からとするFIFO（先入れ先出し法）のキューとしての利用に適している。

◆問3-1-4　配列に次のようにデータが格納されている。探索キーを40として二分探索法を用いるとき、何回のキーの比較で該当のデータを探し出せるか。

11	15	16	19	25	29	30	40	41	46	53	55	56	67	70	76	78	81	84	90

ア．3　　イ．4　　ウ．5　　エ．6

◆問3-1-5　整数値からなるn個（ただし、n≧2）のデータが、配列Tに格納されている。次の流れ図は、それらのデータを交換法を用いて昇順に整列する処理を示す。流れ図中のaに入れるべき適切な条件はどれか。

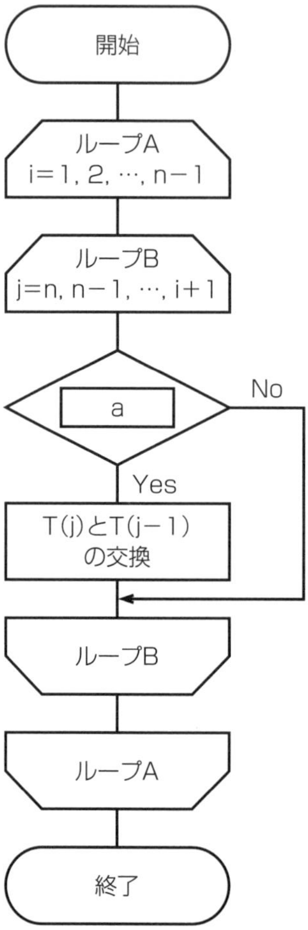

ア．T（j）＜T（j＋1）　　イ．T（j）＜T（j－1）
ウ．T（j）＝T（j－1）　　エ．T（j）＞T（j＋1）

◆問3-1-6　流れ図は多項式の計算において、乗算の回数をできるだけ少なくするアルゴリズムである。n＝4のとき、

$P(x) = a_4x^4 + a_3x^3 + a_2x^2 + a_1x + a_0$

を計算すると、乗算は何回実行されるか。

（流れ図）

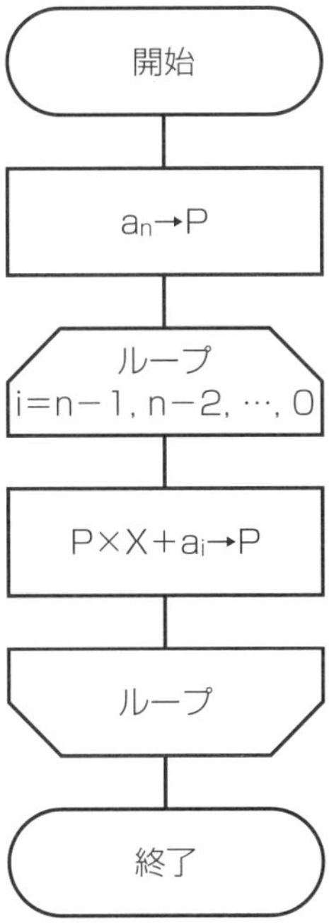

ア．2　　イ．3　　ウ．4　　エ．5

◆問3-1-7　スタックに次の2つの操作を行う。

PUSH　n：スタックにデータ（整数n）をプッシュ（格納）する。

POP　　：スタックからデータをポップ（取り出す）する。

最初は空のスタックに、次の操作を行ったら、最後にPOPしたデータは何か。

【操作順序】

PUSH 2　→　PUSH 6　→　POP　→　PUSH 3　→　POP　→　POP　→　PUSH 7

ア．2　　イ．3　　ウ．6　　エ．7

過去問題

★☆問1-1　次のデータ構造に関する記述を読み、各設問に答えよ。

リストとは、データ構造の一つであり、データの格納場所を示すポインタによって複数のデータが連結されたものである。

図1は単方向リストといい、先頭から順番にポインタをたどってデータにアクセスし、逆方向にたどれない特徴がある。

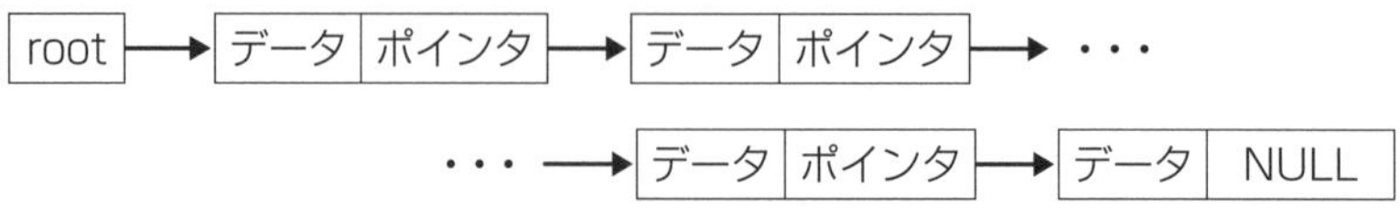

図1　単方向リスト

rootは最初のデータが格納されている場所を示すポインタである。

ポインタは、次のデータが格納されている場所を示すものであり、最後のデータのポインタにはNULLが入る。

単方向リストをメモリ上に展開したものが図2である。データは全てが昇順に並んでいる。

root 1006

番地	内容	
1000	1012	…データ
1001	1012	…ポインタ
1002	1004	
1003	1010	
1004	1024	
1005	NULL	
1006	1000	
1007	1002	
1008	1020	
1009	1004	
1010	1008	
1011	1000	
1012	1016	
1013	1008	
1014	1018	
1015		

図2　メモリ上の単方向リスト

＜設問１＞　次の単方向リストの操作に関する記述中の［　　　］に入れるべき適切な字句を解答群から選べ。

図2の単方向リストから1000番地にあるデータ「1012」を削除する場合を考える。その場合、1011番地にあるポインタを［　1　］に変更する。

また、1014番地にある「1018」を単方向リストに挿入する場合を考える。その場合、次の2つの手順で挿入することができる。

① 1013番地にあるポインタを [2] に変更する。

② 1015番地にあるポインタを [3] に変更する。

【1～3の解答群】

ア．1000　イ．1004　ウ．1008　エ．1012

オ．1014　カ．1018　キ．1022　ク．1026

1:	2:	3:

＜設問２＞　次のリストと配列に関する記述中の [ ] に入れるべき適切な字句を解答群から選べ。

データ数が100個で、あらかじめ昇順に並べ替えられている配列にデータの挿入と削除を行う場合のデータ移動回数を考える。なお、配列要素は操作に必要な要素数を十分に確保している。

配列にデータを挿入する場合は、データを挿入したい位置以降のデータを、配列の最後尾のデータから一つずつ後ろに移動していく。また、配列からデータを削除する場合は、削除したデータ以降のデータを一つずつ前に移動する。

ここで、先頭から30番目にデータを挿入するとき、データの移動回数は [4] 回になる。また、先頭から70番目のデータを削除するとき、データの移動回数は [5] 回になる。

リスト構造でデータを挿入、削除するときはデータの移動は [6] 。

【4、5の解答群】

ア．30　イ．31　ウ．70　エ．71

4:	5:

【6の解答群】

ア．ない

イ．配列と同様の回数となる

ウ．配列より多くの回数となる

6:

（令和2年度後期　プログラミングスキル　問題1）

★☆問1-2　次の挿入法によるデータの整列に関する説明を読み、各設問に答えよ。

1次元配列h［0］～h［4］までデータが格納済みである。このデータに対して挿入法により降順に整列する流れ図である。次に示す「挿入法の手順」をmが1～4まで繰り返すことにより整列が完了する。

［挿入法の手順］

h［0］～h［m－1］まで降順に整列されているとき、h［m］を格納すべき位置を見つけて挿入する手順は、次のようになる。

① h［m］の内容をwに退避する。

② kをm－1とする。

③ h［k］の内容がw以上であれば、格納すべき位置を見つけたことになるので④に進む。そうでなければ、h［k］の内容をh［k+1］へ格納してkから1を引き、③へ戻る。

④ wをh［k+1］へ格納する。

＜設問１＞　挿入法による処理が進行中の図1の状態で空欄に入れるべき適切な字句を解答群から選べ。

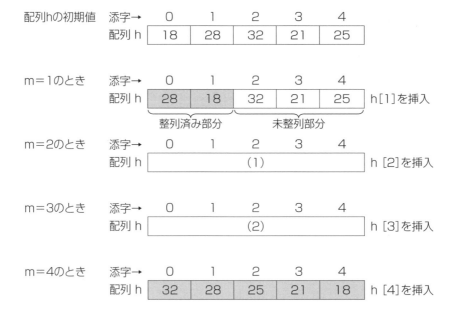

配列hの初期値

添字→	0	1	2	3	4
配列 h	18	28	32	21	25

m＝1のとき

添字→	0	1	2	3	4	
配列 h	28	18	32	21	25	h[1]を挿入

（0～1：整列済み部分、2～4：未整列部分）

m＝2のとき

添字→	0	1	2	3	4	
配列 h			(1)			h [2]を挿入

m＝3のとき

添字→	0	1	2	3	4	
配列 h			(2)			h [3]を挿入

m＝4のとき

添字→	0	1	2	3	4	
配列 h	32	28	25	21	18	h [4]を挿入

図１　挿入法による処理が進んでいく過程

【1、2の解答群】

ア.	32	21	18	25	28
イ.	32	25	21	18	28
ウ.	32	25	18	21	28
エ.	32	25	18	28	21
オ.	32	28	18	21	25
カ.	32	28	21	18	25

1:	2:

＜設問２＞　図2の挿入法を用いた流れ図中の[　　　]に入れるべき適切な字句を解答群から選べ。

【3の解答群】

ア．h［k－1］：h［k］　　イ．h［k］：w　　ウ．h［m］：w

3:

【4の解答群】

ア．k←1　　イ．k←k－1　　ウ．k←k＋1

4:

【5の解答群】

ア．h［k］←w　　イ．h［k＋1］←w　　ウ．h［m］←w

5:

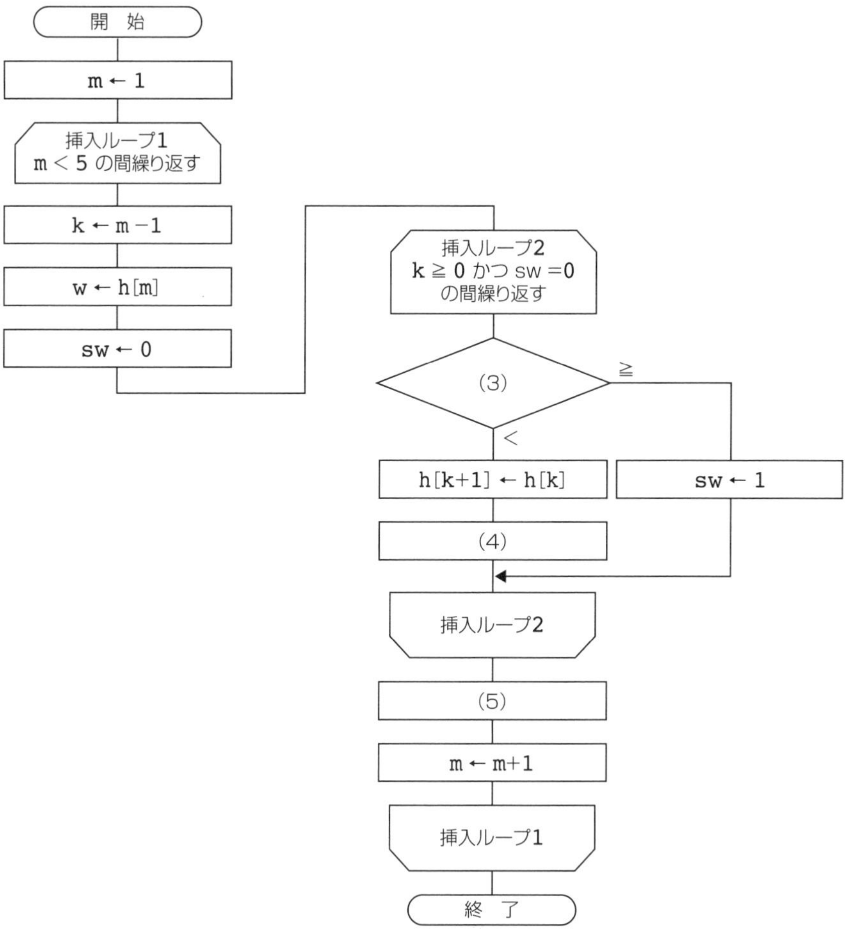

図２　挿入法を用いた流れ図

（令和4年度前期　プログラミングスキル　問題2）

★☆問1-3　次の再帰呼び出しに関する記述を読み、各設問に答えよ。

関数において自身を呼び出すことを再帰呼び出しと呼ぶ。再帰呼び出しを利用することで処理を単純に記述できる場合がある。

なお、再帰呼び出しを利用する場合は必ず処理を終える構造にする必要がある。例えば図1の流れ図では、関数Fはxが1以下であれば関数Fを呼び出さずに処理を終えている。また、関数を呼び出す時にスタック領域にその時点のデータを記憶するため、再起呼び出しを多用するとスタック領域があふれてしまうので注意する必要がある。

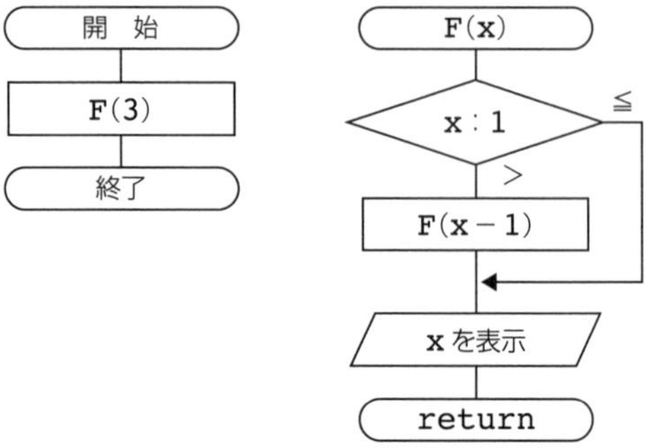

図1　関数Fを再帰呼び出しする

＜設問1＞　次の再帰呼び出しに関する記述中の［　　　］に入れるべき適切な字句を解答群から選べ。

図1の流れ図を検証する。関数Fはデータを変数xで受け取るが、xが1より大きい時は関数Fを呼び出す。関数Fの動作を追跡すると次のようになる。

①関数Fが最初に呼び出された時は引数に3が与えられているため、変数xには3が格納される。よって、x－1を引数として関数Fを呼び出す。

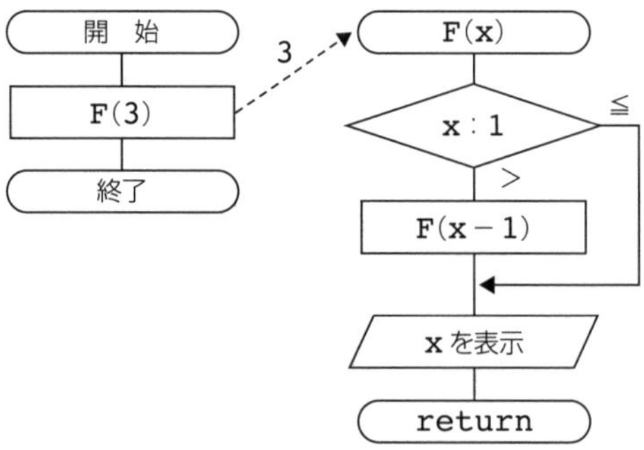

図2　最初の関数Fの呼び出し

②2回目の関数Fの呼び出しでは引数に2が与えられているため、変数xには2が格納される。よって、x－1を引数として関数Fを呼び出す。

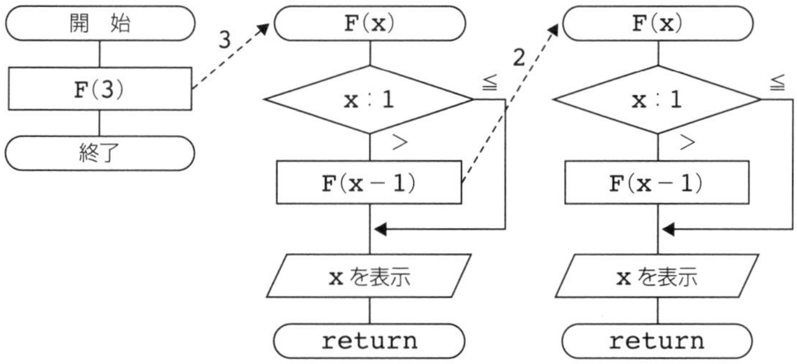

図3　2回目の関数F呼び出し

③3回目の関数Fの呼び出しでは引数に1が与えられているため、変数xには1が格納される。よってxを表示して復帰する。この時表示される値は［ 1 ］である。

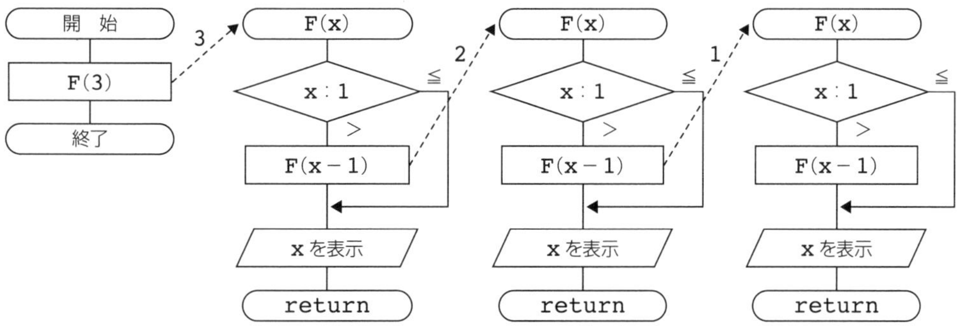

図4　3回目の関数F呼び出し

④3回目の関数Fの呼び出しから復帰する点は、3回目に関数Fを呼び出した次の処理であるから、xを表示して復帰する。この時表示される値は［ 2 ］である。

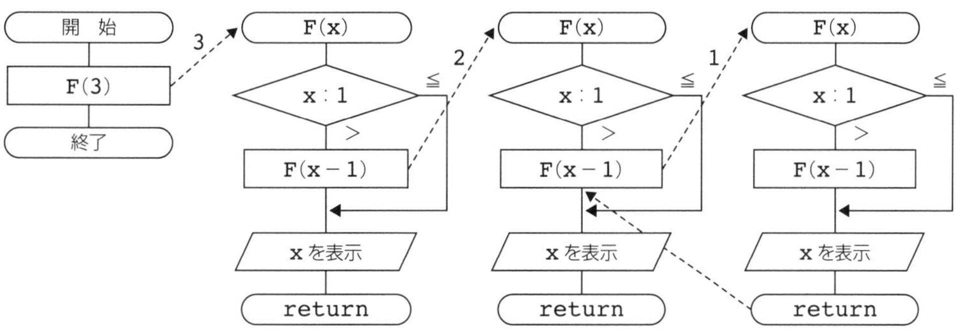

図5　3回目の呼び出しからの復帰

⑤2回目の関数Fの呼び出しから復帰する点は、2回目に関数Fを呼び出した次の処理であるから、xを表示して復帰する。この時表示される値は［ 3 ］である。

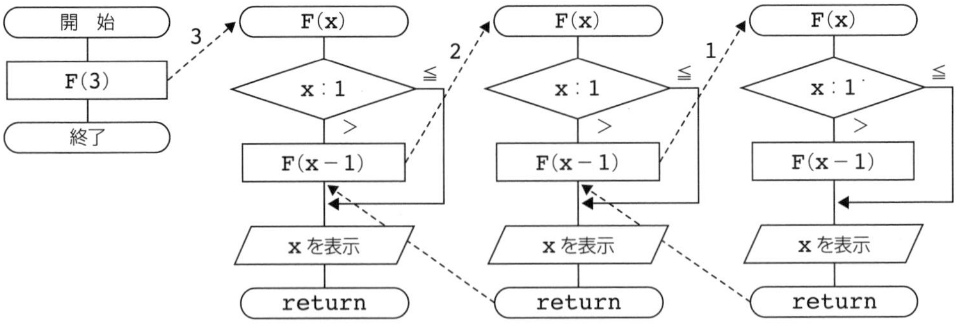

図6　2回目の呼び出しからの復帰

このようにして最初に関数Fを呼び出した処理の次に復帰して終了する。

【1～3の解答群】

ア．0　　イ．1　　ウ．2　　エ．3

1:	2:	3:

＜設問２＞　次の漸化式に関する記述中の［　　］に入れるべき適切な字句を解答群から選べ。

自然数を用いた数列を漸化式で表現したものは再帰呼び出しで処理することができる。例えば、1からnまでの整数値の和は1＋2＋3＋…＋nであるが、漸化式で次のように表現できる。

$$\begin{cases} n=1 \cdots F_1=1 \\ n>1 \cdots F_n=F_{n-1}+n \end{cases}$$

ただし、n≧1

この漸化式を流れ図で表現したものが図7である。

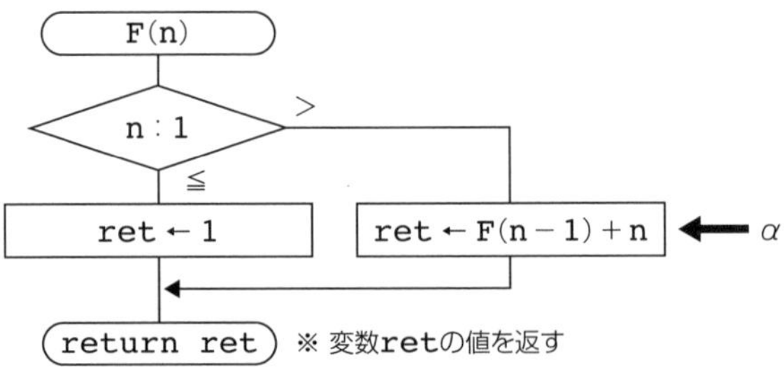

図7　1からnまでの和を求める処理

図7のα部分を実行する時、まず関数Fの呼び出しが行われ、nとの加算が行われるのは関数Fの呼び出しから復帰した時点になる。ここで、図7の流れ図を「F（3）」として呼び出した場合、流れ図中α部分の加算が最初に実行される時の「F（n－1）」の返却値は［ 4 ］でありnの値は［ 5 ］である。

【4、5の解答群】

ア．0　　イ．1　　ウ．2　　エ．3

4:　　5:

＜設問３＞　次のフィボナッチ数列に関する記述および流れ図中の［　　］に入れるべき適切な字句を解答群から選べ。

フィボナッチ数列は次の漸化式で表すことができる。

$$\begin{cases} F_0 = 0 \\ F_1 = 1 \\ F_{n+2} = F_n + F_{n+1} \end{cases}$$

ただし、n≧0

これにより、フィボナッチ数列の第5項（F_5）は［　6　］であり、第7項（F_7）は［　7　］であることがわかる。

図8は、フィボナッチ数列の第n項を返却する流れ図である。

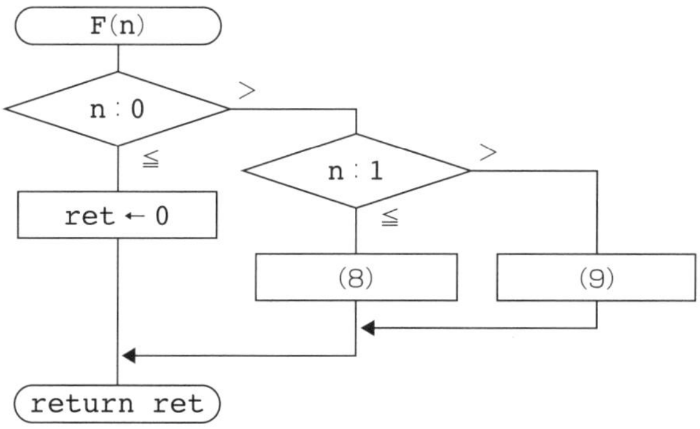

図８　フィボナッチ数列の第ｎ項を求める処理

【6、7の解答群】

ア．5　　イ．8　　ウ．13　　エ．21

6:　　7:

【8、9の解答群】

ア．ret ← 0　　イ．ret ← 1

ウ．ret ← F（0）　　エ．ret ← F（1）

オ．ret ← F（n）　　カ．ret ← F（n＋1）＋F（n＋2）

キ．ret ← F（n－1）＋F（n－2）

8:　　9:

（令和2年度前期　プログラミングスキル　問題3）

第2章

擬似言語

※この章は、「情報システム試験プログラミングスキル」における擬似言語問題の過去問、サンプルおよびオリジナル問題を掲載しています。

問題で使用する擬似言語の仕様は以下のとおりである。

〔擬似言語の記述形式の説明〕

記述形式	説明
○*手続名又は関数名*	手続又は関数を宣言する。
型名：*変数名*	変数を宣言する。
/* *注釈* */	注釈を記述する。
// *注釈*	
変数名←*式*	変数に*式*の値を代入する。
手続名又は関数名（*引数*, …）	手続又は関数を呼び出し、*引数*を受け渡す。

if（*条件式1*）
　処理1
elseif（*条件式2*）
　処理2
elseif（*条件式n*）
　処理n
else
　処理n＋1
endif
	選択処理を示す。
	*条件式*を上から評価し、最初に真になった*条件式*に対応する*処理*を実行する。以降の*条件式*は評価せず、対応する*処理*も実行しない。どの*条件式*も真にならないときは、*処理n＋1*を実行する。
	各*処理*は、0以上の文の集まりである。
	elseifと*処理*の組みは、複数記述することがあり、省略することもある。
	elseと*処理n＋1*の組みは一つだけ記述し、省略することもある。

while（*条件式*） 　*処理* endwhile	前判定繰返し処理を示す。 *条件式*が真の間、*処理*を繰返し実行する。 処理は、0以上の文の集まりである。
do 　*処理* while（*条件式*）	後判定繰返し処理を示す。 *処理*を実行し、*条件式*が真の間、*処理*を繰返し実行する。 *処理*は、0以上の文の集まりである。
for（*制御記述*） 　*処理* endfor	繰返し処理を示す。 *制御記述*の内容に基づいて、*処理*を繰返し実行する。 *処理*は、0以上の文の集まりである。

〔演算子と優先順位〕

演算子の種類		演算子	優先度
式		( )　.	高
単項演算子		not　＋　－	↑
二項演算子	乗除	mod　×　÷	
	加減	＋　－	
	関係	≠　≦　≧　＜　＝　＞	
	論理積	and	↓
	論理和	or	低

注記：演算子.は、メンバ変数又はメソッドのアクセスを表す。
　　　演算子modは、剰余算を表す。

〔論理型の定数〕

true、false

〔配列〕

配列の要素は、"［"と"］"の間にアクセス対象要素の要素番号を指定することでアクセスする。なお、二次元配列の要素番号は、行番号、列番号の順に","で区切って指定する。

"｛"は配列の内容の始まりを、"｝"は配列の内容の終わりを表す。ただし、二次元配列において、内側の"｛"と"｝"に囲まれた部分は、1行分の内容を表す。

〔未定義、未定義の値〕

変数に値が格納されていない状態を、"未定義"という。変数に"未定義の値"を代入すると、その変数は未定義になる。

サンプル・オリジナル・過去問題

▶解答と解説は別冊24ページ～

★☆問2-1　次のプログラムの説明を読み、プログラム中の［　　　］に入れるべき適切な字句を解答群から選べ。

［プログラムの説明］

異なる数値が昇順に格納されている配列dataの中から、変数Xと同じ数値が格納されている要素を2分探索法を用いて探し、その要素を配列dataから削除するプログラムBinary_sである。なお、変数d_lenには配列dataの要素数が格納されている。

ここで、配列の要素番号は0から始まる。

［手順］

① 探索範囲の先頭要素の添字をL、末尾要素の添字をHとする。なお、初期値は、Lは0、Hはd_len－1である。

② 探索範囲の中央要素となるdata［M］と比較する。ただし、M ← （L＋H）÷2とし、小数点以下は切り捨てる。

data［M］＜Xなら、L ← M＋1とし、次の探索範囲を、配列の要素位置がMより大きい方とする。

	L				M				H
	0	1	2	3	4	5	6	7	8
配列 data	2	5	7	10	11	13	19	23	27
						← 次の探索範囲 →			

図1　比較例1

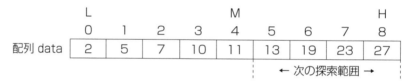

data［M］＞Xなら、H ← M－1とし、次の探索範囲を、配列の要素位置がMより小さい方とする。

	L				M				H
	0	1	2	3	4	5	6	7	8
配列 data	2	5	7	10	11	13	19	23	27
	← 次の探索範囲 →								

図2　比較例2

③ 変数Xと同じ数値が見つかった場合、その要素を配列dataから削除し、当該要素以降の要素を順に1つずつ前に移動する。また、変数 d_lenの値を1減らす。例えば、配列dataの内容が図1と同じ状態で、変数 d_len＝9、変数 X＝19の場合、変数 X＝19と同じ数値が配列data［6］に存在したため、配列data［7］以降の要素を順に1つずつ前に移動し、変数d_lenを8とする。

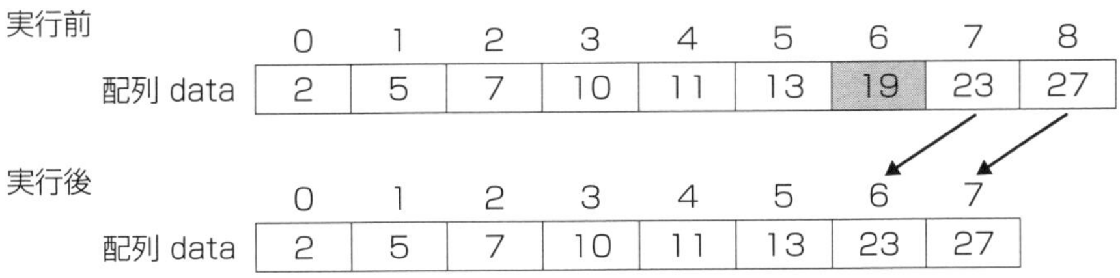

図3　要素の削除例

④　変数Xと同じ数値がなかった場合、エラーメッセージを表示する。

［プログラム］

```
○Binary_s（整数型：data［ ］, 整数型：d_len, 整数型：X）
  整数型：L, H, M, p
  L ←0
  H ←d_len－1
  M ←（L＋H）÷2                /* 小数点以下は切り捨てる*/
  /* 配列の中からXを探索する*/
  while（L≦H and data［M］≠X）  ←―― α
      if（data［M］＞X）
          [ 1 ]
      else
          [ 2 ]
      endif
      M ←（L＋H）÷2            /* 小数点以下は切り捨てる*/
endwhile
if（L≦H）
    [ 3 ]
    while（p＜d_len）
    data［p－1］← data［p］      /* データの削除処理*/
        [ 4 ]
    endwhile
    d_len ← d_len－1
else
    エラーメッセージを表示する
endif
```

＜設問１＞ プログラム中の[ ]に入れるべき適切な字句を解答群から選べ。

【1、2の解答群】

ア．H ← M−1　イ．H ← M+1

ウ．L ← M−1　エ．L ← M+1

1:	2:

【3、4の解答群】

ア．p ← M−1　イ．p ← M+1

ウ．p ← p−1　エ．p ← p+1

3:	4:

＜設問２＞ 配列dataの内容が次のような場合、プログラム中のαを実行するときの変数L、H、Mをトレースした表の[ ]に入れるべき適切な字句を解答群から選べ。

X [42]

	0	1	2	3	4	5	6	7	8	9
data	2	5	9	10	15	23	29	33	37	42

表 トレースの内容

順番	L	H	M
1	0	9	4
2	5	9	7
3	5		
4	9	9	9

【5の解答群】

	L	H	M
ア．	5	7	6
イ．	6	7	6
ウ．	7	9	8
エ．	8	9	8

5

（擬似言語サンプル問題1）

★☆問2-2　次の文字列の操作に関する記述を読み、各設問に答えよ。

文字列を扱う処理では、データそのもの以外に文字数や部分文字列などを扱うことがある。そこで、文字列を扱うクラスを利用した文字列処理を考える。なお、文字列は1文字ずつ配列に格納され、配列の要素番号は0から始まるものとし、配列を操作する上で十分な領域が確保されているものとする。

文字列はクラスWordClassを用いて表現する。クラスWordClassの説明を表1～3に示す。WordClass型の変数は、クラスWordClassのインスタンスの参照を格納するものとする。なお、メンバ変数を外部から直接参照することはできないものとし、メソッドは外部から参照できるものとする。

表1　クラスWordClassのメンバ変数

メンバ変数	型	説明
len	整数型	文字列の文字数を格納する。
word	文字型の配列	文字列を格納する配列で、1要素に1文字を格納する。

表2　クラスWordClassのメソッド

メソッド	説明
getLen（）	メンバ変数lenの値を返す。
getChar（整数型：idx）	メンバ変数wordの引数idxの位置に格納されている文字を返す。

表3　クラスWordClassのコンストラクタ

コンストラクタ	説明
WordClass（文字列型：str）	引数strの先頭から1文字ずつメンバ変数wordに順番に格納し、メンバ変数lenにその文字数を設定する。

［プログラムの説明］

クラスWordClassのインスタンスを2つ受取り、文字列の大小関係を整数値で返すcompである。compの書式は表4のとおりである。なお、文字の大小は文字コードにより決まる。

表4　compの仕様

書式	comp（WordClass型：word1、WordClass型：word2）
返却値	word1の文字列が小さければ－1、同じ文字列であれば0、word1の文字列が大きければ1。

インスタンスのメンバ変数wordの先頭から順番に同じ要素の位置にある文字どうしを比較し、異なった文字の場合に大小関係で判断する。最後まで同じであれば同じ文字列と判断する。また、次の図のような場合は、4文字目まで一致するがword1の文字列には5文字目が無いため、word1の文字列が小さいと判断して－1を返却する。

word1のword	b	o	o	k	
word2のword	b	o	o	k	s

図　文字列の大小を判定する例

［プログラム］

```
○整数型：comp（WordClass型：word1, WordClass型：word2）
 整数型：len, len1, len2, result, p
 文字型：ch1, ch2
 len1 ← word1.getLen（ ）          // word1の文字数を取得
 len2 ← word2.getLen（ ）          // word2の文字数を取得
 len ← len1                       //少ない方の文字数をlenに格納する
 if（len2＜len）
    len ← len2
 endif
 result ← 0
 P ← 0
 while（[ 1 ] and result＝0）
   ch1←word1.getChar（p）
   ch2 ← word2.getChar（p）
   if（ch1＜ch2）                  // word1の文字が小さいかを判断
      [ 2 ]
   elseif（ch1＞ch2）              // word2の文字が小さいかを判断
      [ 3 ]
   else                            //同じ場合は次の文字へ進む
      P ← p＋1
   endif
 endwhile
 if（result＝0）                   //同じ文字で繰返しを終了した時の大小判断
   if（[ 4 ]）
     result ← －1                  // word1の方が小さい場合
   else
     if（[ 5 ]）
        result←1                   // word2の方が小さい場合
     endif
   endif
 endif
 return result
```

【1の解答群】

ア．p≦len　　イ．p＜len

ウ．p≧len　　エ．p＞len

1:

【2、3の解答群】

ア．result←−1　　イ．result←0

ウ．result←1　　エ．result←p

2:	3:

【4、5の解答群】

ア．len1＜len2　　イ．len1＝len2

ウ．len1＞len2　　エ．len1＋p＝len2

4:	5:

（擬似言語サンプル問題2）

★☆問2-3　次のプログラムの説明を読み、プログラム中の［　　　］に入れるべき適切な字句を解答群から選べ。

〔プログラムの説明〕

以下の手順を用いて、モンテカルロ法を用いて円周率の近似値を求めるプログラムを作成する。

手順1　0～1の実数型の乱数xとyを生成し、これを（x、y）の座標として点をプロットすることをn回繰り返す。これにより、1×1の正方形の中にn個の点がプロットされる。

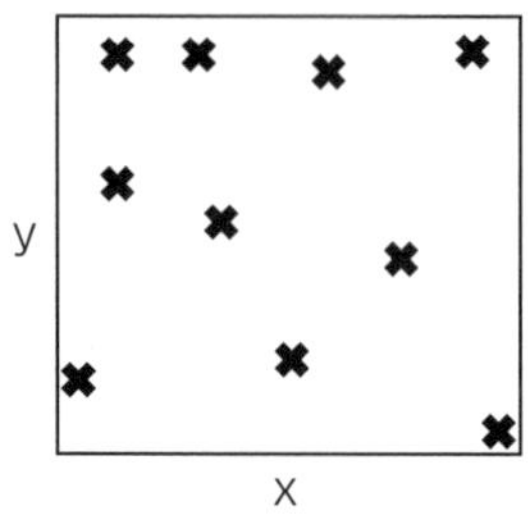

図1　プロット1

手順2　半径が1の1/4円と重ね合わせる。正方形の面積（1×1＝1）に対する1/4円の面積（(1 × π）÷4＝$\frac{\pi}{4}$）の比率は1/4円の面積÷正方形の面積（$\frac{\pi}{4}$÷1＝$\frac{\pi}{4}$）で求めることができる。これを①　とする

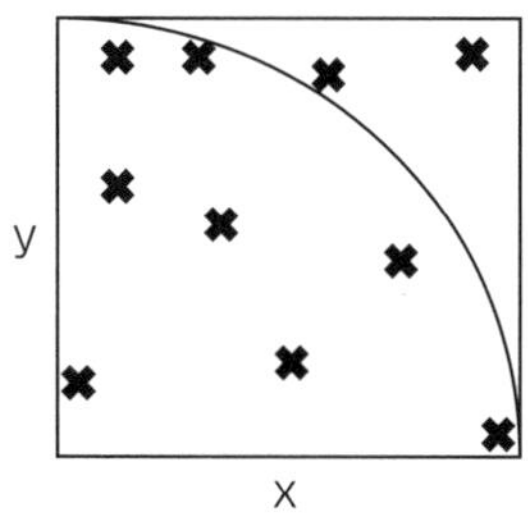

図2　プロット2

手順3　①は正方形に対する1/4円の面積の比率なので、これはランダムでプロットした点が1/4円の中に入っている確率と等しいと考えることができる。つまり以下の式が成り立つ。

$\frac{\pi}{4}$＝1/4円の中にプロットした点÷プロットした点の合計

これは以下の式に変形できる。

π＝1/4円の中にプロットした点÷プロットした点の合計×4

これにより円周率πを求めることができる。

手順4　1/4円の中にプロットされているかを確認するために、以下の公式を用いる。

半径が1の場合の円の公式　$x^2+y^2=1$

つまり、以下の式が成り立てば、1/4円の中にプロットされていると判断できる。

$x^2+y^2 \leqq 1$

なお使用している変数は以下の用途に用いるものとする。

変数名	変数の意味
n	テストデータの件数
cr_in	1/4円の範囲内に収まったデータ件数
i	実行した件数
x	テストデータのx座標（0～1）
y	テストデータのy座標（0～1）
pai	テストデータから求めた円周率の近似値

［プログラム］

```
○plot_pai（整数型：n）
  整数型：cr_in, i
    それぞれ初期値を0に設定
  実数型：x, y, pai
   while（[ 1 ]）                //サンプルをn回実行
        x←0～1のランダムな値を実数型で生成
        y←0～1のランダムな値を実数型で生成
        if（[ 2 ]）              //1/4円の中の座標か？
           [ 3 ]                 //枠内のカウントを+1
        endif
        [ 4 ]                    //サンプルのカウントを+1
   endwhile
   Pai←[ 5 ]                    //円周率の近似値を計算
   pai表示
```

【1の解答群】

ア．i<n　　イ．i>n

ウ．pai<n　　エ．pai>n

1:

【2の解答群】

ア．（x×x+y×y）＝0　　イ．（x×x+y×y）＝1

ウ．（x×x+y×y）≦0　　エ．（x×x+y×y）≦1

2:

【3、4の解答群】

ア．cr_in←0　　イ．cr_in←1

ウ．cr_in←cr_in+1　　エ．cr_in←cr_in+2

オ．i←0　　カ．i←1

キ．i←i+1　　ク．i←i+2

3:　4:

【5の解答群】

ア．cr_in÷n　　イ．cr_in÷n×2

ウ．cr_in÷n×4　　エ．cr_in÷n×6

5:

★☆問2-4　次のプログラムの説明を読み、プログラム中の［　　］に入れるべき適切な字句を解答群から選べ。ここで、配列の要素番号は0から始まる。

［プログラムの説明］

1次元配列mojiの中心の位置を求めて、その左右対称となる要素を入れ替えるプログラムを作成する。中心の位置を整数として算出できる場合と、そうでない場合で、入れ替えする要素の初期値が異なるので注意をすること。

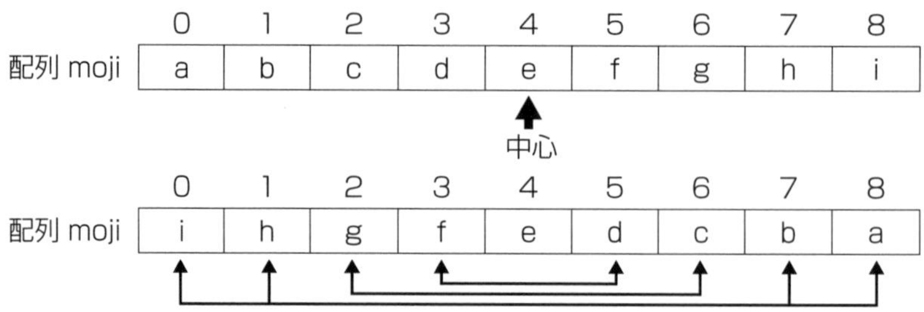

図1　中心の位置が整数の場合

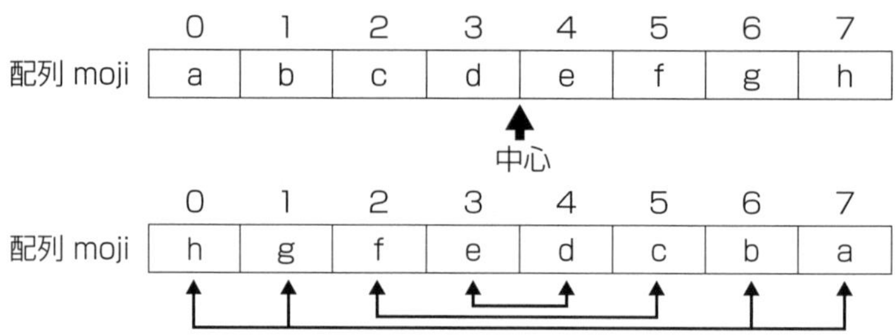

図2　中心の位置が整数でない場合

［プログラム］

```
○replace（文字型の配列：moji）
 整数型：l_el, r_el, c_el
 文字型：work
  l_el ← 0
  r_el ← 配列mojiの要素数－1
  c_el ←（l_el＋r_el）÷2
  if（[ 1 ]）
          l_el ← c_el－1
          r_el ← c_el＋1
  else
          [ 2 ]
  endif
  while（[ 3 ]）
          [ 4 ]
          l_el ← l_el－1
          [ 5 ]
  endwhile
```

【1の解答群】

ア．((l_el＋r_el) mod 2) ＝0

イ．((l_el＋r_el) mod 2) ＝1

ウ．((l_el＋r_el) ÷2) ＝0

エ．((l_el＋r_el) ÷2) ＝1

1:

【2の解答群】

ア．l_el ← c_el
　　r_el ← c_el－1

イ．l_el ← c_el－1
　　r_el ← c_el＋1

ウ．l_el ← c_el＋1
　　r_el ← c_el－1

エ．l_el ← c_el
　　r_el ← c_el＋1

2:

【3の解答群】

ア．l_el≧0　イ．l_el＞0

ウ．l_el≧1　エ．l_el＞1

3:

【4の解答群】

ア．moji [l_el] ← moji [r_el]
　　moji [r_el] ← moji [l_el]

イ．work ← moji [l_el]
　　moji [l_el] ← moji [r_el]
　　moji [r_el] ← work

ウ．moji [l_el] ← moji [r_el]
　　moji [r_el] ← moji [l_el]
　　moji [r_el] ← work

エ．work ← moji [l_el]
　　moji [r_el] ← moji [l_el]
　　moji [l_el] ← work

4:

【5の解答群】

ア．r_el ← r_el＋1　イ．r_el ← r_el－1

ウ．r_el ← l_el＋1　エ．r_el ← l_el－1

5:

(擬似言語オリジナル問題2)

★☆**問2-5**　次の整列に関するプログラムの説明を読み、各設問に答えよ。

　ある一定の規則に従ってデータを並び替える処理を整列（ソート）と呼ぶ。データの値を小さなものから大きなものへ順番に並べることを昇順、その反対に大きなものから小さなものへと並べることを降順という。

　ソートには選択法や挿入法など、様々なアルゴリズムがある。

＜設問１＞　次の選択法を用いたSort_Selectionに関する説明を読み、プログラム中の［　　　］に入れるべき適切な字句を解答群から選べ。

［選択法の説明］

　1次元配列DAT［1］～DAT［N］にN個のデータが格納されている。このデータを、選択法により昇順に整列する。選択法は、先頭要素から順番に一つずつ要素を決定していくアルゴリズムである。N＝5とした例を示す。

	1	2	3	4	5
DAT	30	40	80	10	20

図1　配列DATの初期状態

手順1：全要素の中から最小値を選択し、先頭要素DAT［1］と交換する。

	1	2	3	4	5
DAT	10	40	80	30	20

図2　配列の1番目に最小値を求めた状態

手順2：残りの要素についても手順1と同様に最小値を選択し、交換する。

	1	2	3	4	5
DAT	10	20	80	30	40

	1	2	3	4	5
DAT	10	20	30	80	40

	1	2	3	4	5
DAT	10	20	30	40	80

図3　整列が進んでいく過程

［プログラム］

```
○Sort_Selection（整数型：N，整数型の配列：DAT）
  整数型：i，j，k，wk
  i ← 1
  while（i≦N－1）
    j ← i＋1
    k ← i
    [  1  ]
    while（j≦N）
      if（wk＞DAT［j］） ←―― α
        wk ← DAT［j］
        k ← j
      endif
      j ← j＋1
    endwhile
    wk ← DAT［i］
    DAT［i］ ← DAT［k］
    [  2  ]
    i ← i＋1
  endwhile
```

【1、2の解答群】

ア．DAT［i］ ← DAT［j］　　イ．DAT［j］ ← DAT［k］
ウ．DAT［i］ ← wk　　エ．DAT［k］ ← wk
オ．wk ← DAT［i］　　カ．wk ← DAT［j］

1:	2:

＜設問２＞　次の要素同士の比較に関する記述中の[　　]に入れるべき適切な字句を解答群から選べ。

設問1の選択法のプログラムを用いてデータを昇順に整列するとき、整列前のデータが昇順になっている場合と降順になっている場合を考える。要素同士の比較を行っているαの処理は、[　3　]

【3の解答群】

ア．降順の場合が多くなる。
イ．昇順の場合が多くなる。
ウ．どちらの場合も変わらない。

3:

＜設問３＞　次の挿入法を用いたSort_insertに関する説明を読み、プログラム中の[　　　]に入れるべき適切な字句を解答群から選べ。

1次元配列DAT［1］～DAT［N］にN個のデータが格納されている。このデータを、挿入法により昇順に整列する。挿入法とは、整列済みのデータに対して、新たなデータを適切な位置に挿入し、整列済みの範囲を広げていく方法で、次の手順1、手順2を実行し、未整列部分が無くなったら終了する。

手順1：最初の段階では、整列されていないため、最初の要素だけを整列済みの要素と考える。

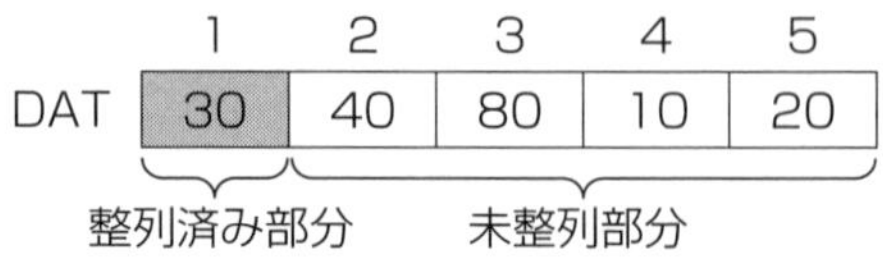

図4　配列DATの初期状態

手順2：未整列部分の要素を、DAT［2］からDAT［5］まで順に整列済み部分に挿入し、整列済み部分を増やしていく。

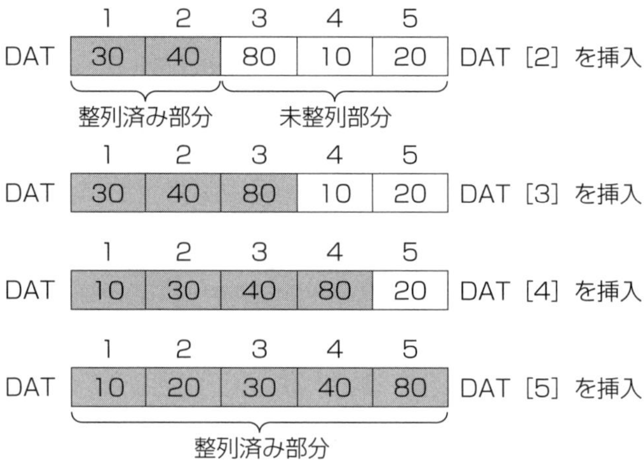

図5　整列が進んでいく過程

［プログラム］

```
○Sort_insert（整数型：N，整数型の配列：DAT）
  整数型：i, k, wk, sw
  i ← 2
  while（i≦N）
     k ← i
     sw ← 0
     while（k>1 and sw＝0）
        if（DAT［k－1］>DAT［k］）  ←―― β
           wk ← DAT［k］
           DAT［k］ ← DAT［k－1］
           DAT［k－1］ ← wk
           [ 4 ]
        else
           sw ← 1
        endif
     endwhile
     i ← i＋1
  endwhile
```

【4の解答群】

ア．i ← i－1　イ．i ← i＋1

ウ．k ← k－1　エ．k ← k＋1

4:

＜設問４＞　次の要素同士の比較に関する記述中の[　　]に入れるべき適切な字句を解答群から選べ。

設問3の挿入法のプログラムを用いてデータを昇順に整列するとき、整列前のデータが昇順になっている場合と降順になっている場合を考える。要素同士の比較を行っているβの処理は、[5]

【5の解答群】

ア．降順の場合が多くなる。

イ．昇順の場合が多くなる。

ウ．どちらの場合も変わらない。

5:

（令和6年度前期　プログラミングスキル　問題4）

★☆問2-6　次の文字列の置換に関するプログラムの説明を読み、各設問に答えよ。

［文字列の置換の説明］

文字列の置換とは、ある文字列において特定の箇所を検索し、見つかった文字列を別の文字列に置き換えることである。例えば、検索対象文字列ABCDBCEにおいて、検索文字列をBC、置換文字列をEFとすると、置換結果文字列はAEFDEFEとなる。

本問題における文字列の置換は、以下2つの手続きを持つクラスにより行われる。なお、各文字列は配列に1文字ずつ格納されているものとし、置換結果を格納する配列は作業に十分な大きさを持ち、配列の添え字は0から始める。

［手続き1の説明］

文字列の置換に必要となる検索処理を行う手続きfString（）である。検索対象文字列t[ ]から検索文字列f[ ]を検索する場合、t[0]とf[0]、t[1]とf[1]、...、と比較し、f[ ]の全要素がt[ ]の特定の箇所と一致するかどうかの比較を行う（図1）。

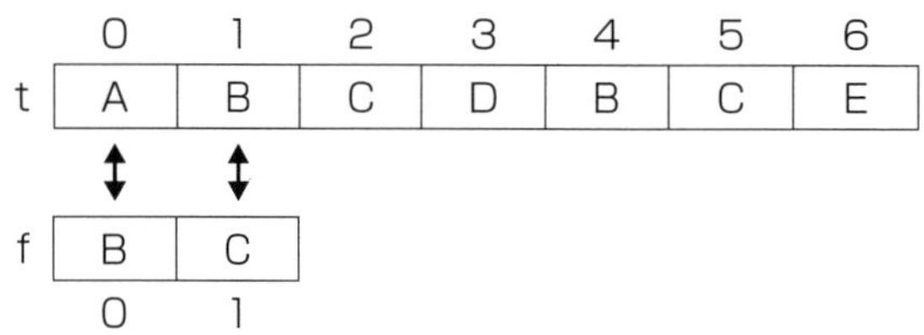

図1　t[ ]からf[ ]を検索

一致しない文字が出現した場合、t[1]とf[0]、t[2]とf[1]、...、と比較し、次の要素の比較を繰り返す。一致する箇所が見つかった場合、そのときの比較開始位置を返す。最後まで見つからない場合は−1を返す（図2）。

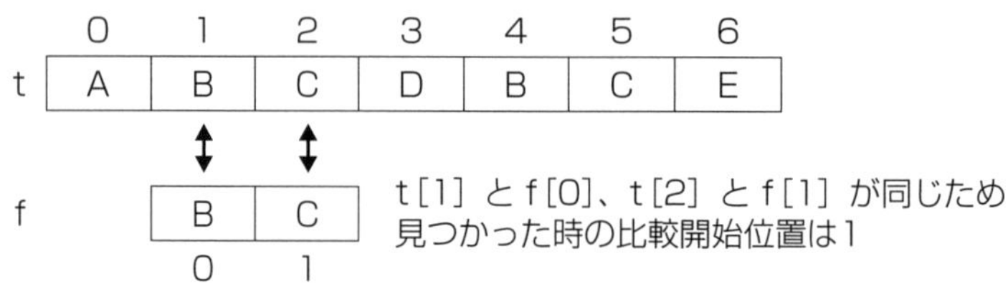

図2　次の要素の比較、および検索結果が見つかった場合

引数とその並び、および戻り値は以下である。

引数：s…　比較開始位置

戻り値：見つかった文字列t[ ]の比較開始位置または−1

＜設問1＞　次の検索を行うプログラム中の[　　]に入れるべき適切な字句を解答群から選べ。

［プログラム］

```
○整数型：fString（整数型：s）
  文字型の配列　：t, f
  整数型：tLen, fLen, pos, i, k, sw
  検索対象文字列をtに読み込む
  検索文字列をfに読み込む
  検索対象文字列tの文字数をtLenに読み込む
  検索文字列fの文字数をfLenに読み込む
  i ← s
  Pos ← −1
  while (i≦[ 1 ] and pos = −1)
    k ← 0
    sw ← 0
    while ([ 2 ] and sw = 0)
      if (t [i + k] = f [k])
        k ← k + 1
      else
        sw ← 1
      endif
    endwhile
    if ([ 3 ])
      pos ← i
    else
      i ← i + 1
    endif
  endwhile
  return pos
```

【1の解答群】

ア．fLen − 1　　イ．fLen − tLen

ウ．tLen − 1　　エ．tLen − fLen

1:

【2、3の解答群】

ア．k＜tLen　　イ．k＜tLen − 1

ウ．k＜fLen　　エ．k＜fLen − 1

オ．k = tLen　　カ．k = tLen − 1

キ．k = fLen　　ク．k = fLen − 1

2:　　3:

[手続き2の説明]

検索処理を踏まえ置換処理を行う手続きrString（）である。検索対象文字列 t[ ] に存在する検索文字列 f[ ] を置換文字列 r[ ] で置き換える。置換処理後の文字列は結果用配列 res[ ] に格納し、返却する。置換は以下の3つの処理で行う。

処理1：

関数fString（）により検索を行う（図3)。

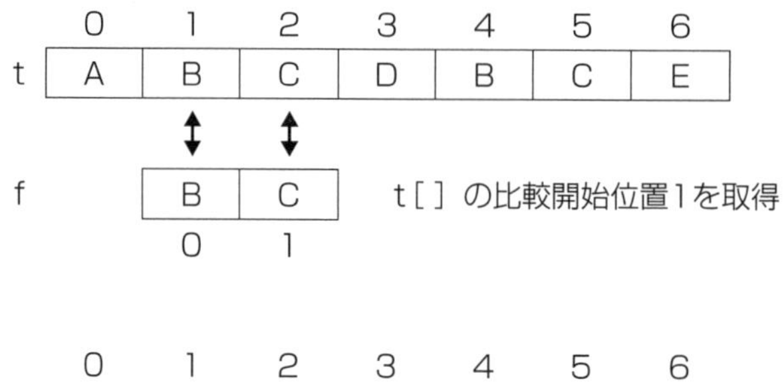

図3　t[ ] の中にf[ ] が存在するか検索

処理2：

t[ ] の中にf[ ] が存在する間、文字列置換を繰り返す。t[ ] の比較開始位置より前に存在するt[ ] の文字をres[ ] に格納し、t[ ] の比較開始位置からr[ ] の置換文字列をres[ ] に格納する。その後、新たな比較開始位置を取得する。以下はr[ ] がEFの場合の例である（図4)。

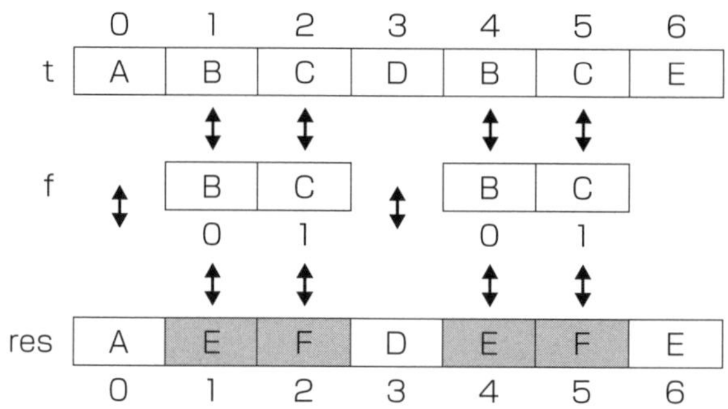

図4　文字列の置換（r[ ] がEFの場合の例）

処理3：

r[ ] の置換が完了しているため、t[ ] の未格納部分があればres[ ] に格納する。

引数とその並び、および戻り値は以下である。

引　数：なし

戻り値：置換処理後の文字列

＜設問２＞　次の置換を行うプログラム中の［　　　］に入るべき適切な字句を解答群から選べ。

［プログラム］

```
○文字型の配列：rString（ ）
 文字型の配列：t, r, res
 整数型：tlen, fLen, rLen：i, j, k, p
 検索対象文字列をtに読み込む
 置換文字列をrに読み込む
 検索対象文字列tの文字数をtlenに読み込む
 検索文字列fの文字数をfLenに読み込む
 置換文字列rの文字数をrLenに読み込む
 i ← 0
 j ← 0
 p ← fString（0）
 while（p≧0）
   while（i＜p）
     [  4  ]     /*変換しない処理* /
     i ← i＋1
     j ← j＋1
   endwhile
   k ← 0
   while（k＜rLen）
     [  5  ]     /*変換処理* /
     j ← j＋1
     k ← k＋1
   endwhile
     i ← p＋[  6  ]
     p ← fString（i）
 endwhile
 while（i＜tLen）
   res［j］ ← t［i］
   i ← i＋1
   j ← j＋1
 endwhile
 return res
```

【4、5の解答群】

ア．res [i] ← r [k]　　イ．res [i] ← t [k]

ウ．res [j] ← r [k]　　エ．res [j] ← t [i]

オ．res [k] ← r [i]　　カ．res [k] ← t [i]

4:	5:

【6の解答群】

ア．1　　イ．tLen

ウ．fLen　　エ．rLen

6:

（令和6年度前期　プログラミングスキル　問題5）

第4部

システムデザインスキル

第１章　システムの開発
第２章　ネットワーク技術
第３章　データベース技術
第４章　セキュリティと標準化

第1章

システムの開発

1-1　ソフトウェア開発のモデル
1-2　ソフトウェア開発の工程
1-3　業務プロセスの分析
1-4　データフローダイアグラム(DFD)
1-5　DFDによる業務分析
1-6　モジュール分割の技法
1-7　モジュールの強度と結合度
1-8　プログラム設計の手法
1-9　オブジェクト指向設計
1-10 オブジェクト指向とUML
1-11 テスト技法
1-12 システムの構成技術
1-13 システムの性能
1-14 システムの信頼性

第1章　システムの開発

1-1 ソフトウェア開発のモデル

ソフトウェア開発のモデルとして、従来から用いられてきたウォータフォールモデル、新しいモデルとしてのプロトタイプモデルとスパイラルモデルについて学習する。

●ウォータフォールモデル

新しいシステムを開発する方法として、従来から伝統的に用いられてきたのが、ウォータフォールモデルである。川の水が滝を流れ落ちるように、上流工程から下流工程に向けて順に開発作業を進めていく。各工程では、その作業内容が厳密に定められていて、作業が完了しないと次の工程には進めない。作業の結果は、必ずドキュメント（設計書）として残さなければならない。

問題点

・初期工程の**要求分析**で、新プロジェクトへのユーザの要求をまとめなければならないが、プロジェクトの初期段階なので、どうしてもあいまいな部分が残ってしまう。
・プロジェクトの後半（テスト工程）にならないと、ユーザの要求がきちんと実現されているか、確認することができない。

●プロトタイプモデル

ウォータフォールモデルの問題点を改善する形で登場したのが、プロトタイプモデルである。プロトタイプとは**試作品**のことで、プロジェクトの早い段階でプロトタイプを作成し、実際にユーザに使ってもらう。そして、ユーザの意見や要望を取り入れて、プロトタイプを修正する。ユーザから合格点をもらうまで、この作業を繰り返す。

この開発モデルは、GUIベースのアプリケーションやWebアプリケーションの開発に向いている。プロトタイプでは、ユーザとのインタフェースになる画面を中心に作成し、データベースアクセスなどの複雑なバックエンド処理は作成しなくてよい。プロトタイプは比較的手軽に作成できるので、早い段階でユーザの確認をとることができる。

この単元のキーワード
- □ウォータフォールモデル
- □プロトタイプモデル
- □スパイラルモデル

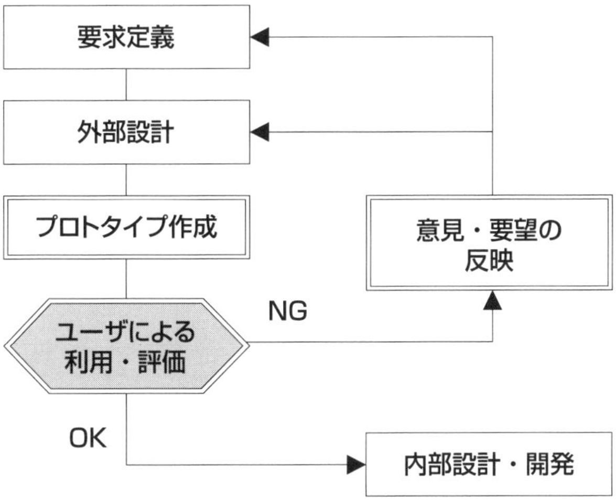

特徴

- ・ユーザ参加型のシステム開発モデルであり、ユーザの意見・要望を早期に確認し、システムへ反映することができる。
- ・ユーザとの意見調整に手間どると、プロトタイプの完成に時間がかかり、開発スケジュールが遅れることもある。

●スパイラルモデル

システム全体をいっせいに開発するのではなく、システムを独立性の高い複数の機能に分割して、中心になる機能から順に開発を進めていく。スパイラルとは、らせんの意味で、機能単位での開発を繰り返しながら、徐々にシステムが大きくなっていく様子をイメージしている。

◀**独立性の高い機能**：オブジェクト指向設計では、「クラス」という独立した機能の集合でシステムを構築する。

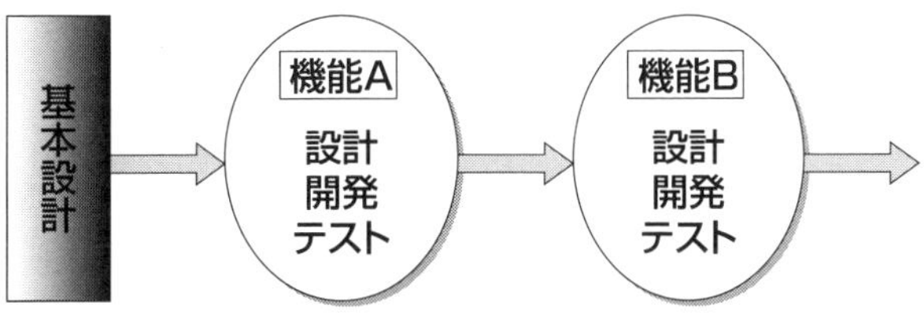

特徴

- ・同時に開発する規模が小さいので、開発要員の確保やユーザニーズへの対応が容易になる。

●アジャイル開発

短期間でシステム開発工程（要件定義→設計→開発→テスト→リリース）を1つの機能とした小さなサイクルで繰り返し、段階的にシステム全体を仕上げる手法である。この小さなサイクルをスプリントと呼び、その繰り返しを、イテレーション（反復）と呼ぶ。スプリントは、1～4週間の短い期間で区切ることで、開発の工程管理がしやすく、開発中に発生する変更にも対応しながら開発を進めていく。また、チームのメンバを固定することで、ムダな引き継ぎやドキュメントを作らずにすむ。さらに、チーム全体の継続的なスキルアップなどにより、システム開発速度と品質を高めることができる。アジャイル開発の手法にスクラム開発やXP（エクストリームプログラミング）などがある。

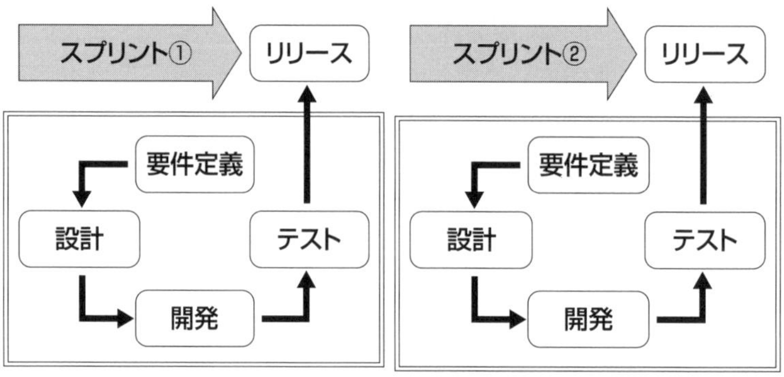

(1) スクラム開発

共通の目標に到達するために、スクラムチームを作り、メンバ全員が自律的に協働を行うことで開発を進めていく。スクラム開発には、2種類のバックログがあり、スクラムチームにとっての“達成すべき目標”や“実現すべき機能”などを意味する。

①プロダクト・バックログ

プロダクト（製造物）に必要な機能や改善要素などに優先順位をつけてリスト化したものである。

②スプリント・バックログ

プロダクト・バックログの中で、スプリント期間中に達成すべきバックログを抜き出したリストのことある。

③デイリースクラム

毎日決まった時間（15分程度）に決まった場所、開発者全員で行う。開発経過や問題、スプリント・バックログの見直しなどを話し合う。

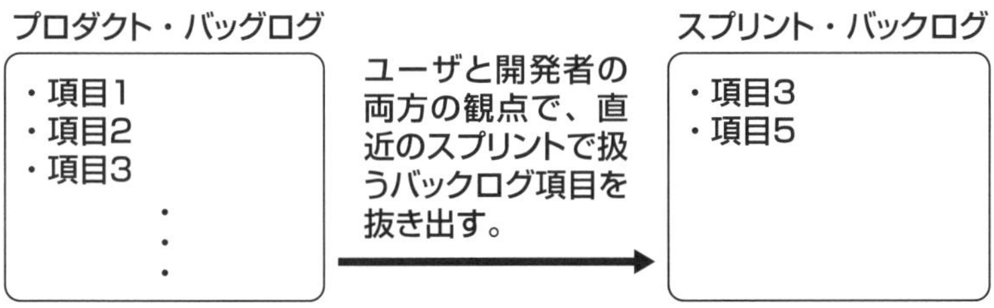

この単元のキーワード

□アジャイル開発
□スプリント
□イテレーション
□スクラム
□プロダクト・バックログ
□スプリント・バックログ
□ペアプログラミング
□テスト駆動開発
□リファクタリング

(2) XP（エクストリームプログラミング）

設計よりもプログラミングやテストを重視し、ユーザと開発担当者間のコミュニケーションを進めることにより、ユーザの要望を取り入れながら、修正を繰り返し開発の品質を高めていく。開発チームが行うべき、いくつかのプラクティス（活動）が定められている。

①ペアプログラミング

開発効率を上げるため、2人一組でチームを組みプログラムコードの記述（ドライバ）とチェック（ナビゲータ）を交互に行う。

②テスト駆動開発

求める機能を明確化するため、テスト設計を先に行い、そのテストをパスすることを目標にプログラミングを行う。テストケースを意識して作成するため品質が良く、テストで見つかる不具合が少なくなり、結果的に工数の削減が期待できる。

③リファクタリング

外部から見た振る舞いを変更せずに、プログラム内部の構造を整えるためにプログラムを書き直すことである。完成済みのプログラムコードを、保守性の高いプログラムに改良できる。

第1章　システムの開発

1-2 ソフトウェア開発の工程

古くから使われているコンピュータ化の手順として、ウォータフォールモデルがある。業務／システム分析から保守・運用に至る手順と特徴を押さえておく。

●一般的なコンピュータ化の手順

最も古くから使われているコンピュータ化の手順は、ウォータフォールモデルと呼ばれる。この手順は、SEなどの専門家チームが中心になってコンピュータ化プロジェクトを実施することを前提としている。この手順の例と特徴を示す。

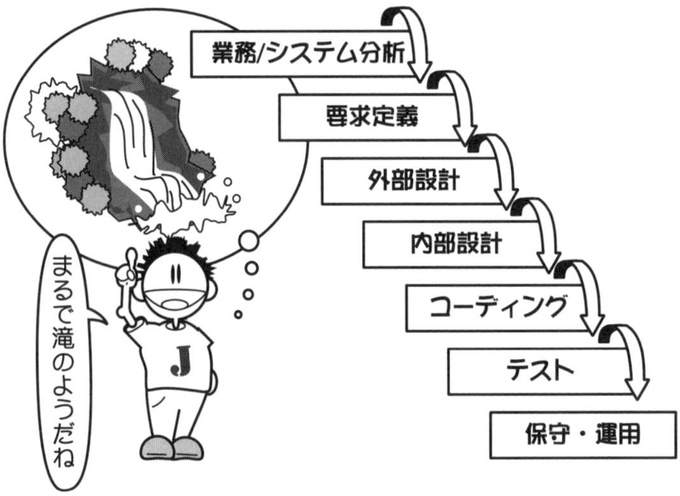

① 上流から下流に向けて工程を区切りながら作業を進めていくため、プロジェクト全体の進捗（しんちょく）や原価などの管理が行いやすい。

② 前の工程に戻ることはしない。前工程での誤りが後工程で発見されると、その修正には多くの工数と費用がかかる。言い換えれば、各工程でバグ（誤り）を残さないように、しっかりした**レビュー**や**検証**が必要になる。

③ エンドユーザの要求を取り入れるのは、業務／システム分析から要求定義の工程で行う。

◀**レビュー**：設計やプログラムの内容について、複数で検証し、確認すること。一人では見つけられない誤りや考え違いなどをチェックする方法。

◀要求の追加・変更は前工程への戻りを意味するため、膨大な工数と費用が必要になる。そこで、この工程の終了後のエンドユーザからの要求の追加や変更は、原則的に許されない。

●工程の考え方

(1) 外部設計（基本設計）

システムの内部処理ではなく、ユーザインタフェースや他システムとのインタフェースなど、システムを外部から見たときの仕様を決める工程である。具体的には、主に次のような内容を決める。

- 入出力画面の種類と画面間の遷移
- 画面上の表示項目とレイアウト
- 出力帳票の種類
- 出力帳票の印刷項目とレイアウト
- 論理データベース（正規化されたデータモデル）

一般に、これらの内容を決定するときに利用される手法が、**プロトタイピング**である（プロトタイピングは要求定義の段階で使うことも多い)。プロトタイピングはドキュメントでの仕様確認ではなく、モデル（実物）を作成してユーザとの十分なコミュニケーションのもとで評価・修正を行い、仕様を確定させていく考え方である。

この単元のキーワード

- □ウォータフォールモデル
- □業務／システム分析
- □要求定義
- □外部設計
- □内部設計
- □コーディング
- □テスト
- □保守・運用
- □レビュー
- □プロトタイピング

(2) 内部設計（詳細設計）

外部設計の結果にもとづいて、開発するプログラムとその内部構造を明確に定義する工程である。また、データモデルも、物理的なディスク上での配置やインデックス、ポインタの設定など実装するための仕様を固める段階である。プログラム構造の設計手法は、「1－8」(⇨224ページ参照）で解説する。

(3) コーディング

C、COBOLなどの言語で、プログラムを記述する工程である。

(4) テスト

テストの目的に応じて、単体テスト、結合テスト、総合テスト、運用テストなどがある。バグや不具合を効率的に見つけ出して修正する工程である。

◀**テスト技法**：230ページ参照。

(5) 保守・運用

開発したシステムを安定的に稼動させ、利用できるようにするための工程である。

第1章　システムの開発

1-3 業務プロセスの分析

新システムの開発を行う場合、業務を正確に把握・分析し、改善ポイントを明らかにすることが重要である。

●業務プロセスとは

新システムの開発を行う場合、その前提として業務を正確に抜け漏れなく把握することが重要である。業務を正確に抜け漏れなく把握する作業を、一般に「**業務プロセスの分析**」という。

では、業務プロセスとはどのようなものであろうか。例として、Ｊ保険株式会社の業務を考えてみる。

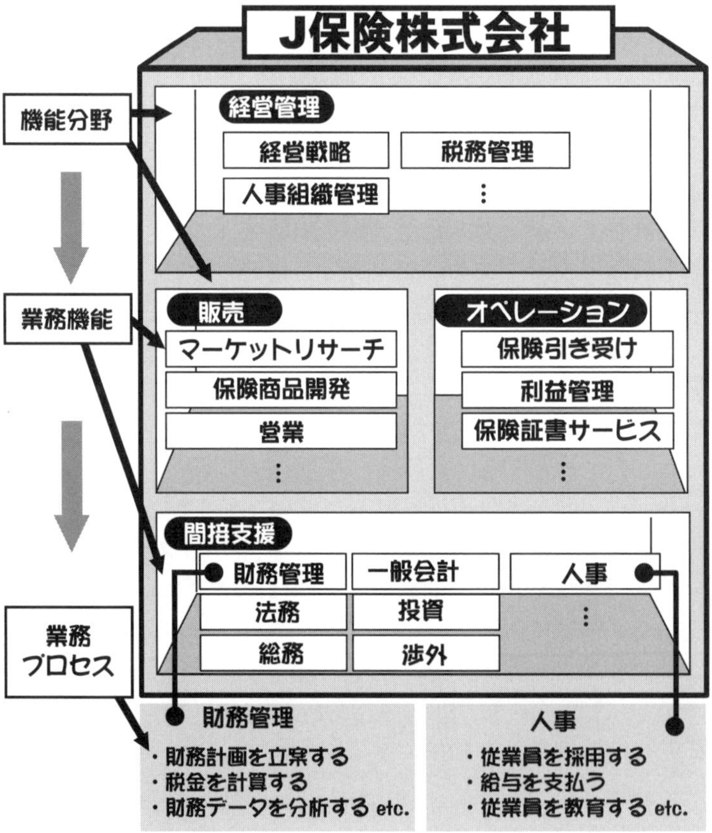

●業務プロセスの分析手順

① 最初に、企業全体を数個の業務領域に大きく分割する。これを**機能分野**という。「経営管理」「販売」などが機能分野である。

② 次に、それぞれの機能分野を再び数個の業務に分割する。これを**業務機能**という。「マーケットリサーチ」「財務管理」などが業務機能である。

③ 業務機能をさらに数個の業務に分割する。これが**業務プロセス**と呼ばれる。業務プロセスは、動詞で表現でき、その業務の入力と出力（何をもとに業務を行い、どのような結果を残すか）を明確に定義できなければならない。

この単元のキーワード

□業務プロセス
□機能分野
□業務機能
□DFD
□要求定義

●業務プロセスの分析と要求定義

(1) 業務プロセスの分析

業務プロセスを分析するということは、例にあるような1つひとつの業務プロセスについて、次のことを明らかにすることである。

① 業務プロセスの目的
② 業務プロセスの具体的な入力と出力
③ 業務プロセスを構成する作業
④ 業務プロセスを構成する作業間の関係
⑤ ほかの業務プロセスとの関係

◀業務プロセスを分析する手法として代表的なのが、DFD（データフローダイアグラム⇨216ページ以下参照）がある。

(2) 要求定義

業務プロセスを分析することで、まず現状の業務の仕組みが明らかにできる。現状が明らかになったら、現状業務の改善点を明確にする必要がある。代表的な改善ポイントには、次のようなものがある。

① 業務にかかる時間の短縮
② 業務の正確性・品質の向上
③ 業務に必要な要員の削減

現状の業務の何をどのように改善し、具体的にコンピュータに何をさせたいかということが‘要求’である。正しく要求定義を行うためには、正確に現状を把握するとともに、本来その業務プロセスがどうあるべきかを本質的に理解することが重要である。この本質的な理解があってこそ、改善点が明確になり、効果的なコンピュータ化が可能になる。

第1章　システムの開発

1-4 データフロー ダイアグラム（DFD）

業務プロセスの分析に用いられるデータフローダイアグラム（DFD）について、その機能と記述法を学習する。

●DFD（データフローダイアグラム）

DFDは、業務プロセスや情報システムの分析によく用いられる代表的な分析手法である。DFDはその名が示すとおり、データの流れ（データフロー）を中心に機能とデータの関係を図式化する。

◀**UML（Unified Modeling Language）**：DFDはプロセスのモデリング、ERD（⇨291ページ参照）はデータのモデリングに使用される技法であるが、オブジェクトのモデリングに使用される技法の1つに、米ラショナル社が提案しているUMLがある。オブジェクトとは、データとプロセスを合わせてとらえていこうとする考え方である。

●DFDで使用する記号

DFDで使用する記号は、次の4種類である。

記号	記号名	意味と規則
→ 名称	**データフロー**	業務処理に必要なデータの流れとその方向を示す。矢印の近くに、内容がわかりやすい総称名を付ける。矢印の分岐／合流は行わず、すべて別々の矢印で示す。
○（名称）	**プロセスまたは処理**	機能を表す。機能とはデータの内容または意味を変換することである。内容がわかりやすいプロセス名を記号の内部に記入する。
名称 または 名称	**データストア（データ保管）**	保管が必要なデータを表す。業務では管理台帳などもデータストアに該当する。システムではファイル、ＤＢなどがこれに該当する。内容がわかりやすいデータストア名を記号の内部に記入する。
□（名称）	**外部**	分析対象の範囲外の人、組織、他システムを表す。外部はデータの発生源または最終的な行き先を意味する。内容がわかりやすい外部名を記号内部に記入する。

●DFDの作成手順と階層分割

DFDは業務プロセスごとに作成していく。業務プロセスごとの作成手順は、次のとおりである。

① **コンテキスト・ダイアグラム**を作成する。

コンテキスト・ダイアグラムとは、業務プロセスを図表化したものであり、DFDの最上位に位置づけられる。

コンテキスト・ダイアグラムは、対象とする1つの業務プロセス全体を1つのプロセスととらえて、外部とのデータの関係だけを記述する。

② コンテキストに続いて、DFDをレベル1から順次レベルを下げて**階層分割**する。

③ プロセスが**基本プロセス**と呼ばれる大きさになるまで、階層分割を繰り返す。

1回の分割で、1つのプロセスは3～9個を目安に分割する。

以上の手順を図で示すと、次のようになる。

この単元のキーワード
□DFD
□データフロー
□プロセス
□データストア
□外部
□コンテキスト・ダイアグラム

◀基本プロセスとは、業務担当者にとって意味のある最小の作業単位のことをいう。通常は、レベル2か3までの分割プロセスで基本プロセスになる。

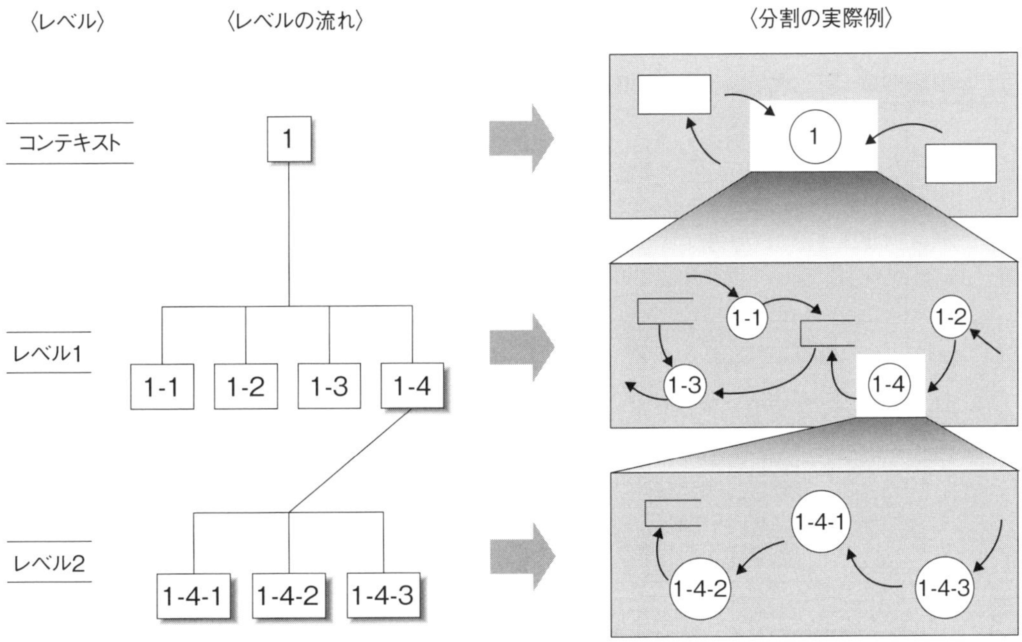

1-5 DFDによる業務分析

DFDによる業務分析の手順（①現状物理DFD→②現状論理DFD→③新論理DFD→④新物理DFD）を具体的に理解する必要がある。

●DFDによる業務分析の手順

業務プロセスの分析にDFDを適用する場合、次の4つの段階を踏む考え方が一般的である。

①現状物理DFD	現状の業務について、場所、担当者、部署、タイミングなども含めて情報の流れと業務機能の関係を明らかにする。
↓	
②現状論理DFD	現状物理DFDから、場所、担当者、部署、タイミングなどの条件を除き、業務の目的を達成するための情報の流れと業務機能の関係を整理する。
↓	
③新論理DFD	ユーザ要求を反映し、現状論理DFDを改善して新しい業務を行うときに必要な情報の流れと業務機能の関係を整理する。この段階で、コンピュータ化する機能と人が行う機能を明確にする。
↓	
④新物理DFD	新論理DFDに、場所、担当者、部署、タイミングなどの条件を加えて、実際の業務における情報の流れと業務機能の関係を整理する。コンピュータ化する機能については、どのコンピュータで処理するかなども明らかにする。

①・④の**物理DFD**は、業務の実施やシステム処理に伴うさまざまな情報を含んでいる。②・③**の論理DFD**は、物理DFDの物理的条件を取り除いて、本来必要な機能だけを浮き彫りにしたものである。論理DFDによって、業務目的だけを考え、機能の**冗長性**のない普遍的なモデルを作成できるのである。

◀**冗長性**：同じ機能やデータが重複していることをいう。ムダであるだけでなく、システム全体の整合性を壊す原因にもなる。

●DFDの記述例

注文を受け付けて、商品の在庫から受注した数量を引き当てる受注業務を論理DFDで記述する。コンテキスト・ダイアグラムは、次のようになる。

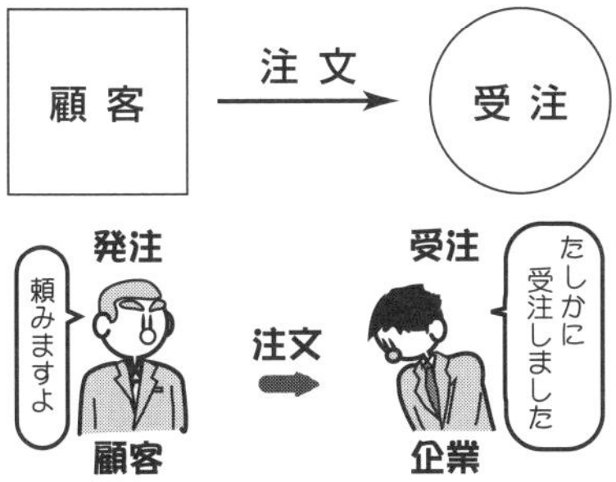

この単元のキーワード
- □物理DFD
- □論理DFD
- □現状物理DFD
- □現状論理DFD
- □新物理DFD
- □新論理DFD

レベル1のDFDは、在庫引当を1つひとつの注文と同時に行うか、受注を保管しておいて、あるタイミングでまとめて行うかで、次のように変わる。

① 受注ごとにその場で在庫引当を行う場合

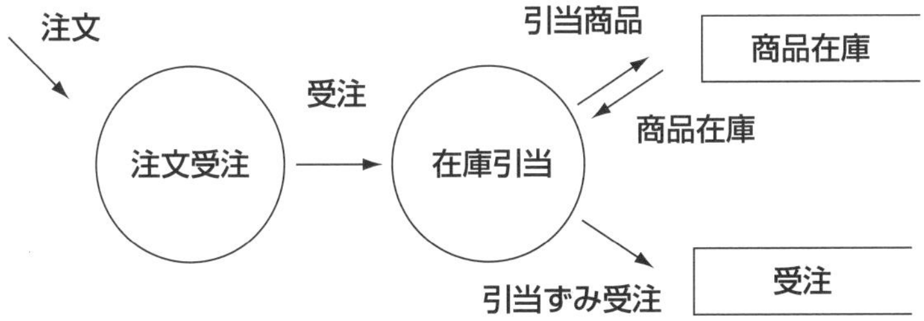

② 「受注」を保管しておき、あるタイミングでまとめて在庫引当を行う場合

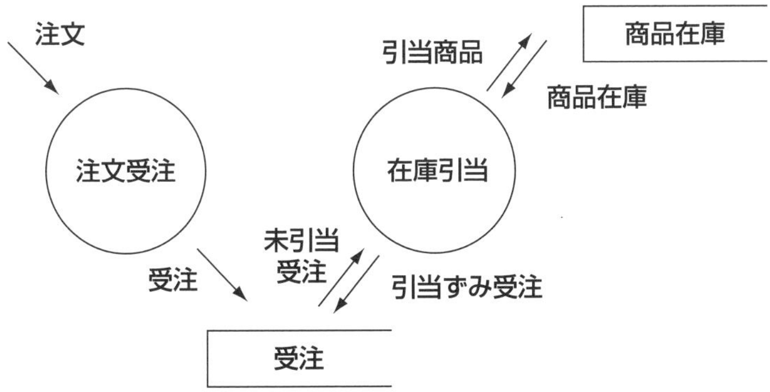

第1章　システムの開発

1-6 モジュール分割の技法

構造化設計では、システムは多くのモジュールから構成される。システムの機能を小さなモジュールに分割する技法として、STS分割とトランザクション分割について学ぶ。

●モジュール分割とは

構造化設計では、システム全体の機能をいくつかのモジュールに分割して実現する。モジュールは、C言語などの関数に相当し、その大きさは60行程度のプログラムといわれている。したがって、大きなシステムは、相当数のモジュールから構成されることになる。

システム全体の機能を、小さなモジュールに分割することをモジュール分割という。

代表的な技法として「STS分割」と「トランザクション分割」が知られている。

●STS分割

多くのシステムでは、データの入力、データの加工・変換、データの出力、の順序で処理が行われる。STS分割では、このデータの流れに着目してモジュール分割を行う。

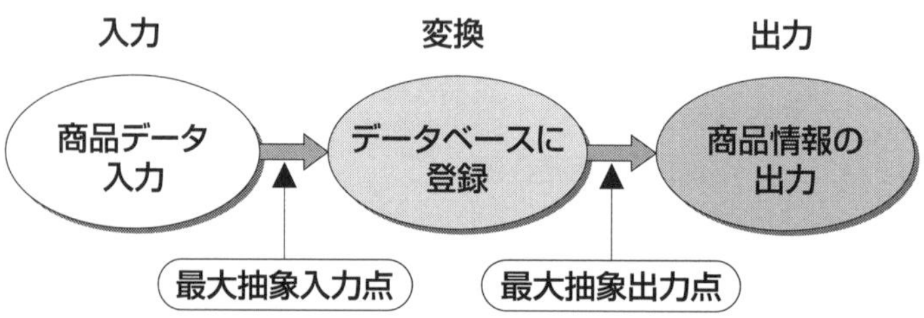

STS分割では、一連の処理をS（源泉；Source）、T（変換；Transform）、S（吸収；Sink）の3つに分割して、それぞれを独立したモジュールで実現する。上の図は、商品データをデータベースに登録する処理にSTS分割を適応した例を示している。

最大抽象入力点は、S（源泉）とT（変換）の境界で、入力データがその原型をとどめている（加工／変換されない）位置を示す。最大抽象出力点は、T（変換）とS（吸収）の境界で、出力データとしての原型が現れる位置を示す。

このように分割したモジュールは、次の図のように共通の制御モジュールのもとで動作することになる。

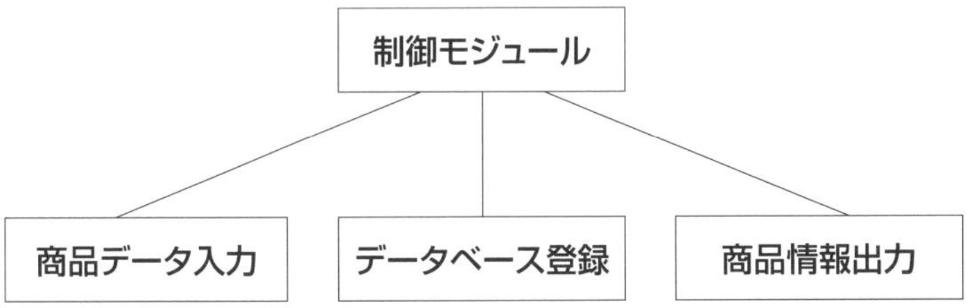

この単元のキーワード

- □モジュール
- □モジュール分割
- □STS分割
- □トランザクション分割

◀**制御モジュール**：下位のモジュールを呼び出すためのもので、制御モジュール自身が機能を担当することはない。

●トランザクション分割

トランザクション分割では、入力データによって処理内容が異なる場合に、処理内容ごとにモジュールを分割する。たとえば、商品データの処理区分によって、新商品の登録、商品情報の更新、商品の削除のように処理が分かれる場合、この処理区分ごとにモジュールを分割する。

トランザクション分割は、次の図に示すように、STS分割の変換部分を処理区分によって分割する形で使われることが多い。

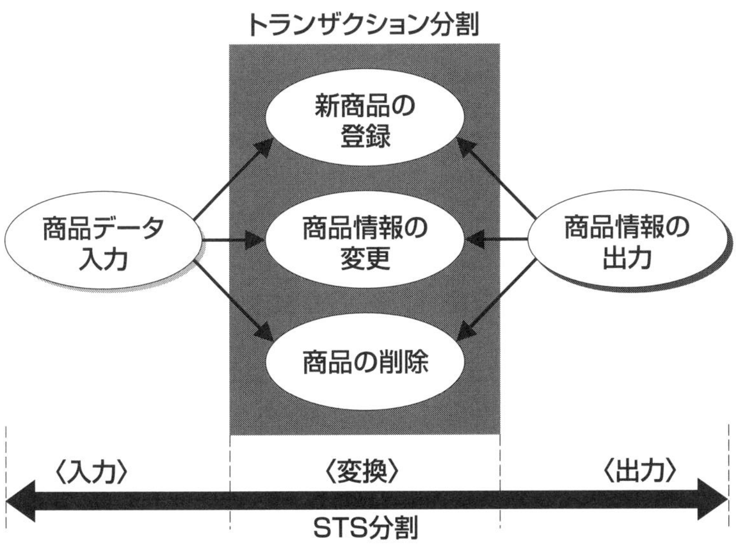

第1章　システムの開発

1-7 モジュールの強度と結合度

モジュール分割を行うには、モジュールの独立性を高くすることが求められる。モジュールの独立性は、モジュールの強度と結合度によって決まってくる。

●モジュールの独立性

システムは数多くのモジュールで構成されるが、各モジュールはその独立性を高めるように設計されなければならない。モジュールの独立性が低いと、以後のプログラム作成やテスト、システムの運用・保守作業が複雑で困難なものになり、非常にできの悪いシステムになってしまう。モジュールの独立性は、モジュールの強度とモジュールの結合度の2つのファクターで評価される。モジュールの強度を高くし、モジュールの結合度を低くすることで、モジュールの独立性を確保することができる。

●モジュールの強度

モジュールの強度は、モジュールが実現しようとする機能によって評価され、表のように7段階に分類されている。1つのモジュールが、独立した1つの機能のみを実現し、その機能に必要な命令のみで構成されていれば、モジュールの強度は最も高くなる。これを**機能的強度**という。モジュールの強度を高くすれば、モジュールの独立性を高めることができる。

STS分割を行わずに、1モジュール内で入力、変換、出力の処理をすべて行ってしまうと、**手順的強度**と評価される。

1	暗号的強度	強度
2	論理的強度	↓
3	時間的強度	
4	手順的強度	
5	連絡的強度	
6	情報的強度	
7	機能的強度	高い

また、トランザクション分割を行わずに、登録、変更、削除といった複数の機能を実現してしまうと**情報的強度**と評価される。

●モジュールの結合度

この単元のキーワード
□モジュールの独立性
□モジュールの強度
□モジュールの結合度

モジュールの結合度は、複数モジュール間のインタフェースによって評価され、下表のように7段階に分類されている。モジュール間のインタフェースを簡素にすれば、モジュールの結合度は低くなり、モジュールの独立性を高めることができる。

最も簡素なインタフェースは、モジュール間でデータの受け渡しをいっさい行わないこと（非直接結合）であるが、これは現実的ではない。

		結合度
1	内容結合	↓
2	共通結合	
3	外部結合	
4	制御結合	
5	スタンプ結合	
6	データ結合	
7	非直接結合	低い

①　データ結合

必要なデータのみを引数として受け渡し、受け渡すデータは整数型や文字型といった単純な（値渡しの）データ構造を使用する。これが、最も結合度の低いインタフェースになる。

◀**値渡し**：受け渡すデータの値そのものをモジュールに渡す。配列や構造体の場合は、データのアドレスが渡される（アドレス渡し）。

②　スタンプ結合

引数で受け渡すデータに、配列や構造体が含まれている場合で、データ結合よりも結合度は高くなる。このインタフェースは、モジュール設計上、使わざるを得ない場合も多い。受け渡された配列の内容を書き換える操作は、呼び出し元モジュールの領域を直接書き換えることになるので、十分な注意が必要である。

③　制御結合

引数で受け渡されたデータの値によって、モジュール内の制御の流れが変化する。たとえば、ある引数の値が1なら処理Aを行い、2なら処理Bを行う。これは、処理Aと処理Bを別のモジュールに分割することで、解決できる。

④　外部結合

モジュール間のデータ受け渡しに外部変数を使う。外部変数はシステム内の全モジュールから参照・更新ができるので、この処理にはまったく関係のないモジュールのプログラムミス等で値が変わってしまうおそれがある、非常に危険なインタフェースである。

1-8 プログラム設計の手法

データ構造に着目したモジュール分割の手法として、ジャクソン法とワーニエ法がある。また、プログラム設計でよく用いられる構造化チャートとHIPOについて説明する。

●ジャクソン法

データ指向のプログラム設計法の1つで、入力データ構造と出力データ構造の関係からプログラムのモジュール構造が導かれるという考え方である。

入力データ構造と出力データ構造をそれぞれ木構造で表現して、一致した構造を作成する。一致していない場合には、ファイルの再設計、中間ファイルの作成、プログラム上での対応などで一致させる。一致した構造を基本として、出力を見ながらプログラム構造を設計する。

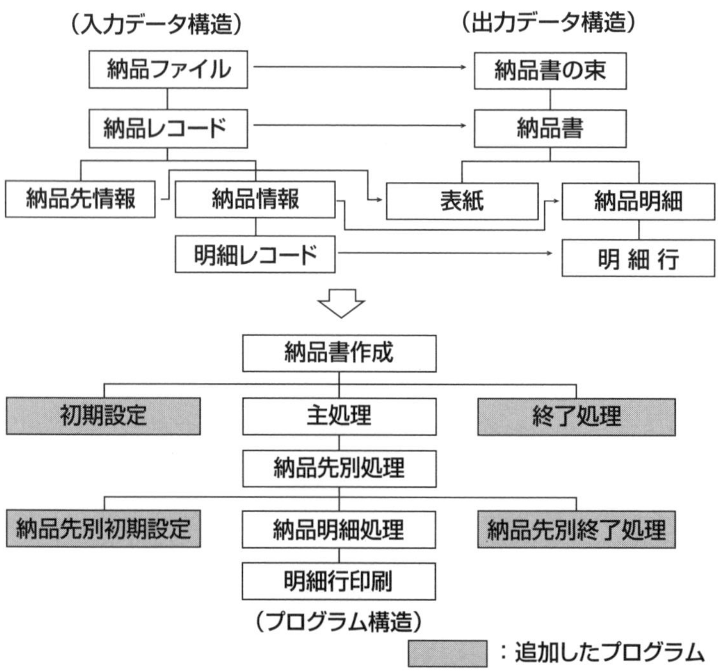

●ワーニエ法

ジャクソン法と同時期に提案されたデータ指向のプログラム設計法である。データ構造からプログラム構造を設計するという点ではジャクソン法と同じであるが、入力データ構造を中心にプログラム構造を決定するという点がジャクソン法と大きく異なる。

a. 出力データ構造の設計

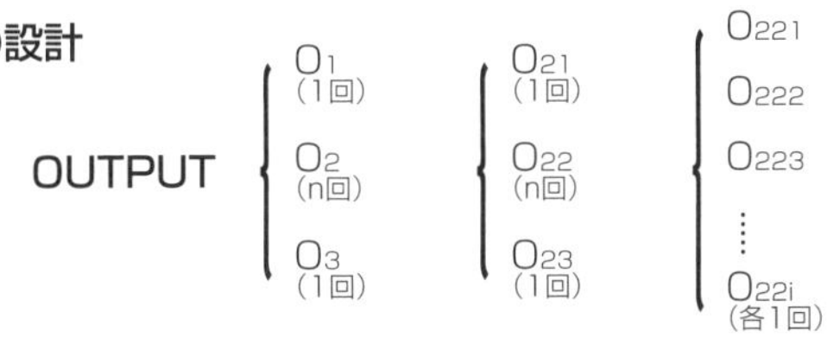

b. 入力データ構造の設計

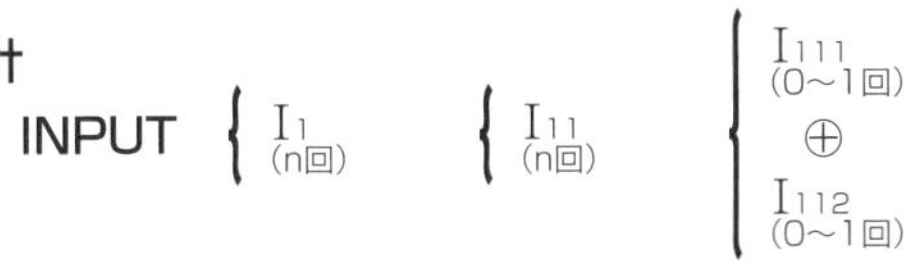

c. プログラム構造の設計

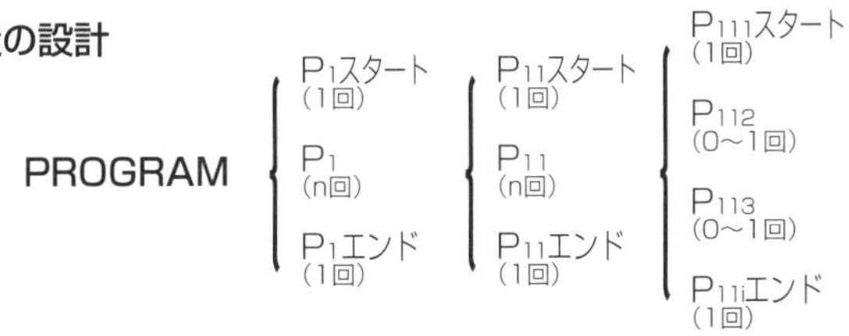

この単元のキーワード
- □ジャクソン法
- □ワーニエ法
- □構造化チャート
- □HIPO

●構造化チャート

機能間の従属関係を階層的に表すことを目的にしている。特にパラメータの記述ができるため、インタフェースを理解しやすい。ループや判定などの手続きを表現することも可能である。

◀**パラメータ**：引き渡すデータ。

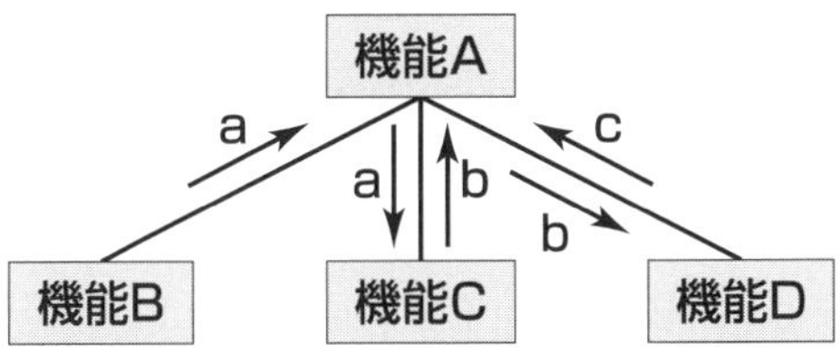

◀機能Bよりaを機能Aに渡し、それを機能Cに渡すことにより、bを得る。それを機能Dに渡すことにより、cを得ることができる。

●HIPO

システムのもつ機能を階層構造で表す「図式目次」と、入力・処理・出力を表す「IPOダイアグラム」から構成される。IPOダイアグラムには、その記述レベルによって、「総括ダイアグラム」と「詳細ダイアグラム」の2種類がある。幅広い工程で使用できる。

◀**HIPO（ハイポ）**：Hierarchy plus Input Process Output

第1章　システムの開発

1-9 オブジェクト指向設計

オブジェクト指向設計では、システムの中に存在する“実体”に着目し、実体の行動や性格を「クラス」として実現していく。オブジェクト指向設計の概要と特徴を学習する。

●オブジェクト指向の考え方

従来の構造化設計では、システム全体を小さなモジュールに分割し、各モジュール（C言語などの関数）がそれぞれの機能を実現するように設計を行った。オブジェクト指向設計では、システム全体をいくつかの**クラス**で構成する。クラスとは、そのシステムに必要な“実体”のことで、たとえば、成績管理システムでは「学生」クラス、「教師」クラスなどが考えられる。

各クラスは、**プロパティ（属性）**と**メソッド（手続き）**をもつ。「学生」クラスの例を次に示す。

クラス名	学生
プロパティ	・学籍番号 ・氏名 ・所属学科
メソッド	・履修登録をする ・成績を表示する

このように、オブジェクト指向設計では、プロパティとメソッド（従来のデータと関数）が、クラスの中で一体化されているのが大きな特徴である。そして、プロパティとメソッドの内部構造は、外部からは見えないようになっている。これを、情報の**カプセル化**という。外部からこの学生クラスを利用するときは、“成績を表示せよ”のようなメッセージを送ればよい。

◀**プロパティ（属性）**：クラスの性格や特徴を表すための情報で、手続き型プログラムの「データ」に相当する。

◀**メソッド（手続き）**：クラスの動き・行動を表すもので、手続き型プログラムの「関数」に相当する。

●クラスとオブジェクト

「学生」クラスは、どの学生にも共通する項目を一般的に定義したものである。このクラスから一人ひとりの学生を表現する「**オブジェクト**」を作成する。50人の学生の成績を取り扱うには、50個の「学生」オブジェクトが必要になる。オブジェクトは、

◀**クラス間の関係**：オブジェクト指向設計ではシステムの中に複数のクラスが存在し、相互にメッセージを送りながら処理を進めていく。各クラスの機能とクラス間の関係は、「クラス図」で表現する。

クラスで定義された項目に、学生固有のデータを入れたものである。

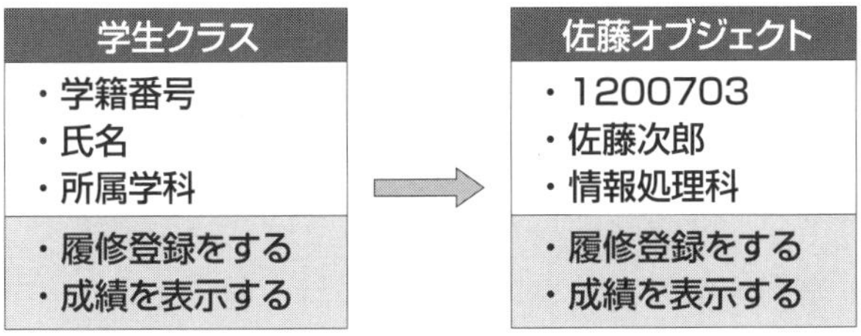

オブジェクトのことを**インスタンス**ともいう。システムの中で具体的に機能するのは、このオブジェクトのほうである。佐藤オブジェクトに“成績を表示せよ”というメッセージを送ると、佐藤次郎の成績が表示される。

●継承（インヘリタンス）

オブジェクト指向設計では、クラスの設計がたいへん重要な意味をもつ。似たような性格をもつクラスの共通部分を取り出して、より抽象的な上位のクラスを作ることができる。

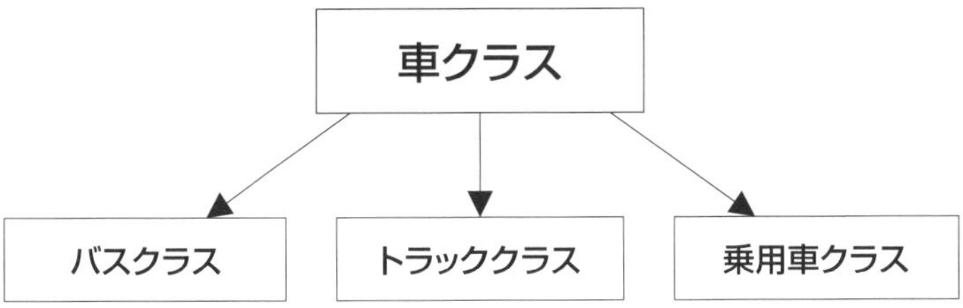

「車」クラスは、「バス」、「トラック」、「乗用車」の共通部分からなる上位クラスになる。「車」クラスで定義されている共通のプロパティやメソッドは、下位のクラスに自動的に受け継がれる。これを**継承**（インヘリタンス）という。下位のクラスでは、共通部分を作成する必要がないので、効率のよい開発が可能になる。

なお、上位クラスのことを**スーパークラス**、下位のクラスを**サブクラス**ともいう。複数のサブクラスからスーパークラスを作ることを**汎化**、1つのスーパークラスからいくつかのサブクラスを作ることを**特化**という。

●ポリモルフィズム（多態性、多様性、多相性）

各オブジェクトに同一メッセージを送っても、受け取るオブジェクトにより異なる動作をすることである。ポリモルフィズムは、スーパークラスで定義されたメソッドをサブクラスで再定義するオーバライド（再定義）を行うことで実現する。

この単元のキーワード

- □クラス
- □オブジェクト
- □プロパティ
- □メソッド
- □カプセル化
- □インヘリタンス
- □ポリモルフィズム

◀**レプリケーション**：分散処理環境では、オブジェクトが他のコンピュータからも参照される場合、そのレプリケーションを参照するコンピュータ上に設けて、周期的にオブジェクトのデータをレプリケーションにコピーする。これにより、メソッドの呼び出しにネットワークを介さなくともデータ取得が可能となる。自動車制御のような時間制御が厳しい組み込みシステムなどで利用されている。

◀**共通のメソッド**：車クラスで定義する共通のメソッドとして、「エンジンをかける」「アクセルを踏む」、「ハンドルを回す」などが考えられる。

1-10 オブジェクト指向とUML

オブジェクト指向の考え方でシステムの設計・開発を行うときには、UMLと呼ばれる設計手法が用いられる。UMLの特徴とユースケース図やクラス図の表記法について学習する。

●統一モデリング言語：UML

UMLは1997年に発表されたオブジェクト指向設計のための設計手法で、日本語では「統一モデリング言語」と呼ばれる。

◀**UML**：Unified Modeling Language

従来のウォータフォールモデルでは、工程ごとに形式の異なるドキュメント（仕様書）が作成されていた。

UMLでは、オブジェクト指向設計の各フェーズにおいて、ユースケース図、クラス図、シーケンス図などの統一したドキュメント（図法）が用いられる。概念モデルとして作成した大まかなクラス図を徐々に詳細化していくことによって、最終的にはJava等のオブジェクト指向言語によるプログラムが作成可能な設計モデルのクラス図に到達することができる。このように、UMLでは、設計・開発のすべてのフェーズに統一した表記法が用いられるのが大きな特徴である。

●ユースケース図の作成

UMLのユースケース図は、これから開発するシステムの振る舞いを表現するもので、開発プロジェクトに参画するメンバー（開発者、利用者、プロジェクトマネジャー）の意思統一を図る重要なドキュメントである。

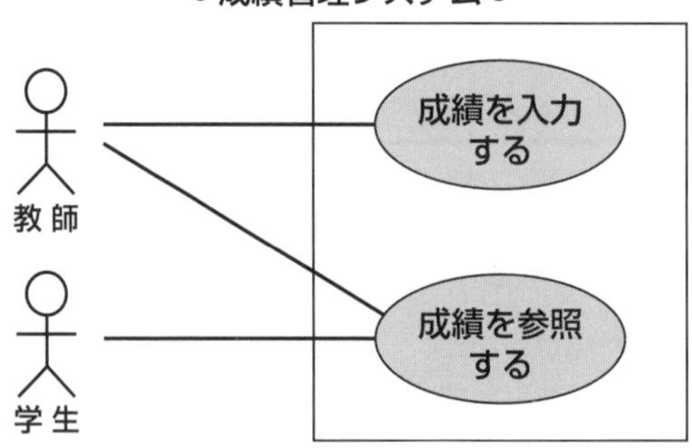

① **アクター**

システムの外部にいて、システムとの関わりをもつ者をアクターという。成績管理システムの例では、「教師」と「学生」がアクターになる。

② **ユースケース**

システムの大きな機能をユースケースとして表現し、アクターとの関連を明記する。この例では、「成績を入力する」、「成績を参照する」がユースケースになる。

この単元のキーワード
□統一モデリング言語
□UML
□ユースケース図
□クラス図
□関連
□汎化

●クラス図の作成

UMLのクラス図は、システムの実現に必要なクラスとクラス間の関連を表現する。成績管理システムのクラス図の一例を次に示す。

ここでは、必要なクラスを抽出して、その関連を示した概念モデルのクラス図を示す。

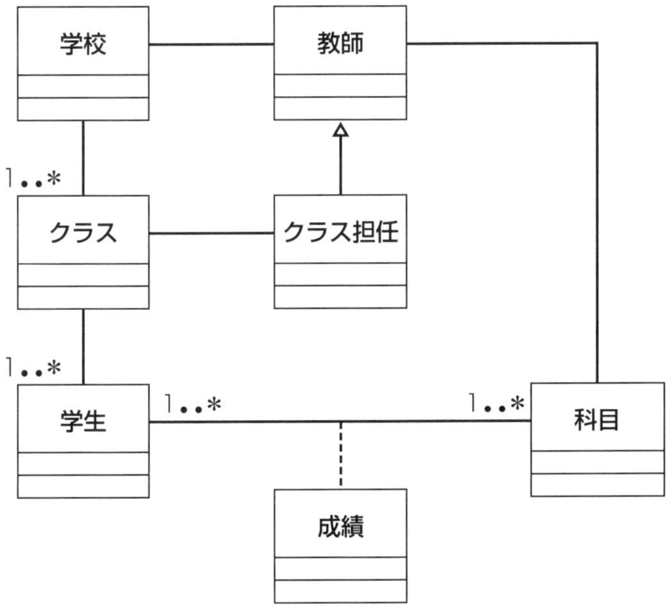

① **関連（association）**

関連は、関係のあるクラスを線 ―― で結ぶことで表現する。クラスからオブジェクトが作成されたときのオブジェクト間の関係を「多重度」で示す。この例では、「学校」の中に複数の「クラス」（学級）が存在することを示し、「1..＊」と表記する。

② **汎化（generalization）**

前項で学習した汎化は、矢印 ――▷ で表現する。「クラス担任」クラスは、「教師」クラスを継承することを示している。

◀**関連クラス**：「成績」クラスは、「学生」と「科目」の関連の上に作成される。たとえば、100人の学生がそれぞれ7つの科目を受講すると、合計700個の「成績」オブジェクトが作成されることになる。このようなクラスを「関連クラス」という。

第1章　システムの開発

1-11 テスト技法

テストの目的は、バグや不具合の効率的発見にある。ここでは4つのテスト（単体、結合、総合、運用）を理解する。

●テストの種類

テストは「正しいことを確認する」のではなく、効率的にバグや不具合を発見するために行う。その目的と対象範囲によって、テストには次の種類がある。

◀**バグ**：bug＝虫の意味。プログラムの文法上の誤り、または論理的な誤り。

(1) 単体テスト

プログラムを構成するモジュールごとの個別のテストである。ここでいうモジュールとは、コンパイルの単位である。

(2) 結合テスト

モジュール集積テストとも呼び、1本のプログラムを構成するモジュールを集めて行うプログラム単位のテストである。内部設計内容に対応したテストと考えてよい。ここでいうプログラムとは、リンクの単位である。

(3) 総合テスト

システムテストとも呼び、外部設計内容に対応したテストである。プログラムやサブシステム間の連携がうまくいっているか、実用に耐えられるかをテストする。開発者側から見た最終テストであり、ジョブの連携や性能、負荷、障害回復など、さまざまなテスト項目がある。

(4) 運用テスト（検収、受け入れテスト）

ユーザが中心になって行うテストであり、要求定義の内容に対応したテストである。実際の業務の環境を想定し、業務でのシステム利用に問題がないか、要求がすべて満たされているかなどを最終確認する。

●増加テスト

テストが完了したモジュールとテストモジュールを順次結合させていくテストが増加テストであり、トップダウンテストやボトムアップテスト、サンドイッチテストがある。

この単元の
キーワード

- □単体テスト
- □結合テスト
- □総合テスト
- □運用テスト
- □トップダウンテスト
- □ボトムアップテスト
- □サンドイッチテスト

(1) トップダウンテスト

最上位モジュールから下位のモジュールを順次結合しながらテストを重ねていく方法である。その際、テストモジュールから呼び出される下位のモジュールは未開発のため、仮のモジュールを用意する必要がある。これをスタブと呼ぶ。

スタブは、上位モジュールからの呼び出しに対し、正しい結果を返すなど下位モジュールの働きをする。

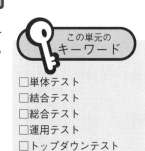

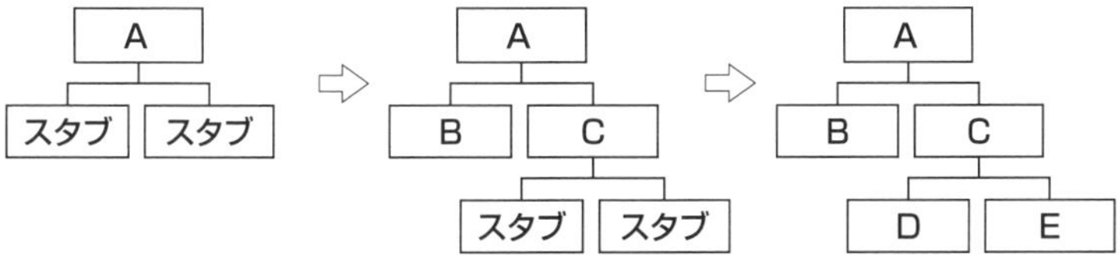

図　スタブを利用したトップダウンテスト

(2) ボトムアップテスト

最下位モジュールから上位のモジュールを順次結合しながらテストを重ねていく方法である。その際、テストモジュールを呼び出す上位モジュールは未開発のため仮のモジュールを用意する必要がある。これをドライバと呼ぶ。ドライバは、下位モジュールを呼び出し必要なデータを渡すなど上位モジュールの働きをする。

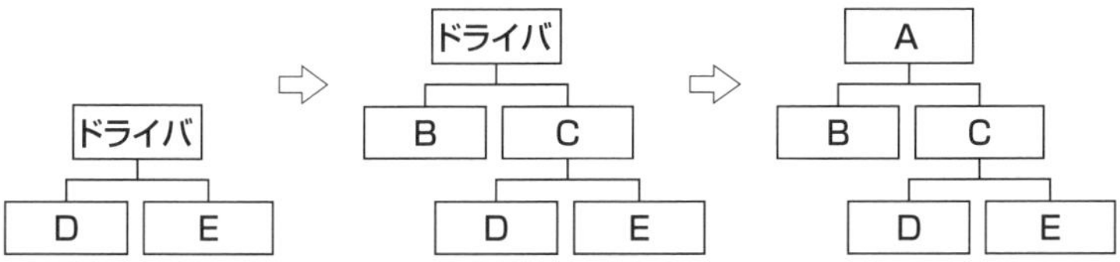

図　ドライバを使用したボトムアップテスト

(3) サンドイッチテスト（折衷テスト）

最上位に近いモジュールはトップダウンテストで、最下位に近いモジュールはボトムアップテストといい、2つを組み合わせてテストをすることをサンドイッチテストと呼ぶ。並行作業が実施できるため、短期間でテストをさせることができるが、ドライバとスタブの両方が必要になる。

●テストケースの設計

効果的なテストをするためには、テストケースの設計が重要な役割を果たす。ここでは、単体テストと結合テストにおけるテストケースの設計手法を解説する。

(1) ブラックボックステスト

プログラムの外部仕様からテストケースを設計する方法で、プログラムの内部ロジックは参考にしない。代表的な手法は、次の3つである。

① 同値分割

プログラムの入力仕様をもとに、正常に処理されるデータの範囲を有効同値クラス、異常とみなされるデータの範囲を無効同値クラスと呼ぶ。それぞれのクラスから1つずつテストデータを選ぶ手法が、同値分割である。たとえば、20以上40未満の値が正常で、それ以外は異常の場合、次のようになる。

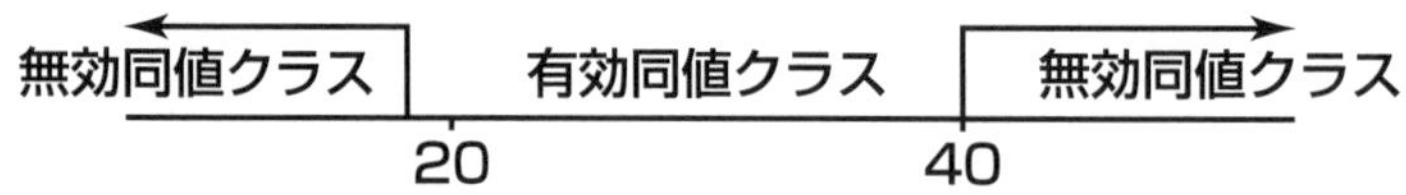

◀この例では、設定されるテストケースは、それぞれのクラスから任意の値を1つずつ、計3個になる（たとえば、15，30，41）。

② 限界値分析

同値分割ではそれぞれのクラスの任意の値を選べばよいが、限界値分析ではクラスの境界になる値をテストケースに選ぶ。同値分割と同じ例では、19，20，39，40の4つの値がテストケースになる。

③ 原因－結果グラフ

プログラムの入力仕様条件と出力結果の関係を図に表し、これをデシジョンテーブルにまとめてテストケースを設計する方法である。

(2) ホワイトボックステスト

プログラムのアルゴリズムを検証するために内部仕様をもとにテストケースを設計する。

すべてのテストケースの検証が難しい場合、所定の網羅条件がテストによってどれだけ実行されたかを割合で表す指標を利用する。コストや納期などの観点から、生産性と信頼性のバランスを考慮して網羅率の目標を定めて、この目標をクリアすることでテストが完了したとする。

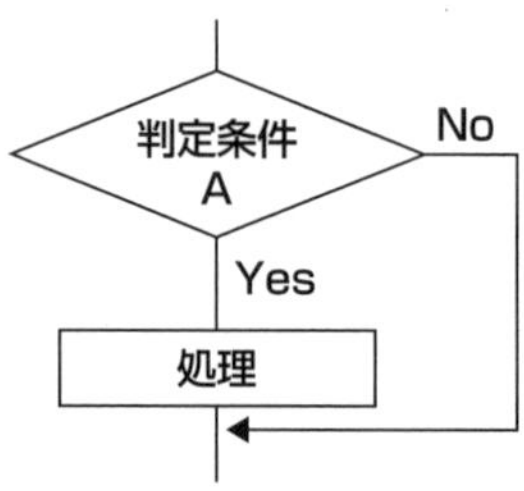

① 命令網羅率

すべての命令のうち、テストで実行された命令の割合で表す。網羅率を100%とするためのテストケースである。

	I
A	真

□ブラックボックステスト
□ホワイトボックステスト
□信頼度成長曲線

② 分岐網羅率

すべての判定条件の真偽のうち、テストで実行された判定条件の割合で表す。網羅率を100%とするためのテストケースである。

	I	II
A	真	偽

③ 複合条件網羅率

すべての条件の真偽の組み合わせのうち、テストで実行された条件の割合で表す。網羅率を100%とするためのテストケースのである。

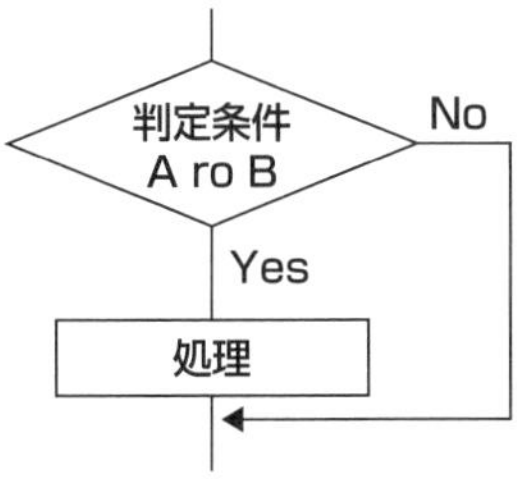

	I	II	III	IV
A	真	真	偽	偽
B	真	偽	真	偽

●信頼度成長曲線

横軸にテスト項目消化件数（テスト時間）、縦軸に誤り（バグ、エラー）の累積件数をプロットしたグラフであり、実施しているテストの品質を管理する目的で使われる。テストが適正である場合は、開始当初はバグの発見が少なく、テストが進むにつれ多数のバグが発見され、徐々に品質が安定して発見されるバグの数が減るためＳ字型を描く。そのため、発見されるバグが増え続けたり、発見されるバグの数が予想より早く減少してＳ字型を描かない場合は、テストに何らかの問題があると考えられる。

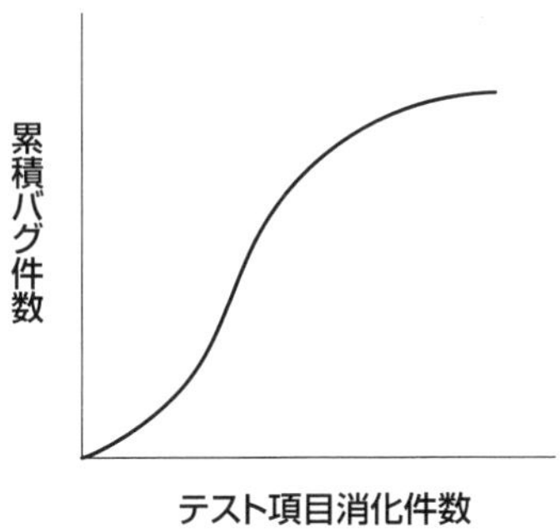

1-12 システムの構成技術

分散処理環境でのシステムは、クライアントサーバシステムで構築されることが多い。このシステムの特徴と、信頼性向上のための構成について学習する。

●集中処理から分散処理へ

従来の大型コンピュータの時代は、すべての処理を1台のホストコンピュータに集めて行う集中処理が中心であった。高性能のパソコンやワークステーションが普及してくると、これらをネットワークで相互接続し、処理を分散させる方式が多くなった。

◀**スケールアウト／スケールアップ**：システムの処理能力を向上する目的で同じ性能の機器を増やすスケールアウトと、個々の機器の性能を高機能なものに交換するスケールアップがある。

集中処理の特徴

・システムの管理やメンテナンスが容易である。
・ホストコンピュータの障害による影響が大きい。

分散処理の特徴

・仕事量の増大や新機能の追加に対応しやすい。
・システム全体の運用が複雑で、運用コストもかかる。

●クライアントサーバシステム

分散処理環境で、システムを構築する代表的な方法がクライアントサーバシステムである。このシステムは、サービスを提供する**サーバ**と、サービスの提供を受ける**クライアント**によって構成され、すべての処理が、サーバとクライアントの連携によって実現される。

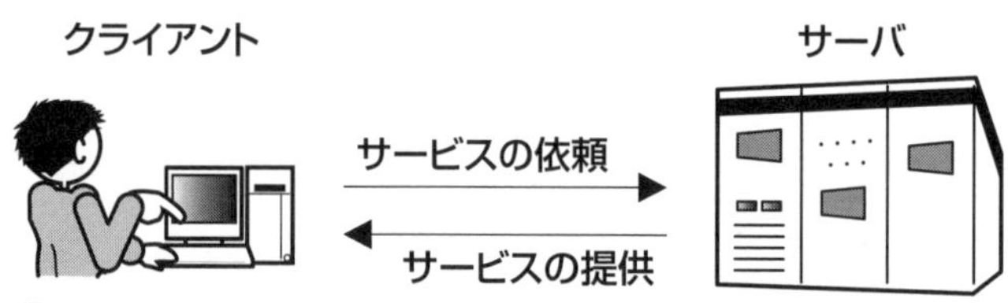

特徴

・役割分担が明確なので、設計・開発を進めやすい。
・業務の追加・拡張に柔軟に対応できる。

●サーバ機能の種類

代表的なサーバ機能は、次の4つである。

① **プリントサーバ機能**

サーバに接続されたプリンタを複数のクライアントで共有するものである。プリンタの台数削減に直接結びつくため、最も普及している機能といってもよい。

② **ファイルサーバ機能**

サーバの磁気ディスクを複数のクライアントで共有するものである。システム全体としてムダをなくし、磁気ディスク容量の削減につながる。

さらに、情報の共有化という業務上重要な目的にも合致するため、よく利用される機能である。

③ **アプリケーションサーバ機能**

サーバに導入したアプリケーションプログラムを複数のクライアントで共有するための機能である。アプリケーションの導入や保守の作業負荷を軽減する効果がある。

④ **グループウェア機能**

電子メール、会議室予約、スケジュール管理など、グループの共同作業の効率を向上させるための機能を提供する。

この単元のキーワード

- □集中処理
- □分散処理
- □クライアントサーバシステム
- □デュプレックスシステム
- □デュアルシステム

① プリントサーバ

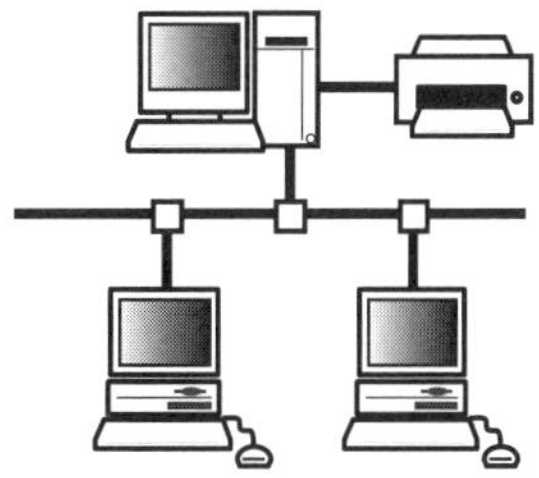

② ファイルサーバ

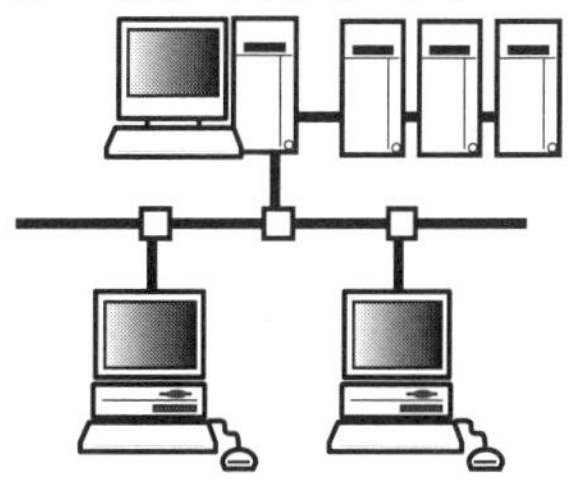

③ アプリケーションサーバ

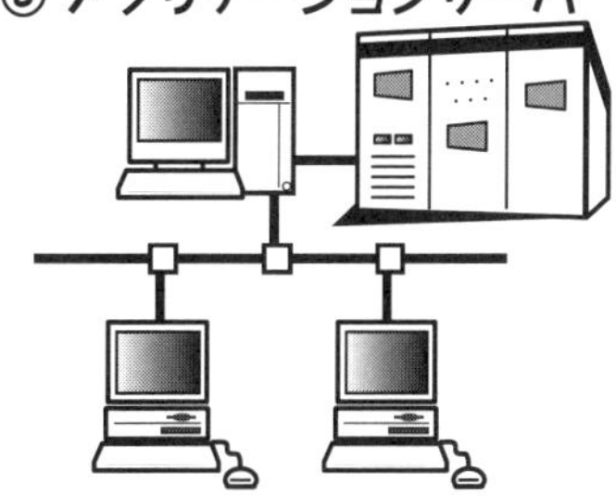

●信頼性向上のための構成

複数の機器から構成されるシステムで機器を直列に接続する方法をタンデムシステムという。システムの信頼性を向上させるためには同じ装置を複数台用意し、故障や不具合があったとき、代替できるように構成する必要がある。

① **デュプレックスシステム**

同じ構成のコンピュータを2セット用意して、通常は一方のコンピュータＡで処理を行う。コンピュータＡに障害が発生したら、他方のコンピュータＢに切り替えて処理を続行する。

信頼性向上のための最も一般的な構成で、銀行のホストコンピュータなどはこの構成が採用されている。

② **デュアルシステム**

同じ構成のコンピュータを2セット用意するのは、デュプレックスシステムと同じだが、デュアルシステムでは常に両方のコンピュータで同じ処理を実行する。

そして、両方の処理結果をチェックし、結果が一致すれば処理は正しかったと判定する。きわめて高い信頼性が要求されるシステムで採用される。

●障害時の対応対策

この単元のキーワード
- □ホットスタンバイシステム
- □コールドスタンバイシステム
- □クラスタシステム
- □グリッドコンピューティング

実際に稼動しているシステムを現用系、その他のシステムを待機系と呼ぶ。障害発生時のシステム切替えに要する時間と待機状態により、次のようなシステムがある。

①　ホットスタンバイシステム

現用系システムとまったく同じ構成のシステムを用意し、待機系システムとする。現用系システムに障害が発生した場合、即座に待機系システムに処理を引き継ぐことにより、瞬時に切り替えることができる。そのため待機系システムはOSや業務システムを起動させ、常時稼働状態で待機している。

②　コールドスタンバイシステム

現用系システムとまったく同じ構成のシステムを用意し、待機系システムとする。正常時には待機系システムは電源を切り、停止させておく。現用系システムに障害が発生した場合、待機系システムを起動して処理を引き継ぐようにしたシステムである。そのため、切り替えに若干時間がかかる。

③　クラスタシステム

複数のコンピュータを組み合わせることで、利用者や他のコンピュータに対して1台の高性能なコンピュータであるかのように振る舞うシステムである。本来は処理時間の短縮や大規模な計算処理などを実現するためのシステムであるが、システムの一部で障害が発生しても、他のコンピュータに処理を肩代わりさせることにより業務を継続させることができる。

④　グリッドコンピューティング

ネットワークを介して多数のコンピュータを連携させ、高性能な仮想コンピュータとして利用できるようにしたシステムである。個々のコンピュータの性能は低くても、複数のコンピュータを並行、かつ、分散して処理させることで、高速で大量の処理を実行することができる。

第1章　システムの開発

1-13 システムの性能

システム開発では、性能目標を設定し、開発の早い段階で性能評価を行う必要がある。システムの性能は、応答時間（レスポンスタイム）と処理能力（スループット）で評価される。

●システムの性能評価

システム開発では、そのシステムが実際に稼働したときの性能目標を具体的に設定する。システムの性能はアプリケーションプログラムだけではなく、オペレーティングシステムやハードウェアの構成にも大きく依存する。開発の早い段階で性能評価を行い、目標値を達成できない場合は、適切な対策を講ずる必要がある。

システムの性能は、単位時間あたりの処理能力（**スループット**）と、システムの応答時間（**レスポンスタイム**）で評価される。

●システムの応答時間（レスポンスタイム）

応答時間は、ユーザが指示を出してから（ボタンをクリックするなど）、次の画面の表示が始まるまでの時間で評価される。この時間が長いと、システムを快適に利用できないので、結果的にユーザ離れを起こすことになる。

応答時間は、次の3つの要素の時間の合計として求めることができる。

① **CPU使用時間**

処理に必要な実行命令数 × CPUの平均命令実行時間

例 平均命令実行時間が10ナノ秒のCPUで5万命令を実行する。
CPU使用時間＝10（ナノ秒）× 50,000（命令）＝500（マイクロ秒）

② **ディスクアクセス時間**

処理に必要なアクセス回数 × ディスクの平均アクセス時間

例 平均アクセス時間10ミリ秒のディスクを12回アクセスする。
ディスクアクセス時間＝10（ミリ秒）× 12（回）＝120（ミリ秒）

③　**データ伝送時間（上り・下り）**

伝送バイト数 × 8 ÷ 通信回線のデータ転送速度

例 5,000バイトのデータをデータ転送速度1Mbpsの通信回線で伝送する。

データ伝送時間 = 5,000 × 8 ÷ 1,000,000 = 0.04（秒）

なお、通信回線は伝送制御や誤り制御のデータを送信するために、伝送効率を考慮する場合が多い。上の例で、伝送効率が80%の場合、データ転送速度は、1Mbps×0.8で0.8Mbpsとして計算する。

この単元のキーワード

- □応答時間（レスポンスタイム）
- □CPU使用時間
- □ディスクアクセス時間
- □データ伝送時間
- □処理能力（スループット）

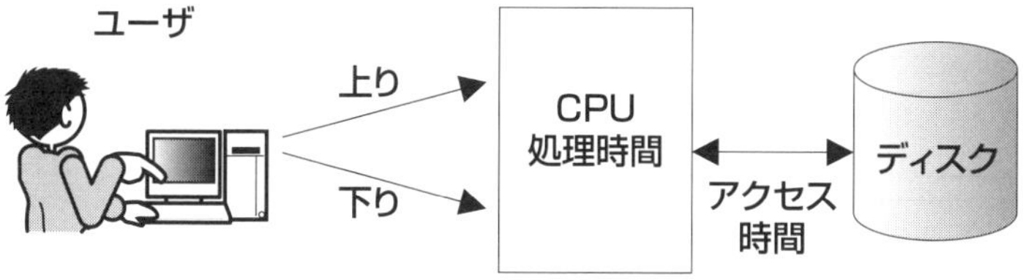

レスポンスタイムの計算

応答時間 = データ伝送時間（上り）＋ CPU使用時間
＋ ディスクアクセス時間 ＋ データ伝送時間（下り）

●単位時間あたりの処理能力（スループット）

システムが単位時間内に処理することができる処理要求の数で評価される。インターネットのWebアプリケーションであれば、短い時間内にWebページを表示できるユーザの数になる。この能力が不足していると、多くのユーザからアクセスが集中した場合、アクセスしてもページを表示できないユーザが発生してしまう。

実際の処理能力計算は、多くの要素を考慮した複雑なものになる。ここでは、CPU性能を評価するための手順を説明する。

◀**処理能力計算**：ここではCPU性能についての評価を行ったが、メモリ容量、ハードディスク、通信回線などの主要なリソースについて、処理能力の評価を行う。

①　**1処理要求あたりのCPU使用時間**

1処理要求に5万命令を実行し、CPUの平均命令実行時間が10ナノ秒の場合、次のようになる。

CPU使用時間 = 10（ナノ秒）× 50,000（命令）= 500（マイクロ秒）

②　**単位時間に処理可能な処理要求の数**

この処理要求について、1秒間に何件処理できるかを求める。なお、CPUはオペレーティングシステムなど他のシステムも使用するため、CPU利用率を設定する。CPU利用率を75%とすると、

1,000,000（マイクロ秒）× 0.75 ÷ 500（マイクロ秒）= 1,500（件）

となり、1秒間に1,500件までは処理できることになる。

第1章　システムの開発

1-14 システムの信頼性

信頼性の高いシステムを構築するためにも、システム全体の信頼性を評価する必要がある。稼働率を用いて、システムの信頼性を求める方法を学習する。

●信頼性の指標：RASIS

今日のIT社会では、われわれの生活にコンピュータシステムが深く関わっている。したがって、故障の少ない信頼性の高いシステムが要求される。システムの信頼性を表す指標としてRASISがある。

R：Reliability（信頼性）
故障が少なく、安定して稼働する。

A：Availability（可用性）
必要なときに、いつでも利用することができる。

S：Serviceability（保守性）
故障原因の発見や修理が容易にできる。

I：Integrity（保全性）
システム内の情報を常に正しい状態に保つ。

S：Security（機密性）
正規の権限をもつ者のみが情報を利用できる。

◀**フェールソフト**：システムが部分的に故障しても、その部分を切り離し、主となる機能を維持するという、継続性を最優先にする考え方である。

◀**フェールセーフ**：システムを構成している機器が故障したときは、システムが安全に停止するようにして、被害を最小限に抑える考え方である。

システムの設計・開発においては、これらの要件を可能なかぎり満たすように配慮する必要がある。

●装置の稼働率

コンピュータシステムは、数多くの装置（部品）で構成される。各装置の信頼性が、コンピュータシステム全体の信頼性を大きく左右する。システムを構成する装置の稼働率は、次のように求める。

① **平均故障間隔：MTBF**

ある装置の使用を始めてから、次に故障するまでの平均時間をMTBFで表す。この値が大きいほど装置は故障しにくいので、

◀**MTBF**：Mean Time Between Falure

信頼性「R」は向上する。

② **平均修理時間：MTTR**

ある装置が故障したときに、その修理に必要な平均時間をMTTRで表す。この値が小さいほど修理は容易なので、保守性「S」は向上する。MTBFとMTTRは、装置の稼動実績から簡単に求めることができる。

③ **装置の稼働率**

装置の稼働率は、MTBFとMTTRを使って次の式で求める。

$$\text{稼働率 A} = \frac{\text{MTBF}}{\text{MTBF} + \text{MTTR}}$$

稼働率Aは、装置が稼働している時間の割合を示している。この値が大きいほど、装置の使える時間が多くなるので、可用性「A」が向上する。

この単元のキーワード

- □RASIS
- □稼働率
- □MTBF
- □MTTR
- □直列構成
- □並列構成

◀**MTTR**：Mean Time To Repair

◀**直列構成の稼働率**：稼働率0.9の装置を2台直列につなげると、システムの稼働率は0.9×0.9＝0.81になる。

●システムの構成と稼働率

システムは、複数の装置の組み合わせによって構成される。基本的な構成として、直列構成と並列構成がある。

① **直列構成**

システムを構成している装置のいずれか1台でも故障すると、システム全体が機能しなくなる。コンピュータシステムは、CPU、メモリ、ハードディスク、……の直列構成である。

直列構成のシステム全体の稼働率は、次の式で求める。

システムの稼働率＝装置Aの稼働率×装置Bの稼働率

② **並列構成**

並列構成では、構成している装置のいずれか1台が正常であれば、システム全体も正常に機能する。並列構成の典型的な例は、デュプレックスシステムである。

◀**並列構成の稼働率**：稼働率0.9の装置を2台並列につなげると、システムの稼働率は1－(1－0.9)×(1－0.9)＝0.99になる。

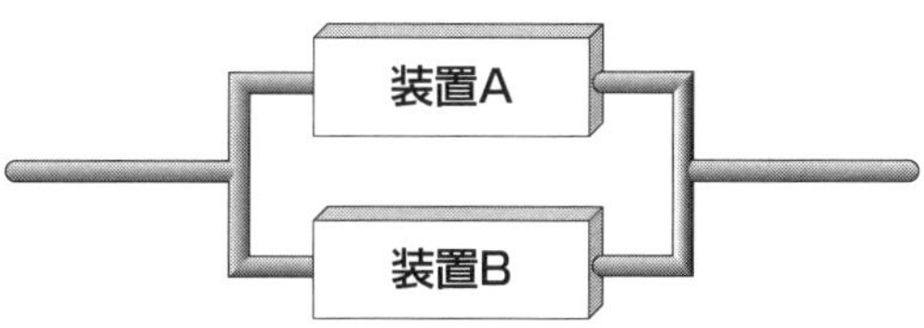

並列構成のシステム全体の稼働率は、次の式で求める。

システムの稼働率＝1－(1－装置Aの稼働率)×(1－装置Bの稼働率)

確認問題

▶解答と解説は別冊29ページ～

第１章　システムの開発

◆問4-1-1　システム開発の早い段階で、目に見える形で利用者が要求を確認できるように試作品を作成する開発手順はどれか。

ア．ウォータフォールモデル　　イ．オブジェクト指向　　ウ．クライアントサーバ
エ．スパイラルモデル　　オ．プロトタイピング

◆問4-1-2　次の記述は、システム開発工程の作業内容を示したものである。開発手順に従って並べたものはどれか。

a　現状の問題点を調査・分析し、対象システムへの要求を定義する。
b　システム構築上必要となる機能をプログラムに分割し、処理の流れを明確にする。
c　詳細処理手順を設計、コーディングし、その修正を行う。
d　テストを行う。
e　内部設計書に基づいて各プログラム内の構造設計を行う。
f　システムへの要求条件をもとに、システムとして必要な機能を定義する。

ア．a-f-b-c-e-d　　イ．a-f-b-e-c-d　　ウ．a-f-c-b-e-d　　エ．a-f-e-b-c-d　　オ．a-f-e-c-b-d

◆問4-1-3　システム開発工程内の外部設計における作業内容として、適切でないものはどれか。

ア．会話処理を実現するための画面遷移や画面レイアウトを設計する。
イ．コードを付与する対象を選定し、コード付与対象ごとにコード表を作成する。
ウ．プログラムの構造を決定し、その詳細機能を洗い出す。
エ．報告書の出力媒体の選択や報告書レイアウトの設計を行う。
オ．ユーザのシステム化要求を明確化するため、業務フローを整理確認する。

◆問4-1-4　システム開発の手法の1つであるウォータフォールモデルの説明として、適切なものはどれか。

ア．アプリケーションの部分単位に設計・製造を行い、これを次々に繰り返す。
イ．システム開発を工程順に進めるので、後戻りすればシステムの開発効率が著しく低下する。
ウ．動作可能な試作品を作成し、要求仕様の確認・評価を早期に行う。
エ．ユーザの参画、少人数による開発、開発ツールの活用によって短期間に開発する。

◆問4-1-5　システム開発時の各種技法についての説明で、誤っているのはどれか。

ア．DFD法は、要求定義や概要設計の過程でシステム全体のデータの流れに注目してシステムを図式モデル化する方法である。
イ．HIPO法は、システムの機能構造を階層的に図式化し、入力・処理・出力の関係を明確に記述していく。
ウ．ジャクソン法とは、プログラム構造を入出力データに対応させながら設計していく方法である。
エ．ワーニエ法とは、出力のデータ構造に着目し、プログラムの構造を導き出す技法である。

◆問4-1-6　オブジェクト指向開発において、上位のクラスのデータや性質を、その下位クラスが引き継いで使用できる性質を何というか。

ア．インスタンス　　イ．オブジェクト
ウ．カプセル化　　エ．インヘリタンス

◆問4-1-7　モジュール強度が最も強いものはどれか。

ア．機能的強度　イ．暗号的強度　ウ．連絡的強度　エ．時間的強度

◆問4-1-8　モジュール結合度が最も弱いものはどれか。

ア．外部結合　イ．内容結合　ウ．スタンプ結合　エ．データ結合

◆問4-1-9　UMLの各図のうち、「システムに要求される各種の機能を、ユーザの視点から記述した図」を何というか。

ア．クラス図　イ．シーケンス図　ウ．ユースケース図　エ．コンポーネント図

◆問4-1-10　一般的なシステム開発技法において、コーディングの終了後に実施するテストの順番を正しく並べたものはどれか。

ア．運用テスト→総合テスト→システムテスト→単体テスト
イ．運用テスト→単体テスト→システムテスト→結合テスト
ウ．単体テスト→運用テスト→総合テスト→システムテスト
エ．単体テスト→結合テスト→システムテスト→運用テスト

◆問4-1-11　ブラックボックステストのテストケース作成技法のひとつ「限界値分析」において、「入力されてきた100点満点のテストの各点数を取り込むモジュール」のテストをすることにした。このモジュールに入力されてくる点数は0点以上100点以下と決められており、入力ミス等で範囲外の数値が入力された場合は、エラー処理を行うことになる。
　この場合に、テストケースとして最も適切な値はどれか。

ア．0，100
イ．0，１，99，100
ウ．－1，0，100，101
エ．－1，101

◆問4-1-12　ホワイトボックステストに関する記述として、正しいものはどれか。

ア．プログラムの内部構造を参照せずにテストケースを作成する技法である。
イ．テストケース作成方法の1つ命令網羅では、すべての判定条件で真、偽の組み合わせを満たすようなテストケースを作成する。
ウ．テストケース作成方法の1つ条件網羅では、プログラム中のすべての命令を1回は通過するようなテストケースを作成する。
エ．テストケース作成方法の1つ複数条件網羅では、すべての条件において起こりうる真、偽の組み合わせと、それに伴う分岐を網羅するようなテストケースを作成する。

◆問4-1-13　稼働率が0.9である機器を、3つ並列に配置したシステムを構成した。3つのうちの1つ以上が稼働していれば、このシステムは正常に動作しているとみなせるものとする。
　このシステムの全体の稼働率はいくらか。ここで、全体の稼働率は小数点以下第3位を切り捨て、第2位まで求めるものとする。

ア．0.72　　イ．0.81　　ウ．0.90　　エ．0.99

◆問4-1-14　アジャイル開発などで導入されているペアプログラミングの説明はどれか。

ア．テストで見つかる不具合を少なくするため、2人のプログラマがペアとなり、プログラミングとテストケースの作成を交互に行う。
イ．プログラムの品質向上を図るため、2人のプログラマがペアとなり、プログラミングとチェックを交互に行う。
ウ．プログラムの保守性を高めるため、利用者とプログラマがペアとなり、外部から見た振る舞いを変えずに内部構造を変更することにより、プログラムをより良く作り直す。
エ．問題が拡大したり状況が悪化したりするのを避けるため、プロダクトオーナとプログラマがペアとなり、毎日決めた時刻にチームのメンバーを集めて開発の状況を共有する。

過去問題

★☆問1-1　次のアジャイル開発に関する記述を読み、各設問に答えよ。

アジャイル開発は、短期間でシステム開発工程（要件定義・設計・開発・テスト・リリース）を繰り返す、反復型の開発手法である。この反復を繰り返すことにより、段階的にシステム全体を仕上げる。開発の手法には、開発チームに適用されるプロダクト管理のフレームワークであるスクラム開発や仕様・要件の途中変更への柔軟な対応を重視しているXP（エクストリームプログラミング）などがある。

＜設問１＞　次のスクラム開発に関する記述中の［　　］に入れるべき適切な字句を解答群から選べ。

スクラム開発は、共通の目標に到達するために、スクラムチームを作り、メンバ全員が自律的に協働を行うことで開発を進めていく。反復の単位は1～4週間のタイムボックスであり［ 1 ］と呼ばれ、［ 2 ］。

スクラム開発では、全体で開発すべき機能リストや改善要素などに優先順位をつけてリスト化したものを［ 3 ］と呼び、この中から今回実施する［ 4 ］を選び出す。これを、スプリントプランニングと呼ぶ。また、進捗状況や問題点などを共有し、その日の計画を立てるため、毎日・決まった場所・時刻に15分程度の［ 5 ］と呼ばれるミーティングを行う。

【1、3～5の解答群】

ア．イテレーション　　　　　イ．スプリント
ウ．スプリント・バックログ　エ．デイリースクラム
オ．プロダクト・バックログ　カ．レトロスペクティブ

1:	3:	4:	5:

【2の解答群】

ア．必ず予定されている機能を完成させなければならない
イ．予定されている機能が完成できない場合は、延長する
ウ．予定されている機能が完成できなくても、延長されることはない

2:

＜設問２＞　次のXPに関する記述中の［　　］に入れるべき適切な字句を解答群から選べ。

XPは、設計・実装・テストを短期間で何度も繰り返し、ユーザの要望を取り入れながら品質を高めていく手法である。プログラマなどの開発チームを対象としたプラクティス（活動）を開発プラクティスと呼ぶ。

開発プラクティスには、最初にテストコードを設計し、そのテストをパスすることを目標にプログラミングを行う［ 6 ］開発がある。これは、テストケースを意識して作成するため、品質が良くテストで見つかる不具合が少なくなり、結果的に工数の削減が期待できる。また、品質向上や知

識の共有を図るために、2人一組でチームを組み、プログラム開発を行う［ 7 ］プログラミングがある。最初からバグが少なく、書き直しが少ないプログラムが完成すれば、結果的に開発スピードが上がることになる。

さらに、完成済みのプログラムでも、保守性の高いプログラムに改良できる。その際、外部から見た振る舞いを変更せずに、プログラム内部の構造を整えるためにプログラムを書き直す。これを［ 8 ］と呼ぶ。なお、改良後には、改良により他の部分に悪影響を及ぼしていないかを検証する［ 9 ］テストを行う。

【6～9の解答群】

ア．YAGNI（You Aren't Going to Need It）　　イ．コードの共同所有

ウ．テスト駆動　　エ．ペア

オ．リグレッション　　カ．リファクタリング

6:	7:	8:	9:

（令和5年度前期　システムデザインスキル　問題2）

第 2 章

ネットワーク技術

2-1 伝送方式
2-2 同期方式
2-3 誤り制御方式
2-4 変調方式
2-5 OSI 基本参照モデルの考え方
2-6 TCP/IP プロトコル
2-7 LAN の規格とアクセス制御
2-8 LAN の接続機器
2-9 無線 LAN とセキュリティ
2-10 IP アドレスの割り当て
2-11 インターネット接続
2-12 インターネットの主なサービス
2-13 Web の仕組みとアプリケーション
2-14 DHCP と DNS のサービス
2-15 VPN の仕組み
2-16 VoIP の仕組み
2-17 TOR の仕組み

2-1 伝送方式

データの伝送は、回線の物理的構造・通信方式などにより方式が分かれる。

●シリアル伝送とパラレル伝送

データの伝送には、次の2つの方式がある。

(1) シリアル伝送（直列伝送）

1本の線の上に順番に信号を流す方式。パラレル伝送に比べて、伝送速度は遅いが、コストは安い。

◀一般のデータ通信では、この方式が主流である。

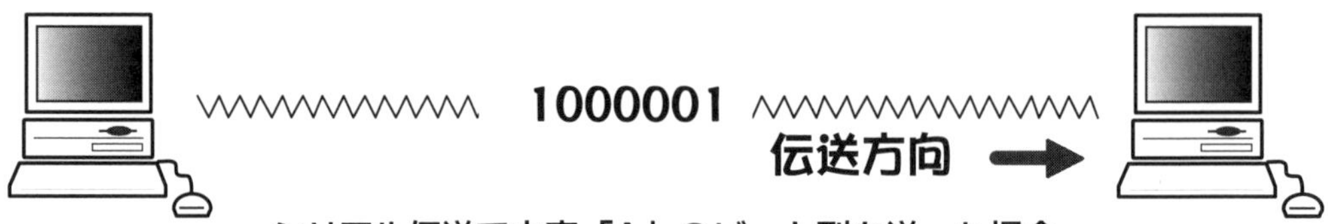

シリアル伝送で文字「A」のビット列を送った場合

(2) パラレル伝送（並列伝送）

複数の線の上に同時に信号を流す方式。伝送速度は速いが、コストが高い。

◀コンピュータ本体と周辺機器との接続などに利用されることがある。

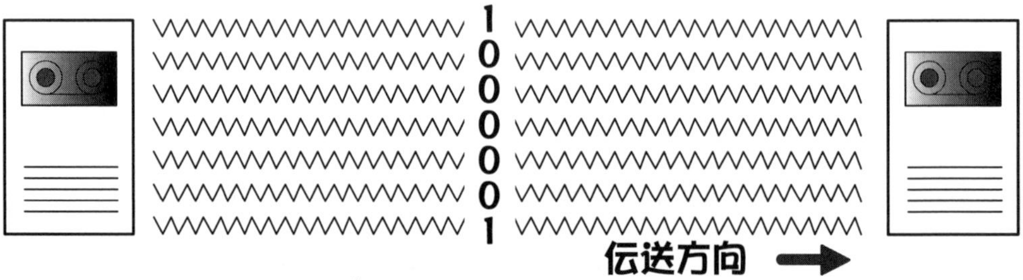

パラレル伝送で文字「A」のビット列を送った場合

●2線式・4線式回線と半二重・全二重通信

通信回線は、線の数によって、2線式と4線式の2種類がある。また、通信方式には、一度に片側しか送信できない半二重通信と、いつも同時に双方向の通信ができる全二重通信の2種類がある。実際の通信では、これら通信回線と通信方式の組み合わせが、次の3種類存在する。

この単元のキーワード

- □シリアル伝送
- □パラレル伝送
- □2線式
- □4線式
- □半二重通信
- □全二重通信
- □アースリターン
- □帯域分割
- □エコーキャンセラ
- □時分割方向制御

(1) 2線式半二重通信

回線が物理的に2線(ペア)のままで通信する場合、伝送路は1チャネルしかないため一度に片側にしか伝送できない。この方式を半二重通信という。

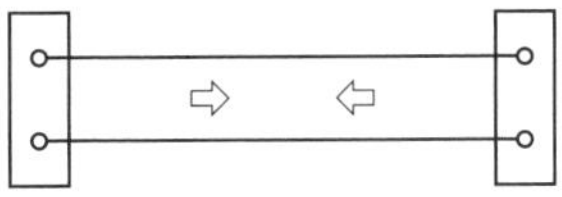

(2) 4線式全二重通信

4線式の回線では伝送路が2チャネルあるため、同時に双方向の伝送を行うことができる。この方式を全二重通信と呼ぶ。

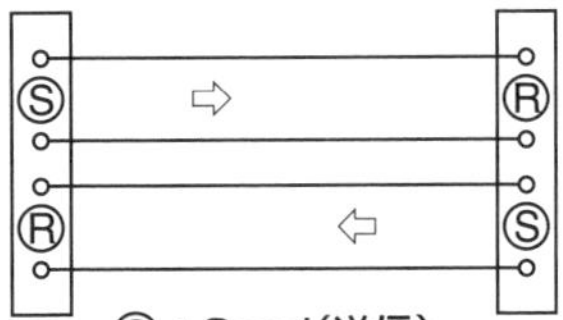

Ⓢ：Send(送信)
Ⓡ：Receive(受信)

◀公衆電話網は2線式であるため、これを流用する場合には、2線式回線を全二重通信として利用する技術が必要になる。

(3) 2線式全二重通信

2線式回線を全二重として利用する方式で、次の4種類の方法がある。

◀電気通信では2本の線を使って片方向の伝送が可能になる。そのため、2線式では1チャネルの伝送路しか確保できない。

① アースリターン方式

両端末側でアースを十分にとることで、2線式回線を送信・受信の2チャネルに割り当てる方式。ノイズが大きいため、超低速通信（75bps以下）に利用が限定される。

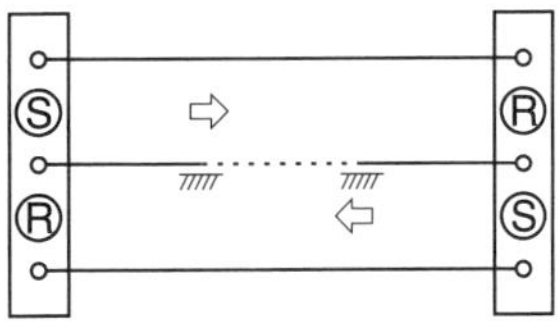

② 帯域分割方式

高域と低域の周波数によって、送信と受信のチャネルを割り当てる方式。

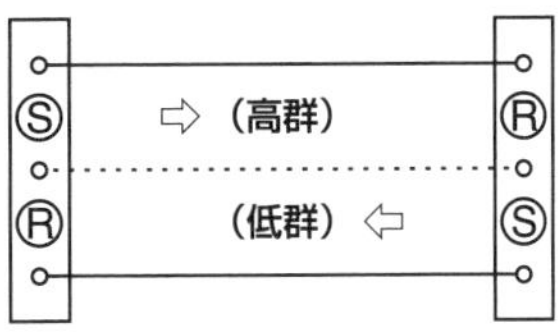

③ エコーキャンセラ方式

2線式回線にエコーキャンセラ装置を挿入することで、音声のまわり込みを防ぎ、送信と受信のチャネルを確保する方式。

◀エコーキャンセラ：Echo Canceller

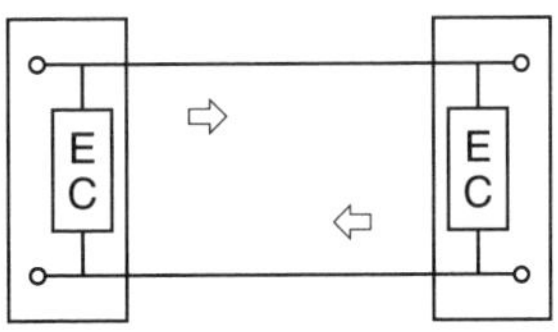

④ 時分割方向制御方式

2線式回線を利用するが、通信速度の2倍以上の速度で伝送方向を数マイクロ～数ミリ秒ごとに切り替える方式。

◀見せかけ上の全二重通信を実現する方式で、INSネット64はこの時分割方向制御方式を使ったものである。

2-2 同期方式

送信側と受信側でデータ送受信のタイミングを合わせることを同期という。代表的な同期方式としては、次のものがある。

●キャラクタ同期（SYN同期）方式

◀**SYN**：Synchronous idle

同期をとるための特定符号（SYN:00010110）をデータの前に付けて伝送する方式で、確実に同期をとるために、SYNは2つ以上付けることになっている。受信側は、SYNを常に監視して、SYNを受信すると、その後は連続したデータとして組み立てる。この方式は、中速の通信で広く使われ、ベーシック手順で採用されている。

キャラクタ同期方式で、文字列「ABC」を伝送した場合の伝送イメージは、次のようになる。

◀パリティビットは、次の「2-3」で解説するので、ここでは省略してある。

←―――― **伝送方向**

SYN	SYN	A	B	C
00010110	00010110	01000001	01000010	01000011

●フラグ同期（フレーム同期）方式

伝送路に常に一定のビットパターンを流しておくことで、送受信のタイミングをとり続ける方式。この特定のビットパターンは8ビットの‘01111110’で、これを**フラグシーケンス**と呼んでいる。受信側は、フラグシーケンス（01111110）以外の受信信号を発見するとデータとみなし、送信が終わると再びフラグシーケンスに戻す。高速の伝送に適し、HDLC手順で採用されている。

フラグ同期方式は**バイナリデータ**の伝送にも適しているが、バイナリデータがたまたまフラグシーケンスと同じになることを避けるために、送信データに「1」が5つ続くと、その後には必ず「0」を1つ挿入することになっている。受信側は、「1」が5つ続いた後の「0」を取り除くことが決められている。

◀**バイナリデータ（binary data）**：2進数のデータ。テキストデータと異なり、コンピュータで実際に使用するそのままの形でプログラムやデータを記録したもの。

フラグ同期方式で文字列「ABC」を伝送した場合の伝送イメージは、次のようになる。

← 伝送方向

FS	A	B	C	FS
01111110	01000001	01000010	01000011	01111110

FS：フラグシーケンス

この単元のキーワード

- □キャラクタ同期方式
- □SYN
- □フラグ同期方式
- □フラグシーケンス
- □調歩同期方式
- □スタートビット
- □ストップビット

●調歩同期（スタートストップ同期）方式

各文字に1ビットの**スタートビット**（ST）と1ビット以上の**ストップビット**（SP）を付加して、1文字ごとに区切りをつけて送信する。スタートビットを1とすれば、ストップビットには0を使う。スタートビットとストップビットでは、0と1が反対になる。受信側はこれらのビットを手がかりに、文字ごとに同期をとって文字を組み立てる方式である。

この方式は伝送効率が低く、低速通信で使われる。また、バイナリデータは伝送できない。

調歩同期方式で文字「A」「B」「C」を連続して伝送した場合の伝送イメージは、次のようになる。

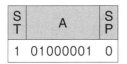

← 伝送方向

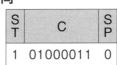

ST	A	SP	ST	B	SP	ST	C	SP
1	01000001	0	1	01000010	0	1	01000011	0

ST：スタートビット
SP：ストップビット

主な同期方式は3つだよ
•キャラクタ同期
•フラグ同期
•調歩同期

2-3 誤り制御方式

特別なビット（列）を伝送データに付加するパリティチェック方式は、最も代表的な誤り制御方式であり、VRC、LRC、BCC、CRCなどがある。

●パリティチェック方式

特別なビットまたはビット列を伝送データに付加して、誤りを制御する方式。送信したデータが誤りなく受信されたかどうかをチェックするために付加するデータを**パリティビット**と呼び、次の4種類がよく使われる。

(1) 垂直パリティチェック（VRC）

◀**VRC**：Vertical Redundancy Check

1文字単位にパリティチェックを行う方式。JISでは、調歩同期方式には偶数パリティを、キャラクタ同期方式とフラグ同期方式には奇数パリティを定めている。

偶数パリティとは、1文字を構成するビット（0と1）を加えて、これが偶数なら「0」を、奇数なら「1」をパリティビットとして付加することで、全部で偶数個の「1」になるようにすることをいう。受信側は、偶数パリティのはずなのに奇数個の「1」が来たら誤りがあったと判断する方式である。奇数パリティは、この逆である。

◀1文字を構成するビット列とパリティビットを合わせて「1」の数が偶数になるように、パリティビットで調節する。

〈偶数パリティの例—パリティビットが0になる例と1になる例〉

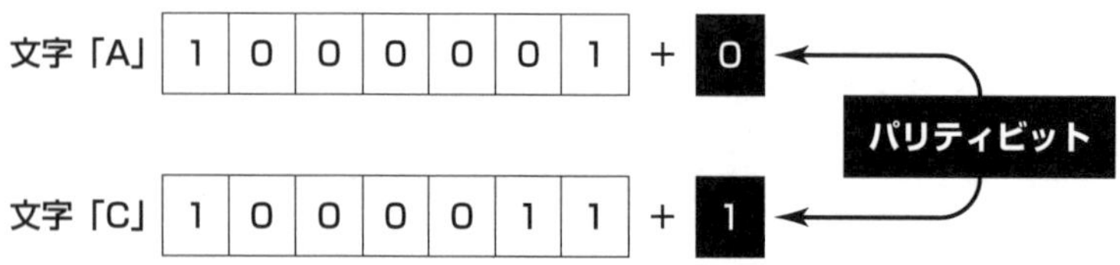

(2) 水平パリティチェック（LRC）

◀**LRC**：Longitudinal Redundancy Check

一連の文字列を対象に、各文字の同位置のビット列ごとにパリティチェックを行う方式。JISでは偶数パリティを定めている。

(3) 水平垂直パリティチェック（BCC）

水平パリティチェックと垂直パリティチェックを重複利用する方式。ベーシック手順では、水平パリティ部分を各ブロックの最後にBCCとして付加する。

水平垂直パリティチェックの例を、次に示す。

この単元のキーワード

- □パリティチェック方式
- □垂直パリティチェック
- □水平パリティチェック
- □水平垂直パリティチェック
- □CRC

←送信方向

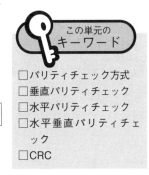

伝送文字	1	2	3	4	5	A	B	C	D	E	水平パリティ
垂直パリティ	0	0	1	0	1	1	1	0	1	0	1
ビット7	0	0	0	0	0	1	1	1	1	1	1
ビット6	1	1	1	1	1	0	0	0	0	0	1
ビット5	1	1	1	1	1	0	0	0	0	0	1
ビット4	0	0	0	0	0	0	0	0	0	0	0
ビット3	0	0	0	1	1	0	0	0	1	1	0
ビット2	0	1	1	0	0	0	1	1	0	0	0
ビット1	1	0	1	0	1	1	0	1	0	1	0

◀**BCC**：Block Check Character

◀この例では、VRCは奇数パリティチェック方式。LRCは偶数パリティチェック方式である。

(4) CRC

◀**CRC**：Cyclic Redundancy Check

送信側が伝送データに対して特殊な計算を行い、その結果生成された符号を、誤り検出情報として伝送データに付加する方式。受信側は送信側と同じ計算を行い、その結果を受信した誤り検査情報と比較して、誤りの有無をチェックする。

CRCは誤り検出能力が非常に高いため、ベーシック手順の一部やHDLC手順では16ビットの誤り検出情報を使用するCRC-16方式が採用されている。

◀**HDLC**：High-level Data Link Control procedure

〈CRC方式による誤り検査の例（HDLCの場合）〉

・伝送データ列：文字“A1”＝01000001　00110001→$G(x)=x^{14}+x^{8}+x^{5}+x^{4}+1$

・生成多項式：規定→$P(x)=x^{16}+x^{12}+x^{5}+1$

・剰余多項式を求める

① $G(x)$にx^{16}をかける。$x^{16}G(x)=x^{30}+x^{24}+x^{21}+x^{20}+x^{16}$

② $x^{16}G(x)$の最初の16ビットを反転させる。

$x^{16}G(x)+x^{16}(x^{15}+x^{14}+x^{14}\cdots\cdots+x+1)$

$=x^{31}+x^{29}+x^{28}+x^{27}+x^{26}+x^{25}+x^{23}+x^{22}+x^{19}+x^{18}+x^{17}$

③ これを$P(x)$で割って、余りを求める。

余りは　$R(x)=x^{10}+x^{8}+x^{7}$→00000101　10000000（16ビット）となる

・送信側では、$G(x)$に$R(x)$を付加して伝送する。

・受信側でも、同様の計算を行い、受信したFCSの値と同一の余りが得られれば誤りはない。

第2章　ネットワーク技術

2-4 変調方式

ディジタル信号からアナログ信号への変調方式には、振幅変調・周波数変調・位相変調・直交振幅変調の4種類がある。

●変調方式

公衆回線網はアナログ回線であるので、データ通信に利用する場合、コンピュータのもつディジタル信号をアナログ信号に変換しなければならない。この変換を**変調**という。逆に、アナログからディジタルへの変換を**復調**という。

変調方式には、次の4種類がある。

(1) 振幅変調（AM）方式

ディジタル信号の0と1に応じて、振幅の大きさ（音の大きさ）を変える方式である。

◀**AM**：Amplitude Modulation

◀雑音に弱く、この方式単独ではデータ通信には用いられない。

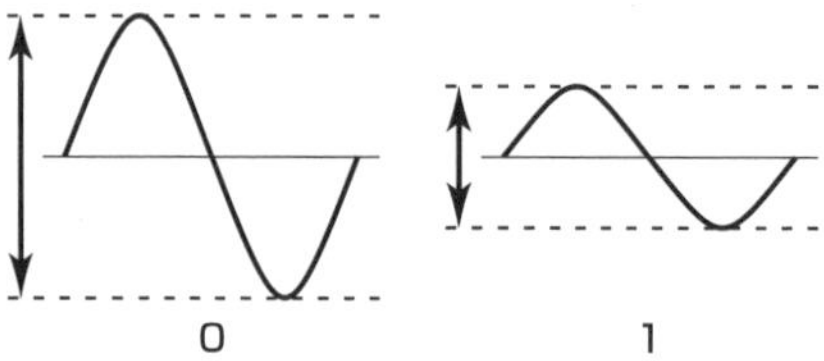

(2) 周波数変調（FMまたはFSK）方式

ディジタル信号の0と1に応じて、周波数（音の高さ）を変える方式である。

◀**FM、FSK**：Frequency Modulation、Frequency Shift Keying

◀ITU-T勧告V.23では、0には高い周波数(2100MHz)、1には低い周波数(1300MHz)を割り当てている。

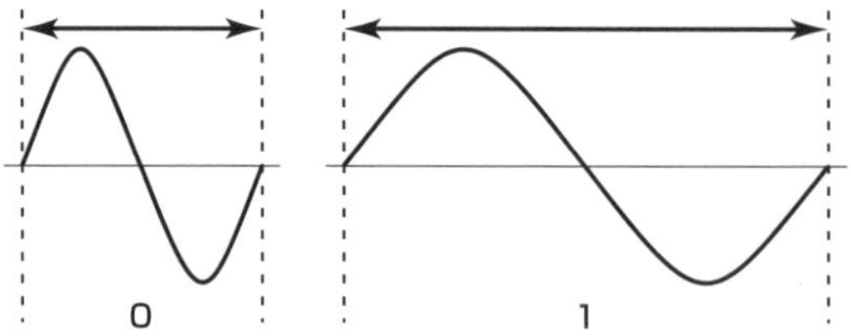

(3) 位相変調（PMまたはPSK）方式

ディジタル信号の0と1に応じて、位相を変化させる方法である。位相をずらすと波1周期分の形が異なって見えることを利用

◀**PM、PSK**：Phase Modulation、Phase Shift Keying

した技術で、1つの波で複数のビットを表現できるため、高速通信が可能になる。

位相のずらし方によって、2相、4相、8相位相変調がある。

(2相)

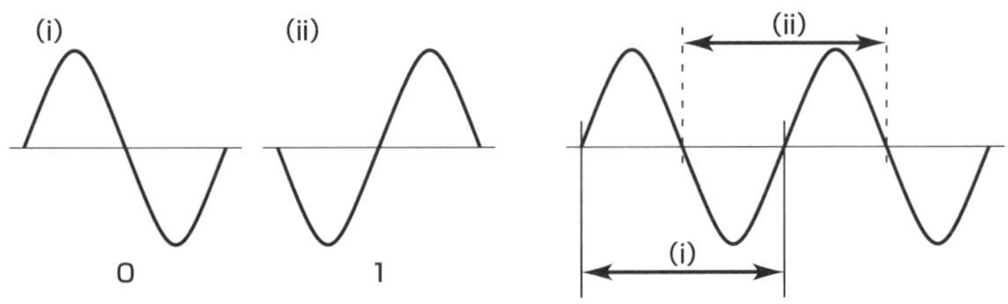

(4相)

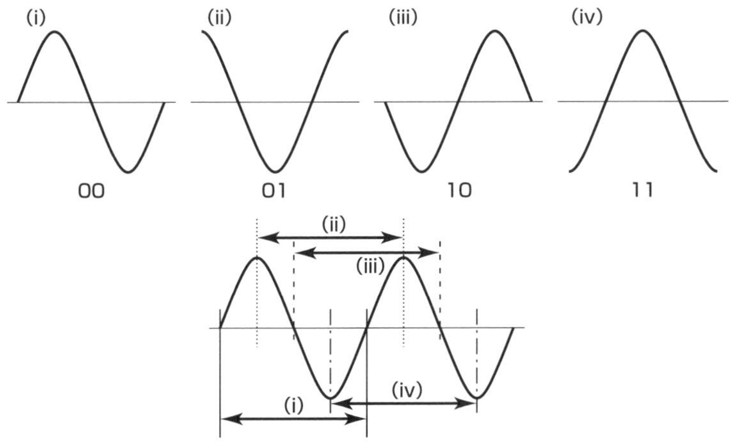

(4) 直交振幅変調(QAM)方式

8相位相変調方式と振幅位相変調方式を組み合わせることで、1つの波で4ビットを表現できるようにした方式。

●通信速度と変調速度

一般に**通信速度**という場合、データ信号速度(bps)を指すことが多い。これは、1秒間に最大何ビットを伝送できるかを示すものである。

これに対して、**変調速度**は、いずれの方式にせよ1秒間にいくつの波を出せるかという速度のことをいう。単位は、baud(ボー)を使う。

たとえば、4相位相変調で1200baudなら2400bps、また周波数変調で1200baudなら1200bpsである。

この単元のキーワード

- □変調
- □復調
- □振幅変調方式
- □周波数変調方式
- □位相変調方式
- □直交振幅変調方式
- □通信速度
- □変調速度

◀4相では、1つの波で2ビットを表現できる。すなわち、1つの波で1ビットに対応する2相に比べて、倍の通信速度が可能になる。

◀8相は省略するが、8相では000～111の3ビットを1つの波で表現できる。

◀**QAM**:Quadrature Amplitude Modulation

◀変調速度と通信速度の間には、「変調速度≦通信速度」の関係がある。

◀**bps (bits per second)**:データ信号速度の単位

◀**baud**:ボー。Baudotというフランスの通信学者の名にちなんで付けられたもの。

2-5 OSI基本参照モデルの考え方

プロトコルは、データ通信を実現するために必要な約束事の総称である。OSI基本参照モデルはこのプロトコルの世界基準であり、7層で構成される。

●プロトコル

データ通信を実現するために必要な約束事を総称して、プロトコルと呼ぶ。

プロトコルは、従来は、メーカーごとに独自の体系をもつ商品として売られてきたが、そのことがデータ通信の発展を阻む大きな要因となっていた。プロトコルの世界標準が求められるなか、ISOから1977年にOSI基本参照モデルが世界標準の指針として提案され、現在では、OSI基本参照モデルにもとづいた製品づくりが世界的な流れになっている。

◀**ISO**：International Organization for Standardization（国際標準化機構）

◀**OSI**：Open Systems Interconnection（開放型システム間の相互接続）

●OSI基本参照モデル

OSI基本参照モデルは、メーカーごとに異なるプロトコル体系の壁を越えてデータ通信を可能にするために、ネットワークとその構成要素を標準化したものである。

このモデルでは、データ通信に必要なプロトコルを7つの機能グループに分類し、それぞれを**層**（**レイア**）と呼んでいる。すなわち、OSI基本参照モデルは、第1層から第7層までの7層で構成される。

各層の主な役割は次のとおり。

① **物理層**

電気的な取り決めを中心とするデータの伝送、回線の連結の設定とその維持と解除を行う。具体的には、ITU-T勧告のVシリーズ、Xシリーズの大部分、RS-232Cなどが物理層のプロトコルである。

◀**RS-232C**：パソコンとモデムを接続するときなどによく使われるインタフェース。

② **データリンク層**

隣接するシステム間で、信頼性の高いデータ転送を実現するための伝送制御を行う。伝送単位はフレーム（枠）と呼ばれ、フレーム単位で、順序制御、誤り制御などを行う。具体的には、ISOが提唱したHDLC手順がデータリンク層のプロトコルである。

③　**ネットワーク層**

電話網、パケット交換網、ディジタル回線網などを介したデータ転送を保証し、END-TO-ENDのデータ転送を規定する（経路の選択と中継の接続）。具体的には、TCP/IPのIP、パケット交換プロトコルのX.25などがネットワーク層のプロトコルである。

④　**トランスポート層**

ネットワーク層以下のネットワークの種類やサービス品質のバラツキを補完して、上位層の処理に適した品質のデータ転送を保証する。具体的には、TCP/IPのTCPがトランスポート層に相当する。

⑤　**セッション層**

セッションの確立、同期、解放などを行い、効率のよい会話ができるように全二重、半二重などを制御する。

⑥　**プレゼンテーション層**

コード変換、暗号化、データ圧縮など、アプリケーションプロセス間で送受信する情報の表現形式を取り扱い、符号化と転送を行う。

⑦　**応用層（アプリケーション層）**

アプリケーションプロセス間での最終的な情報交換を実現する。

この単元のキーワード

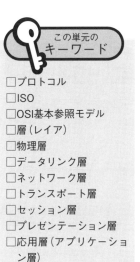

- □プロトコル
- □ISO
- □OSI基本参照モデル
- □層（レイア）
- □物理層
- □データリンク層
- □ネットワーク層
- □トランスポート層
- □セッション層
- □プレゼンテーション層
- □応用層（アプリケーション層）

◀ベーシック手順は機能的にはデータリンク層に該当するが、OSIでは適用されていない。

◀**TCP/IP**：次ページ以下参照。

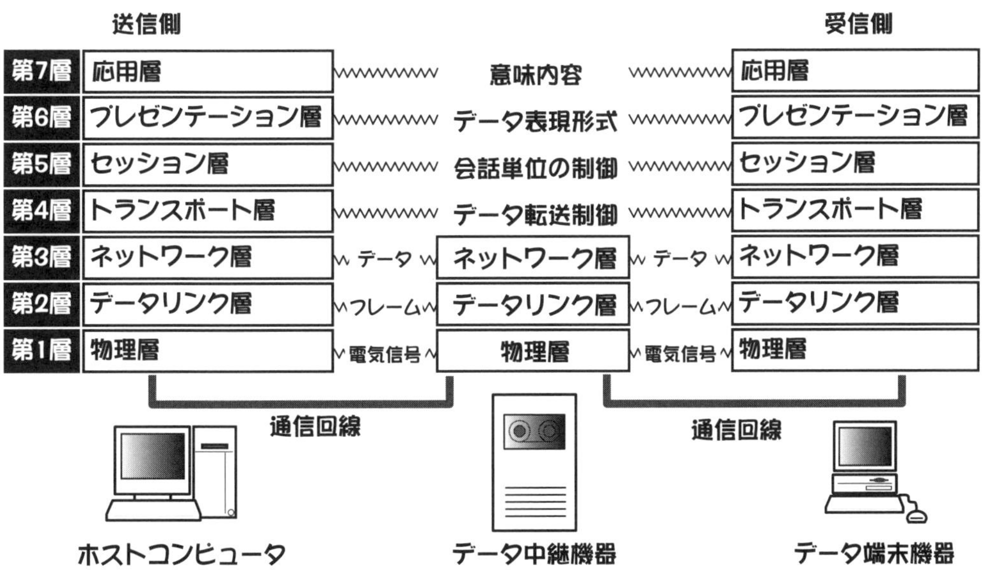

2-6 TCP/IPプロトコル

TCP/IPはインターネットのプロトコル体系の中心に位置づけられており、その役割と特徴をつかむ必要がある。

●TCP/IPの位置づけ

TCP/IPは、1970年代に開発され、80年代にUNIXとLANの普及に伴って、その存在が大きな注目を浴びるようになったプロトコルである。

もともとはOSI基本参照モデルに準拠して考えられたものではないが、TCPはトランスポート層、IPはネットワーク層にそれぞれ対応している。現在では、事実上の世界標準としてWAN、LANを問わず幅広く使われている。

さらに注目すべきことは、TCP/IPがインターネットのプロトコル体系の中心に位置づけられていることである。インターネットの運営と標準プロトコルの決定はIABと呼ばれる理事会が全責任をもっているが、そこで決められたインターネットプロトコル（4階層に分類される）とOSI基本参照モデルを対比すると、次のようになる。

◀**TCP/IP**：Transmission Control Protocol / Internet Protocol

◀**事実上の世界標準（ディファクトスタンダード）**：ISOの国際規格のような公的基準に対して、市場を通じて事実上公認される規格を指していう。

◀**IAB**：Internet Architecture Board

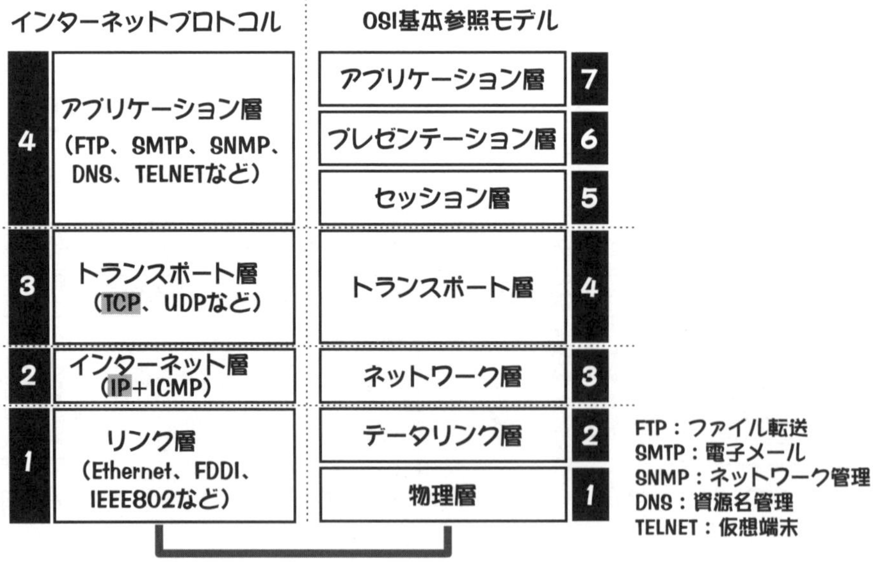

●TCP/IPの役割と特徴

この単元の
キーワード

□TCP/IP
□ルーティング
□コネクションレス型通信
□データグラム
□コネクション型通信
□セグメント

(1) IPの役割

IPの役割と特徴は、次のとおり。

① IPは、発信者端末から受信者端末まで、ルータなどの中継機器と連携しながらデータを送り届けることを目的としている。これを**ルーティング**と呼ぶ。

② 下位のリンク層では、さまざまなプロトコルが使われているが、その違いをTCPに意識させないこともIPの役割である。そのために、下位層に合わせたデータの分割（フラグメンテーション）と再組み立てを行う。

③ IPは、**コネクションレス型通信**で、信頼性が十分でないため、必ずICMPと組み合わせて利用する。ICMPは、障害の通知などを行うなどしてIPを信頼性面で補完する。

④ IPで扱うデータの単位は、**データグラム**と呼ばれる。

◀**コネクションレス型通信**：相手の応答を確認せずに、一方的にデータの送信を行う方式。

◀**ICMP**：Internet Control Message Protocol

(2) TCPの役割と特徴

TCPの役割と特徴は、次のとおり。

① TCPは、**コネクション型通信**で、相手の指定されたアプリケーション（FTP、SMTPなど）に確実にデータを届けることを目的としている。

② コネクションの確立と解放を行う。

③ パケットの分解と組み立てを行う。

④ 応答確認方式とシーケンス制御によるパケット転送を行う。

⑤ 誤りの検出と回復など、誤り制御を行う。

⑥ 受信側の能力に合わせて、送信間隔を長くするなどのフロー制御を行う。

⑦ 全二重コネクションを実現する。

⑧ TCPはコネクション型であるため、信頼性は高いが伝送効率は低い。信頼性が低くても効率よくデータ転送を行いたいときには、UDPをTCPの代わりに使う。UDPは、コネクションレス型の通信を行うプロトコルである。

⑨ TCPで扱うデータの単位は、**セグメント**と呼ばれる。

◀**コネクション型通信**：相手の応答を確認しながらデータの送信を行う方式。

◀**UDP**：User Datagram Protocol

コネクション型通信

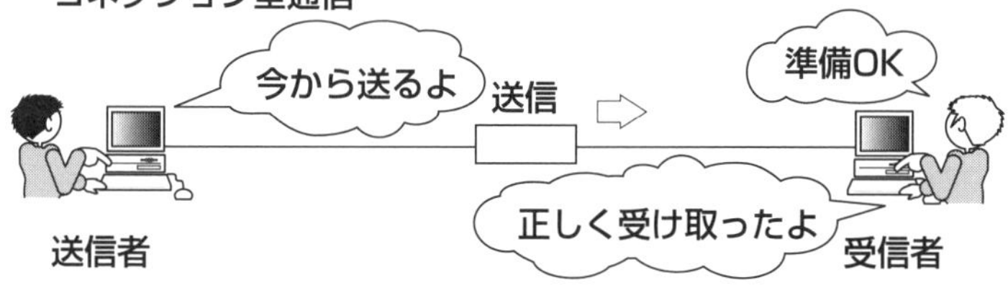
今から送るよ
送信
準備OK
正しく受け取ったよ
送信者
受信者

第2章　ネットワーク技術

2-7 LANの規格とアクセス制御

現在のLANはイーサネットと呼ばれる統一規格にもとづいて構成され、アクセス制御には主にCSMA/CDが用いられる。LANの規格とアクセス制御について学習する。

●LANの規格：イーサネット

イーサネット（Ethernet）は、LANを構成する機器やケーブルの物理的・電気的な特性を定めたもので、OSI基本参照モデルの第1層（物理層）に相当する。

◀LANのトポロジー

①バス型LAN

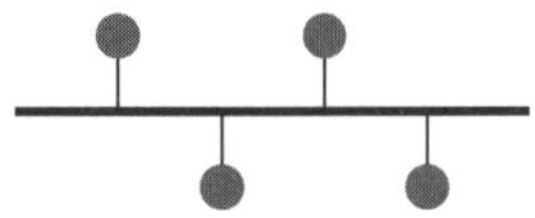

②スター型LAN

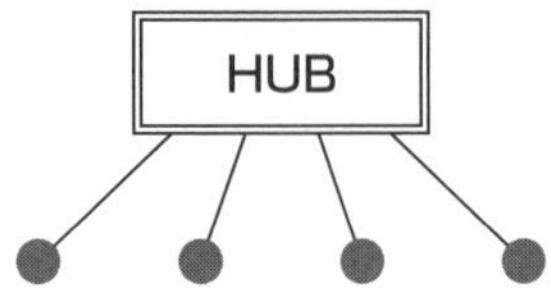

③リング型LAN

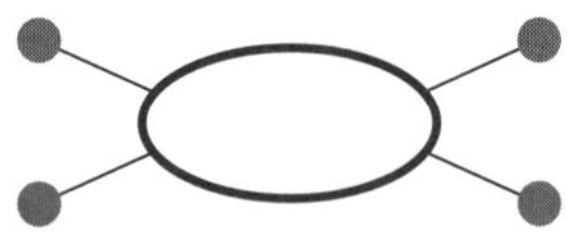

①　転送速度が10メガビット／秒のイーサネット

規格名	特徴
10BASE-5	直径10mmの太い同軸ケーブルを使用。ケーブルの色が黄色だったので、イエローケーブルと呼ばれた。1970年代のLANは、この規格で実現された。
10BASE-2	同軸ケーブルの直径を5mmに改良したもの。10BASE-5、10BASE-2ともに、バス型のLANを構成する。
10BASE-T	ツイストペアケーブル（UTP）を使用。ケーブルの接続にハブ（HUB）を用いて、スター型LANを構成する。家庭の中など小規模のLANでは、10BASE-Tがよく用いられる。最大伝送距離は100m。

②　転送速度が100メガビット／秒のイーサネット

規格名	特徴
100BASE-TX	ツイストペアケーブルのカテゴリ5以上を使用することで、100Mbpsのデータ転送を可能にする。なお、10BASE-Tでは、カテゴリ3以上が使われる。企業などの大きなLANでは、1000BASE-Tが広く用いられている。

◀**100BASE-FX**：光ファイバケーブルを使用して100メガビットのLANを構成する規格をいう。

③　転送速度が1ギガビット／秒のイーサネット

規格名	特徴
1000BASE-T	ツイストペアケーブル・カテゴリ5の4線8対を使用して、1Gbpsのデータ転送を可能にする。転送速度が1Gビットなので、「ギガビットイーサネット」と呼ばれる。

◀**1000BASE-X**：光ファイバケーブルを使用して1ギガビットのLANを構成する規格をいう。

●LANのアクセス制御

1つのLANの中で、ある端末（パソコンやルータなど）から別の端末にデータを送信するための規則をアクセス制御という。アクセス制御は、OSI基本参照モデルの第2層（データリンク層）に相当する。

① **CSMA/CD**

伝送路に信号が流れていないことを確認して、データの送信を行う。複数の端末がほぼ同時に送信を開始すると、衝突（Collision）が発生する。現在の主流であるツイストペアケーブルを使用したスター型のLANでは、このCSMA/CDによる制御が行われる。

② **トークンパッシング**

LANの中にトークンと呼ばれる信号を巡回させて、端末はこのトークンを受け取ったときにデータの送信を行う。CSMA/CDのような衝突は発生しない。光ケーブルによるリング型のLANで使われたが、現在ではあまり利用されていない。

この単元の
キーワード

□イーサネット
□LANのトポロジー
□CSMA/CD
□トークンパッシング
□pingコマンド
□キャリア検知

◀**CSMA/CD**：Carrier Sense Multiple Access / Collision Detection

◀**pingコマンド**：IPアドレスやホスト名を指定して使用すると、その機器までの疎通確認や応答時間を測定できる。ネットワーク上での故障個所の特定を行う時に使用されることがある。

●CSMA/CD方式の送信手順

① 送信端末は、送信先アドレス、送信元アドレスなどを付加してフレームを組み立てる。

② 他の端末からのフレームとの衝突を避けるため、伝送媒体の空きを確認する。これを「**キャリア検知**」という。

③ 伝送媒体が空いていれば、フレームの送出を開始し、終了するまで、他端末からのフレームとの衝突を監視する。空いていなければ、一定時間を待ってからもう一度送信する。

④ 送出されたフレームは、伝送媒体の両側に送られ、接続されているすべての端末に届く。他の端末は、受け取ったフレームの送信先アドレスと自分のアドレスを比較して、一致していれば受信する。受信したとの応答は返さず、途中で衝突が起きなければ受信したものとみなす。

⑤ 衝突が発生した場合には、フレームを受信したすべての端末でこれを破棄する。

⑥ 送信端末は、バックオフ時間が経過した後、再び同じ手順で送信する。バックオフ時間は、乱数を使ったアルゴリズムで計算され、失敗を16回繰り返すと障害とみなす。

2-8 LANの接続機器

LANの中で使用される機器の機能とOSI基本参照モデルとの関係について学習する。また、イーサネットLANで広く使われているスイッチングハブの機能を理解する。

●接続機器とOSI基本参照モデル

接続機器の種類とOSI基本参照モデルとの対応を図で示すと、次のとおり。

◀「OSI基本参照モデルの考え方」(256ページ)参照。

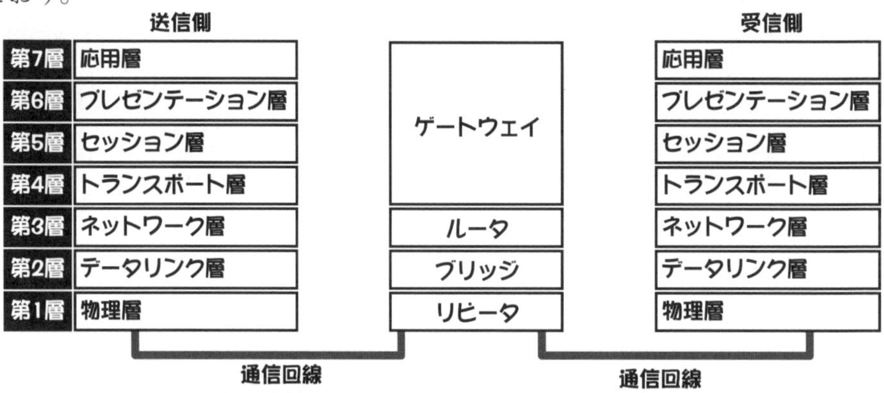

●リピータとブリッジの機能

リピータはLANの伝送路を延長する機能をもち、伝送中に減衰した信号の補正・増幅を行う。これは、OSI基本参照モデルの第1層（物理層）での中継に相当する。リピータはすべてのパケットを無条件で通過させてしまう。

ブリッジは、パケットの宛て先によって通過させるパケットを選別する機能をもつ。通過するパケットの宛て先**MACアドレス**を調べ、該当するパケットのみを通過させる。これは、OSI基本参照モデルの第2層（データリンク層）での中継に相当する。

◀**MACアドレス**：LANカードなどのネットワーク機器に付与されている固有のアドレス。製造メーカーによって割り振られ、世界中に同じアドレスは存在しないように管理されている。48ビットで構成され、上位24ビットがメーカー識別番号、下位24ビットがメーカー内の通番になっている。

現在、広く利用されている10BASE-Tや100BASE-TXのイーサネットLANでは、集線装置ハブ（HUB）が使われるが、リピータの機能をもつハブを**リピータハブ**、ブリッジの機能をもつハブを**スイッチングハブ**と呼んで区別する。現在では、スイッチングハブが主流である。

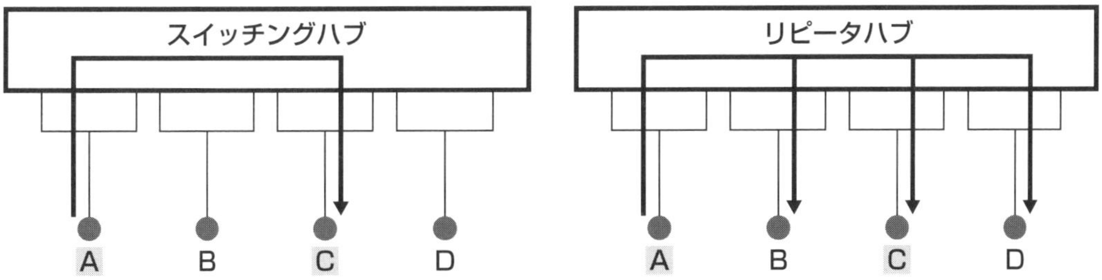

パソコンAからCにパケットを送信するさいのスイッチングハブとリピータハブでの信号の流れ方を上の図に示す。リピータハブでは、パソコンBやDにも信号が流れてしまう。パソコンBは、パソコンAからCへの送信が完全に終了するまで、パケットを送信することはできない。大きなLANをリピータハブで構成すると、衝突が多発して、データ転送効率が悪くなる。

スイッチングハブの場合は、パソコンCにのみ信号が流れる。スイッチングハブは、ポートに接続されているネットワーク機器のMACアドレスを記憶し、該当するポートにのみ信号を送る。ただし、LAN内のすべてのノードが宛て先となるブロードキャストパケットの場合は、すべてのポートに信号が流れることになる。

●LAN間接続装置ルータ

ルータは複数のLANを相互に接続する装置である。WANを介して、広域のLAN間接続を行うこともできる。ルータは、パケットの宛て先IPアドレス（最終目的地）にもとづいてパケットの転送を行う。これはOSI基本参照モデルの第3層に相当する。

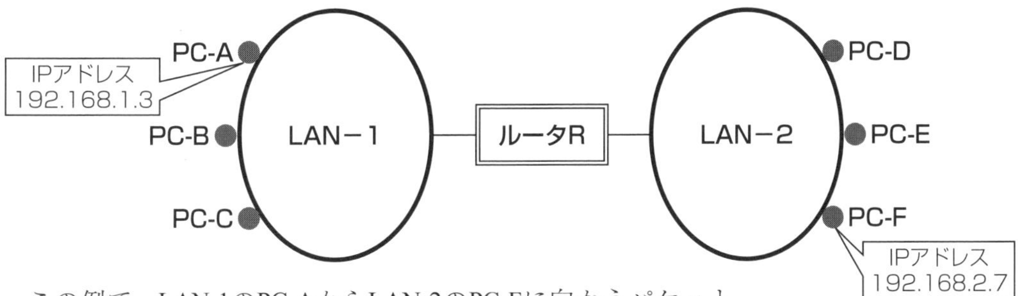

この例で、LAN-1のPC-AからLAN-2のPC-Fに向かうパケットは、PC-A→ルータR→PC-Fの順に転送される。ルータRは、パケットの宛て先IPアドレスを調べて、このパケットをLAN-2へ転送する。一方、LAN-1のホストから送信されたブロードキャストパケットはルータRにも届くが、このパケットはLAN-2へは転送されない。

この単元の
キーワード

□OSI基本参照モデル
□リピータ
□ブリッジ
□ルータ

◀**レイヤ3スイッチ**：スイッチングハブの機能とルータのもつIPパケットの中継機能を併せもつ装置。IPパケットの転送をハードウェアで行うので、ルータに比べてパケットを高速に転送できる。100BASE-TXのイーサネットLANで、利用が広がっている。

◀**IPアドレス**：「2−10　IPアドレスの割り当て」を参照。

◀**イントラネット**：企業や組織など接続範囲を限定して構築されたネットワークのこと。プライベートネットワークとも呼び、インターネット同様にTCP/IPを活用して構築されることが多い。

2-9 無線LANとセキュリティ

無線LANはケーブルを敷設せずにネットワークを構築できる便利さと、セキュリティ上の問題を併せもっている。無線LANの仕組みとセキュリティ対策について学習する。

●無線LANの構成

無線LANはケーブルを敷設せずに手軽にネットワークを構築できることから、企業や学校から家庭内のネットワークに至るまで広く普及している。無線LANを構成するには、「アクセスポイント」と呼ばれる有線ネットワークとの電波中継装置を用意し、パソコンの「無線LANアダプタ」との間で無線通信を行えるようにする。家庭内の無線LANをインターネットに接続するには、無線LANアクセスポイント機能の付いたブロードバンドルータを利用するとよい。

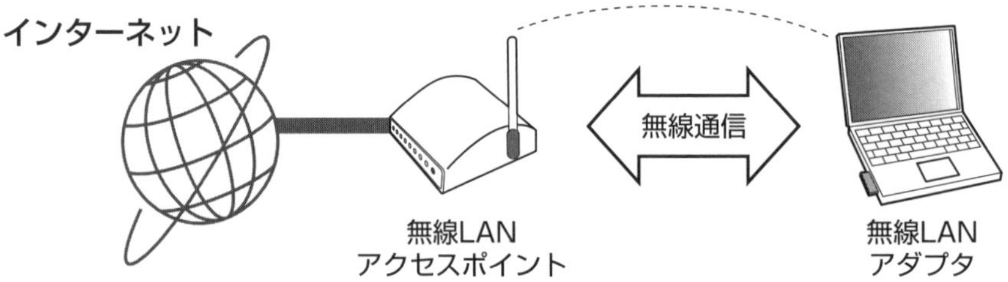

●無線LANの規格

無線LANの規格は1997年に「IEEE802.11」として最初に策定された。その後Wi-Fi規格として2009年に「IEEE802.11n」(Wi-Fi4)、2013年に「IEEE802.11ac」(Wi-Fi5) が策定され、現在は「IEEE802.11ax」(Wi-Fi6) が発表されている。通信速度も9.6Gbpsと高速になっている。規格ごとに使用する通信方式が異なるので、無線LANアクセスポイントを選定する際には確認する必要がある。

●無線LANのセキュリティ

無線LANの機能を搭載したパソコンを、無線LANの電波が届くエリアに持ち込めば、誰もが簡単にネットワークに参加できてしまう。無線LANを安全に使用するために、万全のセキュリティ対策が求められる。

① ESSID（アクセスポイントの識別）

アクセスポイントを識別する文字列（最大32文字の英数字）で、クライアント（パソコン）は接続するアクセスポイントのESSIDを指定して接続要求を出す。ESSIDが一致しないと接続は拒否されるが、セキュリティ対策としては非常に弱い。

② MACアドレスフィルタリング

接続を許可するパソコンの（無線LANアダプタの）MACアドレスをあらかじめアクセスポイントに登録しておく。企業や学校でこれを実現するには、運用管理作業が相当煩雑になる。

③ 無線LANの暗号化

1999年に無線LNAの暗号化規格としてWEPが策定された。ここで採用されているのが、「RC4」と呼ばれる共通鍵暗号方式である。その手順を次に示す。

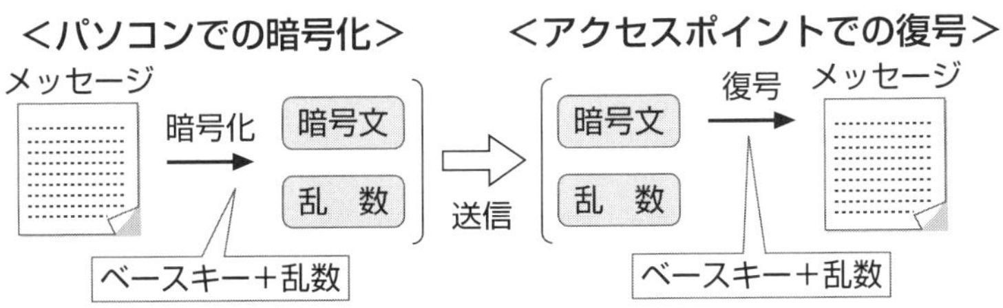

WEPはさまざまな脆弱性が発見され、現在ではほとんど使用されていない。WEPの脆弱性を改良したWPAが策定された。さらに、後継規格として2004年にWPA2、2018年にWPA3が公開された。WPA3の特徴は以下の通りである。

・192ビットの暗号化システムを採用することによって安全性の強化

・SAEハンドシェイクによる認証の強化

この単元のキーワード

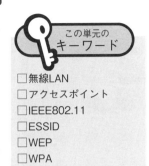

□無線LAN
□アクセスポイント
□IEEE802.11
□ESSID
□WEP
□WPA

◀**ESSID**：Extended Services Set Identifier

◀**WEP**：Wired Equivalent Privacy

◀**WEPによる暗号化**：パソコンとアクセスポイントには共通の「ベースキー」をあらかじめ設定しておく。パソコン側は、このベースキーとその都度発生させる乱数を組み合わせて「共通かぎ」を作り、メッセージを暗号化する。
そして、暗号文と発生させた乱数をアクセスポイントに送信する。
アクセスポイントは、設定されているベースキーと受け取った乱数から「共通かぎ」を作り、メッセージを復号する。

◀**WPA**：Wi-Fi Protected Access

2-10 IPアドレスの割り当て

パソコンをインターネットに接続するには、適切なIPアドレスを割り当てなければならない。IPアドレスの構成と具体的な割り当て方法について学習する。

●IPアドレスの構成と割り当て

パソコンやルータなどネットワークに接続する機器には、IPアドレスを割り当てる必要がある。1つのLANの中では、MACアドレスを使って通信が行われるが、インターネットの閲覧など外部との通信を実現するには、IPアドレスが必要になる。

IPアドレス（IPv4）は32ビットで構成され、8ビットごとの10進表示をピリオドで区切って「192.168.32.1」のように表現する。

0	8	16	24　　31
1100 0000	1010 1000	0010 0000	0000 0001
192	168	32	1

32ビットのIPアドレスは、**ネットワークアドレスとホストアドレス**で構成される。標準的なIPアドレスの割り当てのために、次の3つのクラスが用意されている。

●クラスによるIPアドレスの割り当て●

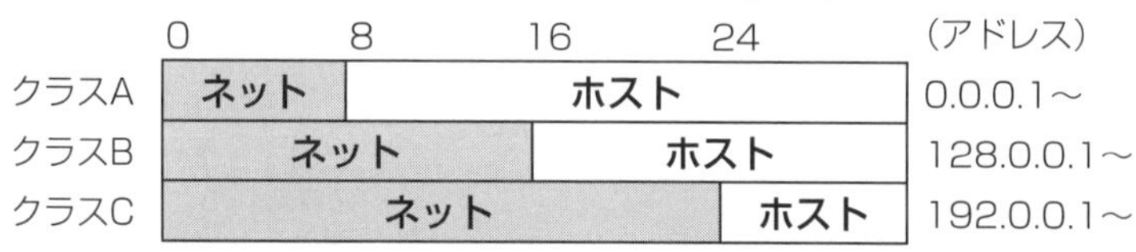

クラスを識別する方法としては、IPアドレスの先頭から数えて何番目のビットに初めて「0」の値があるかにより判断が可能である。もし先頭のビットが「0」であれば、IPアドレスは理論上0.0.0.1～127.255.255.255まで設定可能であり、クラスAに該当する。2番目が「0」となる「10」であれば、IPアドレスは128.0.0.1～191.255.255.255までとなりクラスB、「110」であれば192.0.0.1～1223.255.255.255までとなりクラスCに該当すると識別することが可能である。

◀**IPv4とIPv6**：スマートフォンやタブレット、IoTなどの普及によるインターネット接続機器の急増により約43億個ある32ビットのIPアドレス（IPv4）が枯渇する事態となったため、約430澗（かん）個ある128ビットのIPアドレス（IPv6）の普及が進んでいる。

◀**ネットワークアドレスとホストアドレス**：ネットワークアドレスで企業や団体のネットワークを識別し、ホストアドレスでネットワーク内のコンピュータを識別する。

◀**グローバルアドレスとプライベートアドレス**：インターネットに公開されていて、世界のどこからでもアクセスできるアドレスをグローバルアドレス、企業などの内部で使用するアドレスをプライベートアドレスという。

一方で、クラスを使わない割り当ての方法として、CIDRがある。次の例は、上位28ビットでネットワークアドレス「192.168.1.16」を表し、下位4ビットでホストアドレスを表すことを示している。

●CIDRによるIPアドレスの割り当て：「192.168.1.16／28」●

1100 0000	1010 1000	0000 0001	0001	0000
192	168	1	16	

●IPアドレス、サブネットマスク、デフォルトゲートウェイ

ネットワークの中のパソコンやルータが、相互に正しく通信できるようにするには、IPアドレス、サブネットマスク、デフォルトゲートウェイを正確に設定する必要がある。

① サブネットマスク

IPアドレスの各ビットに対応して、ネットワークアドレス部は「1」、ホストアドレス部は「0」を設定する。たとえば、クラスCのIPアドレスを割り当てる場合、サブネットマスクは「255.255.255.0」となる。サブネットマスクは、送信するパケットの宛て先がネットワークの内部なのか外部なのかを判定するために使われる。

② デフォルトゲートウェイ

ネットワーク内部から外部へパケットを送信するさいはデフォルトゲートウェイを介して行う。

次に、2つのネットワークAとBがルータで接続されている構成の例を示す。ルータのIPアドレスはネットワークA側が「192.168.1.1」でネットワークB側が「192.168.2.1」とする。この時に割り当て可能なIPアドレス、サブネットマスク、デフォルトゲートウェイを示す。

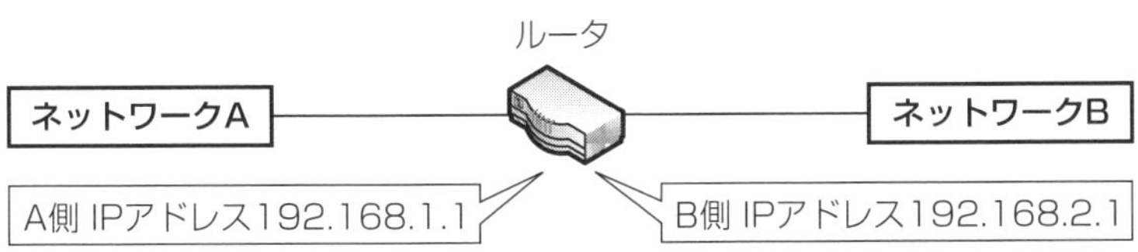

各パソコンに割り当てることができるIPアドレス、サブネットマスク、デフォルトゲートウェイは、次のようになる。

	ネットワークAのパソコン	ネットワークBのパソコン
IPアドレス	192.168.1.2～192.168.1.254	192.168.2.2～192.168.2.254
サブネットマスク	255.255.255.0（全パソコン）	255.255.255.0（全パソコン）
デフォルトゲートウェイ	192.168.1.1（全パソコン）	192.168.2.1（全パソコン）

この単元のキーワード

□IPアドレス
□ネットワークアドレス
□ホストアドレス
□サブネットマスク
□デフォルトゲートウェイ

◀**CIDR（サイダー）**：Classless Inter Domain Routing

◀**IPアドレスのホスト部**：ホスト部のビットがすべて0とすべて1のIPアドレスは、パソコン等に割り当てることができない。ホスト部がすべて0のIPアドレスは、ネットワークを識別するアドレスとして使われる。ホスト部がすべて1のアドレスは、ブロードキャストアドレスと呼ばれ、ネットワークに接続されているすべてのホストにデータを送信するときに使用する。

◀**IPv6のアドレス表記**：IPv4では「192.168.1.1」のように10進数とドットで区切って表記したが、IPv6では、「2001:db8:0:0:10:0:0:1」のように16進数とコロンで区切って表記する。なお、0が続く場合は1箇所に限り「::」で省略することが可能である。そのため、上記のアドレスは「2001:db8::10:0:0:1」と表記することもできる。

2-11 インターネット接続

現在の社会においてはインターネットを通じてさまざまなサービスが提供されている。インターネット接続に必要な回線とアドレス変換について学習する。

●ISPを利用したインターネット接続

インターネットを利用するには一般的にISP（インターネットプロバイダ）と契約する必要がある。ISPはインターネットサービスを提供している通信事業者であり、回線提供事業者などが兼務していることが多い。

●テザリングを利用したインターネット接続

テザリング機能を利用すると、スマートフォンをルータにしてノートPCやタブレットなどとインターネットを接続できる。また、5G（第5世代移動通信システム）などの高速通信もできる。

●通信サービスの品質保証

通信の品質保証には、最低限の通信速度を保証するギャランティ型と、通信速度の上限値を提供するための「最大の努力」をするベストエフォート型がある。

●FTTHの特徴

◀**FTTH**：Fiber To The Home

FTTHは光ファイバケーブルを家庭に引き込み、インターネット、電話、放送などの各種サービスを提供するサービスの名称だが、現在では光回線を利用する光通信サービス、光回線サービスと呼ばれることが多い。光回線の通信速度は1Gbps～10Gbpsであり、外部からのノイズの影響が少なく安定した通信が提供される。

●NATとIPマスカレードによるアドレス変換

家庭内の数台のパソコンを、インターネットに接続する例を次に示す。

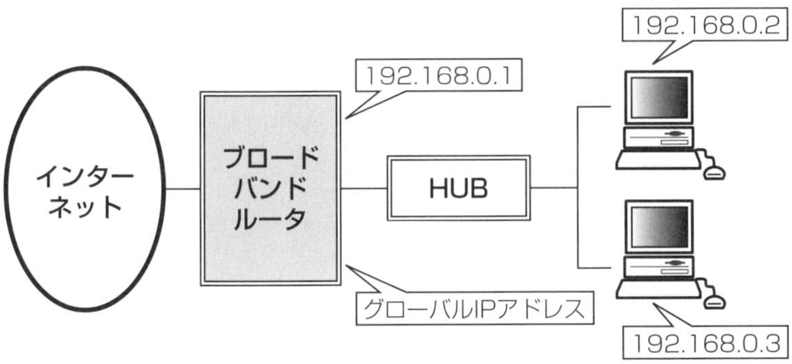

ここでブロードバンドルータは、インターネットプロバイダから割り当てられたグローバルIPアドレスを家庭内LANのプライベートIPアドレスに変換する。この機能をNATという。NATは、グローバルアドレスとプライベートアドレスを1対1の対応で変換するので、この例のようにパソコンが2台ある場合は、2つのグローバルアドレスが必要になる。

一方、1つのグローバルアドレスで複数のパソコンのインターネット接続を可能にする機能をNAPTという。この機能はIPマスカレードとも呼ばれる。

IPマスカレードは、複数のパソコンを識別するために、ポート番号を使用する。ポート番号は、本来コンピュータ内で動作しているプログラムを識別するための番号であるが、IPマスカレードはこの番号でプライベートアドレスとの対応をとっている。

この単元の キーワード

□ISP
□テザリング
□FTTH
□NAT
□IPマスカレード

◀**NAT**：Network Address Translation

◀**NAPT**：Network Address and Port Translation

◀**IPマスカレードによるアドレス変換**：1つのグローバルアドレス 202.232.12.19が割り当てられている場合の変換例を示す。

グローバル	プライベート
202.232.12.19 (ポート:1027)	192.168.0.2
202.232.12.19 (ポート:1028)	192.168.0.3

◀**ウェルノーンポート**：ポート番号は16ビットの整数であり、0番から65535番まである。そのうち0番から1023番まではアプリケーションに割り当てられた番号で、ウェルノーンポート番号と呼ばれる。例としてFTP（20番）やHTTP（80番）がある。

2-12 インターネットの主なサービス

インターネットで利用される電子メール、WWW、FTPなどのサービスについて理解する。

●電子メール

インターネットで最もよく利用されるサービスの1つで、**Eメール**と呼ばれ、次のような特徴をもっている。

① 受信者は自分の都合のよいときに読むことができる。
② 配送が短時間でできる。
③ 複数の相手に同時に配信できる。
④ メールを再利用することが可能である。
⑤ 全世界を対象とすることができる。

インターネットは全世界を対象としているため、電子メールを利用するには、全世界で一意である**メールアドレス**が利用者一人ひとりに必要になる。

インターネットではアドレスの一意性をIPアドレスで実現しているが、IPアドレスは2進数で記述されているために識別が難しい。そこで、わかりやすい**ドメイン名**を利用したメールアドレスが使われている。

【メールアドレスの例】

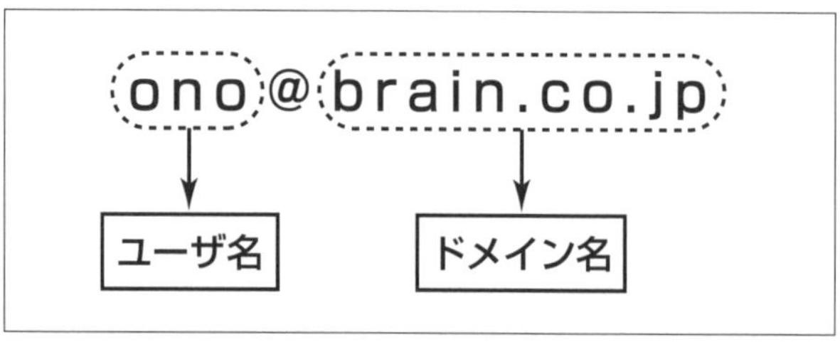

●WWW

WWWとは、ブラウザとWWWサーバからなるクライアントサーバ型の分散文書管理システムのことである。WWWで扱う

◀これは、インターネットの大きな特徴である。

◀メールの送信やサーバ間でのメールのやりとりに使われるプロトコルは、SMTP（Simple Mail Transfer Protocol）と呼ばれる。

◀電子メールを受信するときに使われるプロトコルにPOPとIMAPがある。POPは受信するとき、メールサーバからダウンロードするため、基本的にはメールサーバから削除される（メールサーバに残す設定もできる）。IMAPはメールサーバにあるメールを読むことになるので、通常は受信後もメールサーバに残る。

◀@は区切りを示す記号

コメント

個人ユーザは、**プロバイダ**（商用インターネットサービス会社）からこのメールアドレスを付与してもらわなければならない。

◀**WWW（World Wide Web）**：「世界中に張り巡らされたクモの巣」の意味

文書は、グラフィックスデータや音声、動画などを含むため、**ハイパーテキスト**と呼ばれる。

WWWで情報を発信しようとするとき、その基点となるのが**ホームページ**である。1つのホームページから、別のホームページに次々にリンクを張ることで、文字どおり「World Wide Web」が実現できる。

WWWサーバは、リレーショナルデータベース管理システム（RDBMS）との連携が可能となり、サーバでのアプリケーションシステムの実行機能が備わったため、現在は業務系システムで幅広く利用されている。

この単元のキーワード

- □Eメール
- □メールアドレス
- □ドメイン名
- □プロバイダ
- □WWW
- □ブラウザ
- □WWWサーバ
- □ハイパーテキスト
- □ホームページ
- □FTP
- □アップロード
- □ダウンロード
- □telnet
- □IoT
- □LPWA
- □Hadoop

●ファイル転送（FTP）

FTPとは、ファイル転送を行うためのプログラムのことである。転送するファイルの種類には、テキストとバイナリの2種類がある。

サーバからクライアント（端末）に向かってファイルを転送することを**ダウンロード**といい、その逆を**アップロード**という。

◀**FTP**：File Transfer Protocol

●telnet（リモートログイン）

利用資格があれば、遠隔地にあるコンピュータからインターネットを介して（仮想端末化して）、ほかのコンピュータ資源をあたかも自分の資源であるかのように利用できる。

●その他のサービス

その他のサービス例を以下に示す。

① テーマや分野別に分類された電子掲示板である**ネットニュース**

② 特定のテーマごとに投稿内容を掲示する**ニュースグループ**

③ リアルタイムでおしゃべり感覚で使うことから名づけられた**チャット**

④ 仮想商店街などによる**オンラインショッピング**

⑤ 対象メンバー全員をあらかじめ登録しておくことで、特定のグループメンバー全員にメールを配信する**メーリングリスト**

⑥ 各種情報検索サービス

◀**IoT（Internet of Things）**：情報機器だけでなく、すべてのモノ（物）とインターネットを接続し、相互通信を行い遠隔制御や計測などを行うこと。

◀**LPWA（Low Power Wide Area）**：低消費電力で広い範囲で無線通信を行うことができるものでIoTを支えている技術である。

◀**Hadoop（ハドゥープ）**：大規模データの分散処理を行うソフトウェア。Java言語で開発されている。

2-13 Webの仕組みとアプリケーション

インターネットの普及で、世界中の膨大な数のWebサイトが情報発信を行っている。Webの仕組みとWebアプリケーションの構成について学習する。

●Webの仕組み

WWWは、インターネット上での情報提供システムの総称で、現在ではWeb（ウェブ）と呼ばれることが多い。

Webによる情報提供は、Webサーバとブラウザからなるクライアントサーバモデルで構成されている。

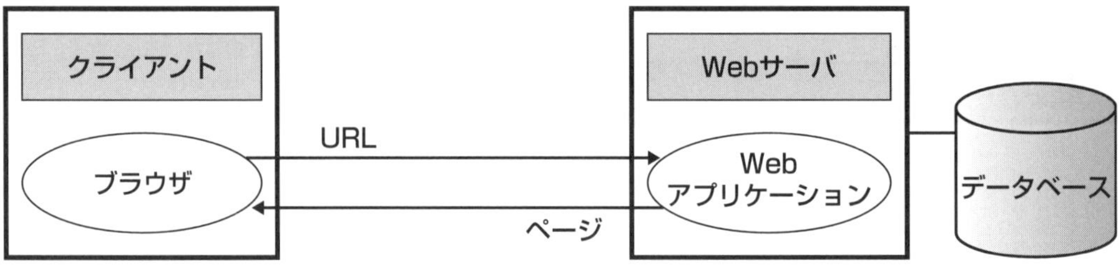

①　ブラウザからの要求（リクエスト）

ブラウザは、Webサーバにアクセスして、情報の検索や閲覧をすることができる。ブラウザからのリクエストは、次のようなURLで記述する。

◀**URL**：Uniform Resource Locator

https://www.j-kenn.jp/net/top.htm

最初の「https:」は、**HTTPSプロトコル**を使用して、ブラウザとサーバ間でリクエストを暗号化して送ることを示す。「j-kenn.jp」は、接続しようとするWebサーバを識別する名前で、**ドメイン名**とも呼ばれる。次の「/net/top.htm」は、Webサーバのディレクトリ「net」内にあるファイル「top.htm」の表示を要求している。なお、通常のWebサイトでは、URLでドメイン名のみを指定すればトップページが表示されるように設定されている。

◀**HTTPS**：Hyper Text Transfer Protocol Secure

②　Webサーバの応答（レスポンス）

Webサーバは、ブラウザからのリクエストに応える形で、指定されたページをブラウザに送り返す。このページは、通常、**HTML**で記述されるが、HTMLだけでは内容の固定したページ

◀**HTML**：Hyper Text Markup Language

しか作成できない。今日の多くのWebサイトでは、Webサーバ上でプログラムを実行して、要求されたデータをデータベースから検索し、動的にページを作成してブラウザに送り返している。このような処理形態を、一般にWebアプリケーションと呼ぶ。

この単元の キーワード
□URL
□HTTPS
□HTML
□Webアプリケーション
□プロキシサーバ

●Webアプリケーションの構成

多くのWebアプリケーションは、3層のクライアントサーバモデルで構成されている。これは、それぞれの役割をもつ3台のコンピュータが相互に連携して、アプリケーションを実現する方式である。

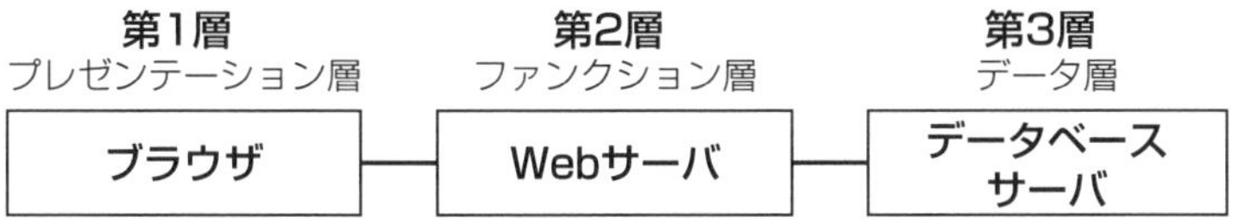

① 第1層（プレゼンテーション層）

Webサーバから送信されたデータの表示を行う。必要なソフトはブラウザのみで、アプリケーションに関連するプログラム等をインストールする必要はない。

② 第2層（ファンクション層）

Webサーバのもとで、ブラウザからの要求に応じて必要な機能を実行する。必要なデータは、データベースサーバに問い合わせる。

③ 第3層（データ層）

データベースサーバのもとで、アプリケーションのデータを管理する。

◀Webアプリケーションの開発言語としてはJavaをベースとしたJSP、VisualBasicをベースとしたASP. NET、フリーソフトのPHPなどが知られている。

◀**Windowsアプリケーション**：WindowsのGUIを使ってデータの表示を行うアプリケーション。データベースサーバとクライアントパソコンで構成される。この場合、機能（業務処理）はクライアントパソコンで実行されるので、アプリケーションソフトをすべてのクライアントにインストールする必要がある。

●プロキシサーバの役割

企業などで、多くの社員が外部のWebページを閲覧する状況では、社内にプロキシサーバサーバを設置することが多い。

① 社内のパソコンからのパケットを中継してインターネットに送出するので、社内のパソコンはプライベートアドレスのままでよい。

② 一度アクセスしたWebサイトのページはプロキシサーバに保存されるので、以後は高速にページを閲覧できる。

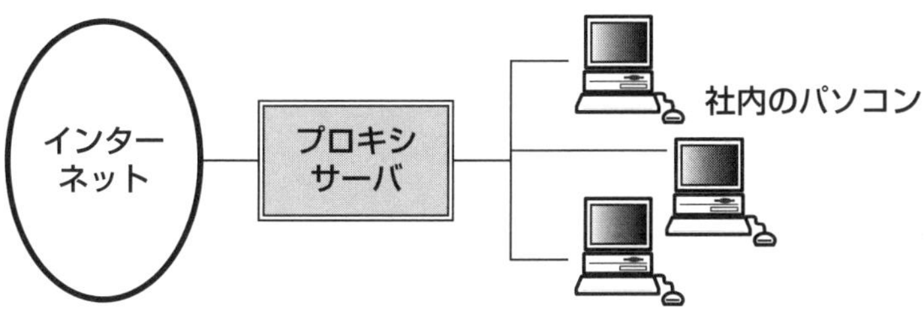

◀**プロキシサーバ（Proxy Server）**：Proxyは代理の意味。ブラウザから見ると、あたかもWebサーバのように見えるので、このように呼ばれる。

2-14 DHCPとDNSのサービス

ネットワーク利用者へのサービスとして、IPアドレスを自動的に割り当てるDHCPと、ドメイン名をIPアドレスに変換するDNSの機能について学習する。

●DHCPによるIPアドレスの割り当て

DHCPは、ネットワークに接続された多くのパソコンに、IPアドレスなどを自動的に割り当てるサービスである。このサービスは、DHCPサーバによって実行される。企業や学校のように多くのパソコンがネットワークに接続される環境では、必須のサービスといえる。

◀**DHCP**：Dynamic Host Configuration Protocol

●DHCPによって割り当てられるネットワーク構成情報●

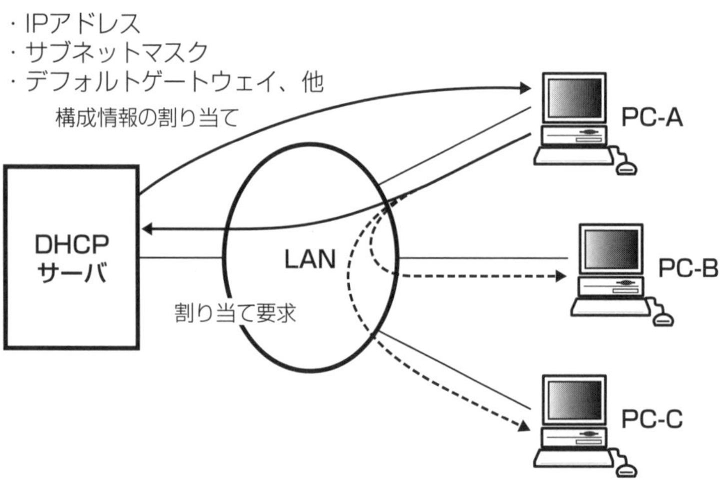

◀**プライベートアドレス**：DHCPサーバが割り当てるIPアドレスは、その建物の中でのみ有効なプライベートアドレスである。プライベートアドレスとして使用できる範囲は、次のように定められている。
・10.0.0.0 ～ 10.255.255.255
・172.16.0.0 ～ 172.31.255.255
・192.168.0.0 ～ 192.168.255.255

DHCPのサービスを受けるには、パソコンのネットワーク接続の設定で「IPアドレスを自動的に取得する」を選択するだけでよい。パソコンの電源を投入すると、次の順で割り当て作業が行われる。

・パソコンは、ネットワークにブロードキャストパケットを送信して、アドレスの割り当てを要求する。
・ネットワーク内のDHCPサーバがこの要求に応答し、適切なネットワーク構成情報を割り当てる。

●DNSによる名前解決

この単元のキーワード

- □DHCP
- □プライベートアドレス
- □DNS
- □名前解決

DNSは、「www.sgec.or.jp」などのドメイン名をIPアドレスに変換するサービスを行う。ドメイン名はWebページを閲覧するときのURLで使われるように、われわれ人間には覚えやすいものだが、IPプロトコルは宛て先のIPアドレスがわからないとパケットを送信することができない。ドメイン名をIPアドレスに変換する作業を名前解決という。

DNSによる名前解決は、世界中のDNSサーバの連携作業によって実現する。次の図は、N学園の学生が学内のパソコンを使って職業教育・キャリア教育財団「www.sgec.or.jp」のホームページを閲覧するさいの名前解決の様子を示している。

◀**DNS**：Domain Name Service

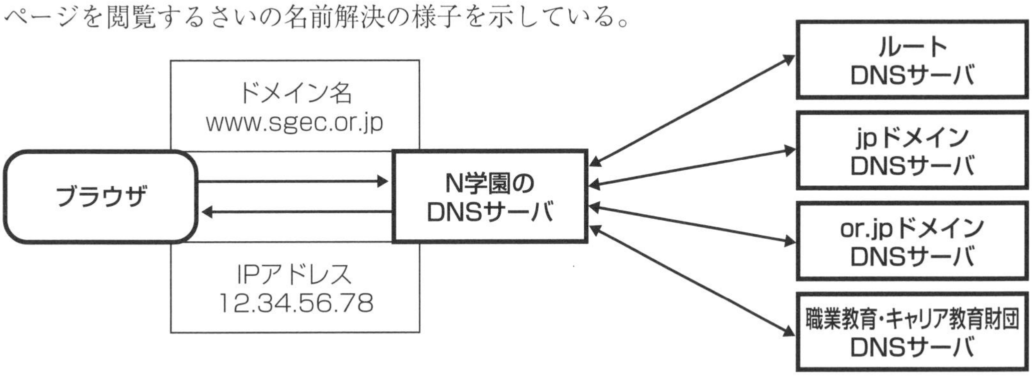

依頼を受けたN学園のDNSサーバは、まずルートDNSサーバに問い合わせて、jpドメインDNSサーバのIPアドレスを知る。以下同様に、jpドメインDNSサーバ、or.jpドメインDNSサーバに問い合わせて職業教育・キャリア教育財団（sgec.or.jpドメイン）のDNSサーバのIPアドレスを知る。専修学校教育振興会のDNSサーバに問い合わせると、WebサーバのIPアドレス（www.sgec.or.jp）を知ることができる。

DNSサーバは、一度問い合わせをしたドメイン名とIPアドレスの関係を記憶していて、以後の要求には問い合わせをせずに応えることができる。これをDNSサーバの**キャッシュ機能**という。

DNSサーバでは、リソースレコードを使ってドメイン名とIPアドレスの関係を定義している。

◀**ルートDNSサーバ**：インターネットの頂点に立つDNSサーバで、InterNICという機関が管理している。～.jp、～.com、～.deなど、主に国別ドメインのDNSサーバのIPアドレスが登録されている。

◀**ARP**：IPアドレスからその機器のMACアドレスを取得するプロトコル。

◀**RARP**：MACアドレスからその機器のIPアドレスを取得するプロトコル。

●主なリソースレコード●

NSレコード	サブドメイン名とサブドメインを管理するDNSサーバの対応を定義する。
Aレコード	ドメイン内のホストコンピュータ名とIPアドレスの対応を定義する。
Aliasレコード	ホストコンピュータに、wwwなどの別名をつける。Webサーバの名前として使われているwwwは、このAliasレコードで実現されている。

2-15 VPNの仕組み

ここでは、広く利用されるようになってきたVPNについて、その仕組みを解説する。

●VPNとは

VPNとは、誰でも利用できる公衆通信回線網をあたかも専用線のように利用する技術である。これを通信事業者が提供するIPネットワークで実現したものを**IP-VPN**といい、インターネットで実現したものを**インターネットVPN**という。

インターネットVPNが企業に利用される最も大きな理由は、通信コストの低さにある。インターネットVPNを利用すれば、通信拠点間の距離とは無関係にプロバイダとの接続料金とプロバイダまでのアクセス通信料だけのコストですむ。さらに、最近ではブロードバンド化と通信料の低価格化が進み、ますますそのメリットは大きくなっている。

◀**VPN**：Virtual Private Network

◀**SDN（Software Defined Network）**：ソフトウェアで仮想的なネットワークを構築する技術で、制御機能と伝送機能を分離しソフトウェアで設定することにより、物理的配置にこだわらない柔軟なネットワーク構成を実現できる。

●VPNの仕組み

VPNを実現するためには、**トンネリング**という技術が必要になる。トンネリングは、IPパケット全体を包み込むようにして別のIPパケットを作成し（**IPカプセル化**という）、インターネット内を転送する技術である。

◀**トンネリング**：インターネット上で、下位層のプロトコルデータをカプセル化して、上位層のプロトコルに通信できるようにする技術。

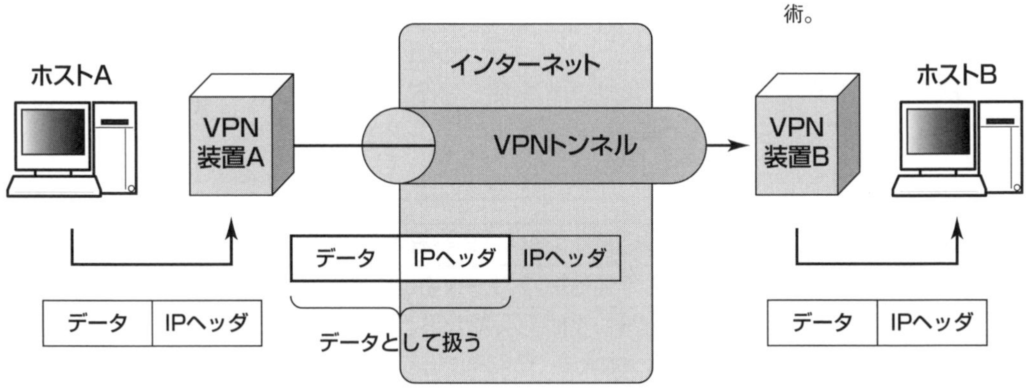

たとえば、前ページの図で、ホストAからホストBにインターネットを経由してデータを伝送することを考える。ホストAやホストBは、企業がそれぞれ自由にIPアドレスを付けている。このようなIPアドレスを**プライベートIPアドレス**という。プライベートIPアドレスで宛て先をホストBとしても、複数の利用者が同じIPアドレスを付けていることがあるため、パケットをホストBに届けることができなくなってしまう。

この単元のキーワード

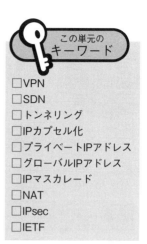

- □VPN
- □SDN
- □トンネリング
- □IPカプセル化
- □プライベートIPアドレス
- □グローバルIPアドレス
- □IPマスカレード
- □NAT
- □IPsec
- □IETF

そこで、インターネットの入り口のVPN装置Aで、このIPパケット全体に新たなIPヘッダを付加し、カプセル化してインターネットに送り出すのである。新たに付けたIPヘッダには、VPN装置BのグローバルIPアドレスを指定する。**グローバルIPアドレス**は、全世界で重複のないIPアドレスのことである。

パケットを受け取ったVPN装置Bは、外側のIPヘッダを外して企業の内部ネットワークにパケットを送り出す。このパケットの宛て先は、プライベートIPアドレスで指定されたホストBである。こうして、任意のパケットをインターネット上で転送することができるのである。

プライベートIPアドレスとグローバルIPアドレスを変換する仕組みには、**IPマスカレード**、**NAT**などがある。

◀**IPマスカレード**：1つのグローバルIPアドレスで、複数の端末が同時にインターネットにアクセスできるのが特徴である。

◀**NAT（Network Address Translation）**：インターネットに同時に接続する端末数に応じたグローバルIPアドレスを用意しておく必要がある。

●IPsec

VPNで最も留意すべきは、セキュリティの問題である。セキュリティ対策としては、暗号化が有力な対策の1つである。しかし、VPNのような包括的なネットワーク利用を考えるとき、従来のようにアプリケーションごとに暗号化するような方法は、あまりにも不便なものになってしまう。

そこで、アプリケーションとは無関係に、すべての通信データを自動的に暗号化しようと考えられたのがIPsecである。IPsecには、暗号化だけでなくカプセル化と認証の機能も含まれる。

◀**IPsec**：IP security protocol

IPsecは、IETFで標準化を進めている。特に特徴的なのは、アプリケーションによる通信データだけを暗号化するのではなく、ホストから送信されるあらゆるデータを暗号化の対象としていることで、利用者は暗号化について何も意識する必要がないことである。

◀**IETF（Internet Engineering Task Force）**：インターネットに関する各種プロトコルの標準化を行っている組織。

また、暗号化方式については、あえて特定せずにあらゆる暗号化方式を利用できる柔軟な枠組みにしている。これは、将来の暗号化方式の変化に対応するために、暗号化方式を変更できるように設計したためである。

2-16 VoIPの仕組み

ここでは、急速に普及が進んでいるIP電話の技術的基盤であるVoIPの仕組みについて解説する。

●VoIPとは

VoIPは、IPネットワークで音声を伝送する技術であり、**IP電話**の技術基盤となっている。

◀**VoIP**：Voice over IP

VoIPで音声を伝送するには、次の図に示すような手順で音声をIPパケットにする必要がある。

VoIPにおける音声伝達の手順

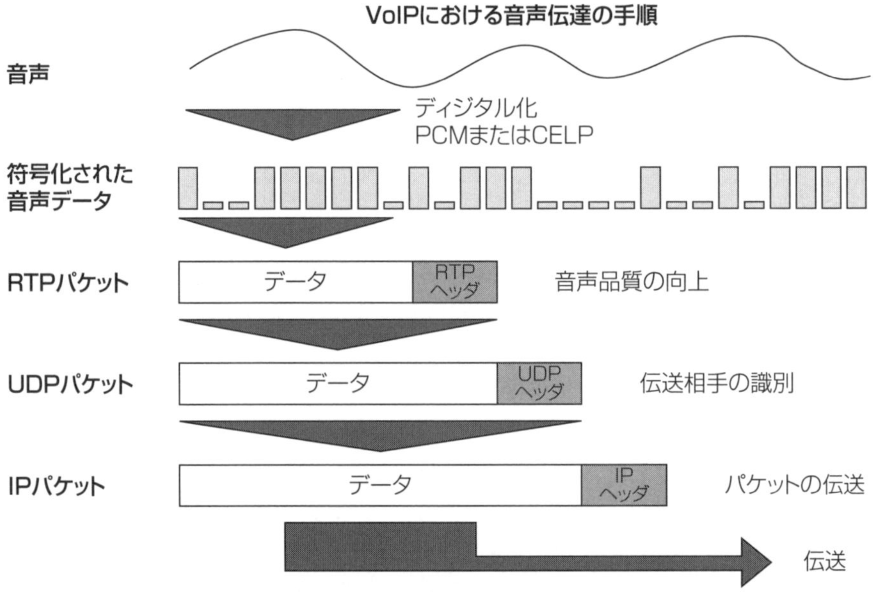

●符号化

音声をIPネットワークで伝送するためには、まず符号化が必要である。符号化には**PCM**または**CELP**が使われる。

CELPは低速度の通信ですむため、特にインターネットではよく使われる。しかし、音声品質には問題があり、伝送容量に余裕がある場合には、固定電話と同じPCMが使われる傾向にある。

●RTPパケット

RTPは、リアルタイムに音声などを伝送するためのプロトコルである。RTPパケットのヘッダには、タイムスタンプとシーケンス番号が書き込まれる。タイムスタンプはパケットが送信された時刻であり、シーケンス番号はパケットの送信順序である。これは「揺らぎ」を軽減するための処理に使われる。「**揺らぎ**」とは、パケットごとの到着間隔や順序がばらつくことで、音声が途切れるなどの品質低下の原因である。受信側の装置でタイムスタンプとシーケンス番号を見ながら揺らぎを最小にするように音声を再生するのである。

RTPパケットのデータ長も品質に影響する。リアルタイムで伝送するには、パケット化の周期を短くする必要がある。周期が長いと待ち時間ができ、音声が遅延してしまうからである。しかし、パケットを小さくすると、それぞれにヘッダが付くことから全体としてのデータ伝送量が増え、結果として伝送効率が低下してしまう。パケット化の周期は、20～60ミリ秒が適当とされている。

●UDPパケット

通信相手を識別するとともに、UDPパケットのヘッダには上位アプリケーションでVoIPが使われていることを示すポート番号が書き込まれる。

●IPパケット

IPは、パケットを相手先まで中継機と連携しながら届ける役目をもつ。しかし、VoIPでは、IPパケットのヘッダのTOSフィールドを使って行われる優先度の制御も重要な意味をもつ。優先度は、アメリカ国防省が使い方を決める3ビットの情報フィールドに記述される。IP電話のように遅延が品質に大きな影響を与えるデータ通信においては、他の目的の通信より優先度を高くして遅延を防ぐことが重要な意味をもつのである。実際の優先度の制御は、ルータに優先度ごとのキューをもたせ、キューごとにパケット通信を行うことで実現される。

「遅延時間」や「揺らぎ」は音声品質を高めるうえでの大きな課題であり、そのためのコントロールを**QOS制御**という。

この単元のキーワード

□VoIP
□IP電話
□PCM
□CELP
□RTP
□揺らぎ
□TOSフィールド
□QOS制御

◀**CELP（Code Excited Linear Prediction）**：音声符号化の代表的方法の1つ。1,000種類程度の音声モデルパターンを予め用意しておき、その合成出力と実際に入力された音声を比較して、最も近いパターンの番号だけを送信する。そのため、伝送速度は8kbpsなど低速度ですむ。

◀**RTP**：Real-time Transport Protocol

◀**TOS**：Type Of Service

◀**QOS**：Quality Of Service

2-17 TORの仕組み

受信者に送信元がわからないような秘匿通信を行うTORの仕組みについて学習する。

●TORとは

◀**TOR**：The Onion Router

TORは受信者に送信元がわからないような秘匿通信を行う技術である。複数のノードを経由し、中継する通信経路を暗号化によって秘匿する。ランダムに選んだ3つのノード（入口ノード、中間ノード、出口ノード）間で通信をリレーする。

経路のイメージを次の図に示す。

【通信経路のイメージ】

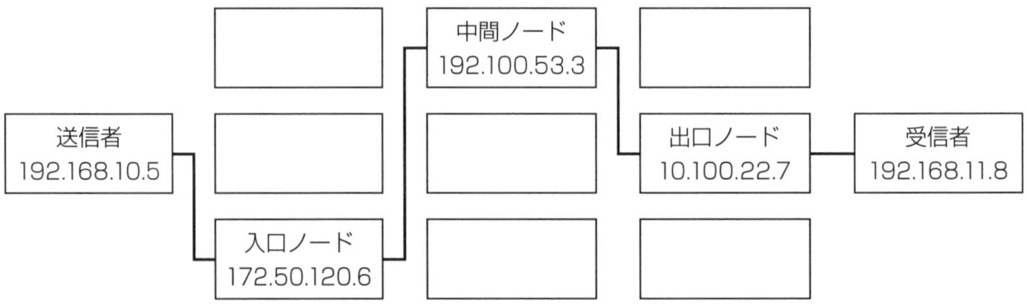

通信を行う際は、データをパケットと呼ばれる単位に分割し転送する。パケットは、“ヘッダ情報”と“ペイロード（本文）”で構成されている。

ヘッダ情報は、“送信元IPアドレス”や“送信先IPアドレス”、“プロトコル”などの通信を行うための必要な制御情報が格納されている。ペイロードは、相手に渡す正味のデータが格納されている。

TORでは、発信者が経由するノードの逆順に（出口ノードから入口ノードに向けて）パケットを暗号化しながら送信パケットを順次作成していく。その様子を図に示す。

【送信パケットの作成順】

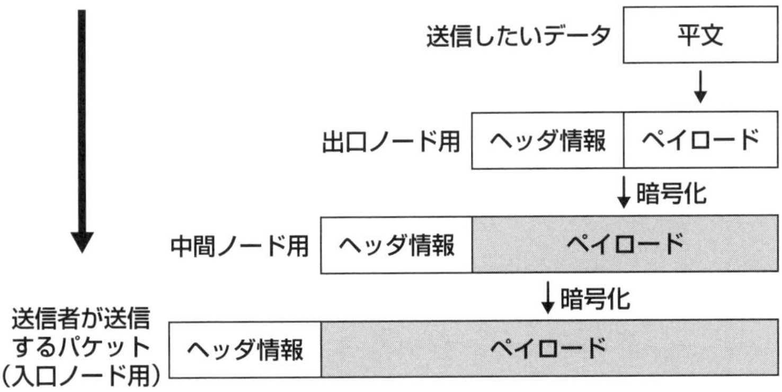

この単元のキーワード

□TOR
□ヘッダ情報
□ペイロード

送信者が作成したパケットは入口ノードに送信され、次々に復号されながら、送信データが受信者に届く。このようにパケットが1枚1枚はがされていく様子が、玉ねぎ（オニオン）の皮を1枚ずつはがすイメージに似ていることからオニオンルーティングと呼ばれる。送信者がパケットを送信してから受信するまでの様子を図に示す。

【パケットが送信される状況】

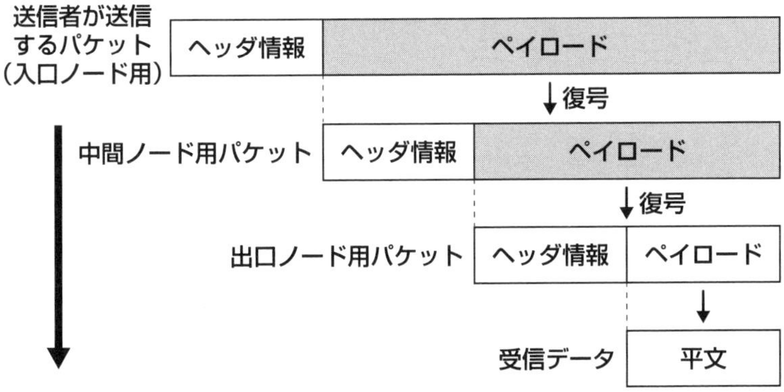

このようにパケットを作成し、リレーすることにより受信者は送信者を特定できないことになる。

確認問題

▶解答と解説は別冊33ページ～

●第2章 ネットワーク技術

◆問4-2-1 ISDNの基本インターフェースに関する記述のうち、適切なものはどれか。

ア．64kビット／秒の情報（B）チャネル1つのことを基本インターフェースと呼んでいる。
イ．64kビット／秒の情報（B）チャネル2つと、16kビット／秒の信号（D）チャネル1つで構成される。
ウ．情報（B）チャネルで利用できるサービスは、パケット交換サービスだけである。
エ．信号（D）チャネルは制御用のチャネルであり、データ伝送には利用できない。

◆問4-2-2 8相の位相変調方式で変調速度が1200baudのとき、データ信号速度は何bpsか。

ア．600　イ．1200　ウ．3600　エ．9600

◆問4-2-3 偶数パリティチェックを行ったときに、誤りとなるビットパターンはどれか。

ア．00000000　イ．00000001　ウ．10101010　エ．11111111

◆問4-2-4 ネットワークシステムの機器構成に関する記述のうち、通信制御装置について説明しているものはどれか。

ア．コンピュータ処理用のディジタル信号を、伝送に適したディジタル信号に変換したり、その逆の処理を行ったりする。
イ．端末を呼び出すために、端末の持っている電話番号に電話する。
ウ．ディジタル信号をアナログ信号に変換したり、その逆の処理を行ったりする。
エ．伝送するデータの組み立て・分解やデータに対する誤りの制御などを行う。

◆問4-2-5 伝送速度300ビット/秒の通信回線を用い、調歩同期方式で120文字を伝送する時間は何秒か。ただし、パリティビットなしの8単位符号を用い、スタートビットとストップビットはそれぞれ1ビット長とする。

ア．0.25　イ．0.4　ウ．3.2　エ．4

◆問4-2-6　モデムの国際標準規格を定めているのは、次のどれか。

ア．IEEE　802　　　　　　　イ．ITU-T勧告　Iシリーズ
ウ．ITU-T勧告　Vシリーズ　　エ．ITU-T勧告　Xシリーズ

◆問4-2-7　OSI基本参照モデルの主な機能に関する記述のうち、誤っているものはどれか。

ア．セッション層は、アプリケーションプロセス間で送受信する情報の表現形式を取り扱う。
イ．データリンク層は、隣接するシステム間で、信頼性の高いデータ転送を実現する。
ウ．ネットワーク層は、経路の選択と中継の接続を行いEND-TO-ENDの転送を規定する。
エ．物理層は、電気的な取り決めを中心とするデータの転送、回線の連結の設定などを行う。

◆問4-2-8　HDLC手順の特徴に関する次の手順のうち、誤っているものはどれか。

ア．OSI基本参照モデルのネットワーク層のプロトコルとして使われている。
イ．伝送誤りは、誤りの検出と再送によって訂正される。
ウ．任意のビットパターン（バイナリデータ）を伝送できる。
エ．両方向同時伝送（全二重通信）が可能である。

◆問4-2-9　HDLC手順に関する次の記述のa～fに該当する語句を下の解答群の中から選べ。

HDLC手順では[a]という単位で情報が伝送されるが、[a]には3種類がある。その中で特にデータ伝送を目的とした[a]は[b]と呼ばれる。この[b]はフラグパターンに挟まれた次の4つのフィールドから構成される。
1つは宛て先を識別するための[c]、2つ目は伝送制御のための制御情報を運ぶための[d]、3つ目は送受信するデータが入る[e]である。4つ目のフィールドはFCS（フレームチェックシーケンス）と呼ばれる誤り検出のためのビット列で、このFCSが誤り検出の対象とするフィールドは[f]である。

【解答群】
ア．A,C,Iの3フィールド　イ．Iフィールドのみ　ウ．Iフレーム　エ．Sフレーム
オ．Uフレーム　カ．アドレス（A）フィールド　キ．コントロール（C）フィールド
ク．情報（I）フィールド　ケ．パケット　コ．フレーム　サ．ブロック

a:	b:	c:
d:	e:	f:

◆問4-2-10　TCP/IPの機能のうち、TCPに該当するものはどれか。

ア．エンドツーエンドで、セグメントを送受信するための順序制御や応答確認などを行う。
イ．データが大きい場合、複数のパケットにデータのフラグメンテーションや再組み立てを行う。
ウ．ネットワークに接続されているホストのアドレスを管理する。
エ．ルーティングテーブルに基づいて通信経路を選択する。

◆問4-2-11　LANに関する記述のうち、正しいものはどれか。

ア．10BASE5と呼ばれる型のLANは「より対線（UTP）」を使用する。
イ．CSMA/CD方式ではトラフィックの増加に伴って衝突が急増し、効率が急速に低下する。
ウ．伝送速度は10Mビット／秒が上限である。
エ．リング型のLANでは、一般にCSMA/CDと呼ばれるアクセス方式が使われる。

◆問4-2-12　2つのLANを中継する装置のうち、OSI基本参照モデルの一番低位層のプロトコルにもとづいて、データを中継する装置はどれか。

ア．ゲートウェイ　　イ．ブリッジ　　ウ．リピータ　　エ．ルータ

◆問4-2-13　LAN間を接続する機器に関する説明のうち、不適切なものはどれか。

ア．ゲートウェイはプロトコル全体が異なるLAN間を接続するための専用機器である。
イ．ブリッジには一方のLANからもう一方のLANにデータを転送するかどうかを判断するフィルタリング機能がある。
ウ．リピータは物理的にLANの長さを延長するだけであり、すべてのデータが2つのLAN間に流れてしまう。
エ．ルータには最適経路選択機能があり、3個以上のLANを接続するときに効果がある。

◆問4-2-14　CSMA/CD方式とトークンリング方式の送信手順に関する次の記述のa～eに該当する語句を、下の解答群から選べ。

CSMS/CD方式では、ほかの端末からのフレームとの［ a ］を避けるために、送出前に伝送媒体の空きを確かめる［ b ］という機能が必要になる。もし、［ a ］が発生した場合には、そのデータはすべての端末で破棄し一定時間後に［ c ］しなければならない。この［ c ］が発生するとそれだけトラフィックが増大することになり、ほかの［ a ］を誘発する原因にもなるのである。

トークンリング方式では［ a ］を避けるために［ d ］という信号を利用する。この［ d ］は常に一定方向に巡回していて、送信したい端末は自分のところに［ d ］が来たときにこれを捉えることで［ e ］を得ることができる。

【解答群】

ア．キャリア検知　イ．再送　ウ．衝突　エ．ジャム信号
オ．送信権　カ．トークン　キ．優先権

a:	b:	c:
d:	e:	

◆問4-2-15　ブラウザとWWWサーバに関連する技術の記述のうち、HTMLに関するものはどれか。

ア．WWWサーバにアクセスして情報の検索や閲覧をするためのソフトウェアである。
イ．WWWサーバに蓄積する文書を記述する言語である。
ウ．参照先のアドレスと参照方法を示すものである。
エ．文書を交換するためのブラウザとWWWサーバ間のプロトコルである。

◆問4-2-16　DHCPの説明として、正しいものはどれか。

ア．IPアドレスからMACアドレスを得るために用いられるプロトコルである。
イ．MACアドレスからIPアドレスを得るために用いられるプロトコルである。
ウ．メールサーバ間でメールを送受信するために使用されるプロトコルである。
エ．IPアドレスを動的にコンピュータに割り振るために使用されるプロトコルである。

◆問4-2-17　メールアドレスやURL中に含まれるドメイン名から、そのドメインのWebサーバやメールサーバなどのIPアドレスを得るために用いられるプロトコルは何か。

ア．DNS　イ．FTP　ウ．TCP　エ．UDP

過去問題

★☆問2-2　次のネットワークに関する記述を読み、各設問に答えよ。

TCP/IPはインターネットで使用されている通信プロトコル体系であり、LANを構築する際のイントラネットにも使用されている。ネットワーク上でTCP/IPを利用した通信を行う場合、通信機器のアドレスとしてIPアドレスを使用する。

＜設問１＞　次のLAN間通信に関する記述中の[　　]に入れるべき適切な字句を解答群から選べ。

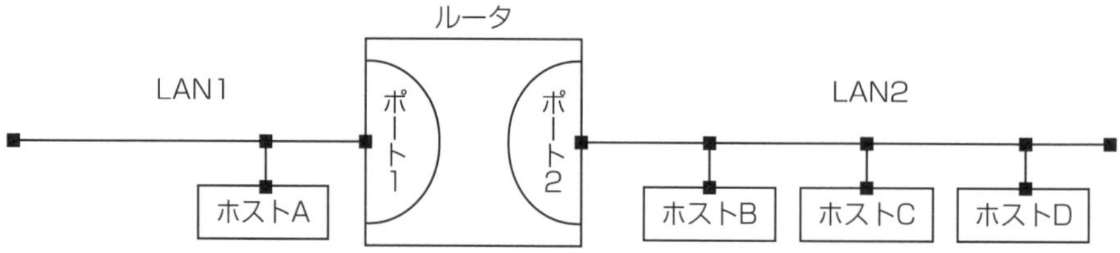

図　ネットワーク構成図

図のネットワーク構成図中のルータのIPアドレスとサブネットマスクを表1に示す。

表1　ルータのIPアドレスとサブネットマスク

機器名	IPアドレス	サブネットマスク
ルータのポート1	192.168.1.1	255.255.255.0
ルータのポート2	192.168.2.1	255.255.255.0

ホストAとホストBが相互に通信可能なとき、ホストBに設定するIPアドレスは表2のようになる。

表2　ホストAとホストBに設定するIPアドレス

機器名	IPアドレス	サブネットマスク	デフォルトゲートウェイ
ホストA	192.168.1.250	255.255.255.0	192.168.1.1
ホストB	[1]	[2]	[3]

表3　ホストCとホストDに設定するIPアドレス

機器名	IPアドレス	サブネットマスク	デフォルトゲートウェイ
ホストC	192.168.2.240	255.255.255.0	192.168.2.1
ホストD	192.168.2.245	255.255.255.0	192.168.2.1

表1～表3のような設定にした場合、LAN1内に設定できるIP アドレスは最大[4]個となる。

【1、3の解答群】

ア．192.168.1.1　　イ．192.168.1.230

ウ．192.168.2.1　　エ．192.168.2.230

1:	3:

【2の解答群】

ア．255.0.0.0　　イ．255.255.0.0

ウ．255.255.255.0　　エ．255.255.255.224

2:

【4の解答群】

ア．30　　イ．62

ウ．126　　エ．254

4:

＜設問２＞　次のネットワークの診断に関する記述中の［　　］に入れるべき適切な字句を解答群から選べ。

ネットワーク上の機器どうしで通信ができるかどうかを確認することを疎通確認という。疎通確認を行うコマンドにping がある。ping では得たい情報の種類により様々なオプションを指定できるが、Windowsの場合は次の形式でコマンドプロンプトから入力する。

［ping コマンドの形式］

Ping ［IPアドレスまたはホスト名］

例えば、ホストX（IP アドレス：192.168.3.25）と疎通しているかを確認するには、"ping 192.168.3.25" と入力する。応答メッセージとして様々な項目が表示されるがその一部に "Reply from 192.168.3.25" が表示されていれば疎通しており、"Request timed out" が表示されていれば疎通していないことになる。

図のネットワーク構成図でホストAとホストD間で何らかの原因で通信ができていないことが分かった。そこでホストAから次の順番でping コマンドを使い障害個所の特定作業を行った。

① "ping 192.168.1.1" と入力し、"Reply from 192.168.1.1" が表示されれば次へ進む。"Request timed out" が表示されれば［ 5 ］もしくはルータの設定かLAN1のケーブルに障害が発生していることになる。

② "ping 192.168.2.1" と入力し、"Reply from 192.168.2.1" が表示されれば次へ進む。"Request timed out" が表示されれば［ 6 ］に障害が発生していることになる。

③ "ping 192.168.2.245" と入力し、"Request timed out" が表示されれば［ 7 ］もしくはLAN2のケーブルに障害が発生していることになる。

【5～7の解答群】

ア．ホストA　　イ．ホストB

ウ．ホストC　　エ．ホストD

オ．ルータの設定

5:	6:	7:

（令和5年度前期　システムデザインスキル　問題3）

第 3 章

データベース技術

3-1　データモデルの考え方
3-2　DBMS の種類
3-3　集合演算と関係演算
3-4　エンティティと属性
3-5　正規化の目的と手順
3-6　第 1・第 2・第 3 正規化
3-7　SQL とテーブルの作成
3-8　データの抽出（SELECT 文）
3-9　集計関数とグループ化
3-10　表の結合と副問合せ
3-11　データテーブルの更新
3-12　集中型 DB と分散型ＤＢ
3-13　排他制御（ロック）と機密保護
3-14　トランザクション制御
3-15　バックアップとリカバリ
3-16　チェックポイントと回復処理

第3章　データベース技術

3-1 データモデルの考え方

データの意味と関係を表現したデータモデルと、データの意味分析のための技法であるERDについて理解する。

●データモデルとは

データの分析・設計を行う場合には、現実世界のデータ構造をできるだけありのままに表現することが重要である。ここで「ありのまま」とは、「業務上の意味や経営方針などに忠実に」ということである。

データの意味と関係を表現したものをデータモデルと呼ぶ。データモデルには、次の3つの段階があると考えられている。

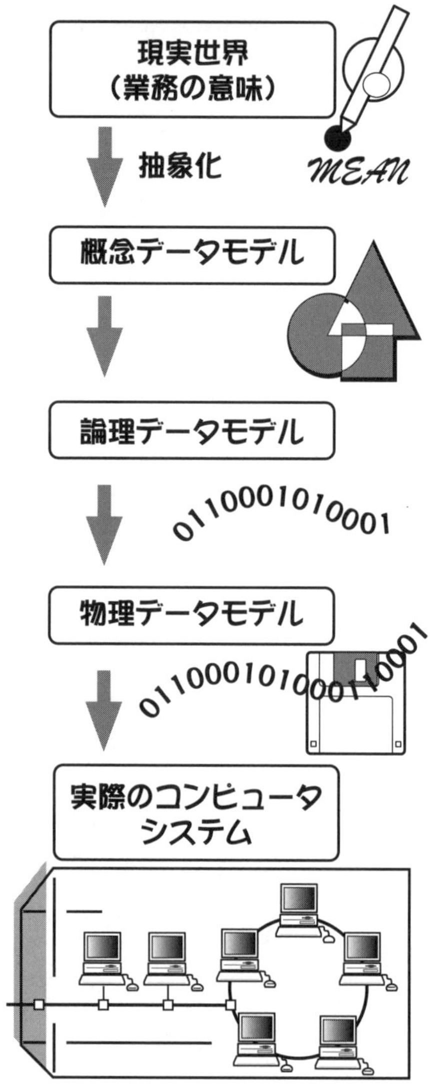

(1) 概念データモデル

DBMS（⇨292ページ参照）やOS、ハードウェアなどからの制約をいっさい考えずに、現実世界をありのままに表現したデータモデルである。

(2) 論理データモデル

実際に利用するDBMSの種類と特徴を考慮して、概念データモデルを書き換えたデータモデルである。

(3) 物理データモデル

処理やデータの特性から、磁気ディスク上の物理的な配置やアクセス方法などを考慮して、論理データモデルを変形したデータモデルである。

●ERD

ERD（エンティティ・リレーションシップ・ダイアグラム）は、データの意味分析のための技法として広く利用されており、概念データモデルを表現する。

エンティティとは「企業が保持し識別したい人、物、場所、概念または出来事のこと」であり、**リレーション**とはあるエンティティと別のエンティティとの関係のことである（⇨エンティティについては296ページ以下参照）。

代表的なERDの記述法は、次のとおりである。

この単元のキーワード
- □データモデル
- □ERD
- □エンティティ
- □リレーション

◀**ERD**：Entity Relationship Diagram

リレーション	烏の脚表記法	バックマン表記法
Aは常にBの1個と結合している	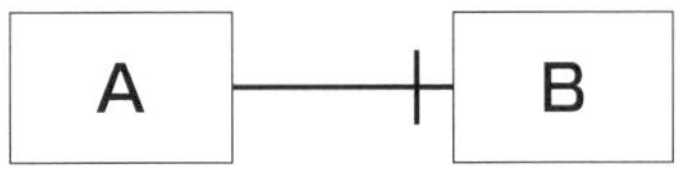	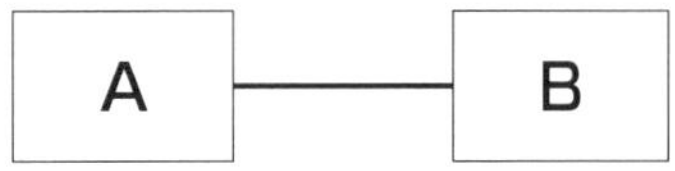
Aは常にBの1個または複数と結合している	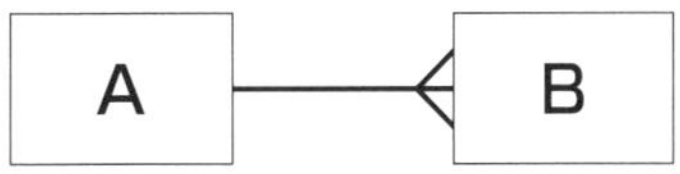	
Aはゼロまたは1個のBと結合している	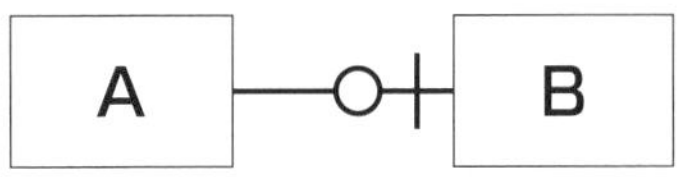	
Aはゼロ、1個または複数のBと結合している	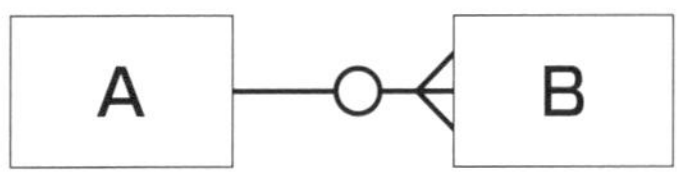	

A、B両側からのリレーションを考えると、次のようになる。

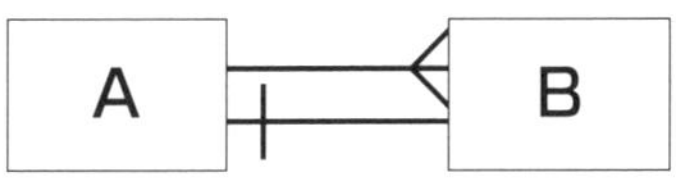

◀このほかに、P. Chenの表記法も有名である。P. Chenはリレーションシップを記号で表す。この例は、

と表現される。

これをまとめて、次のように記述するのが一般的である。

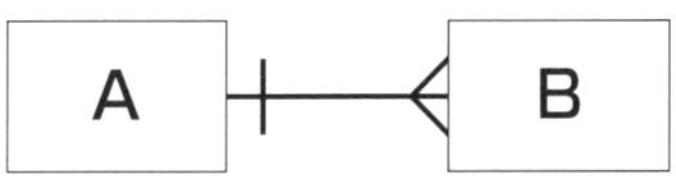

【ERDの記述例】

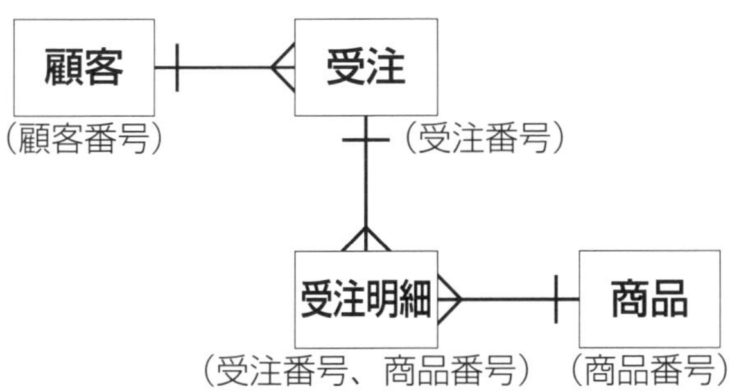

◀（　）内は、エンティティの識別子を示している。

◀この例では、業務の概要は次のようになっている。
① 一人の顧客から1回以上の注文を受けている（受注）。
② 1回の受注で複数の商品の注文を受けている（受注明細）。

第3章　データベース技術

3-2 DBMSの種類

この項では、DBMS（データベース管理システム）の種類（階層型・ネットワーク型・リレーショナルデータベース）とモデルの作成について理解する。

●DBMSの種類

DBMSはその特徴によって、次の3種類に分類されている。

(1) 階層型データベース

アクセスの単位は**セグメント**と呼ばれ、セグメントを木構造にしたデータ構造をもっている。木構造の最上位の階層はルートセグメント（根セグメント）、最下位の階層はリーフ（葉）と呼ばれる。上位セグメントと下位セグメントは親子の関係にあり、親は複数の子をもてるが、子は親を1つしかもてない制限がある。

◀**木構造（tree structure）**：146ページ参照。

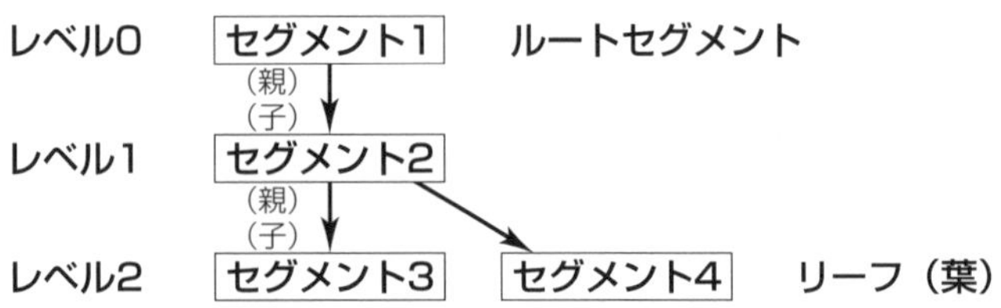

(2) ネットワーク型データベース

階層型データベースとほとんど同じデータ構造をもつ。しかし、子が複数の親をもてるという点が階層型と異なる。柔軟なデータ構造の表現ができるため、製造業などの複雑なデータ構造を扱うシステムを中心に広く使われている。

◀ネットワーク型データベースの親子関係を特に'親子セット'と呼ぶ。

(3) リレーショナルデータベース（関係データベース）

1970年に、当時IBMのE.F.コッド博士が提案したデータベースである。管理対象とするデータの組み合わせを**行**、同じ種類のデータ項目を**列**として表現される**表**を単位に、データ操作を行う。

優れた操作性とわかりやすさから広く普及し、EUCではリレーショナルデータベースを前提とすることが一般的である。

◀**リレーショナルデータベース**：RDB（Relational Database）
◀**行**：row
◀**列**：column
◀**表**：テーブルとも呼ばれる。

●DBMSによる論理データモデルの違い

前項に示したERDの例を使って、それぞれのDBMSに合わせた論理データモデルを作成すると、次のようになる。

階層型とネットワーク型のデータベースでは、ERDのエンティティをセグメントとする。エンティティ間に1：Nの関係があった場合には、「1」のほうのエンティティを親に、「N」のほうのエンティティを子にすることで、論理データモデルが作成できる。階層型データベースは子が複数の親をもてないため、論理データモデルを分割する場合がある。

リレーショナルデータベースでは、ERDの各エンティティを表として表現するだけである。

この単元のキーワード
□階層型データベース
□ネットワーク型データベース
□リレーショナルデータベース
□行
□列
□表

① 階層型データベースに合わせた論理データモデル

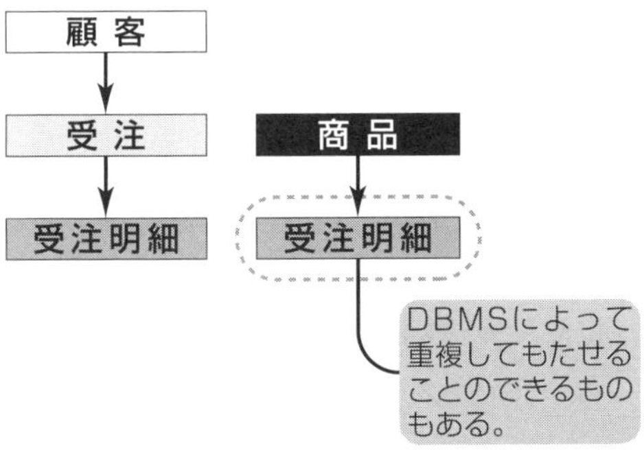

② ネットワーク型データベースに合わせたデータベースモデル

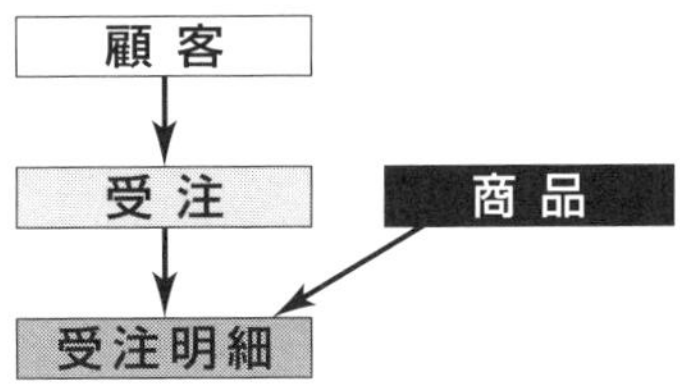

③ リレーショナルデータベースに合わせた論理データモデル

顧客

顧客番号	顧客名	顧客住所	顧客電話番号
1015	大木一	世田谷区…	03-9876-5432
1021	近藤聡	大田区…	03-1234-5678
2114	松江学	横浜市…	045-234-5678

商品

商品番号	商品名	単価
910246	ノート型PC	270000
872200	デスクトップPC	348000
256901	プリンタ	42000

受注

受注番号	顧客番号	受注日付
200000212	1021	20000601
200000200	1021	20000715
200010011	2114	20000720

受注明細

受注番号	商品番号	受注数量
200000212	910246	2
200000212	256901	1
200010011	872200	1

3-3 集合演算と関係演算

この項では、4種類の集合演算（和集合・差集合・積集合・直積集合演算）と、3種類の関係演算（射影・選択・結合）について学び、具体的な演算結果を理解する。

●集合演算

集合演算は、リレーショナルデータベースの表操作の基本である。集合演算には、和集合演算・差集合演算・積集合演算・直積集合演算の4種類がある。

◀集合演算は、リレーショナルデータベース以前から、数学の集合理論にあった考え方である。それをE.F.コッド博士が取り入れた。

① **和集合演算**

和集合演算は、2つの表を構成する列が同じ場合に、2つの表のいずれか、または両方に含まれる行を新たな表にする演算である。行の重複は許されない。

② **差集合演算**

差集合演算は、1つの表の行からもう1つの表と一致する行を取り除く演算である。

③ **積集合演算**

積集合演算は、2つの表の両方に含まれる行だけを取り出して新しい表を作る演算である。

注意!!

実際上は、直積集合演算より、関係演算の'結合演算'のほうが使いやすい。

④ **直積集合演算**

直積集合演算は、2つの表を掛け合わせる演算である。言い換えれば、2つの表のすべての行の組み合わせを作る演算である。演算結果の行数は、元の2つの表の行数を掛け合わせた数に一致する。同じ列名がある場合には、元の表の名前を列名の前に付けることで識別する。

コメント

関係演算は、集合演算と異なり、リレーショナルデータベースのために取り入れられた独自の考え方である。

従来からの集合理論である関係代数に新しく創案された関係計算の考え方を加えることで、リレーショナルデータベースに数学的裏付けを与えたのである。

●関係演算

関係演算は、集合演算と並んで表操作の基本となる演算である。関係計算には射影演算・選択演算・結合演算の3種類がある。

① **射影演算**

射影は表から指定した列を取り出す演算である。表「社員」から所属部署と部署名を取り出すと、次のようになる。

[社員]

社員番号	氏名	所属部署	部署名
1010	大木一	01	総務部
1011	近藤聡	15	システム部
1020	松江学	15	システム部
1022	富山寿	01	総務部
1025	高野清	02	人事部
1030	江本研	01	総務部
1031	鶴岡博	15	システム部

→

所属部署	部署名
01	総務部
15	システム部
15	システム部
01	総務部
02	人事部
01	総務部
15	システム部

② 選択演算

選択は、指定した条件を満たす行を取り出して新しい表を作る演算である。

表「社員」から所属部署が「01」のものだけを取り出す選択演算を行うと、結果は次のようになる。

社員番号	氏名	所属部署	部署名
1010	大木一	01	総務部
1022	富山寿	01	総務部
1030	江本研	01	総務部

この単元の キーワード

- □集合演算
- □和集合演算
- □差集合演算
- □積集合演算
- □直積集合演算
- □関係演算
- □射影演算
- □選択演算
- □結合演算

③ 結合演算

「社員」と「部署」という次のような表があったとする。

社員番号	氏名	所属部署
1010	大木一	01
1011	近藤聡	15
1020	松江学	15
1022	富山寿	01
1025	高野清	02
1030	江本研	01
1031	鶴岡博	15

所属部署	部署名
01	総務部
02	人事部
15	システム部

結合は、複数の表を特定の列の値の関係で結合して、新しい表を作成する演算である。

この2つの表の結合演算を所属部署の値の関係で行うと、結果は右のようになる。

社員番号	氏名	所属部署	部署名
1010	大木一	01	総務部
1011	近藤聡	15	システム部
1020	松江学	15	システム部
1022	富山寿	01	総務部
1025	高野清	02	人事部
1030	江本研	01	総務部
1031	鶴岡博	15	システム部

3-4 エンティティと属性

エンティティとは実体を指し、必ず識別子が定義できなければならないことを踏まえ、エンティティの属性と定義を学ぶ。

●エンティティとは

◀**エンティティ**：Entity

エンティティは、日本語では「実体」といわれ、次のように定義される。

「エンティティとは、企業が**保持**し**識別**したい人、物、場所、概念または出来事のことである。」

逆にいえば、企業が保持し、識別する必要がないものについては、エンティティとは呼ばない。

●エンティティの識別子

エンティティは、必ず識別できなければならない。たとえば、「社員」というエンティティでは、この社員とあの社員が（社員一人ひとりが）識別できなければ、エンティティが存在する意味がなくなるのである。そこで、一人ひとりの社員を識別するために、「社員番号」などのほかと重複がないこと（ユニークであること）を保証する項目が必要になる。この、ほかのものと区別されている項目を「識別子」または「**主キー**」と呼ぶ。

分類	エンティティの例	識別子の例
人	社員	社員番号
	顧客	顧客番号
物	商品	商品番号
	部品	部品番号
場所	営業所	営業所番号
	都道府県	都道府県コード
概念	組織	組織コード
	勘定科目	勘定科目コード
出来事	受注	受注番号
	納品	納品番号

◀1つの項目だけでは識別できない場合、いくつかの項目を合わせて識別子とすることがある。複数の項目の組み合わせになっている識別子のことを「**複合キー**」と呼ぶことがある。

◀識別子は、あくまでもユニークに識別するための項目である。データベースでのアクセスキーやインデックスとは、別のものであることに注意しなければならない。

●エンティティの属性

エンティティの内容として具体的に保持したい項目を、属性またはアトリビュートと呼ぶ。

エンティティは、必ず1つ以上の属性によって構成される。識別子も属性の1つである。

エンティティの一般的な表示例は、次のとおりである。

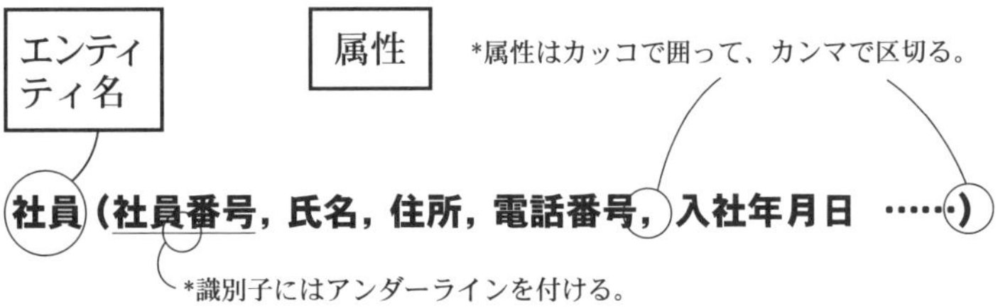

この単元のキーワード

□エンティティ
□保持
□識別
□識別子
□主キー
□複合キー
□属性
□アトリビュート

◀アトリビュート：Attribute

●エンティティの定義

エンティティは1つの企業体で、数百個あるのが普通である。対象とする業務でのエンティティが何かを明確にし、識別子や属性などを定義するためには、次の4つの内容を参考にしながら業務の意義を考えて行う。

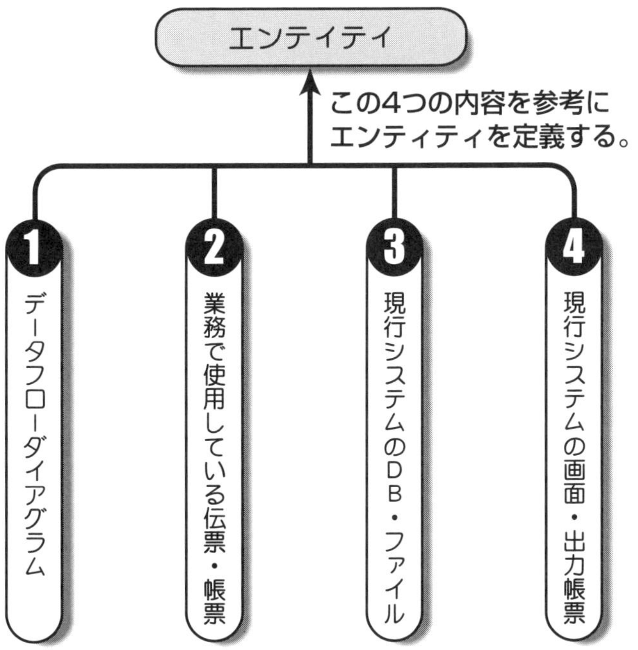

◀データフローダイアグラム（DFD）（⇒216ページ以下参照）は、データストアをエンティティとして使用することで、エンティティとその属性の必要十分性を吟味するのに役立つとされている。

3-5 正規化の目的と手順

正規化の目的はデータの冗長性を排除することにあり、その正規化の手順と前準備のポイントを押さえておく。

●正規化の目的

正規化の目的は、データの**冗長性**を排除して、関連性の高いデータ項目をまとめ、データの存在を1事実1箇所にすることである。

◀**冗長性**：218ページ参照。

データに冗長性があるということは、同じ意味内容のデータが、複数のデータベースやファイルに重複して存在していることをいう。

データに冗長性があるシステムでは、次のような問題が発生する。

① データ内容を更新する場合に、すべての重複したデータに対して行う必要があり、この処理負荷が大きくなる。

② 重複したすべてのデータに対して、同時に更新・削除などを行わないと、データの整合性がとれず、システムの信頼性が損なわれる。

③ 新しいシステム機能を追加したり、変更したりする場合に、その影響範囲を明確にすることだけでも多くの工数がかかる。また、冗長性のないシステムに比べて、処理が非常に複雑になりやすい。そのため、システムの保守性・拡張性を大きく損ねることになる。

正規化するということは、以上のような問題を解決することである。

◀**非正規化**：パフォーマンスを高めることを理由に、あえて正規形を崩すことがある。これを非正規化という。しかし、非正規化を行うと、データの冗長性が発生する。非正規化は更新の必要のないデータに対してのみ行われるべきである。

●正規化の手順

正規化は、1つひとつのエンティティごとに、次の手順で行う。論理的には第5正規化まであるが、実務的には第3正規化までで十分とされている。

前準備	
↓	
第1正規化	繰り返し構造を分離する
↓	
第2正規化	キーへの部分的依存関係を分離する
↓	
第3正規化	キー以外の属性間の依存関係を分離する
↓	
最適化	1事実1箇所を実現する

この単元のキーワード

□冗長性
□第1正規化
□第2正規化
□第3正規化
□最適化

●前準備

以下、エンティティ「受注」を例に、正規化の手順を見ることにする。「受注」は企業が顧客から注文を受けるときのエンティティで、"受注番号"が識別子になっているものとする。「受注」の内容を伝票のイメージで表現すると、次のようになる。

（受　注）

受注番号　　　　受注年 月 日
顧客番号　　顧客名
顧客住所

（受注明細）

商品番号	商品名	数量	単価	金額
			合計金額	

◀単価は定価とする。

準備1：エンティティを一般的な表記に直す。

受注（受注番号，受注年月日，顧客番号，顧客名，顧客住所，受注明細（商品番号，商品名，数量，単価，金額，合計金額））

◀識別子にはアンダーラインを付ける。

◀同じ属性の組み合わせが繰り返し現れる部分は、内カッコで書く。内カッコの前には、その名前も付ける。この例では'受注明細'。

準備2：冗長性を排除するため、計算で出せる属性を削除する。

◀この例では、金額と合計金額が計算で出せる属性である。金額は「数量×単価」で、合計金額は金額の合計で求められる。

準備3：属性の名前は違っているが、意味的に同じものがあったら1つにまとめる（異音同義語）。

◀この例では、異音同義語の属性はない。

以上の準備の結果、エンティティ「受注」は次のようになる。

受注（受注番号，受注年月日，顧客番号，顧客名，顧客住所，受注明細（商品番号，商品名，数量，単価））

3-6 第1・第2・第3正規化

第1正規化は、繰り返し構造を分離することであり、第2正規化はキーへの部分的依存関係を分離すること、第3正規化はキー以外の依存関係を分離することである。

●第1正規化

第1正規化を一言でいうと、**繰り返し構造を分離すること**である。繰り返し構造とは、この例では商品番号から単価までの受注明細の部分を指す。この繰り返し構造を分離するとは、データを次の表のようにイメージすることである。

しかし、このままでは受注番号が複数の行で重複してしまい、受注番号だけでは識別できなくなってしまう。そこで、「受注番号」を、繰り返し構造の中にあった属性のどれかと組み合わせて**複合キー**を作成し、新たな識別子にする必要がある。この例では、商品番号を受注番号に組み合わせることで、ほかの行との識別ができる。

表

受注番号	年月日	顧客番号	顧客名	顧客住所	商品番号	商品名	数量	単価
10001	20000501	9201	大野一	大田区…	250210	パソコン	1	200000
10001	20000501	9201	大野一	大田区…	321127	メモリ	1	14000
10001	20000501	9201	大野一	大田区…	336422	ボード	2	2800
10002	20000501	9255	山田学	杉並区…	289902	プリンタ	1	32500
10002	20000501	9255	山田学	杉並区…	966588	専用紙	4	1200
≈								≈

◀繰り返しのデータの数だけ、独立した行を作る。同じデータが重複してムダに見えるが、この点は第2正規化で解消される。

この結果、エンティティ「受注」は次のように書き換えられる。これが**第1正規形**と呼ばれるエンティティである。

受注（受注番号，受注年月日，顧客番号，顧客名，顧客住所，商品番号，商品名，数量，単価）

◀エンティティの表記では、属性の並び順には何も意味がない。

●第2正規化

◀複合キーを構成している属性の組み合わせごとに、依存関係のある属性をグループにまとめる。

第1正規形のエンティティに対して、第2正規化を行う。第2正規化とは、**キーへの部分的依存関係を分離する**ことである。依存関係とは、属性間で、ある属性の値を決めると別の属性の値がユニークに決まる関係のことをいう。

エンティティ「受注」には、次の3つの依存関係a、b、cがある。

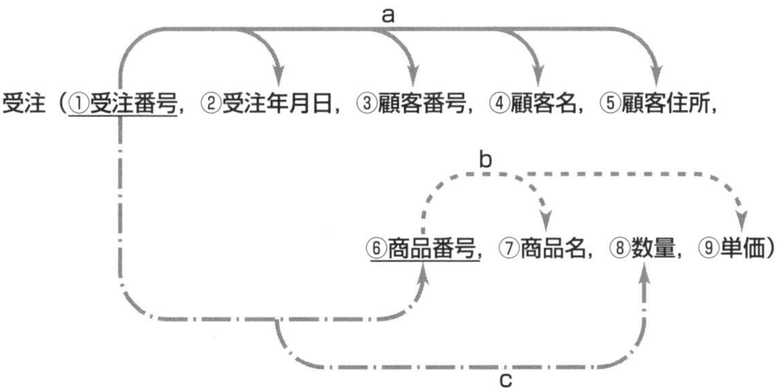

この単元の
キーワード

- □第1正規化
- □第1正規形
- □繰り返し構造
- □複合キー
- □第2正規化
- □第2正規形
- □依存関係
- □第3正規化
- □第3正規形

◀この例では、たとえば受注番号を1つ決めると、顧客番号が1つだけ決まる。複数の顧客を同一の受注番号でまとめてしまうことがないからである。このような場合に、受注番号と顧客番号には依存関係があるという。

第2正規形のエンティティは、次のようになる。

a：受注（受注番号，受注年月日，顧客番号，顧客名，顧客住所）
b：商品（商品番号，商品名，単価）
c：受注明細（受注番号，商品番号，数量）

●第3正規化

第2正規形のエンティティに対して、第3正規化を行う。第3正規化を一言でいうと、**キー以外の属性間での依存関係を分離する**ことである。

第2正規形のエンティティ「受注」には、次のような依存関係がある。

◀第3正規化で分離されたエンティティの識別子は、元のエンティティの属性として残す。それは分離されたエンティティとの参照関係を保持するためで、残された属性は特に'外部キー'とか'外部参照キー'と呼ばれる。例では、この外部キーをアスタリスク「*」を付けて区別している。

第3正規形のエンティティは、次のようになる。

a：受注（受注番号，受注年月日，*顧客番号）
b：商品（商品番号，商品名，単価）
c：受注明細（受注番号，商品番号，数量）
d：顧客（顧客番号，顧客名，顧客住所）

3-7 SQLとテーブルの作成

SQLは、リレーショナルデータベースの定義と操作を行うための言語であり、テーブルの作成にはCREATE文を使用する。

●SQLの構成

SQLは、データを定義するための言語である**SQL-DDL**とデータを操作するための言語である**SQL-DML**の2つの言語から成り立っている。

◀**SQL**：Structured Query Language
◀**DDL**：Data Definition Language
◀**DML**：Data Manipulation Language

データの定義と操作は、それぞれ次の命令で行う。

(1) データ定義

データ（表）の定義は、SQL-DDLの**CREATE文**で行う。

実際にディスク上に保存しておく表は‘CREATE TABLE’命令で定義し、一時的に使う表は‘CREATE VIEW’命令で定義する。

(2) データ操作

データ操作はSQL-DMLで行うが、SQL-DMLには次の4種類の命令がある。

① **SELECT文**：データの検索を行う。
② **INSERT文**：行を挿入する。
③ **UPDATE文**：行中の値を変更する。
④ **DELETE文**：行を削除する。

◀**SELECT文**：「3-8」304ページ以降を参照。
◀**INCERT文、UPDATE文、DELETE文**：「3-11」310ページを参照。

この中でも、特に頻繁に利用されるのがSELECT文である。SELECT文は、射影、選択、結合の関係演算を操作の基本にしている命令である。

関係データベースはデータが正規化されていることを前提としているため、少なくとも第1正規形でないとSQLによる操作はできないことに注意しなければならない。

●テーブルの作成（CREATE文）

この単元の
キーワード

□SQL
□CREATE文

CREATE文は、データを定義するためのDDL（データ定義言語）である。テーブル名の定義の後に、列名とそのデータタイプおよびデータ長を定義する。

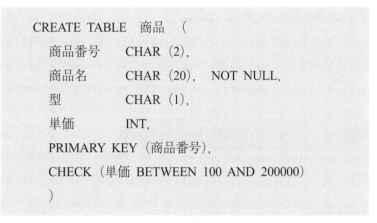

```
CREATE TABLE　商品　(
　商品番号　　CHAR (2),
　商品名　　　CHAR (20),　NOT NULL,
　型　　　　　CHAR (1),
　単価　　　　INT,
　PRIMARY KEY (商品番号),
　CHECK (単価 BETWEEN 100 AND 200000)
　)
```

◀**データタイプ**
CHAR（CHARACTER）：文字列を意味する。カッコ内の数字はデータの長さ（バイト数）。
INT（INTEGER）：整数を意味する。扱える桁（けた）数は、処理系での定義などにより異なる。

このDDLは、表‘商品’を定義するものである。‘CREATE TABLE’の後に、作成したい表の名前を指定する。その後には、表を構成する列名と各列のデータタイプおよびカッコ内にデータ長が定義される。‘NOT NULL’の指定は、商品名には必ず値が入っていなければならないことを示している。

‘PRIMARY KEY（商品番号）’によって、この表の主キーとして‘商品番号’が指定される。複数列で主キーとなる場合は、カンマで区切って列名を並べることができる。

CHECKは、表内のすべての行が満たされなければならない条件がある場合に指定する。ここでは、単価が必ず100から200000の間でなければならないとした。

外部キーがある場合には、‘PRIMARY KEY（商品番号）’に続けて‘FOREIGN KEY（外部キー）REFERENCES 参照先表名（参照先列名）’を指定する。参照先列名は主キーと一致するときは省略できる。

◀**参照制約**：外部キー制約を設定すると参照先の表と親の表との間で、データの追加や削除を行なう際、参照整合性が取れるように制御される。具体的には、親テーブルに行を追加する際、外部キーで設定したキーをもつ行が参照先の表にない場合や参照先のテーブルから行を削除する際は、親表にそのキーを持つ行が残っている場合、エラーとなる。

‘CREATE TABLE’は実際に値の入っている実表を定義するときに使うが、一時的に利用する仮想の表を定義するときには‘CREATE VIEW 仮想表名 AS SELECT ～’を使う。SELECT文によって、さまざまなビューを作成できる。

3-8 データの抽出（SELECT文）

表からデータを抽出するには、SELECT文を用いる。表から特定の列だけを取り出す射影、ある条件を満たす行を取り出す選択がある。

●SELECT文の基本形式

SELECT文の典型的な記述は、次のような形式になる。

【SELECT文の典型的な記述形式】

SELECT	列名1,列名2,…	：結果表示する列の名称（射影すべき列）
FROM	表名1,表名2,…	：検索すべきデータが入っている表の名称
WHERE	条件式	：検索条件（選択すべき行の条件）
GROUP BY	列名1,列名2,…	：指定した列が同じ値をもつ行ごとに集めて、グループ表を作成する
HAVING	条件式	：グループ表に対する検索条件
ORDER BY	列名1,列名2,…	：指定した列の値でソートする

●列の抽出（射影）

射影とは、表から特定の列を取り出すことである。次に、SELECT文の例を示す。

・　**表（商品）から商品名だけを取り出す場合**

SELECT　商品名　FROM　商品

実行結果は、次のようになる。

［商品］

商品番号	商品名	型	単価
B1	テレビ	D	56000
B2	テレビ	E	80000
B3	テレビ	F	96000
B4	カメラ	S	18000
B5	ラジオ	Z	2200

→

商品名
テレビ
テレビ
テレビ
カメラ
ラジオ

◀射影をするには、SELECT列名1,列名2,…FROM表名で、表とほしい列の名前を指定する。

◀SELECTの後にDISTINCTを指定すると、指定した列の値が重複することが許されなくなる。

●条件を指定した抽出（選択）

選択とは、ある条件を満たすタプル（行）を取り出すことである。選択条件の記述にはWHERE句を使い、次のように記述する。

① 表（在庫）から店舗番号が‘S02’の行のすべての情報を取り出す場合

```
SELECT  *  FROM  在庫
WHERE  店舗番号＝ ‘S02’
```

すべての列名を並べる代わりに‘*’を指定することができる。
実行結果は、次のようになる。

[在庫]

店舗番号	商品番号	在庫数
S01	B1	10
S01	B2	15
S01	B3	12
S01	B4	5
S02	B1	7
S02	B2	3
S02	B3	20
S02	B5	1

→

店舗番号	商品番号	在庫数
S02	B1	7
S02	B2	3
S02	B3	20
S02	B5	1

② 表（在庫）から在庫数が10個未満でかつ店舗番号が‘S02’の行のすべての情報を取り出す場合

```
SELECT  *  FROM  在庫
WHERE  在庫数  <  10  AND  店舗番号＝ ‘S02’
```

実行結果は、次のようになる。

店舗番号	商品番号	在庫数
S02	B1	7
S02	B2	3
S02	B5	1

【比較演算子の種類と記述例】

在庫数が10個に等しい：	**在庫数＝10**
在庫数が10個より大きい：	**在庫数＞10**
在庫数が10個より小さい：	**在庫数＜10**
在庫数が10個と等しくない：	**在庫数＜＞10**
在庫数が10個以上：	**在庫数＞＝10**
在庫数が10個以下：	**在庫数＜＝10**

この単元のキーワード

- □SELECT文
- □射影
- □選択
- □FROM句
- □WHERE句
- □文字定数
- □比較演算子

◀ここで、文字定数は次のように表す。
〈半角文字（英数字）〉
‘ABC12’のように引用符（‘ ’）で囲む。
〈全角文字（漢字など）〉
N‘文字列’のように、引用符の前にNを付ける。
ただし、Nは省略可。

◀選択条件にはANDとORを使った複合条件を指定することができる。

◀たとえば、在庫数が5から10の間という条件を
WHERE 在庫数 ＞＝ 5
　AND 在庫数 ＜＝ 10
と書く代わりにBETWEEN述語を使って、
WHERE 在庫数
　BETWEEN 5 AND 10
と書くことができる。

3-9 集計関数とグループ化

最大値や平均値などを求める集計関数の使い方と、表のグループ化について学習する。

●集計関数

集計関数は特定の列を見て、行数、平均値、最大値、最小値、総和を求めるための指定である。

集計関数の種類には、次のようなものがある。

①　一番高い単価を求める場合

```
SELECT　MAX(単価)　FROM　商品
```

結果は、96000になる。

②　商品の種類の総数を求める場合

```
SELECT　COUNT(*)　FROM　商品
```

結果は、5になる。

③　異なる商品名の総数を求める場合

```
SELECT　COUNT（DISTINCT　商品名）FROM　商品
```

‘DISTINCT’を列名の前に指定すると、その列の値の重複を取り除いた数が得られる。

④　商品番号‘B1’のテレビの在庫数の合計を求める場合

```
SELECT　SUM(在庫数)　FROM　在庫　WHERE　商品番号＝‘B1’
```

結果は、17になる。

⑤　商品の平均単価を求める場合

```
SELECT　AVG（単価）FROM　商品
```

結果は、50440になる。

◀ここで使用している「商品」テーブルと「在庫」テーブルは、304～305ページを参照。

【集計関数の種類】

COUNT	行数
AVG	平均値
MAX	最大値
MIN	最小値
SUM	総和

◀**COUNT**（＊）は値が同じ行（重複行）を取り除かない、表の総行数を求めるための指定である。

●表のグループ化と選択条件

①　表のグループ化

GROUP BY句を指定することで、表をグループ化することができる。たとえば、

```
SELECT　商品番号，SUM(在庫数)
  FROM　在庫
```

```
GROUP　BY　商品番号
```

とすれば、結果は次の表になる。

[在庫]

店舗番号	商品番号	在庫数
S01	B1	10
S01	B2	15
S01	B3	12
S01	B4	5
S02	B1	7
S02	B2	3
S02	B3	20
S02	B5	1

→

商品番号	SUM(在庫数)
B1	17
B2	18
B3	32
B4	5
B5	1

この単元のキーワード

- □COUNT
- □AVG
- □MAX
- □MIN
- □SUM
- □GROUP BY句
- □HAVING句

この例では、「GROUP BY 商品番号」を指定することで、同じ商品番号をもつ行ごとのグループに分類される。この結果として、分類された表を**グループ表**と呼び、SUM（在庫数）はグループ表ごとの総和を意味することになるのである。つまり、SUM（在庫数）は、同じ商品番号をもつ行の在庫数の合計をそれぞれ求める処理を意味する。

② グループの選択条件

HAVING句は、グループ化した表に対する選択条件を指定するものである。WHERE句が行の選択条件を与えるのに対し、HAVING句はグループの選択条件を与える。

たとえば、次のように指定する。

```
SELECT　商品番号，SUM（在庫数）
 FROM　在庫
 GROUP　BY　商品番号
 HAVING　SUM（在庫数）＜15
```

●表の並び替え

ORDER BY句は、表を特定の列の値の大小順に並び替えて表示させるための指定である。順序は昇順（小さい順）または降順（大きい順）のどちらかである。ORDER BY句に指定する列名の後にDESCを指定すると降順になり、ASCを指定するかまたは何も指定しないと昇順になる。

たとえば、次のように指定する。

```
SELECT　商品番号，SUM（在庫数）
 FROM　在庫
 GROUP　BY　商品番号
 HAVING　SUM（在庫数）＜15
 ORDER　BY　SUM（在庫数）
```

◀本文の例で、SUM(在庫数)は列名をもたない導出された(処理によって作り出された)列である。
このような場合、ORDER BY句の中ではSELECTの左から何番目の列かという番号で指定することができる。
ORDER BY SUM(在庫数)をORDER BY 2としても同じである。

第3章　データベース技術

3-10 表の結合と副問合せ

複数の表を共通の属性で1つの表にまとめる結合と、SELECT文が入れ子になる副問合せについて、具体的な使用方法を学習する。

●表の結合

結合とは、複数の表を共通の属性を突き合わせて1つの表にまとめることである。

複数の表を指定することから、列名の前にどの表の列かを明示するために表名を付けて区別する必要がある（表名.列名の形式で記述する）。

・　**店舗番号S01に在庫している商品の商品名、型、単価、在庫数を取り出す場合**

```
SELECT　商品名，型，単価，在庫数
  FROM　商品，在庫
  WHERE　商品．商品番号＝在庫．商品番号
          AND　店舗番号＝ 'S01'
```

実行結果は、次のようになる。

[商品]

商品番号	商品名	型	単価
B1	テレビ	D	56000
B2	テレビ	E	80000
B3	テレビ	F	96000
B4	カメラ	S	18000
B5	ラジオ	Z	2200

[在庫]

店舗番号	商品番号	在庫数
S01	B1	10
S01	B2	15
S01	B3	12
S01	B4	5
S02	B1	7
S02	B2	3
S02	B3	20
S02	B5	1

↓

商品名	型	単価	在庫数
テレビ	D	56000	10
テレビ	E	80000	15
テレビ	F	96000	12
カメラ	S	18000	5

◀表１と表２を結合する方法には以下の方法がある。

1．内部結合（INNER JOIN）
表１と表２のどちらにも含まれるデータのみを取り出してまとめる方法である。（左の結果のようになる）

2．左外部結合
（LEFT OUTER JOIN）
表１からはすべてのデータを、表２からは表１に含まれるデータのみを取り出してまとめる方法である。なお、表１にはあるが表２にはデータがないという場合は空欄（NULL）が入る。

3．右外部結合
（RIGHT OUTER JOIN）
表２からはすべてのデータを、表１からは表２に含まれるデータのみを取り出してまとめる方法である。左外部結合の表１と表２への作業を反転した方法である。

4．完全外部結合
（FULL OUTER JOIN）
表１と表２のすべてのデータを取り出してまとめる方法である。なお、２つの表に含まれるデータは内部結合のようにまとめるが、一方にしかデータがない場合は、左外部結合もしくは右外部結合の際と同様に空欄（NULL）を入れる。

●副問合せ

SQLでは検索条件として問合せ（SELECT文）を指定することができ、この入れ子になっている問合せを副問合せという。入れ子は何重になってもよい。

副問合せには、結果として得られる表が1列であるという制限がある。

・　**IN述語による副問合せ**

IN述語で副問合せを利用すると、たとえば「店舗番号'S02'で在庫をもっている商品の商品番号と商品名を求める」という検索は、次のSQLで記述できる。

```
SELECT　商品番号, 商品名
 FROM　商品
 WHERE　商品番号
      IN　(SELECT　商品番号　FROM　在庫
           WHERE　店舗番号 = 'S02')
```

結果は、次のようになる。

商品番号	商品名
B1	テレビ
B2	テレビ
B3	テレビ
B5	ラジオ

この単元のキーワード

□結合
□副問合せ
□IN述語
□LIKE述語

◀IN述語のINの後には、2つ以上の値の述語が必要になる。

◀**NOT IN述語**：IN述語と反対の意味で、NOT IN述語を使うことがある。左の例で、NOT IN (1, 2, 3) とすれば、「在庫数が1でも2でも3でもないもの」という意味になる。

●LIKE述語によるあいまい検索

LIKE述語は商品名が‘テ’で始まるものとか、商品名のどこかに‘ラジ’という文字列を含むものというような検索をするときに利用される。名前などをあいまいにしか覚えていないときなどに、便利な機能である。

たとえば、商品名が‘テ’で始まる商品を検索するSQLは、次のように記述する。

```
SELECT　商品番号, 商品名　FROM　商品
 WHERE　商品名　LIKE　‘テ%’
```

結果は次のようになる。

商品番号	商品名
B1	テレビ
B2	テレビ
B3	テレビ

3-11 データテーブルの更新

データテーブルの更新を行うSQLである、INSERT、UPDATE、DELETEについて基本的な使用法を学習する。

●データの挿入（INSERT文）

‘INSERT INTO’に続けて、行を挿入したい表名を記述する。それに続くカッコ内に、値をセットしたい列名、さらにVALUESの後に対応する列の値を定義する。

```
INSERT INTO 商品（商品番号，商品名，型，単価）
  VALUES（‘C1’，‘パソコン’，‘P’，90000）
```

これで、表‘商品’に一行追加される。

［商品］

商品番号	商品名	型	単価
B1	テレビ	D	56000
B2	テレビ	E	80000
B3	テレビ	F	96000
B4	カメラ	S	18000
B5	ラジオ	Z	2200
C1	パソコン	P	90000

●データの変更（UPDATE文）

UPDATEに続けて値を変更したい表名を指定し、SETの後に値を変更したい列名、＝に続いて設定したい値を式または定数で指定する。WHERE句による条件を省略すると、すべての行の値が更新される。

① すべての商品の単価を一律10%上げる場合

```
UPDATE 商品　SET　単価 ＝単価 * 1.1
```

［商品］

商品番号	商品名	型	単価
B1	テレビ	D	61600
B2	テレビ	E	88000
B3	テレビ	F	105600
B4	カメラ	S	19800
B5	ラジオ	Z	2420

② **商品番号‘B4’のカメラの単価のみ、10%上げる場合**

```
UPDATE 商品　SET　単価 = 単価 * 1.1
  WHERE 商品番号 =‘B4’
```

[商品]

商品番号	商品名	型	単価
B1	テレビ	D	56000
B2	テレビ	E	80000
B3	テレビ	F	96000
B4	カメラ	S	19800
B5	ラジオ	Z	2200

③ **全商品の平均単価より低い単価の商品のみ、単価を10%上げる場合**

```
UPDATE 商品　SET　単価= 単価 * 1.1
  WHERE 単価 <（SELECT AVG（単価）FROM 商品）
```

この単元のキーワード
- □INSERT文
- □UPDATE文
- □DELETE文

●データの削除（DELETE文）

DELETEに続けて、削除したい表名を指定する。WHERE句による条件を省略すると、すべての行が削除される。

◀**DELETE文**：WHERE句を指定しないでDELETE文を実行すると、表の中のすべての行が削除されてしまう。

① **すべての商品の行を削除する場合**

```
DELETE 商品
```

② **商品番号‘B4’のカメラの行のみ削除する場合**

```
DELETE 商品
  WHERE 商品番号 =‘B4’
```

[商品]

商品番号	商品名	型	単価
B1	テレビ	D	56000
B2	テレビ	E	80000
B3	テレビ	F	96000
B5	ラジオ	Z	2200

③ **全商品の平均単価より低い単価の商品をすべて削除する場合**

```
DELETE 商品
  WHERE 単価 <（SELECT AVG（単価）FROM 商品）
```

3-12 集中型DBと分散型DB

データベースには集中型データベースと分散型データベースの2つの処理形態があり、それぞれのメリット・デメリットを理解する。

●集中型データベース

集中型データベースは、場所的に1箇所にデータをまとめて管理するデータベースの形態である。データベースの考え方が登場したころから、データの一元管理を目的にこの形態が使われている。主なメリット・デメリットは、次のとおり。

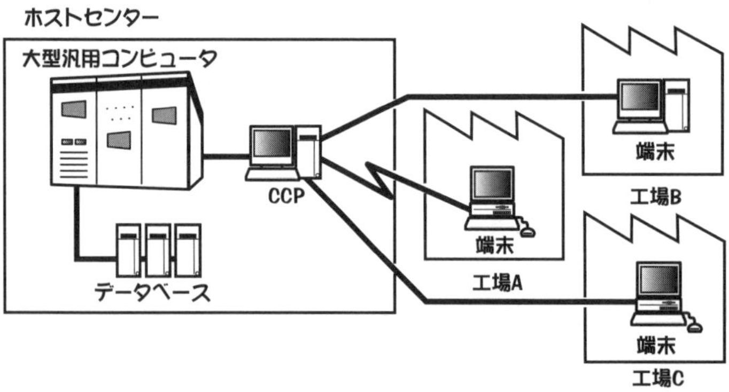

◀CCP：通信制御装置

(1) 集中型データベースの主なメリット

① データをまとめて1箇所で処理するため、処理効率がよい。
② ユーザ管理、セキュリティ管理、データ資源管理など運用管理がしやすい。
③ データベースを管理・維持するための要員数が少なくてすむ。
④ データの標準化と利用規則を徹底しやすい。

(2) 集中型データベースの主なデメリット

① データベースが大規模になるため、センターの設備も大規模なものが必要になる。
② データベースに障害が発生すると、全社業務に影響しやすい。

③　遠隔地からもすべての処理で1箇所のセンターへのアクセスが必要なため、通信コストが高くなる。
④　全社を対象に運用するため、一部の要求をタイムリーに受け入れるなどの小回りがきかない。

この単元のキーワード
□集中型データベース
□分散型データベース

●分散型データベース

分散型データベースは、場所的に離れた複数のデータベースを、論理的に1つのデータベースとしてアクセスできるようにした形態である。主なメリット・デメリットは次のとおり。

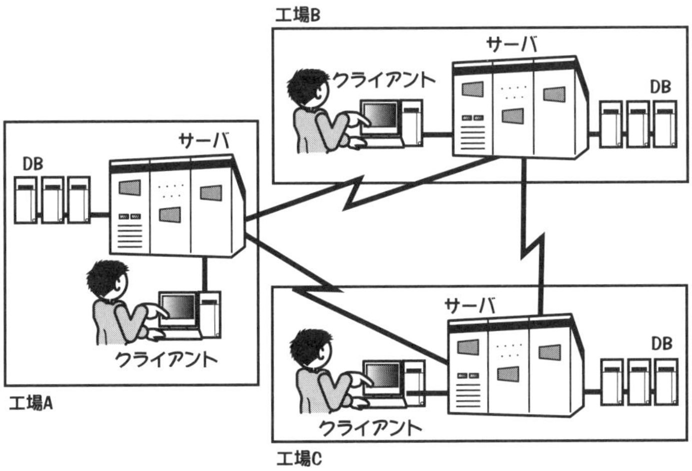

(1) 分散型データベースの主なメリット

①　データと機能の分散によって、センター設備を小規模にできる。
②　1箇所で障害が発生しても、全社への影響を防ぐことができる。
③　データの発生場所にデータを置いているため、データ通信の必要性が小さくなり、通信コストの削減につながる。
④　企業の環境変化などにタイムリーに対応しやすい。

(2) 分散型データベースの主なデメリット

①　ユーザ管理、セキュリティ管理などが困難になる。
②　一元管理できないため、データの重複や一貫性の欠如が発生しやすい。
③　各地で同じようなシステム開発を重複して行ってしまう可能性が高い。
④　全社としてまとまった処理には、データを集中させるコストがかかる。

3-13 排他制御（ロック）と機密保護

データベースに格納されているデータを常に正しい状態に保つための排他制御、不正アクセスからデータを守るための機密保護について学習する。

●排他制御（ロック）

◀排他制御：多くのデータベースシステムは排他制御の機能を備えているので、利用者は特に意識しなくてもよい。

複数のユーザが同時にデータを更新しようとする場合、次のような問題が発生する。たとえば、A、B二人のユーザがそれぞれの端末から同じデータに数値を加算しようとしているものとする。もともとのデータの値は「100」で、Aは「20」を、Bは「15」をこれに加算しようとしている。このとき、A、Bの処理タイミングで、次のような差が出てくる。

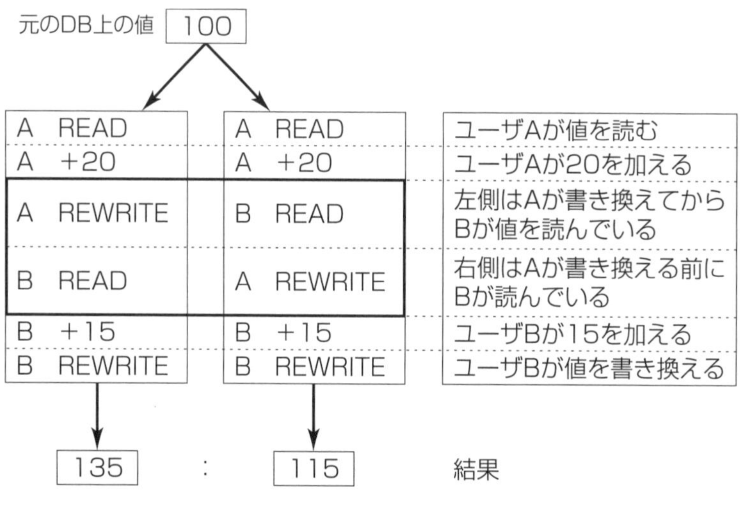

このようなことが発生したら、コンピュータそのものの信頼性が失われてしまう。そのため、一人のユーザが更新目的でデータを使用している間、ほかの更新目的のユーザは、最初のユーザの処理が終了するまで待たされる仕組みが作られた。この仕組みを排他制御（ロック）と呼ぶ。

●デッドロック

しかし、排他制御の結果、処理の信頼性は保たれたが、次のような問題が発生することがある。たとえば、ユーザA、Bの二人がそれぞれの端末からデータの更新をしているとする。最初は、Aはレコード1を、Bはレコード2を使用しており、それぞれに排他制御がかかっている。その状態で、Aはレコード2を、Bはレコード1をそれぞれ使用しないと処理が終了しない場合、A、Bどちらも待たされ、永遠に処理が終了することはなくなってしまう。このような状態をデッドロックと呼ぶ。

デッドロックが発生してしまったら、どちらかのユーザを強制終了させるしか方法がなくなる。

この単元のキーワード
□排他制御
□デッドロック

◀未然に防ぐための工夫はいくつかあるが、完全なものはない。

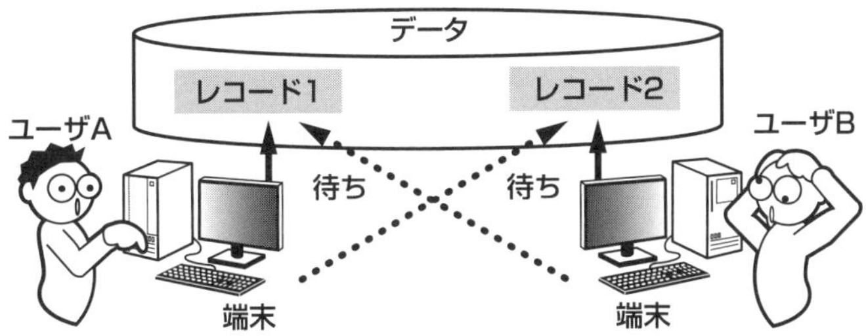

●データベースの機密保護

データベースのデータを不正なアクセスや誤ったアクセスから守るために、機密保護（セキュリティ）機能が必要になる。

① **データベースユーザの認証**

サーバ系のデータベースにアクセスするには、ユーザ名とパスワードを提示してデータベースユーザとしての認証を受ける。正規のユーザのみが、データベースのアクセスを許可される。データベースユーザの中で、データベースシステムに関するすべての権限をもつ特別なユーザを**システム管理者**（sa）という。

② **テーブル操作の権限**

データベースの中の各テーブルについても、きめ細かいアクセス権限を設定できる。最初にテーブルを作成したユーザは、そのテーブルの所有者となり、そのテーブルに関するすべての操作が認められる。しかし、それ以外のユーザは、テーブル所有者が操作権限を与えないかぎり、テーブルを操作することはできない。操作権限は、テーブルの参照、テーブルの更新、行の挿入、行の削除などと細かく分類されており、ユーザごとにこれらの権限を設定することができる。

第3章　データベース技術

3-14 トランザクション制御

一連の処理で複数のデータベースを更新するような場合に、トランザクション制御が必要になる、分散データベース環境では、２相コミットメント制御が行われる。

●トランザクションの必要性

トランザクションとは、「**取引き**」を意味する言葉で、コンピュータで行う取引きに関わる処理をトランザクション処理という。銀行のオンラインシステム（預金の引き出しや預け入れ）、航空機や鉄道の座席予約システム、コンサートなどのチケット販売システムなどは、典型的なトランザクション処理である。

トランザクション処理は、多くの場合、データベースのアクセスを伴う。そして、トランザクション処理において、関連する複数のデータベースの間に矛盾が生じないように制御することを「トランザクション制御」という。

◀**排他制御**：多くのデータベースシステムは排他制御の機能を備えているので、利用者は特に意識しなくてもよい。

銀行のオンラインシステムを例に、トランザクション制御の必要性を考えてみる。次の例は、預金の引き出し処理（Aさんが自分の預金口座から3,000円を引き出す）を、銀行のホストコンピュータで実行している様子を示している。

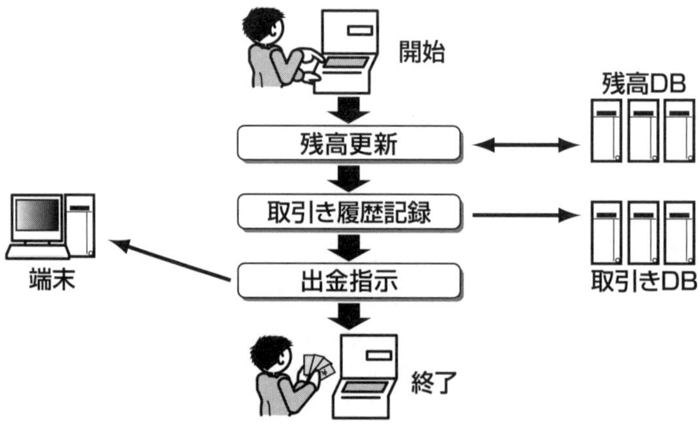

ここで、Aさんの「残高更新」処理の実行直後に、銀行のホストコンピュータに異常が発生して処理が停止したとする。もし、トランザクション制御が行われていないと、データベース上の

残高は3,000円減っているが、「取引き履歴」は記録されず、Aさんは現金を受け取れない、という悲惨な事態になってしまう。

●コミットとロールバック

上記のような矛盾を発生させないために、トランザクション制御が行われる。トランザクション制御によって、すべてのトランザクションは、必ず「コミット」か「ロールバック」のどちらかで終了するように制御される。

① コミットで終了

トランザクションが最後まで正常に実行された場合で、すべてのデータベースを正しく更新してトランザクションを終了する。

② ロールバックで終了

トランザクション処理の途中で何らかの異常が生じた場合で、すべてのデータベースを更新前の状態に戻してトランザクションを終了する。すなわち、このトランザクションはまったく実行されなかったことになる。

●2相コミットメント制御

1つのトランザクション処理が、複数のホストコンピュータにまたがって行われるような場合は、2相コミットメント制御と呼ばれるやや複雑な方法が用いられる。たとえば、A銀行の口座からB銀行の口座へある金額を振り込むような場合、A銀行のコンピュータとB銀行のコンピュータでの処理は、1つのトランザクションとして実行され、2相コミットメント制御が適用される。

① コミットの問合せ

一連のトランザクション処理が終了したら、他のホストコンピュータに、コミットが可能かどうかを問い合わせる。この時点では、実際のコミット処理は行わない。コミットが可能な状態のことを**セキュア状態**という。

② 実際のコミット

コミットの問合せで、すべてのホストコンピュータからコミットOKの応答を受け取ったときに、実際のコミット処理を行う。ここで、各ホストコンピュータのデータベースがいっせいに更新される。

いずれかのホストからコミットNGの応答があった場合は、すべてのホストにロールバックを指示し、すべてのホストのデータベースを元の状態に戻すことになる。

この単元のキーワード

- □トランザクション
- □トランザクション制御
- □コミット
- □ロールバック
- □ACID特性
- □2相コミットメント制御
- □セキュア状態

◀**ロールバック処理**：Aさんの預金引き出しの例では、ロールバック処理が行われると、預金残高は、3000円を引き出す前の状態に戻る。

◀**トランザクションが持つACID特性**

A：Atomicity（原子性）
トランザクションの処理がすべて完了し確定（コミット）するか、一部でも失敗したら破棄し、元に戻す。という2つの状態で管理すること。

C：Consistency（一貫性）
データが矛盾なく整合性が取れている性質。

I：Isolation（独立性）
他のトランザクションから影響を受けない性質。

D：Durability（永続性）
トランザクション完了後に障害が発生してもデータの内容を保証する性質。

第3章　データベース技術

3-15 バックアップとリカバリ

データベースのデータを不慮の事故から守るために行うバックアップと更新ログの取得、そして障害からの復旧方法（リカバリ）について学習する。

●データベースのバックアップ

コンピュータシステムは、いつ障害が発生するかわからない。そして、どんな障害が発生しても、データベースのデータは必ず最新の状態に復元できることが要求される。トランザクション処理の運用では、万一の障害発生に備えて、データベースのバックアップと**トランザクションログ**の取得を行っている。

データベースのバックアップは、データベースの内容を他のメディア（テープデバイスやリムーバブルなディスクデバイスなど）にコピーする。この処理は、トランザクション処理のサービス開始前（早朝あるいは深夜）に行われることが多い。

① **フルバックアップ**

データベースの全データをバックアップデバイスにコピーする。大容量のデータベースでは、バックアップにかなりの時間がかかることになる。

② **差分バックアップ**

前日にフルバックアップを取得している場合、データベースの中の前日から変更された部分のみを対象に、バックアップを行う。フルバックアップに比べると、バックアップ時間は短縮される。差分バックアップ運用を行う場合は、最新のフルバックアップデータを保存しておく必要がある。

◀**増分バックアップ**：前回取得したバックアップから更新された部分だけバックアップを取る方式。差分バックアップは毎回フルバックアップからの差分（更新された部分）を取得するが、増分バックアップは前回取得した増分バックアップからの変更部分のみ取得する。

バックアップ取得時間と復旧処理時間の比較は下記のとおりである。

処理時間	バックアップ取得時間	回復処理時間
フル	長い	早い
差分	中間	中間
増分	短い	長い

●データ更新時のログ情報

サービス開始前にバックアップを取得することで、サービス開始前の状態は保証できる。しかし、トランザクション処理が始まると、データベースのデータはかなり頻繁に更新されることになる。トランザクション処理によって更新されたデータの記録をとるのが、トランザクションログである。次の2種類のデータを取得する。

① **更新前データ**

トランザクション処理がデータを更新するさいに、更新前のデータの値を記録する。これは、トランザクションが途中でキャンセルされた場合に、データベースを元に戻すときに必要になる。

② **更新後データ**

トランザクション処理がデータを更新するさいに、更新後のデータの値を記録する。これは、バックアップ取得時からデータベースを最新の状態に復元するために必要になる。

この単元のキーワード

- □バックアップ
- □トランザクションログ
- □更新前データ
- □更新後データ
- □リカバリ
- □ロールフォワード処理
- □ロールバック処理

◀**更新前データ**：Before Image

◀**更新後データ**：After Image

●障害からの復旧処理（リカバリ）

万一障害が発生してしまったら、一定の手順に従って速やかに復旧処理を行わなければならない。障害からの復旧処理のことをリカバリという。リカバリの手順は障害の発生状況によって異なるが、ここでは次の2つのケースを取り上げる。

① **ディスク障害からの復旧（ロールフォワード処理）**

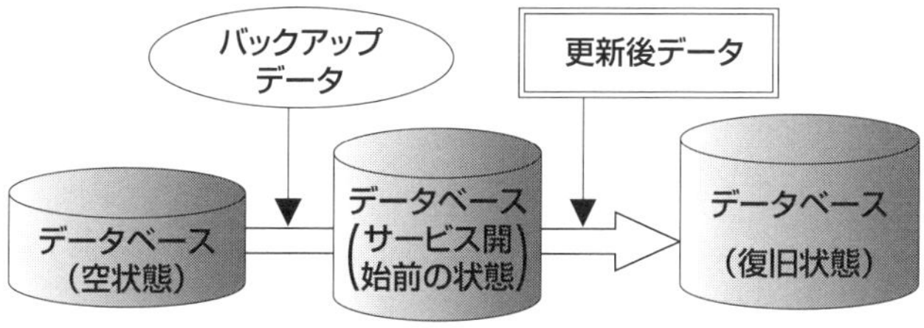

ディスク装置に障害が発生し、データベースへのアクセスが物理的に不可能な状態からの復旧である。正常なディスク装置に、最新の「バックアップデータ」をリストアップし、トランザクションログの「**更新後データ**」を上書きして、障害発生直前の状態に復旧する。これをロールフォワード処理という。

② **システム障害からの復旧（ロールバック処理）**

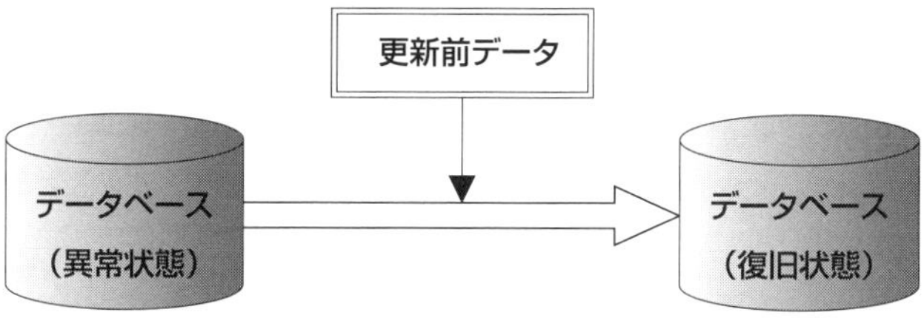

オペレーティングシステムなどの異常により、トランザクション処理が途中で中断した状態からの復旧である。完了していないトランザクションの「**更新前データ**」をデータベースに上書きして、データベースをトランザクション開始前の状態に復旧する。これを、ロールバック処理という。

3-16 チェックポイントと回復処理

多くのデータベースシステムで運用されているチェックポイントの仕組みと、障害発生時にデータベースを正常な状態に回復する方法について学習する。

●メモリ領域とチェックポイント

多くのデータベースシステムは、一度アクセスされたレコードを主記憶上のメモリ領域に置き、以後はディスク装置ではなく主記憶装置へのアクセスでレコード処理を実現している。この方式により、ディスク装置へのアクセス回数が大幅に減少し、処理時間を短縮することが可能になる。レコードの更新処理もメモリ上で行われるので、時間が経過するとメモリ上とディスク装置上のレコードに差異が生じる。

「チェックポイント」とは、メモリ上にある更新されたすべてのレコードをディスク装置のデータベースに書き込むタイミングのことをいう。チェックポイントの直後は、ディスク装置上のレコードが最新の状態に保たれることになる。

●トランザクション処理の実行

データベースのレコード更新を伴う処理は、通常「トランザクション処理」として実行される。2つのレコードAとBを更新するトランザクション処理の実行によって、ログファイルにどのようなログ情報が書き出され、メモリ領域のレコードとディスク装置のレコードがどのように更新されるかを、次ページの表に示す。トランザクション開始時には「開始ログ」が、処理が正常に終了した時点では正常終了を示す「コミットログ」がログファイルに出力される。また、レコード更新時には、レコードの更新前の値をもつ「BI（Before Image）ログ」と更新後の値

◀**ログデータ**：実際のデータベースシステムでは処理効率向上のため、「ログデータ」もメモリ上でバッファリングを行い、直ちにログファイルに書き込まれないことがある。ここでは、説明をわかりやすくするために、ログデータは直ちにログファイルに書き込むものとする。

を持つ「AI（After Image）ログ」がログファイルに出力される。

トランザクション処理において、実際にデータベースのレコードが更新されるのは、トランザクションが正常に終了した時点④である。

	ログファイルへ出力するログ	メモリ領域のレコード	ディスク上のレコード
①処理開始	・Trn-開始ログ	・A=100 ・B=100	・A=100 ・B=100
②レコードAを更新(+30)	・BIログ(A:100) ・AIログ(A:130)	・A=100 ・B=100	・A=100 ・B=100
③レコードBを更新(-70)	・BIログ(B:100) ・AIログ(B:30)	・A=100 ・B=100	・A=100 ・B=100
④コミット(正常終了)	・コミットログ	・A=130 ・B=30	・A=100 ・B=100
チェックポイント通過		・A=130 ・B=30	・A=130 ・B=30

②や③の時点ではレコードの更新命令は実行されるが、データベース管理システムが更新データを保持しておき、トランザクション終了時に一括して更新処理を行う。したがって、メモリ領域のレコードが更新されるのは④の時点となる。その後、チェックポイントを通過すると、メモリ領域の更新内容がディスク上のデータベースに書き出され、ディスク上のレコードが更新される。

●障害からの回復処理

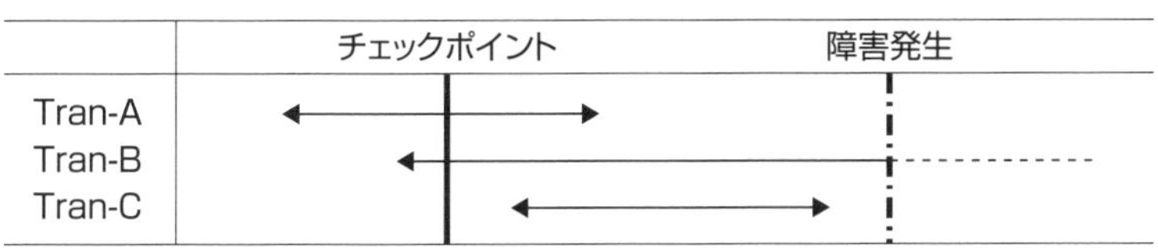

障害が発生したとき、ディスク装置のデータベースレコードは最新のチェックポイント時点の状態にある。回復処理は、最新のチェックポイントを基点に行うことになる。

「Tran-A」は障害発生前に処理が完了しているので、コミットログが記録されているが、データベースのレコードは更新前の状態にある。この場合は、ログファイルの「AIログ」を使用して各レコードを更新後の状態にする「ロールフォワード処理」を行う。「Tran-C」も同様にロールフォワード処理で回復できる。「Tran-B」は障害発生時点で処理が完了していない。

この場合は、ログファイルの「BIログ」を使用して各レコードをトランザクション開始前の状態に戻す「ロールバック処理」を行う。

この単元のキーワード

□チェックポイント
□トランザクション
□コミット
□ロールバック

◀**ロールバック処理**：トランザクション処理中に何らかのエラーが発生し処理の続行ができない場合は、ロールバック処理でトランザクションを終了させる必要がある。ロールバック処理により、データベースはトランザクション開始前の状態に戻る。

◀**回復処理**：最新のチェックポイント以前に処理が完了しているトランザクションは、更新がデータベースに反映されているので、回復処理の必要はない。

確認問題

▶解答と解説は別冊37ページ～

●第３章　データベース技術

◆問4-3-1　データベース管理システム（DBMS）に関する記述のうち、階層型データベースの特徴を表しているものはどれか。

ア．行と列から構成される表を単位としてデータ操作を行う。
イ．データ操作には関係代数、関係計算が使われる。
ウ．データの親子関係を扱うとき、親は複数の子を持てるが子は1つの親しか持てない制限がある。
エ　データの親子関係を管理するのに適していて、子には複数の親があってもよい。

◆問4-3-2　リレーショナルデータベースの操作において‘表1’から‘表2’を導出する操作はどれか。

表1

商品番号	商品名	単価
101	パソコン	200000
202	プリンタ	50000
301	液晶ディスプレイ	96000
302	CRTディスプレイ	64000

表2

商品名	単価
パソコン	200000
プリンタ	50000
液晶ディスプレイ	96000
CRTディスプレイ	64000

ア．結合　　イ．差集合　　ウ．射影　　エ．選択

◆問4-3-3　分散型データベースのメリットに関する記述のうち、不適切なものはどれか。

ア．1箇所に障害が発生しても障害の影響を一部に留めることができる。
イ．データと機能を分散することで、コンピュータ設備を小規模なものにできる。
ウ．データの発生場所にデータを置くため、データ通信を最小限にできる。
エ．データを発生場所で管理するため、セキュリティ管理がきめ細かくできる。

◆問4-3-4　データモデルに関する次の記述のa～eに該当する語句を、下の解答群から選べ。

データモデルには［a］、［b］、［c］の3種類がある。このうち、最も実際のコンピュータシステムに近いのが［a］である。また、現実の世界に一番近いのが［c］で、［b］は［d］の種類や特徴を考慮して［c］を書き換えたものである。さらに、［c］を表現する代表的な技法に［e］がある。

【解答群】
ア．DFD　　イ．ERD　　ウ．概念データモデル　　エ．物理データモデル
オ．論理データモデル　　カ．データベース管理システム

a:	b:	c:	d:	e:

◆問4-3-5　A社の社員データベースは、次の列から構成されている。これらの項目のうち、社員の申請によって変更があると変更前の情報もそのまま保存しておくことにしている。このとき、識別子の組み合わせとして正しいのはどれか。

社員（社員番号、氏名、住所、電話番号、申請日付）

ア．氏名と申請日付　　イ．氏名と住所と電話番号
ウ．社員番号と申請日付　　エ．社員番号と氏名

◆問4-3-6　次の受注台帳を正規化したものはどれか。

受注NO	受注日	顧客名	商品NO	商品名	数量	単価
1	2000/10/15	A商店	101	ボールペン	100	120
2	2000/10/15	B商店	105	B5ノート	50	180
			106	A4ノート	100	250
3	2000/10/16	C商会	110	サインペン	50	150
			112	マジック	60	140
4	2000/10/17	A商店	110	サインペン	80	150
:	:	:	:	:	:	:

注）単価は商品の定価を意味する

ア．［受注NO｜受注日｜顧客名］［商品NO｜商品名］［受注NO｜商品NO｜数量｜単価］
イ．［受注NO｜受注日｜顧客名］［商品NO｜商品名｜単価］［受注NO｜商品NO｜数量］
ウ．［受注NO｜受注日｜顧客名］［受注NO｜商品NO｜商品名｜数量｜単価］
エ．［受注NO｜受注日｜顧客名］［商品NO｜商品名｜数量｜単価］

◆問4-3-7　コードのもつ機能に関する記述のうち、不適切なものはどれか。

ア．データの並び順を決める配列機能がある。
イ．データの保存場所を決めるアドレッシング機能がある。
ウ．データをグループごとに分ける分類機能がある。
エ．ほかのデータと区別する識別機能がある。

◆問4-3-8　SQLにおいて、SELECT文のDISTINCTは、SELECT文で得られる表の中から“冗長な重複行を取り除く”ための指定である。次のDISTINCT付きのSELECT文を実行した結果得られる表の行数はいくつか。

〔SELECT文〕

SELECT DISTINCT 顧客名，商品名，単価　FROM 受注表，商品表
　WHERE 受注表．商品番号＝商品表．商品番号

［受注表］

顧客名	商品番号
大山商店	TV28
大山商店	TV28W
大山商店	TV32
小川商会	TV32
小川商会	TV32W

［商品表］

商品番号	商品名	単価
TV28	28型テレビ	250,000
TV28W	28型テレビ	250,000
TV32	32型テレビ	300,000
TV32W	32型テレビ	300,000

ア．2　　イ．3　　ウ．4　　エ．5

◆問4-3-9　次の“出庫記録”に対するSQL文の実行結果として、最も大きな値が得られるものはどれか。

出庫記録

商品番号	数量	日付
NP200	3	19991010
NP233	2	19991010
TP300	1	19991011
IP266	2	19991011

ア．SELECT　AVG（数量）FROM　出庫記録
イ．SELECT　COUNT（＊）FROM　出庫記録
ウ．SELECT　MAX（数量）FROM　出庫記録
エ．SELECT　SUM（数量）FROM　出庫記録　WHERE　日付＝'19991011'

◆問4-3-10　次のSELECT文を実行したときに得られる表の説明として、正しいものはどれか。

```
SELECT　SUM（単価＊販売数量）
    FROM　商品表，販売表
    WHERE　商品表.商品コード＝販売表.商品コード
    GROUP　BY　商品コード
    ORDER　BY　SUM（単価＊販売数量）
```

商品表

商品コード	商品名	単価
A5023	シャンプー	500
A5025	リンス	400
A5027	石けん	100

販売表

得意先	商品コード	販売数量
K商会	A5023	100
S商店	A5023	150
K商会	A5025	120
K商会	A5027	100
S商店	A5027	160

ア．商品別の売上合計を内容とする、3行1列の表が作成される。
イ．すべての商品の売上合計を内容とする、1行1列の表が作成される。
ウ．得意先ごとの売上合計を内容とする、2行2列の表が作成される。
エ．得意先別でかつ商品別の売上一覧を内容とする、15行1列の表が作成される。

過去問題

★☆問3-1　次のデータベースに関する記述を読み、各設問に答えよ。

J図書館では、書籍の貸出管理にリレーショナルデータベースを使用している。会員を管理する会員表と所蔵する書籍を管理する書籍表、貸出状況を管理する貸出表は、次のようになっている。会員番号、書籍ID、貸出番号は一意の値が付与されている。

なお、下線（実線）の項目は主キーであり、下線（破線）の項目は外部キーである。

［会員表］

会員番号	氏名	性別	生年月日	住所	電話番号
13589	関根 三郎	男	1960/12/6	東京都国立市…	090-1111-2222

［書籍表］

書籍ID	書籍名	著者	出版社	出版年	分類ID
A1003487	宇津の巫女	富士川 佳祐	角丸出版	1999.3	A1

［貸出表］

貸出番号	書籍ID	会員番号	貸出日	返却予定日	返却日
230168	C2031583	23113	2023/3/1	2023/3/8	2023/3/3
230169	C2033071	23443	2023/3/1	2023/3/8	NULL

貸出表の返却予定日は、書籍の分類により貸出期間が異なるため、書籍分類表を使用して設定する。貸出表にレコードが追加された時の返却日にはNULLを設定し、書籍が返却された時に返却された日付を設定する。

書籍分類表は次のようになっている。分類IDは一意の値が付与されている。

［書籍分類表］

分類ID	分類名	貸出日数
A1	日本の文学	14

＜設問１＞　次の貸出表へのレコードの追加に関するSQL文の［　　　］に入れるべき適切な字句を解答群から選べ。なお、貸し出される書籍IDはホスト変数“：書籍ID”、会員番号はホスト変数“：会員番号”に格納されているものとし、貸出表にはそれまでに貸し出された情報が登録済みである。また、SQL文中の関数CURRENT_DATEは、SQL文を実行した時点の日付をDATE型で返す。

```
INSERT INTO 貸出表
        (貸出番号, 書籍 ID, 会員番号, 貸出日, 返却予定日, 返却日)
  SELECT [ 1 ], ：書籍 ID, ：会員番号, CURRENT_DATE,
      CURRENT_DATE + 書籍分類表. 貸出日数, NULL
   FROM 書籍表, 書籍分類表
  WHERE [ 2 ]
```

【1の解答群】

ア．貸出番号 + 1

イ．(SELECT MAX（貸出番号）FROM 貸出表)

ウ．(SELECT MAX（貸出番号）+ 1 FROM 貸出表)

エ．(SELECT MIN（貸出番号）+ 1 FROM 貸出表)

1:

【2の解答群】

ア．貸出表. 貸出番号＝貸出番号 + 1
　AND 貸出表. 書籍 ID = 書籍表. 書籍 ID
　AND 書籍表. 分類 ID = 書籍分類表. 分類 ID

イ．貸出表. 会員番号 =：会員番号
　AND 貸出表. 書籍 ID = 書籍表. 書籍 ID
　AND 書籍表. 分類 ID = 書籍分類表. 分類 ID

ウ．書籍表. 書籍 ID =：書籍 ID
　AND 書籍表. 分類 ID = 書籍分類表. 分類 ID

エ．書籍表. 書籍 ID =：書籍 ID
　AND 貸出表. 書籍 ID = 書籍表. 書籍 ID
　AND 書籍表. 分類 ID = 書籍分類表. 分類 ID

2:

＜設問２＞　次の書籍の検索に関するSQL文の[　　]に入れるべき適切な字句を解答群から選べ。

書籍 ID で貸出表を検索して書籍の状態を表示する。最も新しい貸出日のレコードの返却日に NULL が設定されている場合には“貸出中です”を表示し、最も新しい貸出日のレコードの返却日に日付が設定されている場合には“貸出可能です”を表示する。

なお、検索される書籍IDの書籍は必ず所蔵されているものとし、検索する書籍 ID はホスト変数“：書籍 ID”に格納されているものとする。また、返却された書籍はその日のうちに再び貸し出されることはない。

```
SELECT  貸出表. 書籍 ID, [ 3 ] AS 書籍状態
  FROM  貸出表
 WHERE  貸出表. 書籍 ID =：書籍 ID
   AND  貸出表. 貸出日 = (SELECT [ 4 ] FROM 貸出表
                         WHERE  貸出表. 書籍 ID =：書籍 ID)
```

```
UNION ALL
SELECT  書籍表.書籍 ID,‘貸出可能です’AS 書籍状態
  FROM  書籍表
 WHERE  書籍表.書籍 ID =：書籍 ID
   AND [  5  ] (SELECT＊FROM 貸出表
                 WHERE 貸出表.書籍 ID =：書籍 ID)
```

【3の解答群】

ア．CASE IF 貸出表.返却日IS NOT NULL THEN ‘貸出中です’
　　　　ELSE ‘貸出可能です’
　　END

イ．CASE IF 貸出表.返却日IS NULL THEN ‘貸出中です’
　　　　ELSE ‘貸出可能です’
　　END

ウ．CASE WHEN 貸出表.返却日IS NOT NULL THEN ‘貸出中です’
　　　　WHEN 貸出表.返却日IS NULL THEN ‘貸出可能です’
　　END

エ．CASE WHEN 貸出表.返却日IS NULL THEN ‘貸出中です’
　　　　WHEN 貸出表.返却日IS NOT NULL THEN ‘貸出可能です’
　　END

3:

【4の解答群】

ア．AVG（貸出表.貸出日）　イ．MAX（貸出表.貸出日）
ウ．MIN（貸出表.貸出日）　エ．貸出表.貸出日

4:

【5の解答群】

ア．<>　イ．=　ウ．EXISTS
エ．IN　オ．NOT EXISTS　カ．NOT IN

5:

＜設問３＞　次の書籍返却の延滞の抽出に関する SQL文の[　　]に入れるべき適切な字句を解答群から選べ。

過去に返却日を過ぎても返却しなかったことがある会員、及び現在延滞している会員の会員番号と延滞した書籍名を会員番号の昇順に表示する。

```
SELECT  貸出表.会員番号,書籍表.書籍名
  FROM  貸出表 [  6  ] 書籍表 ON 貸出表.書籍 ID = 書籍表.書籍 ID
 WHERE  貸出表.返却日 > 貸出表.返却予定日
    [  7  ]
[  8  ] 貸出表. 会員番号 ASC
```

【6の解答群】

ア．INNER JOIN　　イ．LEFT OUTER JOIN

ウ．RIGHT OUTER JOIN

6:

【7の解答群】

ア．AND（貸出表.返却日 IS NULL AND 貸出表.返却予定日 < CURRENT_DATE）

イ．AND（貸出表.返却日 IS NULL OR 貸出表.返却予定日 < CURRENT_DATE）

ウ．OR（貸出表.返却日 IS NULL AND 貸出表.返却予定日 < CURRENT_DATE）

エ．OR（貸出表.返却日 IS NULL OR 貸出表.返却予定日 < CURRENT_DATE）

7:

【8の解答群】

ア．DISTINCT　　イ．HAVING

ウ．GROUP BY　　エ．ORDER BY

8:

（令和5年度前期　システムデザインスキル　問題4）

第 4 章

セキュリティと標準化

4-1　情報セキュリティの考え方
4-2　暗号化技術
4-3　ディジタル署名
4-4　認証と認証局
4-5　サイバー攻撃
4-6　ファイアウォールの仕組み
4-7　セキュリティプロトコル
4-8　セキュリティ対策基準と著作権
4-9　セキュリティと法制度
4-10　セキュリティポリシー
4-11　情報システムの標準化

第4章　セキュリティと標準化

4-1 情報セキュリティの考え方

情報セキュリティは、コンピュータネットワークの飛躍的な進展がもたらした大きな社会的課題である。物理的・管理的・技術的セキュリティ対策がとられる必要がある。

●セキュリティの分類

一般的なセキュリティは、その対象とする範囲によって、次のように分類される。

① **広義のセキュリティ**

天災、テロなども含めて、「あらゆる脅威」を対象とする。

② **狭義のセキュリティ（≒情報セキュリティ）**

データの不正使用、漏洩（ろうえい）など、「人的脅威」を対象とする。

●情報セキュリティの概念

コンピュータネットワークの飛躍的な進展に伴って、大きな社会的課題の1つとなっているのが情報セキュリティである。

情報セキュリティは、一般的には次のように定義される。

「情報システムセキュリティの目的は、情報システムに依存する者を、**可用性**、**機密性**、**保全性**の欠如に起因する危害から保護することである」（『OECDセキュリティガイドライン』：1992年11月発表）

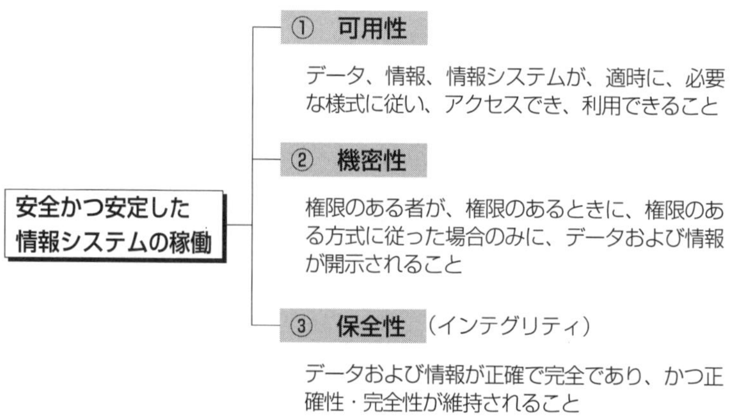

安全かつ安定した
情報システムの稼働
① 可用性
データ、情報、情報システムが、適時に、必要な様式に従い、アクセスでき、利用できること
② 機密性
権限のある者が、権限のあるときに、権限のある方式に従った場合のみに、データおよび情報が開示されること
③ 保全性（インテグリティ）
データおよび情報が正確で完全であり、かつ正確性・完全性が維持されること

この定義でわかるように、安全で安定した情報システムの稼働は、①可用性、②機密性、③保全性の3つの要素によって実現されるのである。

●ネットワークシステムの情報セキュリティ

情報システムは、LANやインターネットなどネットワークシステムを利用して実現されることがほとんどである。そのため、情報セキュリティの中でも、特にネットワークシステムにおける情報セキュリティに対する理解が重要になる。

前述の可用性、機密性、保全性を損なう原因となるものを**脅威**という。脅威には一般的に、自然災害、火災、犯罪、不正アクセス、システム障害、動物害、テロ、戦争などがある。ネットワークシステムにおける脅威としては、人間の過失または意図的な行為によって引き起こされる**人的脅威**（狭義のセキュリティ）が最も留意すべき脅威である。

人的脅威の内容は、次のとおり。

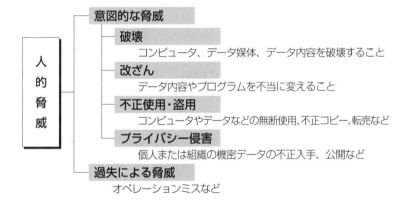

人的脅威
- **意図的な脅威**
  - **破壊**
    コンピュータ、データ媒体、データ内容を破壊すること
  - **改ざん**
    データ内容やプログラムを不当に変えること
  - **不正使用・盗用**
    コンピュータやデータなどの無断使用、不正コピー、転売など
  - **プライバシー侵害**
    個人または組織の機密データの不正入手、公開など
- **過失による脅威**
  オペレーションミスなど

●セキュリティ対策

セキュリティ対策は、次の3つの立場から総合的に行う必要がある。

① **物理的セキュリティ**
施設、設備、災害管理面からのセキュリティ対策

② **管理的セキュリティ**
運用管理、防犯管理、人事管理面からのセキュリティ対策

③ **技術的セキュリティ**
アクセス・コントロールを中心にした技術面からのセキュリティ対策

この単元の
キーワード

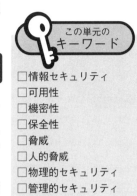

□情報セキュリティ
□可用性
□機密性
□保全性
□脅威
□人的脅威
□物理的セキュリティ
□管理的セキュリティ
□技術的セキュリティ

第4章　セキュリティと標準化

4-2 暗号化技術

インターネットセキュリティの根幹を支えている暗号化技術について学習する。インターネット上では、共通かぎ暗号と公開かぎ暗号が使われている。

●インターネット上の脅威

コンピュータをインターネットに接続すると、もはや安全は保障されない。インターネット上を流れるデータは、常に「盗聴」、「改ざん」、「なりすまし」といった脅威にさらされている。

盗聴	送信者でも受信者でもない第3者が、インターネット上を流れるメッセージを勝手に読み取ってしまう。
改ざん	第3者がメッセージの内容を変更して何事もなかったかのように送りつける。
なりすまし	送信者の名前を偽装してメールなどを送りつける。

これらの脅威は、暗号化技術によってかなりの部分まで防止することができる。インターネット上で用いられる暗号化方式には、共通かぎ暗号と公開かぎ暗号がある。

●共通かぎ暗号

共通かぎ暗号は、暗号化と復号（暗号文を元に戻すこと）に同じかぎを用いる方式で、このかぎのことを「**共通かぎ**」という。ある共通かぎKで暗号化したメッセージは、同じ共通かぎKでのみ復号することができる。送信者Aから受信者Bに暗号化メッセージを送信するときは、両者が同じ共通かぎを使って**暗号化／復号**を行う。

共通かぎ暗号は、アルゴリズムが比較的簡単なので、暗号化／復号にかかる時間は速い。しかし、通信相手ごとに異なるかぎを用意する必要があるので、通信相手が多くなるとかぎの管理が複雑になる。

共通かぎ暗号の代表的なものに、**AES暗号**がある。

AES暗号

2000年にアメリカ国立標準技術研究所（NIST）の公募で選出された暗号方式であり、ブロック長128ビットのブロック暗号で、鍵長が128ビット、192ビット、256ビットの3種類から選択できる。

この単元のキーワード

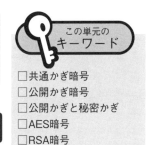

- □共通かぎ暗号
- □公開かぎ暗号
- □公開かぎと秘密かぎ
- □AES暗号
- □RSA暗号

●公開かぎ暗号

公開かぎ暗号は、世の中に公開する「**公開かぎ**」と自分だけが知っている「**秘密かぎ**」のペアで暗号化／復号を行う。ある「公開かぎＰ」で暗号化したメッセージは、ペアの「秘密かぎＰ」でのみ復号することができる。公開かぎと秘密かぎのペアをもつことで、多くの通信相手との暗号化通信が可能になる。公開かぎは、インターネット上に公開し、誰でも利用できるようにする。秘密かぎは所有者が厳重に管理し、他人には絶対に知られないようにする。

◀**AES**：Advanced Encryption Standard

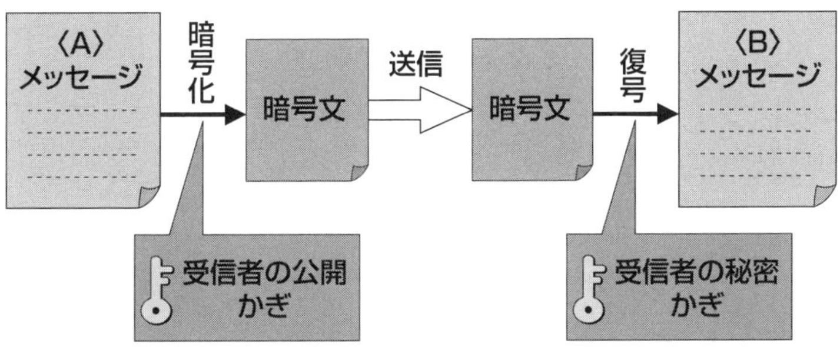

◀**公開かぎ暗号によるメッセージの送信**：送信側は「受信者の公開かぎ」でメッセージを暗号化し、受信側は「受信者の秘密かぎ」で復号する。

この図は、送信者Ａから受信者Ｂに暗号化したメッセージを送信する様子を示している。

公開かぎ暗号は、複雑なアルゴリズムを用いるため、長文の暗号化／復号には時間がかかる。このため、インターネット上では、公開かぎ暗号と共通かぎ暗号を組み合わせた方式が用いられる。送信者Ａは、メッセージを新たに作成した「共通かぎ」で暗号化する。この共通かぎを受信者の公開かぎで暗号化し、メッセージに添付して送信する。受信者Ｂは、受信した共通かぎを自分の秘密かぎで復号し、この共通かぎを使ってメッセージを復号する。公開かぎ暗号の代表的なものに**RSA**暗号がある。

◀**RSA**：Rivest, Shamir, Adleman

RSA暗号

1977年にマサチューセッツ工科大学のリベスト（Ronald L. Rivest）、シャミール（Adi. Shamir）、アーデルマン（Leonard M. Adleman）の3人によって開発された公開かぎ暗号。大きな数の素因数分解の困難性を利用したもので、インターネットセキュリティの基盤を支えている重要な暗号である。

4-3 ディジタル署名

日常行われる署名や捺印を、ディジタルの世界で実現したのがディジタル署名である。メッセージにディジタル署名を付けることで、改ざんやなりすましを防止できる。

●ディジタル署名

契約書などの重要な文書を作成したときは、その内容が一字一句間違っていないことを保証するために署名（押印）を行う。「署名」とは、文書の内容を保証したり、あるいは契約書などの内容に合意する（了承する）ことを意味する。

インターネット上で、この署名を実現したのが「ディジタル署名」である。ディジタル署名は、共通かぎ暗号とハッシュ関数の技術で実現される。ディジタル署名によって、メッセージの改ざんやなりすましを防止することができる。

●ハッシュ関数

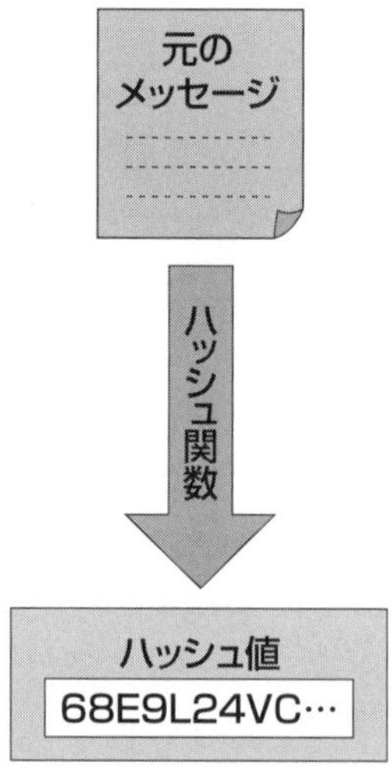

ハッシュ関数は、任意の長さのメッセージを、短いビット列のデータに変換する関数である。変換されたビット列データのことを「**ハッシュ値**」または「**メッセージダイジェスト**」と呼ぶ。元のメッセージが1文字でも変更されると、ハッシュ関数は異なるハッシュ値を出力する。

ハッシュ値は、短いデータで元のメッセージの存在を証明する「指紋」のような働きをする。

代表的なハッシュ関数として、MD5とSHA1、SHA2がある。

① MD5

元のメッセージをハッシュ化して、128ビットのハッシュ値を生成する。RSA暗号の考案者の一人であるリベスト氏らによって開発された。

◀**MD5**：Message Digest 5

② SHA1

元のメッセージをハッシュ化して、160ビットのハッシュ値を生成する。1995年にアメリカ国立標準技術研究所（NIST）によって、米国政府の標準ハッシュ関数として採用された。

③　SHA2

SHA1の後継規格でSHA-224、SHA-256、SHA-384、SHA-512などの総称である。現在はSHA1からSHA2への移行が進んでいる。

●ディジタル署名付きメッセージの送信

メッセージにディジタル署名を付けることで、メッセージの改ざんやなりすましを検出できる。次の図は、送信者Aから受信者Bにディジタル署名付きのメッセージを送信し、改ざんやなりすましの検出を行っている様子を示している。

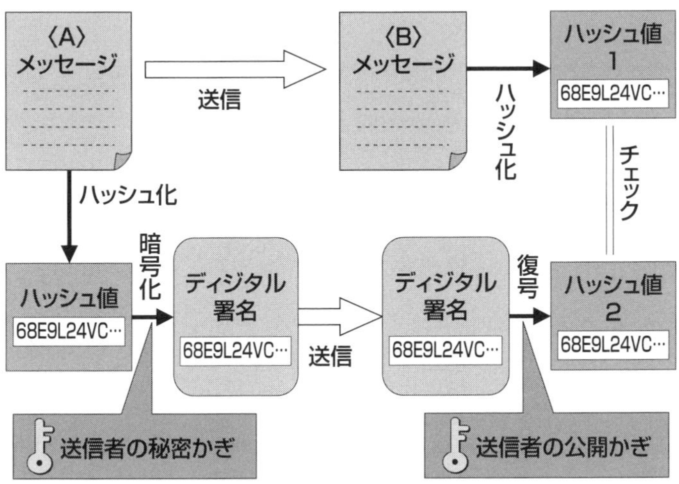

送信側の処理手順
①送信するメッセージをハッシュ関数にかけて、ハッシュ値を作る。
②このハッシュ値を「自分の秘密かぎ」で暗号化する。これがディジタル署名になる。
③メッセージにディジタル署名を付けて送信する。

受信側の処理手順
①受け取ったメッセージをハッシュ関数にかけて、「ハッシュ値1」を作る。
②受け取ったディジタル書名を「送信者の公開かぎ」で復号して、「ハッシュ値2」を作る。
③2つのハッシュ値が同じであれば、改ざんやなりすましは行われていないと判定する。
④もし、改ざんが行われていれば、「ハッシュ値1」は異なるビット列が生成される。もし、なりすましが行われていれば、ディジタル署名を正しく復号できない。いずれの場合も、2つのハッシュ値は異なるビット列になってしまう。

この単元の キーワード

□ディジタル署名
□ハッシュ関数
□ハッシュ値

◀**SHA1**：Secure Hash Algorithm 1

◀**SHA2**：Secure Hash Algorithm 2

◀**ディジタル署名**：送信側は、「送信者の秘密かぎ」でハッシュ値を暗号化して、ディジタル署名を作る。受信側は、「送信者の公開かぎ」でこれを復号する。

◀**なりすましの検出**：ディジタル署名でなりすましの検出ができるのは、本来の送信者が善人であるという条件がつく。インターネット上での一般的ななりすましの防止には「認証局」を利用する（「4-4」参照）。

第4章　セキュリティと標準化

4-4 認証と認証局

インターネット上で顔の見えない通信相手が信頼できることを保証するのが認証である。この認証を実現するために、認証局と呼ばれる組織が重要な役割を担っている。

●認証

インターネットショッピングなどでは、大切な個人情報を顔の見えない通信相手に送ることになる。この通信相手が名乗っているとおりの信頼できる人物（組織）であることを確認するのが認証である。インターネットの世界では、この認証が重要な役割を果たしている。

最も一般的な認証として、**ユーザ認証**がある。パソコンなどのシステムにログオンするさいには、ユーザ名とパスワードを入力する必要がある。これはシステムが、正規の権限をもった利用者であるかどうかを確認していることになる。これをユーザ認証という。ユーザ認証には、通常、ユーザ名とパスワードが用いられるが、指紋などによる生体認証も徐々に広まっている。

●リモートアクセス時の認証

電話回線などを利用して、遠隔地から会社のコンピュータにアクセスするリモートアクセスの環境では、特別な認証技術が必要になる。

①　**コールバック方式**

利用者が正規の人物（会社の社員）であることを確認するために、一度回線を切断し、会社側から利用者に向けてダイアル接続を行う方式。

利用者の電話番号は、あらかじめ登録しておく。

②　**パスワードのハッシュ化**

利用者が入力したユーザ名やパスワードが、そのままの形で通信回線上を流れないようにする。入力されたパスワードをハッシュ関数にかけてハッシュ値を作り、このハッシュ値を会社のコンピュータに送信する。

③　チャレンジレスポンス認証

パスワードのハッシュ化では、毎回同じハッシュ値が通信回線上を流れるので、それが盗聴され解読されると、コンピュータに不正侵入されてしまう。そこで、パスワードに乱数を加えて、アクセスごとに異なるハッシュ値を生成するようにする。これをチャレンジレスポンス認証という。

●インターネット上での認証

インターネットのオンラインショッピングでは、氏名、住所、生年月日やクレジットカードの番号といった重要な個人情報を、ショッピングサイトに送信することになる。はたして、「相手」は信頼できるのか？　「認証」はこの問題を解決してくれるものである。インターネット上での認証を実現するために、「**認証局**」（CA）と呼ばれる組織と、「**公開かぎ基盤**」（PKI）と呼ばれる仕組みが必要になる。

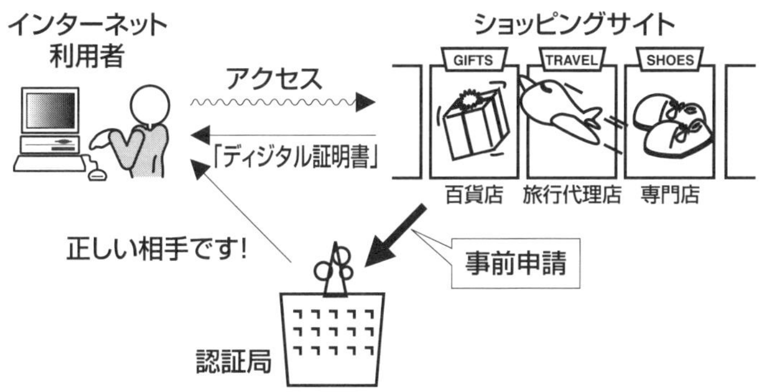

認証局（CA）は、認証を行う信頼できる第三者機関で、「グローバルサイン」などが知られている。認証は次の手順で行われる。

① ショッピングサイトの運営業者（申請者）は、必要な書類をそろえて、認証局に申請を行う。

② 認証局は、所定の審査を行って申請者の身元を確認してから、申請者用のかぎのペア（公開かぎと秘密かぎ）を生成する。そして、生成したかぎが確かに申請者のものであることを保証するために、「**ディジタル証明書**」を発行する。このディジタル証明書には、「認証局のディジタル署名」が付いている。

③ インターネット利用者がショッピングサイトに接続すると、ディジタル証明書が送り返されてくる。ディジタル証明書に添付されているディジタル署名を「認証局の公開かぎ」で正しく復号できれば、通信相手は信頼できることになる。この仕組みのことを、公開かぎ基盤（PKI）という。

この単元の
キーワード

- □認証
- □ユーザ認証
- □コールバック方式
- □チャレンジレスポンス認証
- □認証局（CA）
- □公開かぎ基盤（PKI）
- □ディジタル証明書

◀**チャレンジレスポンス認証**：「CHAP」という名称で広く用いられている。

◀**CA**：Certification Authority

◀**PKI**：Public Key Infrastructure

◀**ディジタル証明書**：認証局が発行するディジタル証明書には、申請者の名前、申請者の公開かぎ、認証局の名前、有効期限などが含まれる。

◀**CRL（Certificate Revocation List）**：証明書失効リスト。証明書の有効期限内であるが、秘密かぎの漏えいなどにより有効期限前に失効させたディジタル証明書のリスト。

◀**OCSP（Online Certificate Status Protocol）**：CRLを用いて有効性を確認する場合は最新の情報を得るためにリストの定期的なダウンロードが必要であった。そこで、オンラインで証明書の有効性を問い合わせて確認できるようにするプロトコルである。

第4章　セキュリティと標準化

4-5 サイバー攻撃

インターネットやコンピュータネットワーク上で行われる攻撃で、特定の組織などを攻撃するサイバーテロなどがある。

●ウイルスの感染原因

コンピュータに対して意図的に何らかの被害を及ぼすように作られたプログラムのことを総称してマルウェアと呼ぶ。感染経路は、OSやアプリケーションのセキュリティホールやWebサイトの閲覧、ダウンロードを通して感染することがある。

①コンピュータウイルス

「感染」「潜伏」「発病」の機能のうちいずれか1つ以上をもつプログラムのこと。

②ワーム（worm）

ネットワークを介してコンピュータに侵入し、破壊活動や自己増殖的に他のコンピュータにも侵入する悪意あるプログラム。他のファイルやプログラムには感染せず、単独のプログラムとして活動するものが多い。

③トロイの木馬

有用なアプリケーションと見せかけ、インストール後、密かに情報を収集したり、流出させることなどを行うプログラム。不正侵入を行うバックドアはこのトロイの木馬で仕掛けられる。

④ランサムウェア

コンピュータ内のファイルなどにパスワードなどを設定し、その後、解除のために金銭等の要求を行う身代金要求型ウィルスのこと。金銭を支払っても解除される見込みは少ない。日常的にバックアップを取っておくことが大切である。

⑤ボット

ネットワークを通じてあらかじめ感染させておいたコンピュータを不正動作させる攻撃で、不正を行う指令はC&C（コマンドアンドコントロール）サーバが出す。

◀**感染**：補助記録媒体やネットワークを媒介として、コンピュータウイルスがシステムに入り込むこと。

◀**潜伏**：ウイルスに感染してから発病するまでのこと。感染後、直ちに発病するものや、特定の条件（たとえば13日の金曜日など）で発病するものがある。

◀**発病**：ウイルス（プログラム）が起動して実行すること。

◀**増殖**：ウイルスが他のファイルやシステムに感染すること。

◀コンピュータに被害を及ぼす悪意のプログラムすべてを**マルウェア**と呼び、広義のウイルスとして扱っている場合もある。

●Webアプリケーションやサーバへの攻撃

①クロスサイトスクリプティング

掲示板などの入力欄に埋め込み型の不正なスクリプトなどを書き込み、アクセスしたユーザのブラウザ上で不正なスクリプトを実行させることで悪意のあるサイトへ誘導したり、情報を盗み出したりする攻撃である。対策としては、入力欄に入力できる値や長さに制限をかけることや、スクリプトが入力された場合に普通の文字として取り扱うことで無効化するサニタイジングなどがある。

②ディレクトリトラバーサル

WebサイトのURLをもとに相対パスや絶対パスなどを指定して、表示されないはずの領域やファイルへ不正なアクセスを行うこと。対策として、外部からのパス名による直接指定を実施できない仕様や設計にすることなどがある。

③SQLインジェクション

設計上想定していないSQL文を実行し、データベースのデータを盗んだり、改ざんやデータの更新などを行うこと。対策として、不正なSQL文を無効化するサニタイジングなどのエスケープ処理がある。

④DNSキャッシュポイズニング

攻撃者によりDNSキャッシュサーバのDNS情報が改ざんされ、問合わせを行ったユーザを悪意のあるサイトへ誘導する攻撃である。対策として、DNS問合せに使用するDNSヘッダ内のIDをランダム化することや、内部ネットワークからのみ再帰的な問合せを許可することがある。

⑤ゼロデイ攻撃

ソフトウェアの脆弱性などが修正される前の無防備な箇所を標的に攻撃が行われることである。対策として、常に最新のシステムを最新の状態にしておくことが基本である。また、危険性のあるプログラムを実行する可能性がある場合は、サンドボックスを利用することが有効である。

⑥ブルートフォース攻撃（総当たり攻撃）

パスワードなどの暗号を解読するさいに、パスワードとして考えられる文字の組み合わせやワードなどをすべて試行し、不正ログインする攻撃である。この対策としてIDに対してパスワードの試行回数を制限する方法などもある。しかし、この対策を避ける攻撃として、よく使われるパスワードなどを活用し、パスワードと合致するIDの組み合わせを試行して不正ログインするリバースブルートフォース攻撃も登場している。そのため、

この単元のキーワード

- □コンピュータウイルス
- □ワーム
- □トロイの木馬
- □ランサムウェア
- □ボット
- □マルウェア
- □クロスサイトスクリプティング
- □クロスサイトリクエストフォージェリ
- □ディレクトリトラバーサル
- □SQLインジェクション
- □DNSキャッシュポイズニング
- □ゼロデイ攻撃
- □ブルートフォース攻撃
- □セキュリティホール
- □サンドボックス

◀**クロスサイトリクエストフォージェリ**：利用制限のあるサイトにログインした状態で不正なスクリプトなどが実行され、ログインした利用者だけが利用できる投稿や会員情報変更などの不正操作をされてしまう攻撃である。

◀**セキュリティホール(security hole)**：ソフトウェアの設計ミスなどによって生じた、システムのセキュリティ上の弱点のことである。セキュリティホールによる弱点をつかれて、不正アクセスされることもある。

◀**サンドボックス**：コンピュータ内に他のプログラムと干渉しない安全な仮想環境を作成し、その環境内で動作分析を行い安全性を検証する仕組みである。

これらへの対策としては、一定時間内の入力回数の制限を設定することや二段階認証の導入がある。

◀**二段階認証**：サインインために必要なIDとパスワードを入力後に、指定の端末やアプリに表示される認証コードを入力しなければサインインできないようにするなど、2つの方式での認証を行うこと。

⑦リスト攻撃

過去に流出したIDとパスワードのリストを利用し、他のサイトで不正ログインする攻撃。対策として、他のサイトと同じID、パスワードを設定しないようにする。

⑧DDoS攻撃

標的のサーバにネットワーク上の複数のコンピュータから大量のデータを送信することで、サーバのサービスを不能状態にする攻撃を行うこと。

◀会社でウイルス感染が発生したら、独立行政法人のIPA（Information technology Promotion Agency、情報処理推進機構）に届け出る。IPAでは、国内におけるウイルス被害情報を収集し、公表している。

⑨ボットネットを利用した攻撃

マルウェアを用いて他者のコンピュータを制御できるように乗っ取り、その後、攻撃者の指示により、制御下のコンピュータを用いて攻撃を行うことである。このさいに、制御下のコンピュータをボット、ボットへ指示を出すコンピュータをC&Cサーバと呼び、このC&Cサーバとボットのつながりをボットネットワーク（通称：ボットネット）という。ボットネットを使用する攻撃として、複数台のコンピュータを制御してのDDoS攻撃や、なりすましメールや迷惑メールを送信するなどの事例がある。対策としては、マルウェアの感染を防止・早期発見するためのセキュリティソフトの導入がある。

●感染した場合の対処法●

〈対応〉
- ネットワークから遮断
- 管理者に報告
- 初期化・再インストール
- 再発防止策

⑩なりすまし

攻撃者は本物とそっくりな偽のサイトやメールを作成し、そのサイトなどを見た人を騙して、個人情報などを窃取する攻撃である。これらはフィッシング詐欺と総称され、本物のサイトやメールで使用されている画像を無断転載するなどの巧妙化が進み、一目では見分けがつかない場合も多くなっており、利用者の見分ける力や技術的な対策が必要となっている。

なりすましメールへの対策として、送信元のメールサーバへ正当性を判断するために必要な認証情報を問い合わせ、取得した情報と受信したメールの情報を比較し、正当性を検証する

「送信ドメイン認証」という手法がある。この認証を行う主な方式としては、あらかじめ公開されている送信側メールサーバのIPアドレス（SPFレコード）を用いて検証する方式である「SPF（Sender Policy Framework）」や、電子署名を用いて検証する方式である「DKIM（DomainKeys Identified Mail）」などが標準化されている。

また、攻撃者のIPアドレスを特定困難とすることや、ファイヤーウォールなどによるIPアドレス制限を回避して攻撃するために、IPアドレスを偽装して別のIPアドレスになりすます「IPスプーフィング」と呼ばれるなりすましも行われている。IPスプーフィングを見極めることは難しいため、自分のIPアドレスが攻撃者に知られないように暗号化通信を行うなどの対策が重要である。

⑪ドライブバイダウンロード

Webサイトにアクセスした際、閲覧者が気づかないうちにマルウェアがダウンロードされてしまう攻撃。攻撃者はWebサイトの脆弱性をついてWebサイトを改ざんし、マルウェアをダウンロードするスクリプトを潜ませるため、Web管理者も気づかないことがある。

⑫標的型攻撃

特定の企業や個人を攻撃目標とした攻撃である。この攻撃は事前に企業や組織内の特定の個人に関する情報を集め、最初は顧客などを装い安心させてから攻撃を行うことが特徴的で一般的なサイバー攻撃に比べ、成功率が高い。また、国家組織や特定の企業に対し長期的に継続して行う攻撃をAPT（Advanced Persistent Threats）という。

この単元のキーワード

- □リスト攻撃
- □DDoS攻撃
- □二段階認証
- □なりすまし
- □ドライブバイダウンロード
- □標的型攻撃

第4章　セキュリティと標準化

4-6 ファイアウォールの仕組み

ファイアウォールを設置することで、外部からの不正なアクセスを防止することができる。ファイアウォールの構成と、パケットの通過を判定する技術を学習する。

●ファイアウォールの構成

ファイアウォールは、社内ネットワークとインターネットとの境界点に設置して、外部からの不正なアクセスを防止する役割をもつ。一般的なファイアウォールの構成を次に示す。

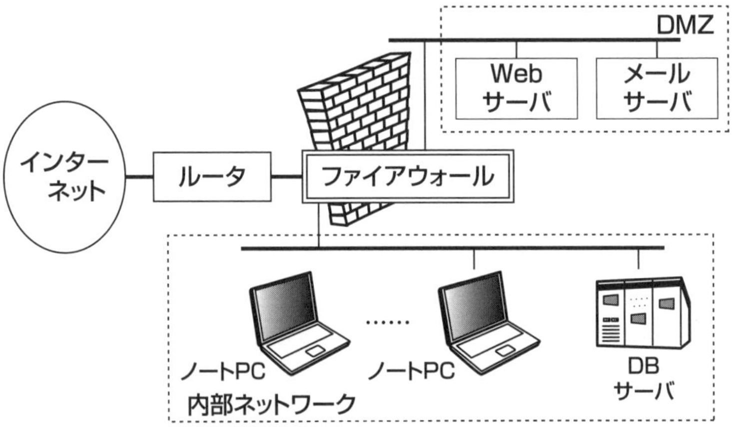

ここで、社員のノートパソコンやDBサーバが置かれているエリアを「**内部ネットワーク**」と呼ぶ。ファイアウォールによって、外部のインターネットから内部ネットワークへ直接アクセスできないように制御することで、企業情報の漏洩や改ざんを防止することができる。一方、Webサーバやメールサーバなど外部からアクセスされるコンピュータが置かれるエリアを「**非武装地帯（DMZ）**」と呼ぶ。非武装地帯は、常に外部から攻撃される危険があるので、それぞれのコンピュータがしっかりとしたセキュリティ対策を実施する必要がある。

◀**DMZ**：De-Militarized Zone

今日では、個人用のパソコンにも、ファイアウォール機能が標準装備されている。パソコンをインターネットに直接接続する場合には、ファイアウォールを有効にして使用することが望まれる。

●パケットフィルタリング

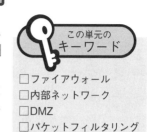

この単元のキーワード
□ファイアウォール
□内部ネットワーク
□DMZ
□パケットフィルタリング
□アプリケーションゲートウェイ

ファイアウォールがパケット通過の可否を判定する方式には、「パケットフィルタリング」や「アプリケーションゲートウェイ」などがある。

パケットフィルタリングは、IPパケットのヘッダ情報に含まれるIPアドレスやポート番号によって、パケット通過の可否を判定する。

たとえば、外部のインターネットから非武装地帯へのパケット通過条件を次のように設定する。

宛て先IPアドレス	宛て先ポート番号	通過
Webサーバ	80（http）	許可
メールサーバ	25（smtp）	許可
その他すべて	その他すべて	拒否

この設定によって、Webページの閲覧とメール送信以外のすべてのパケットは、ファイアウォールによって通過が拒否されることになり、非武装地帯の安全性が向上することになる。

●アプリケーションゲートウェイ

アプリケーションゲートウェイは、HTTPやSMTPなどのアプリケーションごとに判定プログラムを用意し、パケットに含まれるメッセージの内容によってパケット通過の可否を判定する。たとえば、メッセージの内容を調べて、わいせつな表現が含まれているパケットの通過を拒否することができる。

次の図は、閲覧したWebサイトのページをアプリケーションゲートウェイのプログラムがチェックし、問題がなければ要求元のブラウザに送信する様子を示したものである。

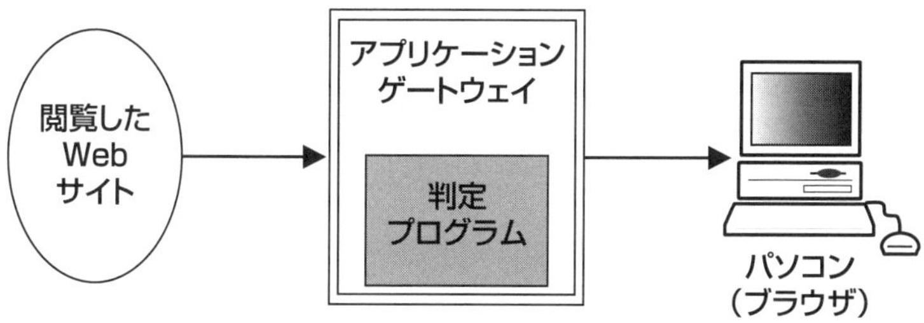

このように、アプリケーションゲートウェイでは、IPパケットを受信し、内容に問題がなければ新たにIPパケットを作成して最終宛て先に向けて送出することになる。

第4章　セキュリティと標準化

4-7 セキュリティプロトコル

電子メールのセキュリティを実現するプロトコルS／MIME、インターネットショッピングなど、Webサイトのセキュリティを可能にするプロトコルSSLについて学習する。

●セキュリティプロトコル

セキュリティ機能をネットワーク上で手軽に利用できるように、セキュリティプロトコルが用意されている。

OSI基本参照モデル		一般プロトコル	セキュリティプロトコル
7	アプリケーション	HTTP FTP SMTP POP3	HTTPS S／MIME
6	プレゼンテーション		
5	セッション		SSL
4	トランスポート	TCP	
3	ネットワーク	IP	
2	データリンク	CSMA/CD、PPP	
1	物理層	Ethernet 他	

●電子メールのセキュリティ：S／MIME

われわれが通常利用している電子メールには、セキュリティ機能は付いていない。電子メールのセキュリティを実現するプロトコルとして、S／MIMEがある。

◀**S／MIME**：Secure Multi-purpose Internet Mail Extensions

S／MIMEのセキュリティ機能	
①	電子メールのメッセージを暗号化する。
②	電子メールに送信者のディジタル署名を付加することで、メッセージの改ざんを検出する。

S／MIMEのセキュリティは、公開かぎ暗号によって実現されている。S／MIMEを利用するには、「個人用ディジタル証明書」を発行してもらい、自分用の公開かぎと秘密かぎを入手する必要がある。多くのメールソフトはS／MIMEに対応しているので、簡単な設定でセキュリティメールを実現できる。

●Webサイトのセキュリティ：SSL

Webサイトにアクセスするときのセキュリティは、SSLと呼ばれるプロトコルによって実現される。SSLはネットスケープコミュニケーションズ社が開発したプロトコルで、主にブラウザとWebサーバとの間でのセキュリティで保護された通信を実現する。

SSLのセキュリティ機能	
①	ブラウザからの接続要求に対して、Webサイトのディジタル証明書（認証局のディジタル署名付き）を送信して、Webサイトの「認証」を行う。
②	ブラウザとWebサーバ間のメッセージは、すべて「暗号化」して送受信を行う。

SSLによるセキュアな通信を実現するには、Webサーバに認証局から交付されたディジタル証明書を組み込む必要がある。多くのWebサーバは、SSLに対応している。また、パソコンで使われるブラウザや多くの携帯電話も、SSLの機能を備えている。

SSLによってWebサイトの認証が行われる仕組みを、次の図で示す。

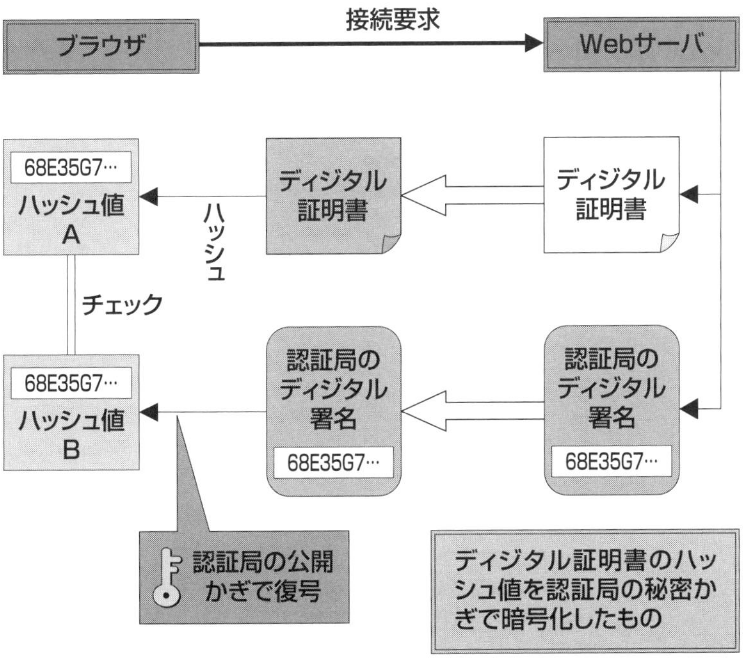

この単元のキーワード
- □S／MIME
- □SSL
- □TLS

◀**SSL（Secure Socket Layer）**：Webブラウザ とWebサーバ間のセキュリティを高めるためのプロトコル。公開かぎ暗号方式を使って、ブラウザ側で正しいWebサーバかどうかを確認する。多くのブラウザが対応している。

◀**httpsプロトコル**：SSLに対応したWebサイトに接続するときは、URLを「https://www…」のように指定する。httpsは、http over SSLを意味する。

◀**Webサイトの認証**：SSLに対応したWebサイトに接続すると、ブラウザとWebサイトの間で左図のようなデータが転送され、Webサイトの認証が自動的に行われる。

◀**TLS（Transport Layer Security）**：SSLの脆弱性を解決するための次世代規格としてTLSが開発され、利用されている。基本設計はSSLをもとにしていることから、SSLとして認知されることが多い。

第4章　セキュリティと標準化

4-8 セキュリティ対策基準と著作権

コンピュータ利用のルールとして、セキュリティ関連の公的基準・ガイドラインとともに、ソフトウェアの著作権を理解しておく必要がある。

●セキュリティ関連の公的基準・ガイドライン

セキュリティ関連の公的基準・ガイドラインには、主なものとして次の3つがある。

(1) 情報システム安全対策基準

情報システム安全対策基準は、1977年に通商産業省（現・経済産業省）で公表した安全対策基準であり、その後、数度の改定が加えられている。

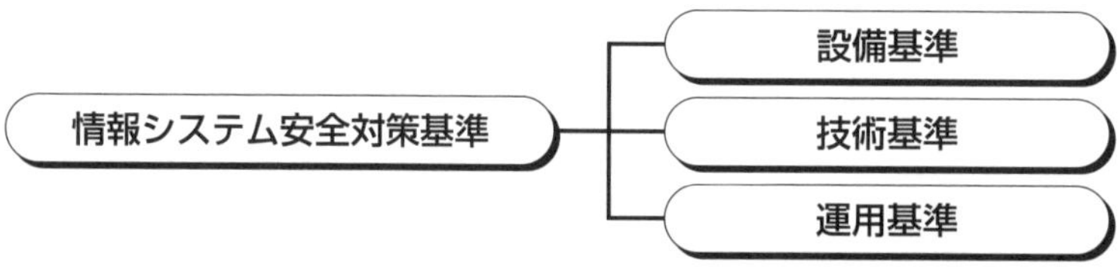

(2) コンピュータウィルス対策基準

コンピュータウィルス対策基準は、1990年に通商産業省で公表した基準であり、コンピュータウィルスの予防、検知、事後対策などについての対応策をとりまとめている。ウィルス対策には、コンピュータウィルス対策基準だけでなく、情報システム安全対策基準とシステム監査基準の活用も有効であるとしている。

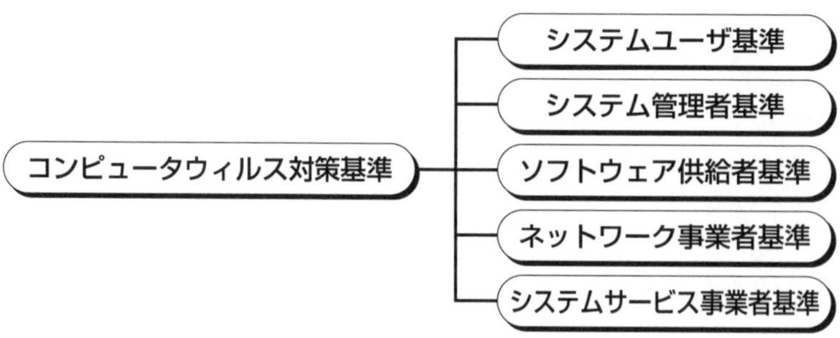

◀**ISMS（情報セキュリティマネジメントシステム）**：「4-10」参照。

◀**プライバシーマーク（Pマーク）制度**：日本情報処理開発協会（JIPDEC：現（一財）日本情報経済社会推進協会）が、1998年から実施している、個人情報保護に関する事業者認定制度。

(3) OECDのセキュリティガイドライン

情報システムには国境など存在せず、一部の国のセキュリティレベルが低いために問題が発生すると世界的な問題に波及するとの認識から、OECDが採択したガイドラインである。

この単元のキーワード

- □情報システム安全対策基準
- □コンピュータウィルス対策基準
- □プライバシーマーク
- □著作権
- □無方式主義
- □ベルヌ条約
- □著作者人格権

●ソフトウェアの著作権

著作権とは、思想または感情を創造的に表現したもの（著作物）を創造した人（著作者）に国家が与える独占権のことである。法人であれば発表後70年、個人であれば死後70年経過するまで保護される。

(1) 保護対象となるソフトウェア

著作権法では、保護の対象となるソフトウェアに関して次のように規定している。

プログラムとは、電子計算機を機能させて1つの結果を得るために、電子計算機に対する命令を組み合せたものである（著作権法2条）。なお、プログラムを作成するために用いるプログラム言語、規約、解法は保護の対象にならない（10条）。

ここでいう「解法」とは、アルゴリズムのことである。「規約」にはアプリケーションとOSとのインタフェース仕様、プロトコルなどが含まれる。また、オブジェクトプログラムは、ソースプログラムの複製として保護対象になる。

◀**OECD**：経済協力開発機構

◀著作権はあくまでも表現に関する権利であって、単なるアイデアは保護の対象にならない。

◀**アルゴリズム**：処理手順

◀**プロトコル**：通信規約

(2) 無方式主義

著作権法では、著作権は著作者が著作物を創作した時に発生し（51条）、著作者人格権および著作権の享有にはいかなる方式の履行も要しない（17条）とし、無方式主義をうたっている。無方式主義とは、なんの届出も手続きもなくても著作物を創作した時点から自然に著作権は保護されるという考え方で、**ベルヌ条約**を批准した国家間で有効である。

◀無方式主義に対して、方式主義が米国を中心に存在した。方式主義は、著作権保護の目的で「©記号、著作者の氏名、最初の発行年」の表示を義務づけている。現在は米国もベルヌ条約を批准しているため、無方式主義が世界の大勢となっている。

(3) 著作者人格権

一般的にいう「著作権」は著作財産権を指すことが多いが、著作権にはもう1つ「著作者人格権」がある。

著作者人格権は、著作者が著作物を公表する権利、公表にあたって名前を表示する（あるいはしない）権利などを指していう。この権利は、著作者の一身に専属し、売買・譲渡することはできない権利とされ、契約により譲渡したとしても、その契約は無効とされる（著作権法59条）。

◀**ベルヌ条約**：19世紀後半に成立しており、無方式主義を採用している。日本は1899年に加入した。

◀このように、契約より効力を優先させる規定を強行規定という。

4-9 セキュリティと法制度

情報セキュリティに関連する代表的な法制度として、2000〜2001年に施行された不正アクセス禁止法と電子署名法、2005年に施行された個人情報保護法について学習する。

●不正アクセス禁止法

不正アクセス禁止法は、コンピュータに保存されている情報に不正にアクセスすることを禁止する法律で、2000年に施行された。

次のような行為が、**不正アクセス**に該当する。

・他人のユーザ名やパスワードを利用してコンピュータにログオンし、情報の読み出しや改ざんを行う。

・ソフトウェアの脆弱性（セキュリティホール）を悪用して、コンピュータに侵入し、情報の読み出しや改ざんを行う。

また、次のような**不正アクセスを助長する行為**も禁止している。

・他人のユーザ名やパスワードを第三者に知らせる。

なお、セキュリティホールを修正せずに放置しておくことは、不正アクセスを助長する行為とはみなされない。

この法律に違反すると、1年以下の懲役または50万円以下の罰金が科せられる。

●電子署名法

電子署名法は、電子署名（ディジタル署名）が付加された文書を署名・捺印された紙の文書と同様に取り扱うことを定めたもので、2001年に施行された。

電子署名（ディジタル署名）は、「4-3」で学習したように、作成した文書の内容が正しいこと（改ざんの防止）と、作成者の身元を保証する（なりすましの防止）という役割をもつ。電子署名法の制定によって、ディジタル署名付きの文書は、署名・捺印された紙の文書と同様に証拠としての価値が与えられるようになった。これは、電子商取引をはじめとするインターネット上でのさまざまな取引行為に大きな安心感を与えることになる。

ディジタル署名は、作成した文書をハッシュ関数に入力してハッシュ値を生成し、そのハッシュ値を作成者が所有する秘密かぎで暗号化して作成する（詳細は4-3を参照）。ここで、文書の作成者は、自分の身元を保証するディジタル証明書を認証局（CA）から取得しておかなければならない（4-4参照）。ディジタル署名も公開かぎ基盤（PKI）のもとで運用されることになる。

●個人情報保護法

ますますネットワーク化が進み、情報セキュリティの重要性が叫ばれるなか、2005年4月1日に個人情報保護法が全面施行された。その後、2015年、2020年に改正されている。

この法律は、個人の権利と利益を保護するとともに、ビッグデータなどに含まれる個人データの利活用を進めることを目的としており、個人情報を取り扱う事業者に対して個人情報の取り扱い方法を定めている。なお、違反した事業者には罰則が課せられるだけでなく事業者の信用も大きく損なわれるため、企業での情報の取り扱いに大きな影響を与えている。

①　個人情報保護法の考え方

日本の個人情報保護法の考え方の基本は、1980年に**OECD**（経済協力開発機構）が策定した「**OECD8原則**」にもとづいている。「OECD8原則」は、個人情報保護が国際的なものであることから、国家間での保護レベルを一定にすることを目的としたものである。

②　対象となる情報と企業

2015年の改正において取り扱う個人情報の数による規制対象の制度を廃止した。そのため、小規模な個人情報件数であっても該当することになった。

ここで「個人情報」が指す内容には、個人の名前や住所、電話番号のほかに、個人を特定できるビデオ映像や個人識別符号なども含まれる。さらに、会員番号やメールアドレスなど、直接的に個人を特定できる情報でなくても、他の情報を参照することで個人を特定できるものも含まれる。

たとえば、会社の社員番号はそれだけでは個人を特定できる情報ではないが、社員番号にひもづけて氏名、住所、生年月日などの情報を参照することのできる「体系的に整理された」個人データがあれば個人情報とみなされる。この「体系的に整理された」とは、検索できるように整理されたという意味である。その意味で、個人情報を含むデータベースや氏名や番号などに従って整理された紙媒体のファイリングも含まれる。

この単元のキーワード

- □不正アクセス禁止法
- □電子署名法
- □個人情報保護法
- □プライバシーマーク制度
- □OECD8原則

◀**プライバシーマーク制度**：個人情報について適切な保護措置を講じる体制を整備している業者を認定し、プライバシーマークの使用を認める制度。JIS Q 15001にもとづいて、第三者が客観的に評価する。

◀**OECD8原則**：
①収集制限の原則
②データ内容の原則
③目的明確化の原則
④利用制限の原則
⑤安全保護の原則
⑥公開の原則
⑦個人参加の原則
⑧責任の原則

◀**個人識別符号**：マイナンバーや免許証番号などの公的な番号、もしくはDNAや虹彩、声紋などの身体の一部特徴をパスワードなどに活用するためにデータ化したものなど。

◀**匿名加工情報**：ビックデータなどに含まれる個人情報を本人に同意を得ることなく利用することを目的に、特定の個人を識別できないように加工し、元の情報を復元できないようにした情報のこと。

4-10 セキュリティポリシー

企業などの組織体が全社的な情報セキュリティを確立するために、セキュリティポリシーの策定が必要になる。組織の情報セキュリティを第三者の立場で評価・認定するISMSが注目されている。

●セキュリティポリシーの策定

企業などの組織体が情報セキュリティに取り組むには、技術的な対策に加えて、組織の内部で行われる不正や、天災などによる物理的被害への対策など、総合的な対策が必要になる。

セキュリティポリシーは、企業などが情報セキュリティにどのように取り組むかを定めた、いわばセキュリティに関する「憲法」のような役割を果たす。

セキュリティポリシーを策定するには、まず企業のトップがセキュリティに関する明確な方針を提示し、この方針にもとづいて、具体的な対策標準と実施手順を詳細に定めていく。セキュリティポリシーは次の3階層で構成される。

① 基本ポリシー

セキュリティポリシーの最上位に位置する文書で、企業などにおけるセキュリティ管理の基本的な方針を定める。

② 対策標準

基本ポリシーにもとづいて、各項目ごとに具体的な考え方と遵守すべき事項を網羅的に記述する。対策標準の項目は、各企業の状況に応じて数十項目に分類される。

〈項目例〉
・社内ネットワーク利用標準
・ユーザ認証標準
・ウィルス対策標準
・電子メールサービス利用標準
・Web サービス利用標準
・リモートアクセスサービス利用標準

◀**ユーザ認証標準の一例：**
「パスワードは8文字以上とし、数字、英大文字、英小文字を組み合わせること」

③ 実施手順

対策標準に記述された事項を具体的に実現できるように、行動の手順を記述したマニュアル。

●ISMS適合性評価制度

この単元のキーワード

□セキュリティポリシー
□ISMS適合性評価制度
□PDCAサイクル
□ISO27001

企業などの情報セキュリティに対する取り組みを、第三者機関が評価して認証する制度が「**ISMS適合性評価制度**」である。この制度は、日本情報処理開発協会(JIPDEC:現(一財)日本情報経済社会推進協会)によって、2002年から運用が開始された(現在は(一社)情報マネジメントシステム認定センターが運用)。

◀**ISMS**:Infomation Security Management System

企業などがISMSの認証を受けることで、次のようなメリットを得ることができる。

・情報セキュリティの運用管理が適切に行われていることを、外部に示すことができる。
・社内の情報セキュリティに関する意識改革と業務プロセスの改善を行うことができる。

企業を取り巻く環境は常に変化しているので、ISMSの運用状況を定期的に評価し、必要に応じて見直しや改善を行わなければならない。これを「**PDCA(Plan, Do, Check, Action)サイクル**」という。

◀**PDCAサイクル**:セキュリティポリシーを策定し(Plan)、セキュリティシステムを構築・運用し(Do)、セキュリティ状態を診断・評価し(Check)、見直し・改善(Action)を行う。

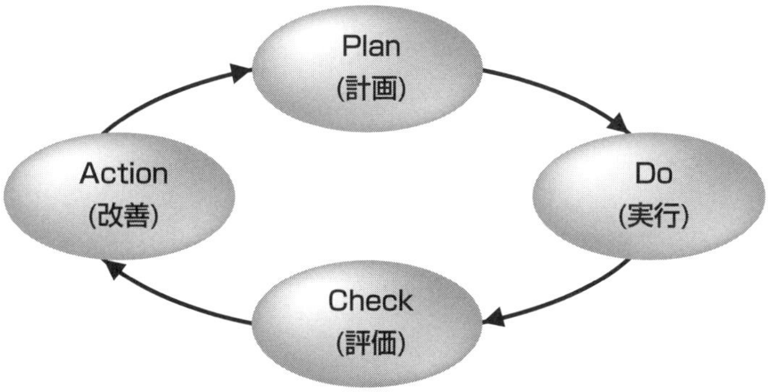

●ISMS実施基準と認証基準

ISMSは、次の実施基準と認証基準で構成される。

① **実施基準**

企業などが情報セキュリティを管理するために必要な実施事項をまとめたもので、10分類127項目からなる。これは、英国の**BS7799(Part1)**をベースに、国際規格「**ISO17799**」として標準化されている。

◀**ISO17799**:2007年にISO 27002となった。わが国では2006年5月 にJIS Q 27002が発行された。

◀**BS7799**:英国のセキュリティ管理基準で、Part1の実施基準とPart2の認証基準で構成されている。

② **認証基準**

情報セキュリティ管理システムの枠組みが確立し、正しく運用できているかをチェックするための基準。これは、英国の**BS7799(Part2)**をベースに、国際規格「**ISO27001**」(2005年10月制定)として標準化されている。

◀**ISO27001**:これを受け、わが国でも、2006年5月にJIS Q 27001が発行された。

4-11 情報システムの標準化

情報システムに関わる各種の標準として、ISOやJISなどの標準規格、ソフトウェア開発の標準、そしてデータ記述の標準として利用が進んでいるXMLについて学習する。

●標準規格

①　国際標準化機構（ISO）

各国の標準化機関の連合からなる国際標準化機関で、電気および電子技術分野を除く全産業分野の国際規格の策定を行う。165カ国(2021年6月現在)が参加し、本部はスイスのジュネーブにある。

②　米国規格協会（ANSI）

アメリカ国内の工業製品の規格を策定する目的で、1918年に設立された米国の協会で、日本のJISに相当する。米国の各種団体で定められた規格を審議し、承認を行う。

③　日本産業規格（JIS）

鉱工業品の種類・形状・寸法・構造などに関する規格で、日本産業標準調査会が規格制定を行い、国が認定する。認定した製品には、JIS（ジス）マークが付けられる。

情報処理に関しては、次のような規格がある。

情報処理用流れ図など	JIS X 0121
決定表	JIS X 0125
計算機システム構成の図記号	JIS X 0127
プログラム構成要素及び表記法	JIS X 0128
論理回路	JIS C 9309

◀**ISO**：International Organization for Standardization

◀**ANSI**：American National Standards Institute

◀**JIS**：Japanese Industrial Standard

◀**EDI（Electronic Data Interchange）**：企業間においてビジネス文書を専用回線や通信回線を通じてやりとりする仕組みのこと。データ交換のためには事前にデータ形式などを定めておく必要がある。

◀**CSV（Comma Separated Value）**：カンマ（,）で区切られたテキストデータ。異なるアプリケーション間におけるデータ交換が行いやすい形式となっている。

●ソフトウェア開発の標準

①　ISO9000シリーズ

1987年に、ISOによって制定された品質保証のための国際規格。第三者機関が審査を行い、この規格に適合していることを認定する。

② SLCP-JCF

システム開発および取引のためのベースとなる作業項目を標準化し、共通フレームとして策定している。

●データ記述用言語：XML

XMLは、データの構造と意味を記述できるデータ記述用言語である。HTMLは、ブラウザに情報を表示するためのマークアップ言語であるが、XMLはあらゆる種類のデータを記述して、その構造と意味を定義できる。たとえば、あるワープロソフトで作成した文書データは、ワープロソフト固有のバイナリー形式で保存されるので、そのワープロソフトでないと読むことができない。XMLで記述されたデータは、特別なソフトを必要としないので、世界中のコンピュータがデータを読んで意味を理解することができる。

XMLは、HTMLと同様にタグ（要素名）を用いるが、そのタグを利用者が定義することができる。たとえば、HTMLで

＜P＞Narita＜／P＞

と記述すると、ブラウザには「Narita」と表示されるが、これが「成田さん」なのか「成田市」なのかはわからない。XMLで

＜airport＞Narita＜／airport＞

と記述すれば、「成田空港」であることがわかる。

XMLは、次のようにデータの構造を記述できる。

＜airport　name="Narita"＞
　＜flight　code="LH711"＞
　　＜departure＞10：30＜／departure＞
　　＜destination＞Frankfurt＜／destination＞
　＜／flight＞
＜／airport＞

これは、成田空港のLH711便は10時30分にフランクフルトに向けて出発することを意味している。

XMLは情報処理の多くの分野で利用が進んでいる。ここ数年で急速に普及したブログでもXMLが用いられ、トラックバックなどサイト間でのデータ転送を可能にしている。

この単元の
キーワード

□ISO
□ANSI
□JIS
□ISO9000
□SLCP-JCF
□XML

◀**XML**：Extensible Markup Language；拡張可能なマークアップ言語。

◀**SGML（Standard Generalized Markup Language）**：1986年にISOによって国際規格となった文章の電子化のためのマークアップ言語。XMLやHTMLはこれを簡略化して作られている。

確認問題

▶解答と解説は別冊40ページ～

●第４章　セキュリティと標準化

◆問4-4-1　EUCの特徴に関する記述として、適切なものはどれか。

ア．業務に必要な情報に利用者が自分でアクセスし、参照したり加工したりできる。
イ．システムの開発案件が情報システム部門に集中し、バックログが増加する。
ウ．情報システム部門主導でシステム開発を実施するため、情報システム部門の要員を増やす必要がある。
エ．ユーザー人ひとりの情報化ニーズに細かく応えることは、作業効率を考えて行わない。

◆問4-4-2　インターネットに関する記述として、誤りのあるものはどれか。

ア．インターネット技術を企業内ネットワークシステムに利用したのがイントラネットである。
イ．全世界との情報交流が誰でも容易にできる。
ウ．通信手順としてTCP/IPを利用している。
エ．民間団体が国ごとに管理しているネットワークである。

◆問4-4-3　電子商取引（EC）の特徴に関する記述として、適切なものはどれか。

ア．企業間の商取引を省力化することを目的としているため、個人ユーザの利用はほとんどない。
イ．国をまたがる電子商取引は法律の整備が遅れていることから、大きく制限されている。
ウ．電子商取引は、インターネットのようなオープンなネットワークを利用することを前提にしている。
エ．電子商取引は今後注目すべき市場であるが、現在のところはまだ実現されていない。

◆問4-4-4　アクセスセキュリティ技術に関する記述として、適切なものはどれか。

ア．アクセス制御技術とは、アクセス行為を見張るとともに、事故発生時の追跡資料を作成するための技術である。
イ．隔離技術とは、物理的または論理的にデータなどのアクセス対象を隠すための技術である。
ウ．監視技術とは、本人であることや、正当な相手であることを確認するための技術である。
エ．認証技術とは、アクセス資格があることを確認し、不正アクセスを未然に防ぐための技術である。

◆問4-4-5　パスワードの管理に関する記述として、不適切なものはどれか。

ア．退職した社員のユーザID、パスワードは一定期間そのまま残しておく。

イ．パスワードに有効期限が設定できる場合には、その機能を利用する。
ウ．パスワードを暗号化して記録しているパスワードファイルであっても、一般の利用者が参照できないようにする。
エ．容易に推測できるパスワードがあるか、定期的に管理者がチェックし問題のあるパスワードは、所有者に変更を促す。

◆問4-4-6　暗号化技術に関する次の記述のうち、正しいものはどれか。

ア．暗号化、復号するときの鍵の方式として‘公開鍵方式’と‘比較鍵方式’がよく利用されている。
イ．暗号化してデータ伝送するときに抑止できるのは情報漏洩であり、情報の変更は抑止できない。
ウ．電子決済や電子マネーでのユーザ認証に使われる電子署名（ディジタル署名）には、秘密鍵方式を使った暗号化が利用される。
エ．不特定多数の相手とデータを交換するときに適しているのは、公開鍵方式を使った暗号化である。

◆問4-4-7　自宅から会社のネットワークにアクセスする場合のセキュリティ対策で、最もセキュリティが高い組み合わせはどれか。

対策a：定期的に自分でパスワードを変更する。
対策b：一度しか使用できないワンタイムパスワードを使用する。
対策c：間違ったパスワードを3回以上入力した場合には、不正使用とみなす。
対策d：ユーザIDによって、事前に設定した電話番号にコールバックする。

ア．対策aと対策c　　イ．対策aと対策d　　ウ．対策bと対策c　　エ．対策bと対策d

◆問4-4-8　公開かぎ暗号方式において、送信者がデータの暗号化を行う際に使用するかぎはどれか。

ア．送信者の秘密かぎ　　イ．送信者の公開かぎ
ウ．受信者の秘密かぎ　　エ．受信者の公開かぎ

◆問4-4-9　ユーザ認証に使用するためのパスワードの最低文字数と使用可能文字の種類を、以下の各形式で定めた。各形式の最低文字数のパスワードをランダムに文字を選んで作成した場合、最も破られにくい（セキュリティ的に堅牢な）形式はどれか。

	最低文字数	種類
A	9文字	0～9までの数字のみ10種類
B	7文字	A～Zまでの英大文字26種類
C	5文字	0～9までの数字とA～Zまでの英大文字26種類、計36種類
D	3文字	英数字、記号等　計100種類

ア．A　　イ．B　　ウ．C　　エ．D

★☆問4-4-10 ボットネットに関する記述として、適切なものはどれか。

ア．攻撃者が、コンピュータに侵入した後で継続的な侵入を行えるようにするために、ソフトウェアツール一式をまとめたものである。
イ．一定の処理を自動的に行う不正プログラムをインターネットの複数のコンピュータに感染させ構築したネットワークである。
ウ．スパムメールの大規模送信や特定のサイトに一斉に接続を試み通信過多で機能不全に陥らせることである。
エ．パスワードに使用可能な文字や記号の組み合わせを順次試していくこと。

★☆問4-4-11 SPFに関する記述として、適切なものはどれか。

ア．自ドメインで使用されるIPアドレスを列挙したものをDNSサーバに格納しておき、受信側は送信元DNSサーバからこの情報を取得して認証する。
イ．送信されたメールに付与された電子署名のヘッダ情報から送信元ドメインのDNSサーバへ問い合わせて公開鍵を取得し、正規の送信サーバから送られたメールかを認証する。
ウ．DNSサーバに、あるドメインの偽の情報を書き込んで、一般の利用者が目的のサーバにたどり着けなかったり、別のサイトに誘導させたりする。
エ．送信元IPアドレスを偽装したパケットを送信すること。正当にアクセスできるコンピュータに成りすまして侵入するときや、攻撃元をわからないようにするために利用される。

★☆問4-4-12 ランサムウェアに関する記述として、適切なものはどれか。

ア．ソフトウェアに脆弱性が発見され、開発者による対策が施される前に、その脆弱性を悪用して行われる攻撃のこと。
イ．IDやパスワードを何らかの方法で入手し、正規の利用者になりすましてサーバに不正アクセスする攻撃のこと。
ウ．コンピュータをロックして操作不能にすることや、データを暗号化してアクセス不能にするなどして、その解除のために金銭要求を行うプログラムのこと。
エ．オフィスなどで、不要となって捨てられた紙ごみやUSBメモリ、リムーバブルディスクなどを不正に入手して、機密情報などを盗み取ること。

過去問題

★☆問4-1 次の情報セキュリティに関する記述を読み、各設問に答えよ。

インターネットなどのコンピュータネットワークを利用することにより様々なサービスを享受することができる。しかしコンピュータネットワークには悪意を持ったプログラムや攻撃など様々な脅威が存在するため、セキュリティ対策が重要である。

＜設問１＞ 次のマルウェアに関する記述中の［　　］に入れるべき適切な字句を解答群から選べ。

コンピュータシステムに不正な動作をさせることを目的に作られたソフトウェアの総称をマルウェアという。

マルウェアの一つに、コンピュータシステムの操作をロックしたり、ファイルを暗号化したりした後、この状態を解除するために必要な情報を提供する代わりに金銭を要求する［ 1 ］という攻撃がある。

一定の処理を自動的に行うプログラムに［ 2 ］があるが、悪意のあるプログラムとして働くものもあり、マルウェアの一つとされる。この不正なプログラムは感染すると利用者のパソコンに常駐し利用者に気付かれないように情報を攻撃者に送信したり、C&Cサーバから遠隔操作され、他のコンピュータへの攻撃の踏み台になったりする。［ 2 ］を利用して踏み台になった複数のコンピュータを利用し、スパムメールの大規模送信や特定のサイトに一斉に接続を試み通信過多で機能不全に陥らせる攻撃が［ 3 ］攻撃である。

【1～3の解答群】

ア．DDoS　　イ．キーロガー
ウ．ゼロデイ　　エ．総当たり
オ．ボット　　カ．ランサムウェア

1:	2:	3:

＜設問２＞ 次の不正アクセスに関する記述中の［　　］に入れるべき適切な字句を解答群から選べ。

コンピュータシステムにユーザがアクセスする場合にパスワードによる認証が多く利用されている。サイバー攻撃の一つにパスワードに使用可能な文字や記号の組合せを順次試し侵入を試みる［ 4 ］攻撃がある。

また、他のサイトで利用されているIDやパスワードを何らかの方法で入手し、同じIDやパスワードを用いてサーバに不正アクセスする［ 5 ］攻撃がある。これは同じIDやパスワードを複数のサイトで使用しているという人間の心理を突いた攻撃である。パスワードを不正に入手する方法の一つに、利用者がパスワードを入力する様子を盗み見るショルダーハッキングがある。

正規の利用者認証やセキュリティ対策などを回避して、コンピュータを遠隔操作するための入口を［ 6 ］という。一度不正アクセスに成功した際に次回以降侵入しやすくするために設ける場合が多い。

【4～6の解答群】

ア．トラッシング　　　イ．パケットフィルタリング
ウ．パスワードリスト　エ．バックドア
オ．ブルートフォース　カ．プロキシサーバ

4:	5:	6:

＜設問３＞　次のサイバー攻撃に関する記述中の［　　］に入れるべき適切な字句を解答群から選べ。

特定の組織を狙ってサイバー攻撃を仕掛けてくるのが［ 7 ］である。この攻撃ではターゲットにした組織のことをよく調べ、ターゲットの情報システムに対してさまざまな手法で長期間にわたり攻撃するため、対策が難しいとされている。

【7の解答群】

ア．総当たり攻撃　　イ．ばらまき型攻撃　　ウ．標的型攻撃

7:

（令和5年度後期　システムデザインスキル　問題5）

索引

和文索引（50音順）

【ア行】
アウトソーシングサービス……34
アクセスポイント……264
アジャイル開発……210
アースリターン方式……249
圧縮……69
アップロード……271
後入れ先出し法……151
アトリビュート……297
アドレス指定方式……96
アドレス部……92
アドレスレジスタ……92
アドレッシングモード……96
アプリケーションゲートウェイ……343
アプリケーションサーバ……235
アプリケーション層……257、258
誤り制御方式……252
アルゴリズム……152
アローダイアグラム……43
暗号……332
アンチエイリアシング……126
イーサネット……260
位相変調方式……254
1次元配列……143
イテレーション……210
イノベータ理論……27
インターネット……268、270
インターネットVPN……276
インタフェース……104
イントラネット……263
インヘリタンス……227
ウェルノーンポート……269
ウォータフォールモデル……208、212
受け入れテスト……230
運用テスト……230
エクストリームプログラミング……211
エコーキャンセラ……249
枝……146
エラトステネスのふるい……169
エンキュー……151
演算装置……90
エンティティ……291、296
応答時間……238
応用層……257
応用ソフトウェア……116
オブジェクト……226
オブジェクト指向……226、228
オペレーティングシステム……116
親と子……147
オンラインショッピング……271

【カ行】
階層型データベース……292
階層構造型ファイルシステム……124
階層分割……217
概念データモデル……290
外部……216
外部環境……27
外部結合……223
外部設計……213
カウンタ……81、155、157
可逆圧縮……69
拡張記憶装置……99
仮数……64
仮想アドレス……123
仮想記憶……116、122
仮想デスクトップ……35
稼働率……240
カプセル化……226
可用性……240、330
カレントディレクトリ……125
関係演算……294
監査モジュール法……45
環状リスト……145
完全外部結合……308
ガントチャート……43
管理的セキュリティ……331
関連……229
記憶装置……90
機械学習……136
木構造……146
技術的セキュリティ……331
基数……64
基数変換……60
機能的強度……222
機能分野……215
キーボード……109
基本設計……213
基本データ型……84
基本プロセス……217
機密性……240、330
逆ポーランド記法……149
キャッシュ機能……275
キャッシュメモリ……99、101
キャラクタ同期方式……250
キャリア検知……261

キュー・・・151
行・・・292
脅威・・・331
強化学習・・・137
教師あり学習・・・137
教師なし学習・・・137
競争戦略・・・26
兄弟・・・147
共通かぎ・・・332
業務機能・・・215
業務／システム分析・・・212
業務プロセス・・・214
クライアント・・・234
クライアントサーバシステム・・・234
クラス・・・226
クラス図・・・229
クラスタ・・・125
クラスタシステム・・・236
クリティカルパス・・・44
グリッドコンピューティング・・・236
クリッピング・・・126
グリーン調達・・・21
グリーンIT・・・21
グループウェア・・・235
グループ集計処理・・・166
グループ表・・・307
クロスサイトスクリプティング・・・339
クロスサイトリクエストフォージェリ・・339
クロック・・・91
クロック周波数・・・95
グローバルアドレス・・・266
グローバルIPアドレス・・・277
経営資源・・・23
経営戦略・・・26
継承・・・227
桁上がり・・・63、83
桁落ち・・・65
結合・・・308
結合演算・・・295
結合テスト・・・230
ゲーム理論・・・26
原因－結果グラフ・・・232
限界値分析・・・232
検証・・・212
現状物理DFD・・・218
現状論理DFD・・・218
コアコンピタンス・・・29
公開かぎ・・・333
公開かぎ基盤・・・337
交換法・・・164
降順・・・162
更新後データ・・・319
更新前データ・・・319
高信頼化技法・・・102
構造化チャート・・・225
構造データ型・・・84
後置記法・・・149
誤差・・・65
個人情報保護法・・・349
固定小数点数・・・64
コーディング・・・213
コネクション型通信・・・259
コネクションレス型通信・・・259
コーポレートガバナンス・・・21
コミット・・・317、321
コールドスタンバイシステム・・・236
コールバック方式・・・336
コンカレントエンジニアリング・・・29
コンテキスト・ダイアグラム・・・217
コントロールブレイク・・・166
コンピュータウィルス・・・338、346
コンピュータウィルス対策基準・・・346
コンプライアンス・・・20

【サ行】

再帰・・・170
再帰呼出し・・・170
サイクル時間・・・100
最小値（MIN）・・・159
最早結合点時刻・・・43
最大値（MAX）・・・158
最遅結合点時刻・・・43
最適化・・・299
先入れ先出し法・・・151
差集合演算・・・294
サーバ・・・234
サブクラス・・・227
サブネットマスク・・・267
差分バックアップ・・・318
サンドイッチテスト・・・231
サンドボックス・・・339
シェーディング・・・126
識別子・・・296
磁器ディスク装置・・・106
事業部制組織・・・22
試作品・・・208
指数・・・64
システムインテグレーションサービス
（SIサービス）・・・33
システム化計画・・・36
システム監査・・・45
システムテスト・・・230
下請法・・・24
実アドレス・・・123
実記憶・・・122
実数型・・・85
自動運転・・・137
シフトレジスタ・・・81
シフトJISコード・・・67
時分割方向制御・・・249
射影・・・304
射影演算・・・294

ジャクソン法 224
集計関数 306
集計処理 156、166
集合演算 294
集中型データベース 312
集中処理 234
周波数変調方式 254
16進数 61
主キー 296、303
主記憶装置 91、92
10進数 60、63
出力装置 90、107
順次アクセス 124
順次構造 153
順次探索法 160
順序回路 81
純粋戦略 26
昇順 162
冗長性 218、298
商品マスタファイル 167
情報落ち 65
情報提供依頼書 37
情報システム安全対策基準 346
情報システム戦略 32
情報セキュリティ 330
情報的強度 223
初期値 156
職能別組織 21
ジョブ 120
処理能力 239
シリアルインタフェース 105
シリアル伝送 248
シリアルATA 105
人工知能 136
人的脅威 331
振幅変調方式 254
新物理DFD 218
信頼度成長曲線 233
真理値表 82
新論理DFD 218
垂直パリティチェック 252
スイッチングハブ 262
水平垂直パリティチェック 253
水平パリティチェック 252
スクラム開発 210
スケジューリング 121
スタック 151
スタティックRAM 98
スタートストップ同期方式 251
スタートビット 251
スタンプ結合 223
スチュワード 41
ステークホルダ 20、40
ストップビット 251
ストライピング 102
スパイラルモデル 209
スーパークラス 227
スプリント 210
スプリント・バックログ 211
スラッシング 122
スループット 116、238
スレッド 120
正規化 64、298
制御結合 223
制御装置 90
制御プログラム 117
整数 62
整数型 85
生成AI 137
成長戦略 26
整列 162
積集合演算 294
セキュリティ 265、330、348
セキュリティプロトコル 344
セキュリティポリシー 350
セキュリティホール 339
セクタ 125
セグメント 259
セッション層 257、258
絶対参照 169
絶対パス 125
折衷テスト 231
セル生産方式 30
ゼロデイ攻撃 339
全加算器 83
善管注意義務 24
線形探索法 160
選択 305
選択演算 295
選択法 162
全二重通信 249
層 256
増加テスト 231
総合テスト 230
相対参照 169
相対パス 125
双方向リスト 145
添字 142
属性 297
ソート 162
ソートアルゴリズム 162、164
ソフトウェア開発 208
ソフトウェアライフサイクル 36
ソリューションビジネス 33
ゾーン10進数表現 63

【タ行】

帯域分割 249
第1正規化 299、300
第1正規形 300
第3正規化 299、301
第3正規形 301

ダイナミックRAM ……………………98
第2正規化 ……………………299、300
第2正規形 ……………………301
ダイバーシティマネジメント ………23
ダウンロード ……………………271
高さ ……………………147
多次元配列 ……………………143
タスク ……………………120
多分木 ……………………147
ターンアラウンドタイム ……………116
探索 ……………………160
探索アルゴリズム ……………………160
単体テスト ……………………230
単方向リスト ……………………144
チェックポイント ……………………320
チャット ……………………271
チャレンジレスポンス認証 …………337
中央処理装置 ……………………92
注視点 ……………………145
調達 ……………………37
調達計画 ……………………37
調歩同期方式 ……………………251
直積集合演算 ……………………294
直接アクセス ……………………124
直列構成 ……………………241
直列伝送 ……………………248
著作権 ……………………347
著作者人格権 ……………………347
直交振幅変調方式 ……………………255
通信速度 ……………………255
ツリー構造 ……………………146
提案依頼書 ……………………37
ディジタル証明書 ……………………337
ディジタル署名 ……………………334
定常業務 ……………………40
ディスクアクセス時間 ………………238
ディスクロージャ— …………………21
ディファクトスタンダード …………258
ディスプレイ ……………………107
デイリースクラム ……………………211
テイル ……………………145
ディレクトリ ……………………125
ディレクトリトラバーサル …………339
デキュー ……………………151
テザリング ……………………268
手順的強度 ……………………222
テスト ……………………213、230
テスト駆動開発 ……………………211
データ型 ……………………84
データグラム ……………………259
データ結合 ……………………223
データ層 ……………………273
データストア ……………………216
データテーブル ……………………310
データ伝送時間 ……………………239
データ転送速度 ……………………102
データフロー ……………………216
データフローダイアグラム …………223、224
データモデル ……………………290
データリンク層 ……………………256、258
撤退戦略 ……………………26
デッドロック ……………………315
デフォルトゲートウェイ ……………267
デュアルシステム ……………………235
デュプレックスシステム ……………235
電子署名法 ……………………348
電子メール ……………………270
伝送方式 ……………………248
統一モデリング言語 …………………228
同期方式 ……………………250
同値分割 ……………………232
独自性 ……………………40
トークンパッシング …………………261
特化 ……………………227
トップダウンテスト …………………231
ドメイン名 ……………………270、272
ド・モルガンの法則 …………………81
ドライブバイダウンロード …………341
トランザクション ……………………316、320
トランザクションファイル …………167
トランザクション分割 ………………221
トランザクションログ ………………318
トランスポート層 ……………………257、258
トロイの木馬 ……………………338
トンネリング ……………………276

【ナ行】

内部環境 ……………………27
内部結合 ……………………308
内部設計 ……………………213
内部統制 ……………………45
内部ネットワーク ……………………342
名前解決 ……………………275
なりすまし ……………………332、340
2次元配列 ……………………143
2進数 ……………………60
2線式 ……………………249
2相コミットメント制御 ……………317
二段階認証 ……………………340
ニッチ戦略 ……………………30
2分木 ……………………147、148
二分探索法 ……………………161
入出力制御方式 ……………………104
入力装置 ……………………90、107
ニュースグループ ……………………271
認証 ……………………336
認証局 ……………………337
根 ……………………147
ネットニュース ……………………271
ネットワークアドレス ………………266
ネットワーク型データベース ………292
ネットワーク層 ……………………257、258

値渡し ……………………………223
ノード（節）…………………………43、146

【ハ行】

葉……………………………………147
バイアス127 …………………………65
排他制御 ……………………………314、316
排他的論理和（XOR）………………80、82
バイト ………………………………60
バイナリデータ ……………………250
ハイパーテキスト …………………271
パイプライン ………………………94
ハイブリッドクラウド ……………35
バイポーラメモリ …………………99
配列 …………………………………142
ハウジングサービス ………………34
パケットフィルタリング …………343
パスワード …………………………336
バックアップ ………………………324
パック10進数表現 …………………63
ハッシュ関数 ………………………334
ハッシュ値 …………………………334
8進数 …………………………………61
ハードディスク装置 ………………106
幅優先探索 …………………………149
パフォーマンス・ドメイン ………41
パブリッククラウド ………………35
バブルソート ………………………164
パラレルインタフェース …………105
パラレル伝送 ………………………248
バランス木 …………………………147
バランススコアカード ……………28
パリティ ……………………………103、252
パリティチェック方式 ……………252
バリューチェーン分析 ……………28
パルス信号 …………………………91
汎化 …………………………………227、229
半加算器 ……………………………83
バンク ………………………………100
半二重通信 …………………………249
非可逆圧縮 …………………………69
比較演算子 …………………………305
ビジネスプロセス …………………32
非正規化 ……………………………298
左外部結合 …………………………308
ビット ………………………………60
ヒット率 ……………………………101
否定（NOT）…………………………80、82
ヒープ構造 …………………………150
秘密かぎ ……………………………333
表 ……………………………………292
標的型攻撃 …………………………341
標本化 ………………………………68
ファイアウォール …………………342
ファイルサーバ ……………………235
ファイルシステム …………………116、118、124
ファジー理論 ………………………137
ファンクション層 …………………281
ファンクションポイント法 ………42
フェールセーフ ……………………240
フェールソフト ……………………240
深さ …………………………………147
深さ優先探索 ………………………149
復号 …………………………………332
複合キー ……………………………296、300
複合条件網羅率 ……………………233
復調 …………………………………254
副問合せ ……………………………309
符号化 ………………………………68、278
節 ……………………………………146
負数 …………………………………62
不正アクセス ………………………348
不正アクセス禁止法 ………………348
プッシュ ……………………………151
物理層 ………………………………256、258
物理的セキュリティ ………………331
物理データモデル …………………290
物理DFD ……………………………218
浮動小数点数 ………………………64
部分木 ………………………………147、148
プライバシーマーク（Pマーク）……346、349
プライベートアドレス ……………266、274
プライベートクラウド ……………35
プライベートIPアドレス …………277
ブラウザ ……………………………270
フラグシーケンス …………………250
フラグ同期方式 ……………………250
フラグメンテーション ……………125
ブラックボックステスト …………232
フリーソフト ………………………119
ブリッジ ……………………………262
フリップフロップ …………………81
プリンタ ……………………………107
プリントサーバ ……………………235
ブルートフォース攻撃 ……………339
フルバックアップ …………………318
プレゼンテーション層 ……………257、258、273
ブレンディング ……………………126
フレーム同期方式 …………………250
プロキシサーバ ……………………273
プログラム …………………………152
プログラム設計 ……………………224
プロジェクトスポンサ ……………40
プロジェクト組織 …………………22
プロジェクトマネジメント ………40
プロジェクト・マネジメント・プリンシプル ……41
プロジェクトマネジャー …………40
プロジェクトメンバ ………………40
プロセッサ …………………………93
プロダクト・バックログ …………210
フローチャート ……………………152

ブロック……106
ブロック化係数……106
プロトコル……256
プロトタイピング……213
プロトタイプモデル……208
プロバイダ……270
プロパティ……226
分岐網羅率……233
分散型データベース……313
分散処理……234
ペアプログラミング……211
並列構成……241
並列伝送……248
ペイロード……280
ページテーブル……125
ページング方式……122
ヘッダ情報……280
ヘッド……144
ベルヌ条約……347
ベン図……80
ベンダ企業……37
変調……254
変調速度……255
ポインタ……144
ポインタ型……85
ポインティングデバイス……107
保守・運用……213
補助記憶装置……91、102、106
補数……62
ホスティングサービス……34
ホストアドレス……266
保全性……240、330
ボトムアップテスト……231
ボット……338
ホットスタンバイシステム……236
ポップ……151
ホームページ……271
ポリゴン……126
ポリモルフィズム……227
ホワイトボックステスト……232

【マ行】

マイクロプログラム……96
マイルストーンチャート……43
マクシマックス原理……26
マクシミン原理……26
マシンサイクル……91
マスクROM……98
待ち行列……151
マッチング処理……167
マルウェア……338
丸め誤差……65
右外部結合……308
ミラーリング……103
無線LAN……264
無方式主義……347
命題……80
命令アドレスレジスタ……92
命令デコーダ……92
命令部……92
命令網羅率……233
命令レジスタ……92
メソッド……226
メモリ……98
メモリアクセス……100
メモリインターリーブ……94、100
メモリ領域……320
メーリングリスト……271
メールアドレス……270
文字型……85
文字定数……305
モジュール……220、222
モジュール分割……220
モジュール集積テスト……230
モーフィング……126

【ヤ行】

有効アドレス……96
有機ELD……107
有期性……40
優先度順スケジューリング……121
ユークリッドの互除法……169
ユーザ認証……336
ユースケース図……228
揺らぎ……279
要求定義……212、215
要求分析……208
要件定義……36
4線式……249

【ラ行】

ライトスルー方式……101
ライトバック方式……101
ライン生産方式……30
ラウンドロビンスケジューリング……121
ランサムウェア……338
リカバリ……319
リスクアセスメント……45
リスト……144
リスト攻撃……340
リピータ……262
リピータハブ……262
リファクタリング……211
リモートログイン……271
量子化……68
リレーション……291
リレーショナルデータベース……292
ルータ……263
ルーティング……259
ルートディレクトリ……125
ルートDNSサーバ……275
ループ構造……154

レイア……256
レコード型……85
レジスタ……92
レスポンスタイム……238
列……292
レビュー……212
レプリケーション……227
レベル……147
レンダリング……126
ロック……314
ロールバック……317、319、321
ロールフォワード……319
労働派遣法……24
ロット生産方式……30
論理回路……82
論理型……85
論理積（AND）……80、82
論理データモデル……290、293
論理和（OR）……80、82
論理DFD……218

【ワ行】

ワーニエ法……225
ワーム……338
和集合演算……294
割り込み……97

欧文索引（アルファベット順）

【A】

ACID特性……317
ADPCM……68
AES暗号……332、333
AI……136
AM方式……254
ANKコード……67
ANSI……352
AR……126
ASCIIコード……66、85
ASP……34
ATA……105
AVG……306

【B】

BCC……253
BCD……63
BCP……23
Blu-rayディスク装置……107
Bluetooth……105
BPM……32
BPR……32
BS7799……351
BSC……28
bus……105

【C】

C&Cサーバ……338、340
C言語……118
CA……337
CD-ROM装置……106
CELP……278
CEO……22
CFO……22
CG……126
CHAP……337
CIO……22
CIDR……267
CISC……96
CISO……22
COO……22
COUNT……306
CPU……90、92、96、238
CRC……253
CRL……337
CREATE文……303
CSMA／CD……261
CSR……21

【D】

DAT……123
DBMS……292
DDoS攻撃……340
DELETE文……311
DFD……215、216、218
DHCP……274
DMA方式……104
DMZ……342
DNS……275
DNSキャッシュポイズニング……339
DO-WHILE型……154
DRAM……98
DVD……107

【E】

Eメール……270
EBCDIC……67
EPROM……98
ERD……291
ERP……33
ESSID……265
EUC-JP……67
EV……44
EVM……44

【F】

FAT ……124
FIFO ……123、151
FM方式 ……254
FOR型 ……155
FROM句 ……304
FROPS ……93
FSK方式 ……254
FTP ……271
FTTH ……268

【G】

GIF ……70
GIPS ……93
GROUP BY句 ……306
GUI ……119

【H】

Hadoop ……271
HAVING句 ……307
HDTV ……69
HIPO ……225
HTML ……272
HTTPS ……272

【I】

IaaS ……34
IBG ……106
IEEE ……65、105
IEEE802.11 ……264
IETF ……277
IF-THEN-ELSE構造 ……153
IN述語 ……309
INSERT文 ……310
IoT ……271
IPアドレス ……266、274
IPカプセル化 ……276
IP電話 ……278
IPパケット ……279
IPマスカレード ……269、277
IPsec ……277
IPv6 ……267
IP-VPN ……276
IrDA ……105
ISMS適合性評価制度 ……351
ISO ……67、256、352
ISO9000シリーズ ……352
ISO27001 ……351
ISP ……268
ITIL ……33
ITU-T ……254
ITガバナンス ……21
ITサービスマネジメント ……33

【J】

JIS ……67、352
JIT生産方式 ……30
JPEG ……69

【L】

LAN ……260
LANのトポロジー ……260
LIFO ……151
LIKE述語 ……309
Linux ……119
LPWA ……271
LRC ……252
LRU ……123

【M】

M&A ……29
MACアドレス ……262
MACアドレスフィルタリング ……265
MAX ……158、306
MBO ……29
MD5 ……334
MIDI ……70
MIL記号 ……82
MIMD ……94
MIN ……159、306
MIPS ……93
MISD ……94
MOSメモリ ……99
MP3 ……70
MPEG ……69
MROM ……98
MSP ……34
MTBF ……240
MTTR ……241

【N】

n進木 ……147
NAND回路 ……83
NAPT ……269
NAT ……269、277
NFC ……105
NFP ……101
NOR回路 ……83
NOT IN述語 ……309
NTFS ……124

【O】

OCSP ……337
OECD ……347、349
OECD8原則 ……349
ORDER BY句 ……307
OS ……116
OSI基本参照モデル ……256、262

【P】

PaaS ……34
PCM ……68、278

PDCAサイクル……23、351
PERT……43
pingコマンド……261
PL法……24
PM方式……254
PMBOK……41
PMO……40
PPM……27
PROM……98
PSK方式……254

【Q】
QAM……255
QOS制御……279

【R】
RAID……102
RAM……98
RAS……117
RASIS……117、240
REPEAT-UNTIL型……155
RFI……37
RFP……37
RISC……96
ROA……29
ROE……29
ROI……29
ROM……98
RPA……137
RSA暗号……333
RS-232C……105、256
RTPパケット……279

【S】
SaaS……34
SELECT文……304、306
SDメモリカード……107
SDGs……21
SDN……276
SIMD……94
SISD……94
SLC……36
SLCP-JCF……353
S/MINE……344
SOA……35
SQL……302
SQL-DDL……302
SQL-DML……302
SQLインジェクション……339
SRAM……98
SSL……345
STS分割……220
SUM……306
SVC……97
SWOT分析……27
SYN……250

【T】
TCP/IP……258
telnet……271
TLS……345
TOR……280
TOSフィールド……279

【U】
UDPパケット……279
UML……228
UNICODE……67
UNIX……118
UPDATE文……310
URL……272
USB……105
USBメモリ……107
UV-EPROM……98

【V】
VoIP……278
VPN……276
VR……126
VRAM……98
VRC……252

【W】
Web……272
Webアプリケーション……273
WEP……265
WHERE句……305
Wi-Fi……264
Windows……119
WPA……265
WWW……270、272

【X】
XML……353
XP……211

【Z】
ZIP……70

●改訂３版 執筆協力●
渋谷 正行（しぶや まさゆき）
J 検試験委員・情報教育研究所 所長

田村 実（たむら みのる）
株式会社アイテック 常務取締役

髙橋 俊史（たかはし としふみ）
東北福祉大学 情報福祉マネジメント学科 講師

伊藤 和子（いとう かずこ）
東北福祉大学・東北工業大学 非常勤講師

内池 雄（うちいけ ゆう）
専門学校中央情報大学校 教務部 部長 兼 情報教育課 課長

三浦 弘治（みうら こうじ）
情報教育研究所

佐藤 一（さとう はじめ）
情報教育研究所

松村 一矢（まつむら かずや）
専門学校デジタルアーツ仙台主任 兼 法人IR室 博士（ソフトウェア情報学）

改訂3版 J検情報システム完全対策公式テキスト

2024年12月30日　初版第1刷発行

監　修――一般財団法人職業教育・キャリア教育財団
発行者――張 士洛
発行所――日本能率協会マネジメントセンター

〒103-6009　東京都中央区日本橋2-7-1　東京日本橋タワー
TEL 03(6362)4339(編集)／03(6362)4558(販売)
FAX 03(3272)8127(編集・販売)
https://www.jmam.co.jp/

装　丁―――後藤紀彦（sevengram）
本文DTP――株式会社森の印刷屋
印刷所―――シナノ書籍印刷株式会社
製本所―――株式会社三森製本所

ISBN978-4-8005-9278-1　C3034
落丁・乱丁はおとりかえします。
PRINTED IN JAPAN

情報検定（J検）の公式テキスト

一般財団法人職業教育・キャリア教育財団　監修

試験に対応した唯一の公式テキストであり、試験対策用教材です。講義はテーマごとに原則2ページ見開きで、各部には過去問題も掲載し、知識定着と問題演習が同時にできるようになっています。

J検
情報活用１級・２級
完全対策公式テキスト
B5判
328頁（別冊48頁）

J検
情報活用３級
完全対策公式テキスト
B5判
188頁（別冊36頁）

J検
情報システム
完全対策公式テキスト
B5判
372頁（別冊44頁）

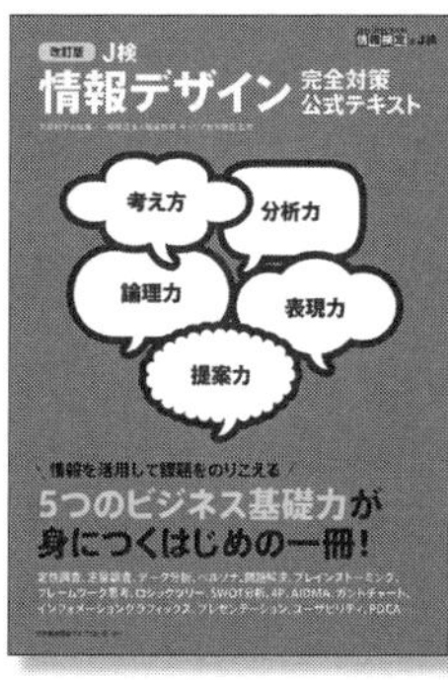

J検
情報デザイン
完全対策公式テキスト
A5判
カラー４頁＋224頁
（別冊20頁）

※書誌情報・表紙イメージは本書初版当時のものです。

ー情報検定（J検）とはー

テクノロジーの進化が止まない現代情報社会において、「情報」を扱う人材に必要とされるICT能力を、客観的基準で評価する検定試験として誕生しました。前身である情報処理能力認定試験を実施して以来、受験して合格された多くの方々が社会で活躍されています。

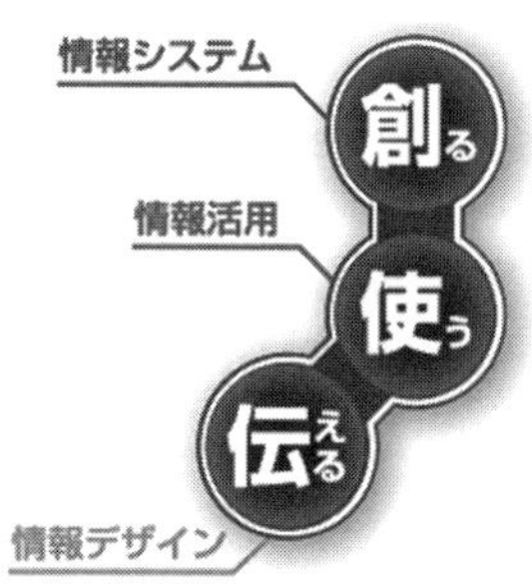

より深い見識と洞察をもって「創り」、より広く「使う」。そして、より正確にわかりやすく「伝える」。情報にまつわるそれぞれの能力を、真っ直ぐに伸ばし、到達度を測る道しるべ（マイルストン）として、J検が「創・使・伝」を組み合わせた総合的実践力の向上をお手伝いします。

改訂３版

Ｊ検情報システム　完全対策公式テキスト

確認問題・過去問題等の解答と解説

確認問題

●第１章　企業活動

◆問1-1-1　イ

PDCAサイクルの説明である。PDCAサイクルは、

・目標を定め、目標を達成するための実行計画を立てる → Plan（計画）

・実行計画を実施する → Do（実行）

・実行した結果を分析・評価する → Check（評価）

・問題点・改善点がある場合は、改善策を講じる → Action（改善）

を繰り返し行うことで、企業活動を継続的に改善する。

◆問1-1-2　ウ

コンプライアンス（法令順守）は、法律や条例、社会的規範などの幅広い規則を守ることである。

ア：企業は組織の決定や活動が社会や環境に及ぼす影響に責任を持つことである。

イ：競合他社にまねできない企業独自のノウハウや技術などの核となる能力のことである。

エ：企業が自ら業務の適正さを確保するための体制を構築していくことである。

◆問1-1-3　エ

CSR（Corporate Social Responsibility）は、「企業の社会的責任」である。自社の利益のみを追求するのではなく、社会や環境に対し、社会的責任を果たすことが企業価値の向上につながるという考えである。

ア：グリーン調達の説明。

イ：コンプライアンスの説明。

ウ：内部統制の説明。

◆問1-1-4　ア

グリーンITは、省電力化や地球環境への負荷を低減できる取り組みをIT機器やITシステムで行うことである。機器やシステムだけでなく、取り組みも含まれることに注意する。よって選択肢アは適切でない。

●第２章　経営戦略

◆問1-2-1　1：イ　　2：ア　　3：ウ

マクシミン原理を用いた場合、それぞれの投資について、最悪の場合の利益のうち最大となるものを選ぶ。問題のケースでは、

①　積極的投資の最悪の利益は、景気動向が悪化した場合の－18

② 継続的投資の最悪の利益は、景気動向が横ばいになった場合の10
③ 消極的投資の最悪の利益は、景気動向が横ばいになった場合の6
となるため、利益が最大となる継続的投資が選択される。

マクシマックス原理を用いた場合、それぞれの投資について、最もうまくいった場合の利益のうち最大となるものを選ぶ。問題のケースでは、
① 積極的投資の最良の利益は、景気動向が好転した場合の45
② 継続的投資の最良の利益は、景気動向が好転した場合の20
③ 消極的投資の最良の利益は、景気動向が悪化した場合の30
となるため、利益が最大となる積極的投資が選択される。

純粋戦略を用いた場合、各状況の発生確率を同一と考えて期待利益を算出する。例えば、問題の積極的投資の場合は、各景気動向の発生確率（好転、横ばい、悪化）を1/3と考え、以下のように期待利益を算出する。
① 積極的投資の期待利益＝45×1/3＋12×1/3＋（－18）×1/3 ＝ 13
同様にそれぞれの投資について、期待利益を算出すると。
② 継続的投資の期待利益＝20×1/3+10×1/3+15×1/3 ＝ 15
③ 消極的投資の期待利益＝12×1/3+6×1/3+30×1/3 ＝ 16
となるため、これらの中で最大の利益となる消極的投資が選択される。

●第３章　システム戦略

◆問1-3-1　1：エ　2：ク　3：ア　4：オ

1．ASPの説明である。なお、ASP、SaaSの大きな違いは、ASPはシングルテナント方式であるが、SaaSはマルチテナント方式であることに注意。
2．MSPの説明である。MSPは、顧客企業が所有しているハードウェア機器の運用管理を、インターネットを介して行うことが特徴である。
3．システムインテグレーションサービスの説明である。
4．ハウジングサービスの説明である。顧客企業が用意したハードウェア機器をサービス事業者が預かり運用するのが、ハウジングサービスである。サービス事業者が用意したハードウェア機器を顧客企業に貸し出すのが、ホスティングサービスである。

◆問1-3-2　ウ

ソフトウェア開発における一連のプロセスのことをソフトウェアライフサイクルプロセスという。ソフトウェアライフサイクルでは、
企画プロセス→要件定義プロセス→開発プロセス→運用プロセス→保守プロセス
の順序でプロセスが実行される。
ただし、保守プロセスにおいてソフトウェア自体や運用方法に変更があるときは、他の4プロセスに戻って、プロセスが実行される。

●第4章　プロジェクトマネジメント

◆問1-4-1　イ、オ

プロジェクトは、「ある期間の中（有期性）で、独自の製品やサービスを作り出す（独自性）ために実施される業務」と定義される。

◆問1-4-2　エ

最遅結合点時刻とは、プロジェクトを予定通り完了させるために、遅くともこの時刻までには作業を完了させなければいけないという時刻である。各作業の最遅結合点時刻を求める手順は、まず、以下のように各作業の最早結合点時刻を求める。

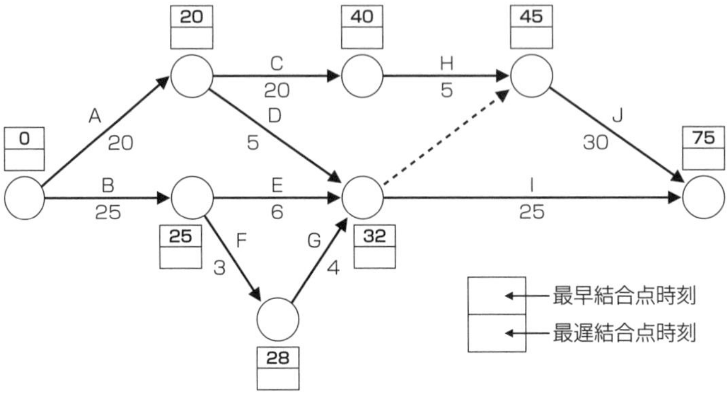

その後、最後のノードから順に各作業時間を減算して、最遅結合点時刻を求める。

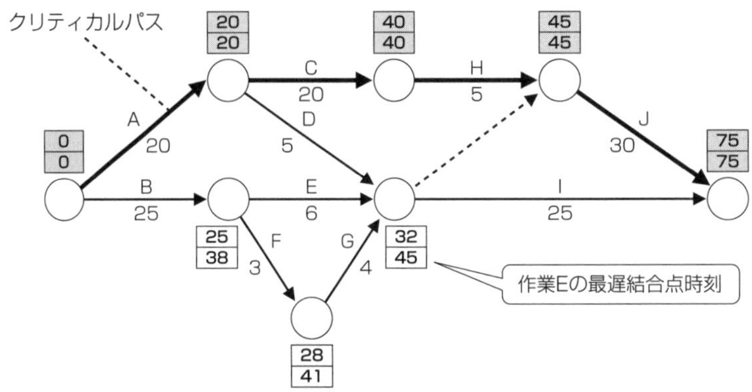

すべての作業を終えるのに75日かかり、最後のノードから作業J（30日）を減算すると、作業Eの最遅結合点時刻が求められる（75－30＝45）。

結果、作業Eの最遅結合点時刻は45となる。

なお、最早結合点時刻と最遅結合点時刻が等しい結合点を結んだ経路（上図、太矢印部）がクリティカルパスになる。

◆問1-4-3　エ

残りの工数は88人月－48人月＝40人月である。残りの工数40人月を2ヶ月で完了させるためには1ヶ月あたり40人月÷2ヶ月＝20人の作業員が必要となる。次に、作業員の能力を導く。12人が5ヶ月で作業に取り組むと本来であれば12人×5ヶ月＝60人月の作業量となる。しかし、今回は48人月しか作業が完了していないため、作業員1人あたりの作業効率は48人月÷60人月＝0.8となる。20人分の作業を作業効率0.8の作業員が行うため、必要となる人数は20人÷0.8＝25人となる。よって、追加要員は必要な人数から現在作業をしている作業員の人数を引き、25人－12人＝13人となる。

過去問題

★☆問1-1（令和5年度後期　基本スキル　問題1）

【解答】

1：ア　2：ウ　3：エ　4：イ　5：ウ　6：オ　7：カ

【解説】

ソフトウェア開発では、企業全体もしくは複数の部門にまたがる大規模なものや長期間になることも多い。そのため計画的に効率よく開発を進めていかなければならない。代表的なモデルを確認しておくとよい。

＜設問１＞

1：決められた手順に従って開発が進められ、従来から広く利用されているモデルはウォータフォールモデル（ア）である。ユーザの要求がきちんと実現されているか確認ができるのが終盤のテスト段階になるため、希望に添わないものが開発されるという危険性もある。

2：試作品を作成し、ユーザの意見を取り入れて開発するモデルはプロトタイプモデル（ウ）である。

＜設問２＞

3：プロダクトに必要な機能などに優先順位をつけてリスト化したものはプロダクトバックログ（エ）である。

4：プロダクトバックログの中から、対象スプリント期間中に達成すべきバックログを抜き出し完成させる。この抜き出したリストをスプリントバックログ（イ）と呼ぶ。

5：XPのプラクティスの一つで、テスト設計を先に行い、そのテストをパスするようにプログラミングを行っていくテスト駆動開発（ウ）である。

6：XPのプラクティスの一つで、二人一組でチームを組みプログラミングとレビューを相互に行うのはペアプログラミング（オ）である。

7：XPのプラクティスの一つで、外部から見た振る舞いを変更せずに、プログラム内部の構造を整えるためにプログラムを書き直すリファクタリング（カ）である。

★☆問1-2（令和5年度後期　システムデザインスキル　問題1）

【解答】

1：オ　2：エ　3：カ　4：エ　5：オ　6：カ　7：ア　8：イ

【解説】

＜設問１＞

設問１は損益計算書に関する問題であり、どの段階でどのような収益と費用があったかを把握できるようになっていることが求められる。設問２は損益分岐点売上高に関する問題であり、計算式に基づいて特性を理解している必要がある。

1：売上総利益は「売上高－売上原価」で求められ、1000－700＝300となる。

2：営業利益は「売上総利益－（販売費および一般管理費）」で求められ、300－100＝200となる。販売費および一般管理費とは、給与、賞与、福利厚生費、広告宣伝費、賃貸料、通信費など販売や管理に関する費用全般となる。

3：経常利益は「営業利益＋営業外収益－営業外費用」で求められ、200＋240－130＝310となる。営業外収益とは、受取利息や配当金など売上高に含まれない副次的な収益である。営業外費用とは、支払利息や社債利息など本業とは無関係な支出である。

＜設問２＞

4：変動比率は問題文に記述されている通り「売上高に対する変動費の割合」であるため、変動費÷売上高となる。

5：損益分岐点売上高を求める式に値を当てはめて計算する。500÷（1－400÷2000）＝500÷（1－0.2）＝500÷0.8＝625となる。

6：目標利益を得るための売上高を求める式に値を当てはめて計算する。ここで、固定費、変動費、売上高は5を解答した数値を利用する。（300＋500）÷（1－400÷2000）＝800÷（1－0.2）＝800÷0.8＝1000となる。

7：損益分岐点売上高＝固定費÷限界利益率で求められるため、損益分岐点売上高を下げるためには限界利益率を上げることで実現できる。例えば固定費が500で限界利益率が0.1と0.5の場合、損益分岐点売上高は500÷0.1＝5000、500÷0.5＝1000となり、限界利益率を上げることで損益分岐点売上高を下げることができる。

8：損益分岐点売上高＝固定費÷限界利益率で求められるため、損益分岐点売上高を下げるためには固定費を減らすことで実現できる。例えば固定費が100と500で限界利益率が0.5の場合、損益分岐点売上高は100÷0.5＝200、500÷0.5＝1000となり、固定費を減らすことで損益分岐点売上高を下げることができる。

★☆問1-3（令和4年度後期　システムデザインスキル　問題1）

【解答】

1：ア　2：エ　3：イ　4：オ　5：イ　6：キ　7：カ　8：ア　9：ウ

【解説】

設問１は組織形態に関する問題であり、事業戦略によって組織形態は異なるため、特徴を理解している必要がある。設問２と３は近年特に重要視されている企業活動に関する問題であり、社会的な責任やルールに則った活動をしているかなど、社会に対する貢献を理解している必要がある。

＜設問１＞

１：問題文の「担当地域ごとに独立採算制をとる」や「組織ごとに意思決定の権限が与えられる」というところから、事業部制組織であることがわかる。事業部制組織では各事業部に決裁権が与えられているため、各事業部で自己完結できる特徴がある。

２：問題文の「期間を限定してメンバーを集め活動」、「活動を終了し、元の部署に帰属する」や「メンバーは専門性が高い」という内容から、プロジェクト組織であることがわかる。共通の目的を持って召集されるため、チームの一体感を高め、状況の変化に柔軟に対応できる特徴がある。

３：問題文の「企業規模が中小の企業に多く用いられ」や「経理部などそれぞれの業務内容によって組織を編成」というところから、職能別組織であることがわかる。職能別に業務分担することで専門性を高め、生産性の向上を図れる特徴がある。

＜設問２＞

４：利害関係を持つ人たちのことをステークホルダという。

５：企業の経営活動が正しく行われているかを監視し、その活動の健全性を確保、維持するための仕組みをコーポレートガバナンスという。CSRや情報公開、コンプライアンスなどの様々な活動がある。

６：企業は社会の一員として、自主的に社会に貢献する責任があるという考えをCSR（企業の社会的責任）という。

CSR：Corporate Social Responsibility

７：企業が投資家や株主、債権者に対して経営内容や財務状況などを公開することをディスクロージャーという。投資家などの保護を目的とし、情報の透明性を高めることで市場の信頼性を向上させる。

８：法令遵守のことをコンプライアンスという。企業は役員や社員が法律や規則などを遵守し、違反行為があれば速やかに是正できるマネジメントシステムの確立が求められている。

＜設問３＞

９：持続可能な開発のためのアジェンダで17の目標があるのはSDGsである。地球上の誰一人として取り残さないことを理念としており、人類、地球などの繁栄のために設定された行動計画である。

SDGs：Sustainable Development Goals

★☆問1-4（令和4年度前期　システムデザインスキル　問題1）

【解答】

1：エ　2：ア　3：オ　4：イ　5：エ　6：イ　7：ウ　8：エ　9：オ

【解説】

経営戦略および経営分析に関する用語の問題である。

＜設問１＞

1：企業の経営活動において、他社に真似できない中核となる強みをコアコンピタンスといい、これを生かした経営のことをコアコンピタンス経営と呼ぶ。

2：新規事業を短期間で実現できる手法として、アライアンス（業務提携や同盟）以外の方法を選択肢から選べばよい。この場合M&A（合併と吸収）になる。なお、間違えやすい選択肢として MBO（経営陣による自社株の買収）があるが、新規事業を短期間で実現できるものとは関係がないので間違いとなる。

3：複数プロセスを同時進行で進め開発期間の短縮やコストの削減を行う手法をコンカレントエンジニアリングという。また、人件費の削減等のために自社の業務を海外に委託することを、オフショアアウトソーシング（オフショアリング）と呼び、国内海外問わず、自社の業務を他社に委託することをアウトソーシングと呼ぶ。ファブレスとは自社の生産設備を持たずに他社に生産を委託するビジネスモデルのことである。

4：様々な方法で生産コストを下げることにより販売の低価格化を実現し、市場占有率や収益率を高める手法をコストリーダーシップ戦略という。

5：市場の隙間をニッチと呼び、需要が満たされていないニッチな市場を狙って事業展開をすることをニッチ戦略という。なお、その他の選択肢は以下の通り。

差別化：コストリーダーシップとは逆に、希少性が高かったり、高品質な商品やサービスを高価格で提供する戦略である。

カニバリゼーション：共食いを意味する言葉で、同企業の製品がお互いの売り上げを妨げてしまう状態を指すマーケティング用語である。

＜設問２＞

6：財務、顧客、業務プロセス、学習と成長という4つの視点で評価を行い、目標や戦略を立てる経営分析手法を、BSC（バランススコアカード）という。

7：市場占有率と市場成長率2軸として、「花形」「金のなる木」「問題児」「負け犬」の4つのカテゴリーに分類し分析を行うのがPPM（プロダクトポートフォリオマネジメント）という。

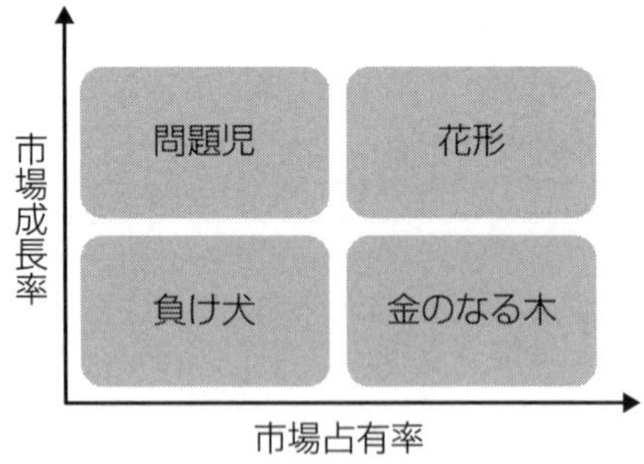

8：自社を取り巻く環境を、内部環境における、強みと弱み、外部環境における、機会と脅威の4つのカテゴリーに分類し、現状を分析する手法をSWOT分析という。

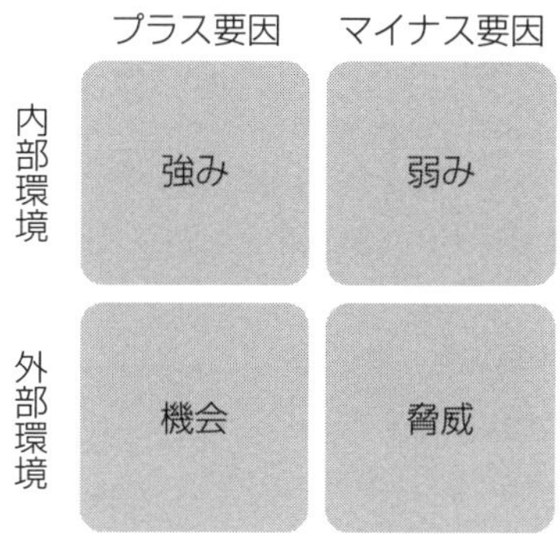

9：自社（Company）、顧客（Customer）、競合（Competitor）の3要素間の相互関係で分析する手法を3C分析という。

確認問題

●第１章　情報表現

◆問2-1-1　イ

$(1011.01)_2 = 2^3 + 2^1 + 2^0 + \left(\frac{1}{2}\right)^2 = (11.25)_{10}$

◆問2-1-2　イ

10進数0.6875に2をかけて整数部分を順次取り出すことで、2進数が得られる。

$0.6875 \times 2 = 1.375 \cdots 1$

$0.375 \times 2 = 0.75 \cdots 0$

$0.75 \times 2 = 1.5 \cdots 1$

$0.5 \times 2 = 1.0 \cdots 1$

答えは、0.1011

◆問2-1-3　ウ

16進数の0.9を2進数で表すと0.1001である。2進数の0.1011とこの0.1001を加えると、1.01が得られる。2進数の1.01は10進数で表すと、$1 + \frac{1}{4} = 1.2500$である。

◆問2-1-4　ウ

アはグループウェア、イはプレゼンテーションソフト、エはDTPソフトのことである。

◆問2-1-5　a：イ　b：オ　c：キ　d：ケ　e：ク　f：ウ　g：エ

符号化はアナログ信号をディジタル信号に変換する技術で、標本化、量子化、符号化の順に行われる。アナログ信号（波形）の振幅を標本化で読み取り、量子化で整数値に直し、符号化でこれをディジタル信号にする。

◆問2-1-6　ウ

16進数の1A.Cを2進数に直すと、$(0001\ 1010.1100)_2$となる。

この値をさらに10進数に直すと、

（小数点以上）0001 1010 = 16 + 8 + 2 = 26

（小数点以下）1100 = 0.5 + 0.25 = 0.75

となり、26.75となる。

◆問2-1-7　ウ

負の整数を表現する方法として、次の3種類がある。

a：2の補数による表現

b：1の補数による表現

c：絶対値に符号をつけた表現（先頭ビット＝0ならば正、1ならば負）

'1110' をa～cの方法で表現した場合、その値はそれぞれ以下のようになる。

a：2の補数は、ビット列を反転して(0001)、1を加えた結果(0010)が絶対値となる　…　−2

b：1の補数は、ビット列を反転した結果（0001）が絶対値となる　…　−1

c：先頭ビット＝1なので、負の値　→　110を絶対値とすると、6　…　−6

◆問2-1-8　イ

$(-1)^S \times 2^{E-127} \times (1+F)$

S＝実数の符号（0：正、1：負）

E＝げたばき（バイアス付き）指数

Fは純小数

この表示法によって、10進数3.75を表すと、

$3.75 = (11.11)_2 = (1.111 \times 2^1)$

…$(-1)^0 \times 2^{128-127} \times (1+0.111)$なので、S＝0、E＝128、F＝0.111となる。

よって、128を8ビット符号なしで表現すると、10000000となる。

◆問2-1-9　ウ

桁落ちとは、絶対値のほぼ等しい2つの数値同士の差を求めたさいに、有効桁数が減少することによって生じる誤差のことである。

ア … 切捨て誤差の説明。　イ … 情報落ちの説明。　エ … 打切り誤差の説明。

◆問2-1-10　ウ

Unicodeは、2バイトですべての文字を表現する文字コード形式であり、ひらがなや漢字などの文字を統合して表現することを想定して発案されたものである。

過去問題

●第１章　情報表現

★☆問1-1（令和5年度後期　基本スキル　問題2）

【解答】

1：エ　2：カ　3：オ　4：ウ　5：ア　6：エ　7：エ　8：ア　9：ウ

【解説】

＜設問１＞

１：連続するデータや膨大なデータの中から一定の手順にしたがって、データを抽出することをサンプリングといい、日本語に訳すと「標本化（エ）」という。

２：一定の時間間隔で区切って取得したサンプリングデータを、10進数の近似値に変換することを「量子化（カ）」という。

３：量子化によって得られた値をコンピュータで処理することができるように２進数に変換することを「符号化（オ）」という。

＜設問２＞

４：１秒間のサンプリング回数が１回であれば、サンプリング周波数は1Hzとなる。そのため、サンプリング周波数が48ｋHzの場合のサンプリング回数は、１秒間に48K回＝48,000回（ウ）となる。

５：サンプリングで取得したデータをデジタル化するために必要なバイト数を求めるには、量子化ビット数をバイトに変換すればよい。8ビット＝1バイトであるため、16ビット÷8ビット＝2バイトとなる。ただし、この問題では、音声形式がステレオ（2チャンネル）であるため、サンプリングに必要なバイト数は2チャンネル分必要となる。したがって、2バイト×2チャンネル＝4バイト（ア）となる。

６：５より１回のサンプリングに必要なバイト数は4バイトであった。そのため、1秒間の音声データをデジタル化するために必要な容量は、１秒間のサンプリング回数×1回に必要なバイト数で求めることができる。

48K（回）×4（バイト）＝192K＝192,000バイト（エ）

７：全体で必要な容量を求めるためには、1秒間に必要な容量×時間で求めることができる。

192,000バイト×3分20秒＝192,000×200（秒）＝38,400,000＝38.4Mバイト（エ）

＜設問３＞

８：1秒間あたりの容量は、「1秒間のサンプリング回数×1回に必要なバイト数」で求めることができる。そのため、1秒間あたりのサンプリング回数を求めるには、「1秒間あたりの容量÷1回に必要なバイト数」で求めることができる。この際、量子化ビットはビットからバイトに変換（８ビット＝１バイト）する必要がある。なお、設問２では音声形式がステレオであったために量子化ビットを2チャンネル分にする処理を行ったが、設問３はモノラル（1チャンネル）であるためチャンネル数を考慮する必要はない。

20,000（バイト）÷1バイト＝20,000＝20K（ア）

９：サンプリング間隔とは、1回あたりのサンプリング時間のことである。そのため、「時間÷サンプリング回数」で求めることができる。

1（s）÷20,000＝0.00005（s）＝50マイクロ秒（ウ）

※　マイクロ秒＝0.000001秒＝10^{-6}秒

★☆問1-2（令和元年度後期　基本スキル　問題2）

【解答】

1：ウ	2：ウ	3：ウ	4：イ	5：ウ
6：エ	7：ア	8：ウ	9：ウ	10：エ

【解説】

＜設問１＞

１：整数のみを扱う固定小数点数の最大値11111111は、10進数で255である。

２：負数を2の補数で表現する固定小数点数で－28を表すと、＋28（2進数で00011100）の2の補数である。したがって00011100の0と1を逆転して1を加えた11100100である。

３：負数を2の補数で表現した場合の最小値は－128であり、2進数では10000000である。

４：負数を2の補数で表現した場合の最大値は127であり、2進数では01111111である。

＜設問２＞

５：算術左シフトは符号ビットを除いて左にシフトし、空いた右側のビット位置には0が入る。したがって11110000を左へ2ビットシフトすると11000000になる。これは符号付2進数を4倍している。

６：算術右シフトは符号ビットを除いて右にシフトし、符号ビットの右隣りから空いたビット位置には符号ビットと同じビットが入る。したがって11110000を右へ2ビットシフトすると11111100である。これは符号付2進数を1/2倍している。

＜設問３＞

７：10進数0.625を2進数にすると0.101である。これを正規化すると1.01×2－1であり、IEEE754形式で表現した場合の仮数部は1.01から1を引いた0.01の小数点以下を23ビットで表した01000000000000000000000になる。

８：IEEE754形式の指数部10000001は10進数で129である。この129から127を引いた2が指数であり、仮数部に1を加えた1.101が仮数である。したがって正規化した浮動小数点数は、1.101×22であり、固定小数点数で表すと110.1である。この固定小数点数の2進数を10進数に変換すると6.5である。

９：ほぼ同じ値の減算で仮数部の有効桁数が減少することが、桁落ちである。

10：指数の差が仮数部の有効桁数よりも大きい場合に、絶対値の小さい値が演算結果に反映されないことが情報落ちである。

確認問題

●第2章　データ構造・集合と論理

◆問2-2-1　エ

Bであり、かつAでもCでもない部分である。

◆問2-2-2　a：ウ　b：コ　c：キ　d：ケ　e：カ

④が$\overline{A}\cdot B\cdot C$であることから、⑤はその否定の$\overline{\overline{A}\cdot B\cdot C}$である。ド・モルガンの法則からこの式を変形すると、$A+\overline{B}+\overline{C}$が得られる。

過去問題

●第2章　データ構造・集合と論理

★☆問2-1（令和5年度後期　基本スキル　問題3）

【解答】

1：ウ　2：ア　3：オ　4：ウ　5：イ　6：オ

【解説】

<設問1>

コンピュータ内での演算の基本は論理演算であり、論理演算ができる電子回路（論理回路）があれば加減乗除などの算術演算も実現可能になる。コンピュータの仕組みを理解する上で、論理演算を理解することも重要である。

1：「A＝1, B＝0」の場合、手順1に従い、“1”の項はそのまま、“0”の項は否定をとり、その論理積を取ると、$A\cdot\overline{B}$となる、よってウが正解である。

2：「A＝1, B＝1」の場合、手順1に従い、“1”の項はそのまま、“0”の項は否定をとり、その論理積を取ると、A・Bとなる、よってアが正解である。

<設問2>

それぞれの論理回路から真理値表を作成すると次のようになる。この真理値表から問題文の手順1、手順2に従って考えていけばよい。

(3)

入力		出力
A	B	X
0	0	1
0	1	0
1	0	0
1	1	1

(4)

入力		出力
A	B	X
0	0	1
0	1	1
1	0	1
1	1	0

3：問題文の手順1に従って出力が“1”の項の論理式を作成すると、$\overline{A}\cdot\overline{B}$、$A\cdot B$となる。手順2に従ってそれぞれの論理和をとると$\overline{A}\cdot\overline{B}+A\cdot B$となる。よってオが正解である。

4：問題文の手順1に従って出力が“1”の項の論理式を作成すると、$\overline{A}\cdot\overline{B}$、$\overline{A}\cdot B$、$A\cdot\overline{B}$となる。手順2に従ってそれぞれの論理和をとり、同一の法則（$A+A=A$）により$\overline{A}\cdot\overline{B}$を2回使って簡素化すると、

$$\overline{A}\cdot\overline{B}+\overline{A}\cdot B+A\cdot\overline{B}=\overline{A}\cdot(\overline{B}+B)+\overline{B}\cdot(\overline{A}+A)=\overline{A}+\overline{B}$$

となる。よってウが正解である。

5：ド・モルガンの法則を用いて変形すると$A\cdot\overline{B}+\overline{A}\cdot B+\overline{A\cdot B}=A\cdot\overline{B}+\overline{A}\cdot B+\overline{A}+\overline{B}$となる。項の順序を入れ替えて吸収の法則を使って簡素化すると

$A\cdot\overline{B}+\overline{A}\cdot B+\overline{A}+\overline{B}=\overline{A}\cdot(B+1)+\overline{B}\cdot(A+1)=\overline{A}+\overline{B}$となる。よってイが正解である。

6：ド・モルガンの法則を用いて変形すると$\overline{A\cdot(B+C)}=\overline{A}+\overline{(B+C)}=\overline{A}+\overline{B}\cdot\overline{C}$となる。よってオが正解である。

確認問題

●第3章　CPUアーキテクチャ・補助記憶装置

◆問2-3-1　ウ

フェッチは‘取り出し’、デコードは‘解読’を意味する。1つの命令は、この6段階の過程を踏んで実行される。

◆問2-3-2　イ

キャッシュメモリにはSRAMが使われる。また、主記憶装置より高価なため主記憶装置より小さい容量のものを用意し、利用頻度の高いデータをキャッシュメモリに読み込んで使う。

◆問2-3-3　エ

位置情報を入力する装置はポインティングデバイスと呼ばれ、マウス、トラックボール、ジョイスティック、ライトペン、タッチパネル、デジタイザ、タブレットなどがある。

◆問2-3-4　イ

RISCアーキテクチャのコンピュータは、単純な機能の命令のみを保有し、それらを組み合わせてあらゆる処理を実行するという特徴をもつ。また、CPUアーキテクチャがCISCのコンピュータと比較して、他にも以下のような特色をもつ。

- 命令の語長が固定されている（すべての命令長が同じ）…　イが正解。命令の長さが同じであれば命令の終端が容易に判明するため、命令の先読みが可能になる。
- ワイヤードロジックによる制御である　…　ウは誤り。マイクロプログラム制御方式を

採用しているのはCISC。

・レジスタ数が多い … エは誤り。高速に処理を行うため、CISCと比較してレジスタ数が多い。

◆問2-3-5 ウ

キャッシュメモリは、高速なCPUと低速な主記憶装置との間のアクセス時間の差を埋めるために用いられる。通常の主記憶装置では主にCMOSが使用されているが、キャッシュメモリでは高速なバイポーラ型の集積装置が用いられており、容量は小さいが高速なアクセスが可能になる。

ア：(主記憶を、同時に並行してアクセス可能な複数のアクセス単位に分割し、主記憶の実効アクセス時間を短縮するために用いられる）…メモリインタリーブの説明。

イ：(ディスク装置と主記憶装置とのアクセス時間の差を埋めるために用いられる）…ディスクキャッシュの説明。

エ：(CPU中でデータを取り扱うために用いられる小規模な記憶装置である）…レジスタの説明。

◆問2-3-6 イ

メモリインタリーブは、同時に並行してアクセス可能な「バンク」と呼ばれる単位に主記憶装置を分割したものである。メモリインタリーブを用いると、複数のバンクを同時にアクセスして一度に大量のデータを読み込めるため、主記憶装置の実効アクセス時間を短縮することができる。

ア：(CPUと主記憶装置とのアクセス時間の差を埋めるために用いられる）…キャッシュメモリの説明。

ウ：(入出力装置とCPUとのデータのやりとりを代行する装置である）…チャネルの説明。

エ：(主記憶装置を固定長の領域に分割して管理する方法のことである）…ページング方式の説明。

◆問2-3-7 エ

アのディスクキャッシュは、アクセス時間の短縮を目的に主記憶と磁気ディスクの間に入れるメモリ。イのパラレル入出力は、1ビットずつ順番にデータを伝送するシリアル方式に対して、8ビットずつ並列に伝送する方式である。転送速度が速くなる。ウのファイル圧縮は、記憶装置を有効に利用するためにファイルの大きさを小さくするための技術である。

過去問題

●第３章　CPUアーキテクチャ・補助記憶装置

★☆問3-1（令和5年度後期　基本スキル　問題４）

【解答】

1：ア　2：イ　3：エ　4：エ　5：エ　6：イ　7：エ　8：ウ

【解説】

＜設問１＞

１：RAMは、読み書き両方が可能であるが、電源を切ると記憶している情報が失われる性質（揮発性）を持つので（ア）である。

２：RAMの中で主に主記憶装置に利用されているのは、DRAM（イ）である。

３：DRAMは、データを保持するためのリフレッシュ（再書込み）動作（エ）が必要である。

４：RAMの中でキャッシュメモリにも利用されているのは、SRAM（エ）である。

５：SRAM は、フリップフロップ回路（エ）を用いているため、0か1かの状態を保ち続けることができるので記録し直す動作（リフレッシュ）は不要である。

＜設問２＞

６：キャッシュメモリを用いなかったときの25％以下の実効アクセス時間は、
80ナノ秒×0.25＝20ナノ秒以下となる。
キャッシュメモリへのヒット率をpとおき、平均アクセス時間を求める式に代入すると、
10ナノ秒×p＋80ナノ秒×（1－p）≦20ナノ秒
　10p＋80－80p≦20
　　　－70p≦－60　∴p≧60/70≒0.856（イ）となる。

７：CPUがデータを主記憶装置に書き込む際に、主記憶装置より高速なキャッシュメモリのみに書き込んでおき、キャッシュメモリからデータを追い出すときに主記憶装置に書くことにより高速化をはかるのは、ライトバック方式（エ）である。

８：CPUがデータを主記憶装置に書き込む際に、同時にキャッシュメモリへも同じ内容を書き込むのはライトスルー方式（ウ）である。しかし、書込み時間が主記憶装置のアクセス時間と同じなので高速化は望めない。

★☆問3-2（令和3年度前期　基本スキル　問題４）

【解答】

1：ウ　2：ア　3：イ　4：イ　5：エ　6：ア　7：イ　8：エ

【解説】

本問題は、CPU（中央処理装置）の機能を問うものである。設問1はCPUの命令実行の手順と構成要素、設問2はパイプライン処理によるCPU処理の高速化に関する問題である。

<設問１>

１、２、３：CPU（中央処理装置）では、①命令アドレスレジスタ、②命令レジスタ、③アドレスレジスタ、という一時的に小規模なデータ保存を可能にする各レジスタ、および命令を読み取り解読する回路である④命令デコーダ、を連携し演算を行う。以下のステージでレジスタや回路を連携しCPUの演算が実行される。

ステージ1：①命令アドレスレジスタに格納されているアドレスを用いて、命令を主記憶から取り出す（命令フェッチ）。取り出した命令は②命令レジスタに格納される。

ステージ2：②命令レジスタから命令部を読み取り④命令の解読（デコード）（ウ）し、使用すべき算術論理回路を決定する。

ステージ3：②命令レジスタの命令が持つアドレス情報をもとにオペランドのアドレス計算（ア）を行う。計算結果が③アドレスレジスタに記憶される。

ステージ4：③アドレスレジスタに記憶されたオペランドのアドレスをもとにオペランドの取り出し（オペランドフェッチ）（イ）を行う。

ステージ5：オペランドの情報をもとに演算の実行を行う。

ステージ6：演算結果が主記憶装置に記憶される。

４、５：命令アドレスレジスタ（プログラムカウンタ）（イ）には、次に実行するべき命令が格納されている主記憶上のアドレスが保持されている。この情報をもとにステージ1の命令取り出し（命令フェッチ）が行われる。また、命令レジスタ（エ）では、ステージ2とステージ3で必要となる命令の記憶を行う。

<設問２>

６：前提条件より1命令は6ステージからなり、各ステージの処理時間はすべて10ナノ秒であるため、1命令が完了するまでの実行時間は6ステージ×10ナノ秒＝60ナノ秒となる。残りの99命令は、並列に実行しているので1ステージの処理時間で実行可能となる。したがって10ナノ秒×99（命令）＝990ナノ秒となる。よって、パイプライン方式で100命令を実行する場合、60ナノ秒＋990ナノ秒＝1050ナノ秒＝1.05マイクロ秒（ア）となる。

７：1命令が6ステージであり、各ステージの処理時間が10ナノ秒のとき、逐次制御方式で100命令を実行する場合の処理時間は、6ステージ×10ナノ秒×100命令＝6000ナノ秒＝6.0マイクロ秒となる。よって、パイプライン方式のほうが6.0マイクロ秒÷1.05マイクロ秒＝5.7（イ）倍速く実行できる。

８：パイプライン方式は逐制御方式と比べ処理の高速化に期待できるが、パイプラインハザード（エ）という各種の原因による乱れが生じる可能性がある。各ステージの一定時間の終了や、独立性を保つなど、規則的な管理が必要となる。

確認問題

第4章　システム構成・ソフトウェア

問2-4-1　ア

イはジョブ管理、ウは入出力管理、エはデータ管理の機能である。

問2-4-2　a：オ　b：ア　c：カ　d：キ　e：イ

ジョブ実行のための資源とは、CPU、主記憶、ファイル、入出力装置などのことである。実行するジョブのどこでどの資源が必要かは、ジョブ制御言語（JCL）に明記する必要がある。

問2-4-3　ア

参照ページの状態を順を追ってみると、次のようになっている。

（主記憶のページ枠）				（参照ページ番号）	（ページイン／ページアウト）
【3】	【 】	【 】	【 】	3	3をページイン
【3】	【1】	【 】	【 】	1	1をページイン
【3】	【1】	【5】	【 】	5	5をページイン
【3】	【1】	【5】	【 】	3	なし
【3】	【1】	【5】	【2】	2	2をページイン
【3】	【 】	【5】	【2】		1をページアウト
【3】	【4】	【5】	【2】	4	4をページイン

4をページインするために、その時点で最も長く参照されていなかった1がページアウトされる。

問2-4-4　イ

タスクが生成されると、まず実行可能状態になる。ディスパッチャによってCPUが割り当てられると実行状態に入るが、途中で入出力待ちなどがあるとタスクは待ち状態になる。

問2-4-5　エ

複数の項目から1つだけを選択する場合に使うのがラジオボタンであり、複数の項目を選択する場合にはチェックボックスを使う。

問2-4-6　エ

索引域はISAM（索引順編成ファイル）でのみ必要になる領域である。

過去問題

●第４章　システム構成・ソフトウェア

★☆問4-1（令和4年度前期　基本スキル　問題5）

【解答】

1：ク　2：オ　3：カ　4：ウ　5：ウ　6：ウ　7：エ　8：エ　9：ア

【解説】

本問題は、仮想記憶の管理を問うものである。設問1は仮想記憶におけるページング方式、設問2は仮想アドレスと実アドレス、設問3はページの追い出し方法（ページリプレースメントアルゴリズム）に関する問題である。

＜設問１＞

１、２、３、４：実行するページが実記憶（主記憶装置）のページ枠に存在していない場合、仮想記憶空間（実体はハードディスクやSSDなどの補助記憶装置）からページを読込むためにページフォルト（ク）と呼ばれる割込みが生じる。このとき、不要なページを実記憶から仮想記憶空間へ追い出す操作をページアウト（オ）、必要なページを仮想記憶空間から実記憶に読み込む操作をページイン（カ）と呼ぶ。ページフォルトが多発して処理効率が低下することをスラッシング（ウ）と呼ぶ。スラッシングが発生すると、システムはページインとページアウトに多くの時間を割くこととなり、処理の遅延に繋がる。

＜設問２＞

５：1Kバイトは1,024バイトであり4Kバイトは4,096バイトである。よって、これらのページ内の任意のバイトにアクセスするためのアドレスは0から4,095の範囲であり，$2^{12}=4{,}096$より2進数12ビット（ウ）でこれらのアドレス範囲を表現可能となる。

６：仮想アドレスのページ番号が4でページ内変位が500の場合、ページ番号4に対応する実アドレスは6000である。このとき、参照した行の存在ページが1であるため、条件②－1よりページテーブルの物理アドレス6000に仮想アドレスのページ内変位500を加えたアドレス6500（ウ）が実アドレスとなる。

７：ページ番号1の存在ビットを1とし、その物理アドレスとしてページ番号1が新しく割り当てられたページ（ページ番号15）のアドレス14000を設定する。よって、図3のページテーブルの2行目（添字1の行、ページ番号1）は存在ビット1、物理アドレス14000（エ）となる。

８、９：最後に参照されてからの経過時間が最も長いページを選定する方式はLRU（Least Recently Used）（エ）である。また、実記憶に読み込まれてからの経過時間が最も長いページを選定する方式はFIFO（First In First Out）（ア）である。

★☆問4-2（令和5年度前期　基本スキル　問題5）

【解答】

1：ア　　2：イ　　3：カ　　4：エ　　5：オ　　6：カ　　7：キ　　8：ア

【解説】

＜設問1＞

1：生成されたタスクは、必ず実行可能状態の待ち行列に格納される。

2：実行可能状態の待ち行列の中で待っているタスクの中から、到着順や優先度順などの方法によって一つのタスクが選ばれて実行状態になりCPU資源を利用できる。

3：この一つのタスクを選ぶ動作をタスクスケジューリングと呼び、CPUの利用時間を決められた一定時間とし到着順に公平に選ぶ方式がラウンドロビンである。

4：実行中のタスクが入出力などのOSの機能を利用するときは、CPUの利用を他のタスクに移し、自分が要求したOSの機能が終了するまで待ち状態になる。このときに要求したOSの機能の実行を管理するのがスーパバイザである。

＜設問2＞

各資源をどのタスクが利用するかを、タイムテーブルを作成して考える（図）。本文中のI/Oは競合しないという記述から、タスクで利用するI/Oは並行動作が可能である（図中のA、B、Cは、それぞれタスク）。

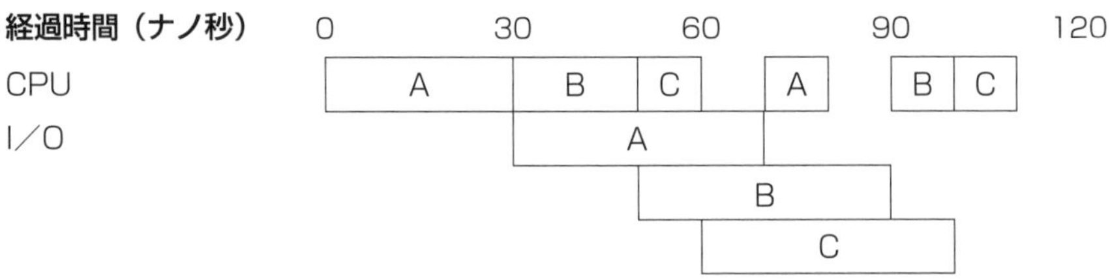

図　各資源（CPU、I／O）を利用するタスクのタイムテーブル

図から各タスクの終了時間を読み取ると、5：80ナノ秒、6：100ナノ秒、7：110ナノ秒である。また、すべてのタスクが終了するまでの110ナノ秒までのうち、ＣＰＵの遊休時間は20ナノ秒である。

確認問題

●第１章　データ構造とアルゴリズム

◆問3-1-1　エ

再帰的な手続きでは、ある時点で自分自身を呼び出し、それが終了して元に戻ったときに前の状態で手続きを継続できるように、呼び出し前の情報を保存しておく必要がある。これに適しているのは、後入れ先出し法（LIFO）のスタックである。

◆問3-1-2　ウ

例より$k=3$のとき$n=7$である。これをア〜エに代入してみると、$k=3$のときアは7、イは6、ウは7、エは9である。この時点でアかウのどちらかに絞られるため、$k=4$のときを考えてみると、$n=15$になるはずである。$k=4$を代入すると、アは13、ウは15になる。

◆問3-1-3　ウ

ア：先頭の削除ではHeadのポインタを書き換えるだけであるが、最後尾の削除は直前の要素とTailの2つのポインタを書き換える必要があるため処理量が多くなる。

イ：アと同様に、最後尾での削除処理があると処理量が多くなるため適していない。

ウ：追加については、ポインタの書き換えに要する処理量が同じである。

エ：アと同様に、最後尾での削除処理があると処理量が多くなるため適していない。

◆問3-1-4　イ

二分探索法のアルゴリズムに従って実際に探索してみてもよい。あるいは、データの件数に対して、キーの比較回数をnとすると、2^n ＜ データ件数 ＜ 2^{n+1}を満たすnを探せばよい。この問題ではデータの件数が20であることから、$n=4$が求められる。

◆問3-1-5　イ

交換法は隣り合うデータを比較して大小関係が逆であれば入れ替え、この入れ替えがなくなるまで繰り返す方法である。この流れ図では、ループAでiを1から$n-1$まで、ループBでjをnから$i+1$まで繰り返し比較して、必要なら交換する。ループBが1回実行されると、$T(n)$からT(i)までのデータの最小値がT(i)に入るのである。図中のaの判断がYesなら$T(j)$と$T(j-1)$を交換していることから、aはこの2つの比較であり、昇順に並べることと交換はデータの大小関係が逆のときに発生することから、「$T(j)<T(j-1)$」が条件であることがわかる。

◆問3-1-6　ウ

このアルゴリズムでは、多項式P(x)を次のように変形し、内側のカッコから順番に計算する。そのときの乗算の回数は4回である。

$$P(x)=a_4x^4+a_3x^3+a_2x^2+a_1x+a_0$$
$$=(((a_4x+a_3)x+a_2)x+a_1)x+a_0$$

◆問3-1-7　ア

操作順序のとおり操作すると、次のようになる。

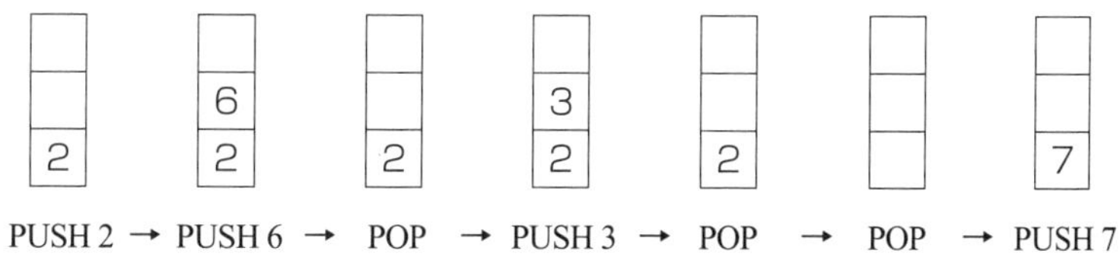

過去問題

●第１章　データ構造とアルゴリズム

★☆問1-1（令和2年度後期　プログラミングスキル　問題1）

【解答】

1：エ　　2：オ　　3：ウ　　4：エ　　5：ア　　6：ア

【解説】

＜設問１＞

１：1011番地は次の番地を指すポインタである。1000番地にあるデータを削除する場合は、1000番地を参照しないようにする。よって下図のように1011番地の内容を1012（エ）に変更すればよい。

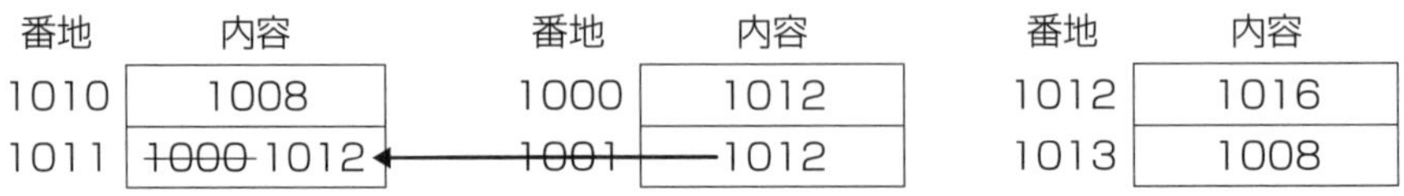

２、３：問題文より、「データは全てが昇順に並んでいる。」ということから、「1018」を単方向リストに入れる場合、1016→1018→1020という順番になる。よって下図のように1013番地の内容を1014（オ）に変更する。また、1015番地の内容を1008（ウ）に変更することでデータを挿入することができる。

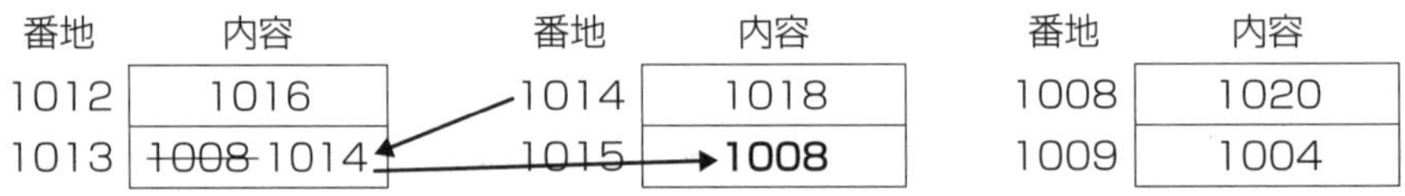

番地　内容
1012　1016
1013　~~1008~~ 1014
番地　内容
1014　1018
~~1015~~　1008
番地　内容
1008　1020
1009　1004

＜設問２＞

４：配列の30番目にデータを挿入する場合は、30番目から100番目までの71個のデータが移動の対象になる。よって移動回数は71回（エ）である。

５：配列の70番目のデータを削除する場合は、71番目から100番目までの30個のデータが移動の対象になる。よって移動回数は30回（ア）である。

６：リスト構造でデータを挿入、削除する場合、データの移動はなく（ア）、ポインタの値を変更することで実現している。

★☆問1-2（令和4年度前期　プログラミングスキル　問題2）

【解答】

1：オ　　2：カ　　3：イ　　4：イ　　5：イ

【解説】

降順に並べ替える挿入法では、まず０番目と１番目の要素を比較し、１番目の要素が大きければ入れ替える（0～1番目の要素まで整列済み）。次に2番目の要素が0～1番目の要素より大きい場合は正しい位置に「挿入」する（0～2番目の要素まで整列済み）。同様に3番目の要素以降も挿入すべき位置を探して並べ替えを進めていく。

＜設問１＞

1：直前の「m＝1のとき」の処理でk［1］まで整列済みとなっているので、ここではk［2］＝32をどの位置に挿入すれば良いかを考える。整列済みのどの要素よりも大きいので、k［0］の位置に挿入すればよい。よって、オが正解である。

0	1	2	3	4
32	28	18	21	25

2：直前の「m＝2のとき」の処理でk［2］まで整列済みとなっているので、ここではk［3］＝21がどの位置に挿入されるべきかを考える。k［2］＝18より大きく、k［1］＝28より小さいのでk［2］の位置に挿入すればよい。よって、カが正解である。

0	1	2	3	4
32	28	21	18	25

＜設問２＞

3：問題文の［挿入法の手順］の③の「h［k］の内容がw以上であれば」の部分にあたる分岐である。よってh［k］とwを比較すればよいが、下方に進むと“h［k+1］← h［k］”の処理があり、これは挿入すべき位置がまだ見つからず（h［k］よりwの方が大きい）、比較した要素の値を後ろにずらす処理である。よって、“h［k］：w”であるイが正解である。

4：まだ挿入位置が見つからず、比較した要素の値を後ろにずらした後であるから、1つ前の要素を次の比較対象にする必要がある。よって、“k ← k − 1”であるイが正解である。

5：sw＝1、つまり挿入位置が見つからないと「挿入ループ２」を抜けないので、ここではwに退避していた値を代入すればよい。よって、“h［k+1］← w”であるイが正解である。

★☆問1-3（令和2年度前期　プログラミングスキル　問題3）

【解答】

1：イ　2：ウ　3：エ　4：イ　5：ウ　6：ア　7：ウ　8：イ　9：キ

【解説】

＜設問１＞

1～3：①で関数Fが最初に呼び出されたときには変数xは3である。関数Fは、xが1より大きいと再帰的に関数Fを呼び出し、xが1以下であればそのときのxを表示して呼び出し元へ復帰する。関数Fの引数はx-1としているため、②ではxは2、③ではxは1として関数Fを呼び出す。③でxが1となるため、xの値1を表示して呼び出し元へ復帰する。復帰後の処理は関数Fを呼び出した次の処理からなので、このときのxの値2を表示して呼び出し元へ復帰する。続けてxの値3を表示して呼び出し元へ復帰する。

＜設問２＞

4、5：関数Fは、変数nが1より大きいと再帰的に関数Fを呼び出し、nが1以下であればretに1を格納して呼び出し元へ復帰する。ここでは、「F（3）」として呼び出した場合であるから、nが3のとき、1より大きいのでF（3-1）で呼び出す。次に呼び出された側で、nが2のとき1より大きいのでF（2-1）で呼び出す。さらに呼び出された側で、nが1のとき、1以下なのでretに1を格納し呼び出し元へ戻るため、流れ図中 α 部分の加算が最初に実行されるときのF（2-1）の返却値は1、nの値は2となる。

＜設問３＞

6、7：フィボナッチ数列の漸化式に代入して求めると、$F_0=0$、$F_1=1$より、$F_2=0+1=1$、$F_3=1+1=2$、$F_4=1+2=3$、$F_5=2+3=5$、$F_6=3+5=8$、$F_7=5+8=13$となる。

8、9：関数Fの最初の判断で、nが0以下の場合retに0を格納して呼び出し元へ復帰する。nが0より大きい場合にはnが1以下であるかを判断している。nが1以下であるとは、すなわちnが1であるからretに1を格納して呼び出し元へ復帰する。nが1より大きい場合は1つ前と2つ前の値を加算してretに格納となる。

サンプル・オリジナル・過去問題

●第２章　擬似言語

★☆問2-1（擬似言語サンプル問題1）

【解答】

1：ア　　2：エ　　3：イ　　4：エ　　5：エ

【解説】

2分探索は整列（昇順、降順どちらでもよい）されているデータの中から、データを探索するアルゴリズムである。整列された配列の中央値と探索したいデータを比較し、その大小関係から、次の探索範囲を半分に狭めていく方法である。ここでは、データが昇順に整列されている。最初の探索範囲は配列の添え字で0～d_len－1で、それをLとHに格納している。配列の中央の添え字（M）は（L＋H）÷2（小数点以下切り捨て）で求めている。

＜設問１＞

1：data［M］＞Xのとき、つまり探索したいデータが配列の中央値より小さい時の処理である。したがって、次の探索範囲は中央値より前半部分になる。data［M］は比較済みなので、次に探索する範囲の末尾の添え字（H）をM－1にする必要がある。（正解はア）

2：data［M］＜Xのとき、つまり探索したいデータが配列の中央値より大きい時の処理である。したがって、次の探索範囲は中央値より後半部分になる。data［M］は比較済みなので、次に探索する範囲の先頭の添え字（L）をM＋1にすればよい。（正解はエ）

3：データ探索が終了したとき、配列中に探索したいデータがある場合は、先頭の添え字（L）と末尾の添え字（H）の関係はL≦Hとなり、配列にない場合はL>Hとなる。探索したいデータが配列中にあった場合はそのデータを削除する。削除するためには該当するデータから右半分の要素を一つずつ詰めなければならない。その処理はdata［p－1］←data［p］で行っている。(3）はその処理で使用されているpの初期値設定である。data［M］を削除するので、その右の要素から順に左に1つずつずらす。そのため、pの初期値はM＋1となる。（正解はイ）

4：後半部分にあるデータを一つずつ左に移動させているので、pの値は1ずつ増えることになる。（正解はエ）

＜設問2＞

5：トレースの内容から順番2ではMの値は7で、data［7］は33である。Xが42になので、data［7］＜Xなので、次の探索範囲はM＋1からHとなる。したがって、L＝7＋1＝8、H＝9、L＝（8＋9）÷2＝8（小数点以下切り捨て）となる。（正解はエ）

★☆問2-2（擬似言語サンプル問題2）

【解答】

1：イ　　2：ア　　3：ウ　　4：ア　　5：ウ

【解説】

2つの文字列の文字を文字コードで比較し、その大小を決定する問題である。メソッドgetChar（）を使って、2つの文字列word１、word2から1文字ずつ取り出し比較していく。

1：文字列の比較は文字数の少ない方の文字数だけ行う。各文字列の文字数はlen１とlen２に格納されており、小さい方がlenに格納されている。したがって、p＜Lenの間、比較する。ここでは、pは配列の添え字で0から始まっており、lenは文字数であることに注意する。（正解はイ）

2：ch1はword1の文字であり、ch2はword2の文字である。ch1＜ch2であれば、word1の方が小さいので、返却値としてresultに－1を格納する。したがって、result←－1が入る（正解はア）

3：ch1＞ch2では、word2の方が小さいのでresultに１を格納する。したがって、result←1が入る。（正解はウ）

4、5：(5）少ない方の文字数分だけ比較を繰り返し、処理を終了した場合、resultは0のままである。ただし、word1の文字数が少なければresultに－1を入れ、word2の文字数が少なければresultに1を入れるため、(4）にはlen1＜len2、(5）にはlen１＞len２が入る（正解は、ア、ウ）。なお、比較処理が終了し、文字数が同じ時のresultは0のままである。

★☆問2-3（擬似言語オリジナル問題1）

【解答】

1：ア　　2：エ　　3：ウ　　4：キ　　5：ウ

【解説】

辺の長さが1の正方形の中に、ランダムに点（プロット）をとる。これに半径1の1/4円（扇形）を重ねると、1/4円の中に入っているプロットと入ってないプロットに分けることができる。

十分なサンプル数を確保した場合、正方形全体にプロットした数と1/4円の中にプロットした数の比率は1：π/4と考えることができる。これによりπの近似値を求めるアルゴリズムである。

1：計算の実行条件になる。実行した件数がテストデータの件数より小さい間繰り返せばよいので、i<nとなり、正解はアである。

2：1/4円の中の座標かをチェックするので、X2＋y2≦1であるかどうかを確認すればよい。正解はエである。

3：2の範囲内であれば、1/4円の範囲内に収まったデータ件数を＋1すればよいので、正解はウである。

4：実行した件数（i）を＋1すればよいので、i←i＋1となり、正解はキである。

5：πは（1/4円の中にプロットした点÷プロットした点の合計）×4で求めることができるので、cr_in÷n×4となり、正解はウである。

★☆問2-4（擬似言語オリジナル問題2）

【解答】

1：ア　2：エ　3：ア　4：イ　5：ア

【解説】

配列mojiを中心から左右対称の要素を入れ替えるアルゴリズムである。配列mojiの要素数が奇数か偶数かで、入れ替えの位置が異なることに注意すること。

各変数の役割は以下の通りである。

変数名	役割
l_el	入れ替え対象の左要素の位置
r_el	入れ替え対象の右要素の位置
c_el	入れ替え対象の初期値を求めるための中心の位置

1：入れ替えの初期値を設定する場合、問題文にもあるように2つのパターンが考えられる。図1は、中心の位置を計算式c_el←（l_el＋r_el）÷2（※以下式①とする）の結果が整数値で求めることができるパターンで、図2は、式①の結果が整数値で求めることができないパターンである。(1）はこれを判別するために、mod（剰余）を用いて、計算結果にあまりが出るかどうかをチェックしている。あまりが出ない場合、図１の処理を行えばよいので、正解はアとなる。

2：図2のパターンの場合のl_elおよびr_elの初期値の設定になる。図2を例にして考えてみるとよい。図2の場合の式①の結果は、(0＋7）÷2→3となる。図の値と照らし合わせてみると、この結果をl_elに設定し、その結果＋1をr_elに設定すればよいので、正解はエとなる。

3：入れ替えの実行条件が問われている。解答群を見ると、全てl_elの値が実行条件になっているので、l_elの値がどのように遷移していくかを考えればよい。l_elは初期値を設定した後、値の入れ替えを行い、一つずつ減らしていく。最後にl_elが0の状態で入れ替えを行い、－1された状態で処理が終了する。このことから、プログラム終了時のl_elの値は－1であり、実行条件として0以上の間は繰り返せばよいので、正解はアとなる。

4：moji［l_el］とmoji［r_el］の入れ替えのアルゴリズムである。2つの変数の内容を入れ替える場合、作業用の変数（今回の場合work）を用いて入れ替えを行う。入れ替えの手順の例を以下に示す。今回は例として、moji［l_el］に2、moji［r_el］に5が入っていると仮定する。

＜初期状態＞

moji［l_el］	2
moji［r_el］	5
work	

workに片方の要素の値（moji［l_el］）を退避する。

work ← moji［l_el］

moji［l_el］	2
moji［r_el］	5
work	2

moji［l_el］の値は①で退避しているので、上書きしても問題ない、もう片方の要素の値（moji［r_el］）で上書きする。

moji［l_el］← moji［r_el］

moji［l_el］	5
moji［r_el］	5
work	2

workに退避していた値をmoji［r_el］に上書きする。

moji［l_el］	5
moji［r_el］	2
work	2

上記のようなアルゴリズムになるため、解答はイとなる

5：r_elの値は初期値から＋1を繰り返していく必要がある。このため解答はアとなる。

★☆問2-5（令和6年度前期　プログラミングスキル　問題4）

【解答】

1：オ　2：エ　3：ウ　4：ウ　5：ア

【解説】

選択法と挿入法によるデータの整列に関する問題である。選択法では配列中のデータの中から最小値を選択し、配列の先頭データと入れ替える。その後、順次残ったデータの中から最小値を選択し入れ替える。挿入法は既存の整列されているデータに新たにデータを挿入していく。

1：DAT［i］より小さいデータを配列から探索する処理である。ｊの値にi+1を入れてから、wkとDAT［j］を比較しているので、wkの初期値はDAT［i］である。したがって、wk←DAT［i］が入る。正解はオである。

2：最小値が見つかるとその添え字はkに格納されている。ここでは、最小値とDAT［i］の入替処理を3つの命令で行っている。したがって、DAT［k］←wkが入る。正解はエである。

3：αの処理（wk＞DAT［j］）は残っている配列の要素とwkを比較し、DAT［j］が小さければその添え字をkに入れている。ここでの比較は残っている全要素と比較するので、データが整列されていても、されていなくても比較回数は変わらない。したがって、正解はウである。

4：挿入法のプログラムである。先頭のデータを整列済みとみなし、2番目のデータから整列済みデータに挿入していく。ここでは、DAT［1］～DAT［k－1］まで整列済みとし、その中にDAT［k］を挿入する処理である。DAT［k－1］とDAT［k］を比較しながら、挿入位置が見つかるまで、繰り返す。その時、kの値は1つずつ減っていくのでk←k－1が入る。正解はウである。

5：データが昇順に並んでいると、挿入位置は1回目の比較で決まるが、降順に並んでいると、挿入位置が決定されるまで、整列済みデータを全て比較することになる。したがって、降順に並んでいる場合、比較回数が多くなる。正解はアである。

★☆問2-6（令和6年度前期　プログラミングスキル　問題5）

【解答】

1：エ　2：ウ　3：キ　4：エ　5：ウ　6：ウ

【解説】

文字列の置換に関する問題である。設問1では置換対象文字列の検索を行い、設問2では検索した文字列を置換する処理である。

1：文字列を検索する処理である。検索対象文字列tの添え字はiであり、検索を開始する位置が入っている。iを1ずつ増やしながら比較していくが、iの値は検索対象文字列の文字数tLenを超えてはならない。検索文字列fをすべて検索するとき、配列tの範囲を超えて参照しないためには、検索開始時点でiの値がi≦tLen－fLenである必要がある。したがって、正解はエである。

2：検索対象文字列tと検索文字列fを比較する処理である。比較はt［i+k］とf［k］で行っているのでkの値がfの文字数fLenより小さい間行うことになる。したがって、正解はウとなる。比較途中で文字が一致しないときはswに1を入れてループを終了する。

3：比較処理が終了したとき、すべて一致して終了したか、途中で不一致が生じたかを判定する必要がある。そのための判定処理である。すべて一致して検索文字列が見つかった場合はkの値がfLenになっているので、判定条件はk＝fLenとなる。したがって、正解はキとなる。

4：設問2は置換処理を行う処理である。検索文字列が見つかった時、その前までの文字列を置換後文字列resに入れる処理である。検索文字列が見つかったときの配列tの開始位置がpに入っているので、t［i］～t［p－1］までをresに入れる処理である。したがって、res

[j] ←t [i] が入る。したがって、正解はエとなる。

5：置換文字列rで置換する処理である。置換後文字列resに置換文字列rを代入するので、res [j] ←r [k] が入る。したがって、正解はウである。

6：次の検索文字列を検索するための準備である。見つかったときの文字列の先頭位置はpに入っているので、次に文字列を比較するときの開始位置は検索文字列分（fLen）だけ移動しなければならない。したがって、fLenが入るので正解はウである。

確認問題

●第1章　システムの開発

◆問4-1-1　オ

開発の早い段階で試作品を作成し、ユーザの意見を取り入れるという点から、オが導き出される。

◆問4-1-2　イ

外部設計→内部設計→コーディング→テストの順に並べる。

◆問4-1-3　ウ

これは内部設計で行う作業である。

◆問4-1-4　イ

アはオブジェクトモデルに関する記述。ウはプロトタイピングに関する記述。エはRADに関する記述である。

◆問4-1-5　エ

ワーニエ法は出力のデータ構造に着目するのではなく、入力のデータ構造に着目する方法であるので誤りである。

◆問4-1-6　エ

オブジェクト指向開発では、データと操作を別々に管理せず、ひとまとめにすることによって（カプセル化）、外部からのデータアクセスの安全性などを向上させる手法をとる。

この「データとそれに関する手続き（関数）」をまとめた設計図をクラスといい、クラスの記述をもとにして作成された実際のデータ（＋手続き）をオブジェクトまたはインスタンスという。上位のクラスのデータや性質を、その下位クラスが引き継いで使用できる性質をインヘリタンス（継承）という。

この継承により、過去に作成したクラスの手続きなどと似た処理を行うプログラムなどを作成する場合、いちから同じプログラムを作成する手間が省略できるなどのメリットがある。

◆問4-1-7　ア

システム内の細分化された部分プログラムをモジュールという。モジュール内に複数の機能が収められていると、さまざまな弊害がある。

① モジュールを使用する側が、使用時にどの機能を使うかを選択させられたりするため、処理が煩雑（はんざつ）になる。

② 複数の機能を含めると一般的にモジュールが長くなる傾向があり、コーディングやデバッグなどが困難になる。

よって、単独のモジュールに単独の機能のみを格納しているものが、最も有効で保守性の高い（強い）モジュールとなる。モジュール内の機能やその呼び出し方などによって定義された、モジュールの強さを示す指標を「モジュール強度」という。

モジュール強度の中で最も強いものは、アの「機能的強度」である。

◆問4-1-8　エ

モジュール結合度は、モジュール同士の関連性などを示す指標で、これが強いほど「他のモジュールの内容等に依存した」モジュールとなり、よくないものとなる。他のモジュールに依存したモジュールは、他のモジュールの内容が改訂されたり、あるいは他のモジュール内にバグがあった場合などにその影響を大きく受けることになるため、デバッグ等の工数が増大する。

6種類のモジュール結合度を弱い順に並べたのが、以下のものである。

　データ結合＜スタンプ結合＜制御結合＜外部結合＜共通結合＜内容結合

最も弱い「データ結合」では、モジュールの呼び出しによって引き渡される情報は、その内部構造に依存しない単なるデータのみであるため、相手モジュールの内容などを呼び出し側が把握する必要はない。よって、「内容の依存」はほとんどなく、最もよい結合度といえる。

◆問4-1-9　ウ

UML（Unified Modeling Language）では、システムの構成や処理を統一化された表記法で表現する。

UMLで定義されている図のうち、「システムに要求される各種の機能を、ユーザの視点から記述した図」をユースケース図という。ユーザやシステムの管理者などが実行できる機能を、簡単で理解しやすい形式の図式で表現したものである。

＜ユースケース図の例＞

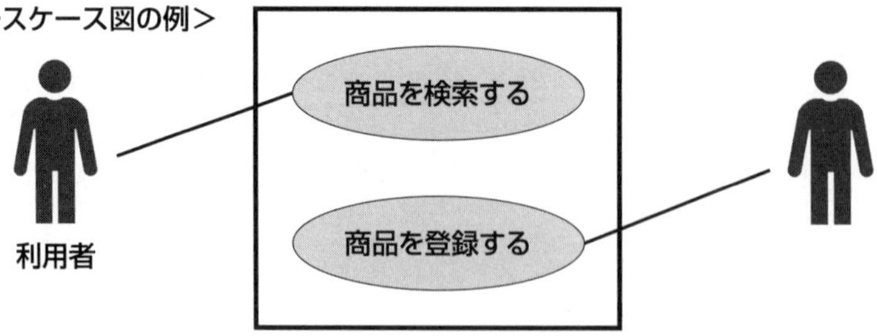

ア（クラス図）…システムを構成するクラス（システム上の実体、実物などを概念的に表現したもの）と、クラス間の関連（関係）との構造を表す図である。

イ（シーケンス図）…システムを構成するオブジェクト（サブプログラムなど）間のメッセージのやりとりや処理の流れを時系列で表現したものである。

エ（コンポーネント図）…システムの物理的な構成要素（ファイルなど）から、システムの構造を表現する図である。

◆問4-1-10　エ

一般的なシステム開発技法において、コーディングの終了後にまず実施すべきテストは、システムの部分部分にあたる各モジュール単体に対する「単体テスト」である。その後、単体テストの済んだモジュールを下位から上位の順に結合しながら相互関係のテストを行い（結合テスト）、システム全体のテスト（システムテスト、総合テスト）をその後に行う。

そして、運用側に引き渡されたシステムが、実際の運用に対応できるかを調べるため、運用テストを行う。

◆問4-1-11　ウ

「このモジュールに入力されてくる点数は0点以上100点以下と決められており」とのことなので、正常なデータは0点から100点の範囲であるとわかる。正常なデータの範囲の限界値は、0と100の2つである。

0点よりも小さい値（異常範囲の値）のうち、0点に最も近い値＝－1であり、また100点よりも大きい値（異常範囲の値）のうち、100点に最も近い値＝101である。この2つが、異常な範囲のデータの限界値である。

よって、テストケースとして最も適切な値は「－1, 0, 100, 101」である。

◆問4-1-12　エ

ア　…　ホワイトボックステストでは、プログラムの内部構造をもとにしてテストケースを作成する。

イ　…　命令網羅では、プログラム中のすべての命令を1回は通過するようなテストケースを作成する。

ウ　…　条件網羅では、すべての判定条件で真、偽の組み合わせを満たすようなテストケースを作成する。

エ　…　正しい。複数条件網羅では、すべての条件において起こりうる真、偽の組み合わせと、それに伴う分岐を網羅するようなテストケースを作成する。

◆問4-1-13　エ

「3つのうちの1つ以上が稼働していれば、このシステムは正常に動作している」ということから、逆に「どの機器も稼働していなければ、システム全体は正常に動作しない」とみなせる。

機器の稼働率＝0.9なので、機器の稼働しない確率＝（1－0.9）＝0.1であり、3台とも稼働しない確率（システム全体が稼働しない確率）＝0.1^3＝0.001である。

よって、システム全体の稼働率＝（1－システム全体が稼働しない確率）＝0.999である。これを小数点以下2桁まで求めると0.99となる。

◆問4-1-14　イ

ア…プログラムを書く前にテストケースを作成するのはテスト駆動開発である。

ウ…外部から見た振る舞いを変えずに内部構造を変更するのは、リファクタリングである。

エ…毎日決めた時刻にチームのメンバーを集めて開発の状況を共有するのは、日時ミーティングやデイリースクラムである。立ったまま行い、15分程度で終わらせる。

過去問題

●第１章　システムの開発

★問1-1（令和5年度前期　システムデザインスキル　問題2）

【解答】

1：イ　2：ウ　3：オ　4：ウ　5：エ　6：ウ　7：エ　8：カ　9：オ

【解説】

アジャイル開発に関する用語の問題である。設問１がスクラム開発、設問２がXP（エクストリームプログラミング）に関する問題になっている。スクラム開発もXPもそれぞれアジャイル開発における手法の1つである。

<設問１>

1：スクラム開発では、小さな単位の開発を繰り返す。この反復の単位をスプリントという。スプリントの期間は通常1～4週間とし、スプリントごとに目標を設定し、設計→開発→実装→テスト等の工程を繰り返し、完成度を高めていく。

2：スプリント中に機能が完成しなかった場合、期限が延長されることはなく、いったん取りやめた上で再度見積もりをし直して、開発すべき機能リスト全体（プロダクトバックログ）に戻すか又は開発自体を取りやめる等の判断をする。

3：製品全体（プロダクト）に対して行うべき作業をリスト化したものを、プロダクトバックログという。

4：今回のスプリントにおいて、行うべき作業をリスト化したものを、スプリントバックログという。

5：毎日同じタイミングで行われ、進捗状況や問題点を共有するミーティングのことを、デイリースクラムという。

上記以外の選択肢の説明は以下の通り。

イテレーション：後述のXPにおいて、繰り返される開発サイクルをイテレーションという。スプリントとほぼ同じ意味でつかわれることが多い。

レトロスペクティブ：振り返りを意味し、各スプリントにおいて、何がうまくいって、何がうまくいかなかったのを振り返り、継続的に改善をするための手順である。

<設問２>

６：テストを先に作成することで、そのテストに合格するようなシンプルなプログラムを作成する手法のことをテスト駆動開発という。

７：ドライバとナビゲータの２人で構成され、ドライバがコードを書き、ナビゲータが指示やレビューを行う。このように二人一組で行うプログラミングをペアプログラミングという。一般的にドライバを初心者が行い、ナビゲータを上級者が担当することが多い。

８：プログラムの動作をそのままに、ソースコードをわかりやすく改善することをリファクタリングという。これにより、ソースコードが理解しやすくなり、リリース後のトラブルに迅速に対応できる等のメリットがある。

９：リファクタリング後に、正しくプログラムが動いているかをチェックすることをリグレッションテストという。

上記以外の選択肢の説明は以下の通り。

YAGNI：You Ain't Gonna Need It　は簡単に訳すと「必要ないよ」という意味。無駄なコードを書かずに必要最小限なシンプルなコードを書くというXPにおける原則である。

コードの共同所有：XPにおける考え方の一つ。ソースコードをチーム全員で所有し誰でも変更できるようにすることで、特定のチームメンバに依存することなく全体で開発を進めることが可能となり、メンバー間の知識の共有が促進される。

確認問題

●第２章　ネットワーク技術

◆問4-2-1　イ

基本インターフェースはBチャネル2本とDチャネル1本で構成されており、これがISDN加入の最小単位となっている。Bチャネル（64kbps）は回線交換、パケット交換のどちらのサービスも受けられ、Dチャネル（16kbps）は制御用信号の伝送とパケット交換サービスの利用に使われる。

◆問4-2-2　ウ

8相であることから、1つの波で3ビット伝送できる。また、変調速度が1200baudであるから、1秒間に1200の波を送信できる。そのため、1秒間に伝送できるビット数は　1200×3 = 3600になる。

◆問4-2-3　イ

偶数パリティチェックであることから、1の数の合計が奇数になるビットパターンが誤りになる。

◆問4-2-4 エ

アはDSU、イはNCU、ウはモデムの説明である。通信制御装置（CCU）は、もともとはホストコンピュータで行っていた通信処理を、負荷分散の目的から独立した小型コンピュータで行うように分離したものである。

◆問4-2-5 エ

1文字は8単位符号（8ビット）にスタートビット、ストップビット各1ビットを加えた10ビットで伝送される。通信速度が300bpsであるから、120文字送るには、120×10／300＝4（秒）かかる。

◆問4-2-6 ウ

アのIEEE802はLANの標準、イのITU-T勧告IシリーズはISDNのインターフェース標準、エのXシリーズはDSUなどディジタル回線と端末機のインターフェース標準である。Vシリーズはアナログ回線と端末機のインターフェースを定めている。

◆問4-2-7 ア

アはプレゼンテーション層の説明である。

◆問4-2-8 ア

HDLC手順は、データリンク層のプロトコルとして使われている。

◆問4-2-9 a：コ　b：ウ　c：カ　d：キ　e：ク　f：ア

HDLC手順の伝送単位はフレームと呼ばれ、情報転送のためのIフレーム、監視のためのSフレーム、モードの設定や異常事態の報告のためのUフレームの3種類がある。HDLC手順の誤り検出は、情報部分だけでなく宛て先や制御情報も含めて行われるため、より信頼性が高いとされている。

◆問4-2-10 ア

TCPはトランスポート層のプロトコルでコネクション型通信であるから、END-TO-ENDのデータ送受信を順序制御や応答確認を行いながら保証する。TCPで扱うデータの単位は、セグメントと呼ばれる。イ、ウ、エはIPの特徴である。

◆問4-2-11 イ

ア：10BASE5は同軸ケーブルを使用している。ウ：最も高速のLANは1000Mbpsである。エ：リング型のアクセス方式は、一般的にはトークンリングである。

◆問4-2-12 ウ

ゲートウェイは第7層（応用層）まですべて、ルータは第3層（ネットワーク層）、ブリッジは第2層（データリンク層）、リピータは第1層（物理層）での中継である。

◆問4-2-13　ア

ゲートウェイは、LANにかぎらずあらゆるネットワーク間の接続（プロトコル変換）を行うための機器である。

◆問4-2-14　a：ウ　b：ア　c：イ　d：カ　e：オ

CSMA/CD方式では、衝突の発生が大きな問題になる。衝突が発生すると、衝突した2つのフレームを再送しなければならず、これがトラフィックの増大を招いてさらに衝突が増えるという悪循環に陥ることにもなるのである。トークンリング方式では、衝突を回避するために、送信権を制御するためのトークンという信号が利用されている。

◆問4-2-15　イ

アはブラウザ、ウはURL、エはHTTPの説明である。

◆問4-2-16　エ

DHCPは、コンピュータの起動時に、IPアドレスを動的に割り振って使用させるためのプロトコルである。各コンピュータ（DHCPクライアント）は起動時に、ネットワーク上のDHCPサーバに問い合わせを行うことでIPアドレスの空きを確認し、空いているIPアドレスをDHCPサーバから割り当ててもらう。DHCPクライアントは、IPアドレスが不要になったとき（ユーザがシャットダウン操作を行った場合など）は、今まで使用していたIPアドレスをDHCPサーバに返却する。

DHCPを用いることで、IPアドレスを各コンピュータに静的に割り当てて使用するよりも、柔軟性の高い運用が可能になる。

ア（IPアドレスからMACアドレスを得るために用いられるプロトコルである）…ARPの説明。

イ（MACアドレスからIPアドレスを得るために用いられるプロトコルである）…RARPの説明。

ウ（メールサーバ間でメールを送受信するために使用されるプロトコルである）…SMTPの説明。

◆問4-2-17　ア

DNS（Domain Name System）は、メールアドレスやURL中に含まれるドメイン名から、そのドメインのWebサーバやメールサーバなどのIPアドレスを得るために用いられるプロトコルである。

イ（FTP）…File Transfer Protocol。TCP/IPを通信プロトコルとして用いているネットワーク上で、ファイル転送を行うためのプロトコル。

ウ（TCP）…Transmission Control Protocol。トランスポート層に位置し、誤り制御やフロー制御などを用いた信頼性の高いデータ送受信を行う。

エ（UDP）…User Datagram Protocol。トランスポート層に位置し、誤り制御などを行わないため、信頼性が低い反面、TCPと比較して高速なデータ伝送を可能とする。

過去問題

●第2章　ネットワーク技術

★☆問2-1（令和5年度前期　システムデザインスキル　問題3）

【解答】

1：エ　2：ウ　3：ウ　4：エ　5：ア　6：オ　7：エ

【解説】

この問題はIPアドレスの構成および、ネットワーク構成の基本を確認する問題となっているため、ネットワークアドレスやホストアドレスなどについて理解していることで解答することができる。

＜設問1＞

1：ホストBが接続されているのはLAN2である。LAN2のネットワークアドレスを示すサブネットマスクが「255.255.255.0」であることから、LAN2のネットワークアドレスを示す値は「192.168.2」であると判断でき、ア、イが除外される。続いて、同一ネットワーク内には同じIPアドレスを持つ機器を同時に接続することができないため、ルータのポート2のIPアドレスであるウが除外され、ホストBのIPアドレスはエとなる。

2：サブネットマスクとは、ネットワークアドレスを示すための値である。そのため、同一ネットワークに接続された機器のサブネットマスクは全て同一でなければならない。したがって、LAN2を構成するルータのポート2のサブネットマスクが「255.255.255.0」であることから、ウと判断することができる。

3：デフォルトゲートウェイとは、ネットワーク内部と外部をつなぐ接続口を示すものである。ホストBが接続されているLAN2において、外部との接続口はルータのポート2となるため、デフォルトゲートウェイはウとなる。

4：LAN1のIPアドレスは、サブネットマスクが「255.255.255.0」であることからネットワークアドレスの「192.168.1」が確定し、ホストアドレスとして調整できる192.168.1.0～255の256個である。しかし、ホストアドレスにおいて全てが0もしくは、全てが1となるアドレスは特別な意味を持ったアドレスとなるため、除外する必要がある。したがって、設定できるIPアドレスは192.168.1.1～192.168.254となり、エが正解となる。

＜設問2＞

5：ホストAから“ping 192.168.1.1”に疎通確認を行うということは、ホストAがLAN1に接続できているかを確認するという作業になる。この時点で、“Request timed out”が表示された場合は、LAN1内のネットワークの障害もしくは、発信元であるホストAに問題があると判断できるため、アとなる。

6：192.168.1.1と192.168.2.1は同一ルータ内の個別ポートを示すIPアドレスである。そのため、ホストAからの疎通確認において“ping 192.168.1.1”を通過し、“ping 192.168.2.1”で障害が確認されたという場合は、ルータ内部にて障害が起きていると判断できるため、オとなる。

7：ホストDのIPアドレスを指定した“ping 192.168.2.245”は、ルータを経由してホストDへ疎通確認を行うということである。問題文の②の段階まで問題がないという場合は、ルータの先にあるLAN2に障害があると判断することができるため、エかLAN2のケーブルに障害があると判断できる。

確認問題

●第3章　データベース技術

◆問4-3-1　ウ

アとイはリレーショナルデータベース、エはネットワーク型データベースである。

◆問4-3-2　ウ

ある表から特定の列だけを取り出す操作を射影という。

◆問4-3-3　エ

分散型データベースでは、会社全体としての統一的なセキュリティ管理が困難になる。セキュリティ対策は分散型データベースの課題の1つである。

◆問4-3-4　a：エ　b：オ　c：ウ　d：カ　e：イ

3種類のデータモデルは、現実世界に近いほうから、概念データモデル、論理データモデル、物理データモデルである。ERDはデータの意味分析に使われる技法で、概念データモデルを表現する。

◆問4-3-5　ウ

社員のデータは過去の情報も残しておくことから、申請日付ごとに繰り返す構造になっていることがわかる。正規化の前準備をすると、次のようになる。

社員（<u>社員番号</u>，（氏名，住所，電話番号，申請日付））

この表を第一正規化して繰り返しのカッコを外すと、社員番号と申請日付が複合キーになる。

社員（<u>社員番号</u>，氏名，住所，電話番号，<u>申請日付</u>）

◆問4-3-6　イ

正規化の前準備をすると、受注NOを識別子として商品が繰り返される構造に整理できる。

受注（<u>受注NO</u>，受注日，顧客名，受注商品（商品NO，商品名，数量，単価））

第1正規化を行うと、商品NOを複合キーに加えて、次のようになる。

受注（受注NO，受注日，顧客名，商品NO，商品名，数量，単価）

さらに、第2正規化で受注NOだけに従属する属性、商品NOだけに従属する属性、受注NOと商品NOを合わせた複合キーに従属する属性に分けると、イと同じ結果になる。この問題では第3正規化の対象となるデータ関係はない。

◆問4-3-7　イ

コードそのものがもつ機能は、識別、分類、配列の3つである。

◆問4-3-8　イ

受注表と商品表から商品番号が同じ行の顧客名と商品名を表示するSQLである。冗長な重複行を取り除く前（DISTINCT指定がないとき）は、次の表が抽出される。

顧客名	商品名	単価
大山商店	28型テレビ	250,000
大山商店	28型テレビ	250,000
大山商店	32型テレビ	300,000
小川商店	32型テレビ	300,000
小川商店	32型テレビ	300,000

1行目と2行目、4行目と5行目がそれぞれ重複しているため、これを取り除くと3行残る。

◆問4-3-9　イ

ア：数量の平均を求めると2になる。

イ：重複を取り除かない総行数を求めると4になる。

ウ：数量の最大値を求めると3になる。

エ：日付が19991011の行の数量の合計を求めると3になる。

これらの中で最も大きな値は、イの4である。

◆問4-3-10　ア

商品コードでグループ化し、‘単価*販売数量’のみを表示するSQLである。A5023＝500×(100＋150)、A5025＝400×120、A5027＝100×(100＋160)となり、この数値を昇順に並べ替える。

結果は、次のように3行1列になる。

26000
48000
125000

過去問題

●第３章　データベース技術

★☆問3-1（令和5年度前期　システムデザインスキル　問題4）

【解答】

1：ウ　2：ウ　3：エ　4：イ　5：オ　6：ア　7：ウ　8：エ

【解説】

＜設問１＞

1：書籍が貸し出されると貸出表へのレコードの追加が行われる。貸出表のレコード形式は、貸出番号、貸し出しが行われる書籍ID、会員番号、貸出日、返却予定日、返却日となる。貸出番号は、今まで貸し出された最後の貸出番号の次（ウ）となる。貸し出しが行われる書籍ID、会員番号は入力されたデータを、貸出日は実行された時点の日付、返却予定日は実行された時点の日付に書籍分類表に設定されている貸出日数を加算、返却日にはNULLを設定する。

2：書籍分類表に設定されている貸出日数を抽出するため、書籍表と書籍分類表を結合し、貸し出される書籍IDを指定して抽出するので（ウ）となる。

＜設問２＞

3、4：1度でも貸し出された書籍は貸出表に存在するため、指定の書籍IDで貸出表の最も新しい貸出日MAX（貸出表.貸出日）（イ）のレコードを副照会で抽出する。返却日にNULLが設定されている場合はまだ貸出中なため“貸出中です”を、返却日に日付が設定されている場合には返却済みなため“貸出可能です”を表示する（エ）となる。

5：1度も貸し出されたことのない書籍は貸出表には存在しないため、貸出表に存在しない書籍を相関副照会で抽出するので（オ）となる。

＜設問３＞

6：必要な項目を表示するため、貸出表と書籍表を等結合する、内部結合INNER JOIN（ア）となる。

7：過去に返却日を過ぎても返却しなかったことがある会員の抽出は表記されている。もう一方の現在延滞している会員の抽出とは、貸出表の返却日が空白で、かつSQLを実効した時点に返却予定日が過ぎているものを抽出（ウ）となる。

8：会員番号の昇順に表示するためORDER BY（エ）となる。

確認問題

第４章　セキュリティと標準化

◆問4-4-1　ア

EUC（End User Computing）は、エンドユーザ（利用者）自らが主体的に情報の参照・加工などを行う形態のことである。これまでの情報システム部門主導のシステム開発の課題であったバックログの増加、ユーザニーズへのきめ細かい対応ができないことなどを解決する手段としても注目されている。

◆問4-4-2　エ

政府主導でも民間の企業主導でもなく、管理者がいないことも、インターネットの大きな特徴である。

◆問4-4-3　ウ

電子商取引（EC）の特徴は、インターネットのようなオープンネットワークを利用することで、個人・企業を問わず誰もが国境を越えて瞬時に利用できることにある。

◆問4-4-4　イ

アは監視技術、ウは認証技術、エはアクセス制御技術に関する記述である。

◆問4-4-5　ア

退職者のユーザID、パスワードは、迅速に削除する必要がある。

◆問4-4-6　エ

アの‘比較鍵方式’は存在しない。ウの電子署名（ディジタル署名）には、公開鍵方式が使われる。

◆問4-4-7　エ

選択肢を見ると、aとbのどちらかとcとdのどちらかの組み合わせになっている。そこで、aとbを比較するとbのほうがセキュリティが高く、cとdを比較するとdのほうがセキュリティが高いことがわかる。

◆問4-4-8　エ

公開かぎ暗号方式においては、送信者は「データを受信する側がネットワーク上に公開しているかぎ（公開かぎ）」を用いて、データの暗号化を行ったうえで受信者に送付する。受信者は、公開かぎと対になっている秘密かぎ（こちらは公開しない）によって、暗号化されたデータを復号する。

◆問4-4-9 イ

あるパスワードの設定形式において、使用できる文字の種類の個数＝X、文字数＝nとすると、その形式で作成できる「互いに異なるパスワードの個数」は、

X^n

で表される。

たとえば、簡単な例として文字数＝2、文字の種類＝A～Zまでの26種類とすると、

$26^2 = 26 \times 26 = 676$

であるから、互いに異なる676種類のパスワード（“AA”、“AB”、“AC”、…、“ZY”、“ZZ”）を生成できる。

A　最低文字数＝9文字　0～9までの数字のみ10種類

… $10^9 = 1000000000$とおりのパスワードをとり得る。

B　7文字　A～Zまでの英大文字26種類

… $26^7 = 8031810176$とおりのパスワードをとり得る。

C　5文字　0～9までの数字とA～Zまでの英大文字26種類、計36種類

… $36^5 = 60466176$とおりのパスワードをとり得る。

D　3文字　英数字、記号等　計100種類

… $100^3 = 1000000$とおりのパスワードをとり得る。

以上より、互いに異なるパスワードの数は、Bの方式が最も多いことになる。

異なるパスワードの数が多くなるほど、トライアンドエラーによって個人のパスワードを推定することは困難になる。

◆問4-4-10 イ

アはルートキット、ウはDDoS攻撃、エはブルートフォース攻撃に関する記述である。

◆問4-4-11 ア

イはDKIM、ウはDNSキャッシュポイズニング、エはIPスプーフィングに関する記述である。

◆問4-4-12 ウ

アはゼロデイ攻撃、イはパスワードリスト攻撃、エはトラッシングに関する記述である。

過去問題

●第４章　セキュリティと標準化

★☆問4-1（令和5年度後期　システムデザインスキル　問題5）

【解答】

1：カ　2：オ　3：ア　4：オ　5：ウ　6：エ　7：ウ

【解説】

＜設問１＞

１：コンピュータシステムに侵入し、侵入先のコンピュータシステムのロックや、データを暗号化して読取不能にして解除のために金銭を要求するマルウェアをランサムウェアという。

２：一定の処理を自動的に行うプログラムをボットという。ボットには有益なものも多いが、中には悪意をもって侵入したコンピュータシステムに悪さをするものもある。

３：悪い影響のあるボットを複数のコンピュータシステムに感染させ、感染した複数台のコンピュータシステムから、一つのターゲットに一斉にメールを送信するなどしてターゲットのコンピュータシステムを機能不全にする攻撃をDDoS攻撃という。

＜設問２＞

４：パスワードで利用される文字や記号・数字の組み合わせをコンピュータで生成して、それらを順次試して侵入を試みる攻撃をブルートフォース攻撃（総当たり攻撃）という。

５：侵入目的のサイトの正規の利用者が、他のサイトで使用しているパスワードを何らかの方法で入手し、その利用者に成りすまして目的サイトへの侵入を試みる攻撃をパスワードリスト攻撃という。

６：コンピュータシステムに侵入した際に、次回侵入しやすいように用意した侵入口をバックドアという。

＜設問３＞

７：特定の組織を狙ってサイバー攻撃をしかけることを標準型攻撃という。これに対して不特定多数に対して攻撃を仕掛けることがばらまき型攻撃である。